Филлис Дороти
ДЖЕЙМС

Филлис Дороти
ДЖЕЙМС

Первородный грех

ИЗДАТЕЛЬСТВО
МОСКВА
ВКТ
Владимир

УДК 821.111
ББК 84 (4Вел)
Д41

P. D. James
ORIGINAL SIN

Перевод с английского И.М. Бессмертной

Оформление Г.В. Поповой

Компьютерный дизайн Г.В. Смирновой

Печатается с разрешения автора
и литературного агентства Greene and Heaton Ltd. c/o Toymania LLC.

Подписано в печать 26.11.07. Формат 60x90¹/₁₆.
Усл. печ. л. 30. Тираж 5000 экз. Заказ № 70и.

Джеймс, Ф.Д.
Д41   Первородный грех: [роман]/Филлис Дороти Джеймс; пер. с англ.
И.М. Бессмертной. — М.: АСТ: АСТ МОСКВА; Владимир: ВКТ,
2008. – 478, [2] с.

ISBN 978-5-17-047307-6 (ООО «Издательство АСТ»)
ISBN 978-5-9713-6956-1 (ООО Издательство «АСТ МОСКВА»)
ISBN 978-5-226-00095-9 (ВКТ)

Литературный мир Лондона ПОТРЯСЕН таинственным убийством!

Труп ведущего сотрудника одного из крупнейших издательств Англии обнаружен ПРЯМО НА РАБОЧЕМ МЕСТЕ...

Многоопытный следователь Адам Дэлглиш начинает расследование — и сразу же понимает: убитый успел нажить МНОГО ВРАГОВ, и мотивы совершить преступление были У КАЖДОГО.

У брошенной любовницы...

У оскорбленного писателя, чей роман был отвергнут...

У обиженных коллег...

Список подозреваемых — все длиннее. Но виновен лишь ОДИН ИЗ НИХ. КТО?!

УДК 821.111
ББК 84 (4Вел)

КНИГА ПЕРВАЯ
ПРЕДИСЛОВИЕ К УБИЙСТВУ

1

Для секретаря-стенографистки, только что получившей временную работу, присутствовать при обнаружении трупа в первый же рабочий день на новом месте — происшествие если не уникальное, то в любом случае достаточно редкое, чтобы считаться рядовой служебной неприятностью. Мэнди Прайс, признанная звезда агентства миссис Крили по найму секретарей, носившего звучное имя «Идеал», всего два месяца назад отпраздновала свой девятнадцатый день рождения. Вполне естественно, что утром 14 сентября, во вторник, она отправилась на собеседование в издательство «Певерелл пресс», испытывая нисколько не больше страха и волнения, чем обычно при поступлении на новую работу: эти чувства никогда не мучили ее слишком сильно и коренились не столько в боязни, что она может не соответствовать ожиданиям своего будущего начальства, сколько в опасении, что будущее начальство может не соответствовать ее собственным ожиданиям. О новом месте она узнала в прошлую пятницу, когда в шесть вечера зашла в агентство, чтобы получить плату за скучнейшую двухнедельную работу у некоего директора, который полагал, что наличие секретарши — символ высокого статуса, но понятия не имел, как следует использовать ее профессиональные умения и навыки. Так что Мэнди была вполне готова к чему-нибудь новому и даже волнующему, хотя, возможно, и не столь волнующему, как то, с чем ей пришлось теперь столкнуться.

Миссис Крили, у которой Мэнди работала вот уже три года, руководила агентством, размещавшимся почти на самой Уайт-

чепел-роуд* в двух небольших комнатках над газетным киоском
и табачным ларьком — местоположение, как миссис Крили
любила подчеркивать в разговорах со своими сотрудницами и
клиентами, весьма удобное и для Сити, и для крупных доклендских
контор. Ни та ни другая из двух упомянутых сторон пока
не способствовали бурному процветанию агентства, но в то время,
как другие подобные предприятия захлебывались и погибали
в волнах экономического спада, утлое и недогруженное суденышко
миссис Крили все еще кое-как держалось на плаву. Если
не считать помощи какой-нибудь из сотрудниц, когда у той не
было работы на стороне, миссис Крили справлялась со всеми
делами в одиночку. Первая — проходная — комната служила
офисом миссис Крили, где она умиротворяла клиентов, проводила
собеседования с девушками, желавшими стать сотрудницами
агентства, и распределяла работу на следующую неделю.
Второе помещение было святая святых самой хозяйки. Там находились
диван-кровать, где она иногда проводила ночь — вопреки
строгим условиям арендного договора, — и стенной шкаф,
открыв дверцы которого вы обнаруживали мини-кухню, огромный
телевизор и два глубоких кресла перед камином, где газовое
пламя лизало красноватыми языками искусственные поленья. Хозяйка
называла все это «мой уютный уголок», и Мэнди была одной
из немногих счастливиц, допускавшихся в его уединенные пределы.

Скорее всего этот «уютный уголок» и заставлял Мэнди хранить
верность агентству, хотя сама она ни за что открыто не признавалась
бы в этом стремлении к уюту, которое казалось ей постыдной
детской слабостью. Мать ее бросила семью, когда дочери
исполнилось шесть лет, а сама Мэнди еле дождалась своего шестнадцатилетия,
чтобы уйти от отца, считавшего, что отцовские обязанности
практически исчерпываются обеспечением двухразового
питания в сутки, причем готовить еду должна была Мэнди, а также
покупкой для девочки кое-какой одежды. Весь последний год
она снимала комнату в террасном доме** в Стрэтфорд-Исте, под-

---

* Уайтчепел-роуд — улица, ведущая от центра Лондона к району Уайтчепел —
одному из беднейших микрорайонов Ист-Энда, большого промышленного и
портового района Лондона, расположенного к востоку от лондонского Сити.
Доклендс — часть Уайтчепела, занятая доками, складами и судоремонтными
заводами. — *Здесь и далее примеч. пер.*
** Террасный дом — один из непрерывного ряда небольших стандартных
домов, построенных вдоль улицы (особенно в рабочих районах).

держивая враждебно-дружеские отношения с тремя соседками по квартире. Главным поводом для язвительных стычек был мотоцикл Мэнди «ямаха»: она настаивала на том, что он должен стоять в тесной общей прихожей. Но именно «уютный уголок» на Уайтчепел-роуд, полный смешанных запахов вина и еды, принесенной из китайского ресторанчика, тихое шипение газового пламени в камине, потрепанные глубокие кресла, где она могла свернуться калачиком и поспать, давал ей то, что, как ей представлялось, походило на домашний уют, даривший чувство покоя и защищенности.

Миссис Крили, с бутылкой хереса в одной руке и листком из блокнота для записей в другой, передвигая в губах сигаретный мундштук так, что в результате ей удалось загнать его в уголок рта, где он, как это обычно бывало, повис, опровергая закон гравитации, щурилась, разглядывая сквозь огромные роговые очки собственный неразборчивый почерк.

— Это наш новый клиент, Мэнди, — издательство «Певерелл пресс». Я посмотрела в справочнике. Фирма — одна из самых старых, может, даже самая старая в Англии, основана в 1792 году. Стоит у самой реки. Адрес — «Певерелл пресс», Инносент-Хаус, Инносент-Уок, в Уоппинге. Если тебе приходилось ездить по реке в Гринвич*, ты наверняка видела этот дом. Чертовски похож на какой-то знаменитый венецианский дворец. У них наверняка имеется катер, чтобы доставлять сотрудников от пирса на Черинг-Кросс, но тебе это не поможет — ведь ты живешь в Стрэтфорд-Исте. Впрочем, Инносент-Хаус — на твоей стороне Темзы, это упрощает дело. Думаю, тебе стоит взять такси. И не забудь — с тобой должны расплатиться, так что не уходи, пока не получишь чек.

— Это без проблем. Поеду на мотоцикле.

— Как хочешь. Им надо, чтобы ты явилась туда во вторник, к десяти утра.

Миссис Крили собралась было высказать предположение, что ради такого престижного нового клиента стоило бы выбрать соответствующий случаю строгий костюм, но удержалась. Мэнди с готовностью прислушивалась к некоторым советам, касавшимся работы или даже манеры вести себя, но ничего и слышать не хоте-

---

* Гринвич — пригород южного Лондона. До 1948 г. там находилась гринвичская астрономическая обсерватория.

ла об эксцентричных, а иногда весьма причудливых творениях, облачаясь в которые она пыталась выразить свою уверенность в себе и кипучий темперамент.

— А почему во вторник? — спросила она. — Они что, по понедельникам не работают?

— Вопрос не ко мне. Знаю только, что позвонила некая девица и сказала — во вторник. Вероятно, мисс Этьенн не может побеседовать с тобой до вторника. Это одна из директоров фирмы, и она хочет лично с тобой поговорить. Мисс Клаудиа Этьенн. У меня все записано.

— А с чего вдруг такой сыр-бор? Зачем это их боссу со мной беседовать?

— Она всего лишь одна из боссов. Им важно знать, кого они берут. Им нужна самая лучшая, я и посылаю самую лучшую. Конечно, может случиться, что они ищут кого-то на постоянную работу и хотят сначала человека испытать. Ты уж, пожалуйста, не дай им себя уговорить, а, Мэнди?

— А разве я когда-нибудь?..

Приняв из рук миссис Крили бокал сладкого хереса и по-кошачьи свернувшись в глубине одного из кресел, Мэнди принялась изучать записи. Конечно, это странно, что собеседование при приеме на работу собирается вести сам наниматель, пусть даже клиент — как теперь это издательство — новый и ничего не знает об агентстве. Рутинная процедура обычно хорошо известна всем ее участникам. Попавший в затруднительное положение наниматель просто звонил миссис Крили и просил прислать секретаря-стенографистку для временной работы, но на этот раз девушку грамотную, умеющую печатать со скоростью хотя бы не намного ниже стандартной. Миссис Крили, обещая чудеса пунктуальности, профессионализма и добросовестности, посылала любую из свободных в тот момент сотрудниц, если та поддавалась на уговоры только для пробы там поработать, надеясь, что на этот раз ожидания нанимателя и нанимаемой все-таки могут совпасть. На следовавшие затем жалобы клиента миссис Крили неизменно отвечала расстроенным тоном:

— Просто не понимаю, что с ней произошло У нее самые хвалебные отзывы от других наших клиентов. Меня всегда просят прислать именно Шэрон.

Наниматель, которого сначала заставили почувствовать, что катастрофа произошла в какой-то мере по его вине, а потом уговаривали, ободряли и терпеливо выслушивали до тех пор, пока недоразумение не улаживалось, со вздохом облегчения опускал трубку на рычаг, а штатная сотрудница агентства возвращалась туда под приветственные крики коллег. Миссис Крили получала комиссионные, гораздо более скромные, чем обычно брали другие, — возможно, этим и объяснялось ее столь длительное существование на предпринимательской стезе, — и со сделкой было покончено, пока новая эпидемия гриппа или летних отпусков не приводила к новым победам надежд над жизненным опытом.

— Можешь взять выходной в понедельник, Мэнди, — сказала миссис Крили. — Разумеется, с полным сохранением содержания. И распечатай-ка все про свою квалификацию — дипломы, аттестации, стаж работы, где работала... А сверху поставь «Curriculum vitae»* — это всегда производит впечатление.

Curriculum vitae Мэнди, да и она сама, несмотря на ее эксцентричный вид, и вправду всегда производили впечатление. Этим она была обязана своей учительнице английского языка миссис Чилкрофт. Миссис Чилкрофт, устремив взор на свой новый класс неуправляемых одиннадцатилеток, решительно заявила:

— Вы научитесь писать на родном языке просто, ясно и даже с некоторой элегантностью и говорить на нем так, чтобы не оказаться в невыгодном положении, едва успев открыть рот. Если хоть одна из вас стремится к чему-то большему, чем выскочить замуж в шестнадцать лет и растить детей в дешевой муниципальной квартире, язык будет совершенно необходим. Если даже у вас нет иных стремлений, как быть на содержании у какого-нибудь мужчины или у государства, язык вам тем более понадобится, хотя бы для того, чтобы взять верх над чиновниками в местном отделе соцобслуживания или не ударить в грязь лицом в министерстве социального обеспечения. Но в любом случае языку вам придется научиться.

Мэнди так и не смогла решить для себя, чего больше вызывала в ней миссис Чилкрофт — ненависти или восхищения. Однако под вдохновенным, хотя и совершенно бескомпромиссным руководством своей преподавательницы она овладела английским: научилась правильно говорить, писать, не делая орфографических

---

* Curriculum vitae (*лат.*) — жизненный путь, краткое жизнеописание.

ошибок, и вообще пользоваться родным языком уверенно и даже с некоторым изяществом. Правда, в большинстве случаев она предпочитала делать вид, что вовсе не обладает такими достоинствами. Она полагала, хотя никогда не говорила об этом вслух, что не имеет смысла чувствовать себя как дома в мире миссис Чилкрофт, если ты больше не вхожа в свой собственный мир. Грамотность была нужна ей, чтобы использовать при необходимости, как ценное качество, в коммерческих целях или — гораздо реже — в общении с другими людьми; к этому качеству добавились еще и высокая скорость стенографирования, и владение самыми разными типами текстовых редакторов. Мэнди прекрасно знала, что с устройством на работу у нее никаких трудностей не будет, но хранила верность миссис Крили.

Помимо «уютного уголка», существовало еще и то преимущество, что здесь она чувствовала себя незаменимой и всегда была уверена, что может выбрать себе работу более или менее по своему вкусу. Наниматели-мужчины порой уговаривали ее перейти к ним на постоянную должность, некоторые даже пытались соблазнить ее предложениями, имевшими мало общего с ежегодным увеличением зарплаты, бесплатными талонами на обед или щедрыми отчислениями в пенсионный фонд. Мэнди оставалась верна агентству «Идеал», и привязывало ее к нему нечто большее, чем материальные соображения. Порой она испытывала к своей хозяйке сочувствие человека более взрослого. Неприятности миссис Крили по большей части происходили из-за ее убежденности в вероломстве мужчин в сочетании с неспособностью без них обходиться. Помимо этой, доставлявшей массу неудобств, дихотомии*, жизнь миссис Крили требовала от нее неустанной борьбы за то, чтобы удержать в своем стойле трудоспособных девушек-стенографисток; к тому же приходилось еще вести войну с бывшим мужем, с налоговым инспектором, с управляющим банком, с владельцем квартиры... Во всех этих травматических перипетиях Мэнди была союзницей миссис Крили, глубоко сочувствующей ей наперсницей. В том, что касалось влюбленностей хозяйки, сочувствие Мэнди объяснялось скорее добродушной снисходительностью, чем пониманием, поскольку в свои девятнадцать лет она не представляла себе, что эта женщина может и в самом деле стремиться к близким отношениям с пожилыми (ведь некоторым из них дол-

---

* Дихотомия — *здесь:* деление целого на две части, раздвоение.

жно быть уже за пятьдесят!) да к тому же весьма невзрачными мужчинами, время от времени крутившимися в ее офисе. Секс в таком возрасте — чуднó! Стоит ли всерьез над этим задумываться?!

После целой недели почти непрерывных дождей вторник обещал быть погожим, лучи солнца то и дело пробивались между низко плывущими по небу кучевыми облаками. Ехать в Уоппинг из Стрэтфорд-Иста было не так уж долго, но Мэнди отправилась в путь с запасом, и когда, свернув с хайвея на Гарнет-стрит, она затем промчалась по Уоппинг-Уоллу и въехала прямо в слепой конец улицы Инносент-Уок, было всего без четверти десять. Сбавив скорость почти до пешеходной, она затряслась по мощенной булыжником, широкой мостовой тупика, огороженного с северной стороны десятифутовой стеной из серого кирпича, а с южной — тремя зданиями издательства «Певерелл пресс».

Первый взгляд на Инносент-Хаус вызвал у Мэнди разочарование. Это было красивое, но ничем не примечательное здание в георгианском стиле; она скорее знала, чем чувствовала, что его пропорции изящны, но оно мало отличалось от других подобных ему домов, встречавшихся ей на улицах и площадях Лондона. Парадный вход был закрыт, за восьмистекольными окнами всех четырех этажей не виделось ни малейшего признака деловой активности. У двух нижних окон имелись изящные балконы с коваными чугунными решетками. С той и другой стороны главного здания располагались два дома поменьше, не столь вычурные; они стояли чуть поодаль, словно почтительные бедные родственники. Мэнди остановилась напротив одного из этих двух домов, на котором красовался номер 10, хотя номеров с первого по девятый нигде и видно не было. Зато она обнаружила, что № 10 отделен от главного здания проулком Инносент-Пэсидж, отгороженным от дороги коваными воротами. Проулок явно служил парковкой для машин сотрудников издательства. Сейчас ворота были открыты, и Мэнди разглядела там троих мужчин, при помощи лебедки спускавших с верхнего этажа огромные картонные коробки, чтобы загрузить их в небольшой автофургон. Один из троих, приземистый парень в потертой шляпе объездчика, сорвал ее с головы и отвесил Мэнди иронический низкий поклон. Другие двое оторвались от работы и смотрели на нее с нескрываемым любопытством. Подняв щиток шлема, Мэнди смерила всех троих обескураживающе холодным взглядом.

Другое небольшое здание отделялось от главного переулком Инносент-лейн. Именно здесь, согласно наставлениям миссис Крили, Мэнди и должна была найти вход в издательство. Она выключила мотор, слезла с седла и повела мотоцикл по булыжной мостовой, ища местечко поукромнее, где можно было бы его поставить. И тут она впервые заметила реку — неширокое пространство колеблющейся, мерцающей под яснеющим небом воды. Припарковав «ямаху», Мэнди отыскала в боковом контейнере шляпку, надела ее и, держа под мышкой шлем, а в руке — большую хозяйственную сумку, зашагала к реке, словно ее магнитом тянули к себе мощное дыхание прилива и едва уловимый запах моря.

Она очутилась на широкой площадке, выложенной сверкающими мраморными плитами, с изящной низкой оградой из кованого чугуна. У каждого угла ограды два бронзовых дельфина, сплетясь телами, держали матовые стеклянные шары. Ограда размыкалась посередине, образуя проход, от которого вниз, к реке, вели широкие ступени. Слышно было, как ритмично бьется о камень вода. Восхищенная Мэнди, словно в трансе, будто никогда раньше не видела Темзы, стала спускаться по ступеням. Река мерцала перед ее глазами, далеко раскинув водную гладь, испещренную солнечными бликами, и пока она смотрела, не отрывая взгляда, порыв усилившегося вдруг ветра взбил воду миллионами крохотных волн, превратив реку в беспокойное внутреннее море. Но вот ветер улегся, и стали стихать волны, непостижимо оставляя за собой спокойную, как прежде, сияющую гладь. Обернувшись, Мэнди только теперь разглядела, что за чудо-дом возвышается перед ней. Инносент-Хаус — четыре этажа цветного мрамора и золотистого камня, — казалось, чуть заметно меняет цвет, то светлея, то словно медленно уходя в тень и обретая иной, густо-золотой оттенок. Высокую резную арку главного входа с обеих сторон обрамляли узкие арочные окна, а над ней возвышались два этажа с широкими балконами резного камня; за ними располагался ряд тонких мраморных колонн, поддерживавших своды оконных арок, украшенных трилистниками. Высокие арочные окна с тонкими мраморными колоннами шли и вдоль верхнего этажа, над которым виднелся парапет плоской крыши. Мэнди ничего не знала об архитектурных деталях, но ей приходилось видеть такие здания раньше: тринадцатилетней школьницей она побывала в Венеции вместе с классом. Плохо организованная дешевая поездка оставила смешанные впечатления. Город запомнился густым летним зловонием каналов, заставлявшим девочек зажимать пальцами носы и визжать от притворного отвращения, переполненными музейными галереями и дворцами, которые — как ее убеждали — были прекрасны, но казалось, вот-вот развалятся на куски и осыплются в воду. Мэнди была слишком юной, когда увидела Венецию, юной и неподготовленной. Сейчас, впервые в жизни, глядя вверх на это чудо, на этот Инносент-Хаус, она ощутила в душе запоздалый отклик на прошлый опыт, смешанное чувство благоговейного восхищения и радости, столь сильное, что она даже немного испугалась.

Транс нарушил мужской голос:

— Ищете кого-нибудь?

Обернувшись, она увидела человека, смотревшего на нее поверх поручней, словно он только что каким-то чудом возник из волн речных. Подойдя поближе, Мэнди разглядела, что он стоит на корме катера, пришвартованного слева от лестницы. На нем была капитанка, сдвинутая чуть ли не на затылок поверх буйных темных кудрей, а на обветренном лице щурились яркие глаза.

— Я насчет работы пришла. Просто смотрела на реку, — объяснила она.

— Ну, она всегда тут, река-то. А вход вон там подальше.

— Да, я знаю.

Демонстрируя свою абсолютную независимость, Мэнди взглянула на часы, повернулась к нему спиной и провела оставшиеся две минуты, разглядывая Инносент-Хаус. Бросив последний взгляд на реку, она направилась вверх по переулку Инносент-лейн.

На наружной двери красовалась табличка — «"Певерелл пресс". Вход свободный». Мэнди открыла дверь и прошла через застекленный вестибюль в приемную. По левую руку она увидела резную конторку и коммутаторный щит, а за конторкой — седовласого человека с добродушным лицом. Он улыбнулся ей, потом проверил, есть ли ее фамилия в списке посетителей. Мэнди вручила ему свой защитный шлем, и он взял его в небольшие, испещренные старческой гречкой руки с такой осторожностью, будто это была бомба, и какое-то время казалось — он просто не знает, что с этим предметом делать. В конце концов он оставил шлем лежать на конторке.

Старик сообщил о ее приходе по телефону и сказал:

— Мисс Блэкетт придет за вами и отведет наверх, к мисс Этьенн. Может быть, вы пока посидите?

Мэнди села и, проигнорировав три свежие газеты, несколько литературных журналов и тщательно подобранные каталоги, веером разложенные на низком столике, принялась разглядывать приемную. Должно быть, когда-то это была элегантная жилая комната: облицованный мрамором камин, над ним картина маслом — «Большой канал» — в раме под стеклом; лепной потолок и резной карниз делали нелепым присутствие здесь конторки в стиле модерн, вполне удобных «практичных» кресел, огромной, крытой зеленым сукном доски для объявлений и клетки лифта справа от камина. На стенах, окрашенных в приятного оттенка темно-зеленый цвет, висели портреты сепией. Мэнди решила, что это предки сегодняшних Певереллов, и как раз поднялась с кресла, чтобы рассмотреть их поближе, когда появилась та, что должна была ее сопровождать — решительная, не очень-то красивая женщина, по-видимому, это она и звалась мисс Блэкетт. Она поздоровалась с Мэнди без улыбки, бросив на нее удивленный и несколько испуганный взгляд и, не представившись, пригласила следовать за собой. Недостаточно теплый прием нисколько не обескуражил Мэнди. Женщина явно была референтом директора по связям с общественностью и хотела продемонстрировать значительность своего положения. Мэнди с такими уже не раз встречалась.

Войдя в холл, Мэнди чуть не задохнулась от восхищения. Она увидела узорный пол, выложенный тщательно подобранными пластинами разноцветного мрамора, из которого вырастали шесть стройных колонн с резными капителями. Колонны подпирали поразительной красоты расписной потолок. Не обращая внимания на явное нетерпение мисс Блэкетт, в ожидании задержавшейся на нижней ступени лестницы, Мэнди остановилась и стала медленно поворачиваться, устремив глаза вверх, а огромный расписной купол плыл над ее головой, как бы кружась вместе с ней. Медленно кружились дворцы, башни с развевающимися над ними флагами, храмы, дома, мосты, река в плавных извивах, украшенная плюмажем парусов, высокие мачты кораблей, а над ними — крохотные херувимы, надувающие щеки, чтобы послать им благодатные ветерки, вылетающие из их вытянутых губ легкими облачками, словно пар из чайника. Мэнди приходилось работать в самых разных зданиях, в офисах из сплошного стекла, с мебелью из стали и кожи, оборудованных по последнему слову электронной техники, и в тесных комнатушках с допотопными пишущими машинками; она рано осознала, что внешний вид и атмосфера, царящая в фирме, не способствуют правильному суждению о ее финансовом статусе. Но ни разу в жизни ей не встречалось здание, хоть сколько-нибудь похожее на Инносент-Хаус.

Они молча поднялись по широким ступеням просторной лестницы. Кабинет мисс Этьенн находился на втором этаже. Очевидно, прежде это была библиотека, но затем помещение разгородили, чтобы получился небольшой «предбанник». Молодая женщина с серьезным лицом, такая худая, что казалось, она страдает анорексией, работала за компьютером и лишь мельком глянула на Мэнди. Мисс Блэкетт отворила дверь в перегородке, объявила:

— Это Мэнди Прайс из агентства, мисс Клаудиа, — и ушла.

После несоразмерно крохотного «предбанника» эта комната показалась Мэнди огромной, когда она направилась через сверкающее пространство паркетного пола к дальнему окну, у которого стоял письменный стол. Высокая темноволосая женщина поднялась из-за стола, встречая Мэнди, пожала ей руку и кивком указала на кресло напротив, предлагая сесть. Затем спросила:

— Curriculum vitae у вас с собой?

— Да, мисс Этьенн.

Никогда раньше Мэнди об этом не спрашивали. Но миссис Крили оказалась права — CV* от нее явно ожидали. Мэнди наклонилась к украшенной кистями и кричаще расшитой хозяйственной сумке: это был один из трофеев прошлогоднего отдыха на острове Крит. Потом протянула через стол три аккуратно отпечатанные страницы. Мисс Этьенн принялась изучать их, а Мэнди принялась изучать мисс Этьенн.

Она заключила, что та немолода — наверняка за тридцать. У мисс Этьенн резко очерченные скулы под нежной кожей, матовый цвет лица и большие, неглубоко посаженные глаза с темными, почти черными радужками. Коротко стриженные темные волосы, расчесанные так тщательно, что блестят, разделены пробором слева, непослушные пряди заправлены за правое ухо. Руки, лежащие на страницах CV, без колец, пальцы длинные, изящные, ногти не накрашены.

Не поднимая глаз, мисс Этьенн спросила:

---

* CV — сокращение от Curriculum vitae.

— Вас зовут Мэнди или Аманда Прайс?

— Мэнди, мисс Этьенн.

В иных обстоятельствах Мэнди не преминула бы заметить, что, будь ее имя Аманда, это было бы отражено в CV.

— Вам когда-нибудь уже приходилось работать в издательстве?

— За последние два года только три раза. Я перечислила все фирмы, в которых работала, на третьей странице моего CV.

Мисс Этьенн продолжала читать, потом подняла голову; ясные лучистые глаза теперь изучали Мэнди с гораздо бо́льшим интересом, чем раньше.

— В школе вы, по-видимому, очень хорошо учились, — сказала она. — Но потом... Такая частая смена мест работы, такое странное их разнообразие. Вы нигде не оставались дольше трех недель.

За три года работы на временных должностях Мэнди научилась распознавать и разрушать большинство хитроумных махинаций начальников-мужчин; что же касалось представительниц ее собственного пола, то здесь у нее не было такой уверенности в своих силах. Инстинкт самосохранения, острый, словно зубы хорька, подсказывал ей, что, по всей видимости, с мисс Этьенн следует обращаться очень осторожно. «Эх ты, глупая старая корова, — подумала Мэнди, — ведь в этом и заключается смысл временной работы. Нынче здесь, завтра там». Но сказала она совсем другое:

— Поэтому мне и нравится временная работа. Хочу набраться самого разного опыта, прежде чем осесть где-то на постоянной должности. А уж когда осяду, хотелось бы остаться надолго и сделать все возможное, чтобы добиться успеха.

Мэнди лукавила. У нее не было ни малейшего намерения найти постоянную должность. Временная работа и ее преимущества — свобода от контрактов, от выполнения раз и навсегда определенных служебных обязанностей, разнообразие, твердое знание того, что ты к этому месту не привязана, что даже самая неприятная работа закончится в следующую пятницу, — абсолютно ее устраивали. Однако ее планы на будущее были иными: Мэнди откладывала деньги в ожидании того дня, когда вместе со своей подругой Наоми она сможет открыть небольшую лавку на Портобелло-роуд*. Там Наоми станет продавать созданные ею ювелирные шедевры, а она сама — шляпки

---

* Портобелло-роуд — рынок в Лондоне, получивший название от улицы, вдоль которой расположен. Известен своими антикварными и недорогими ювелирными лавками.

собственного дизайна и изготовления, и тогда обе они быстро достигнут славы и богатства.

Мисс Этьенн снова опустила взгляд на страницы CV и довольно сухо произнесла:

— Ну что ж, если вы и в самом деле стремитесь найти постоянную работу и добиться успеха, то вы, несомненно, уникальный представитель своего поколения. — Быстрым нетерпеливым жестом она вернула Мэнди страницы CV, поднялась на ноги и сказала: — Хорошо. Мы дадим вам пробный материал для перепечатки. Посмотрим, так ли вы хороши, как утверждаете. В кабинете мисс Блэкетт, на первом этаже, есть второй компьютер. Там вы и будете работать, так что имеет смысл провести тест именно там. Мистер Донтси, заведующий отделом поэзии, хочет, чтобы вы расшифровали магнитозапись. Пленка — в малом архивном кабинете. — Она вышла из-за стола и добавила: — Сходим за ней вместе. Заодно познакомитесь с расположением помещений в доме.

— Поэзия? — переспросила Мэнди.

Это могло оказаться каверзным делом — печатать стихи с пленки. Она знала по собственному опыту, что у современных стихов часто не разберешь, где строка начинается, а где кончается.

— Нет, это не поэзия. Мистер Донтси разбирает архив и докладывает о его содержании, рекомендуя, что следует сохранить, а что — уничтожить. «Певерелл пресс» занимается издательским делом с 1792 года. В старых папках иногда обнаруживаются очень интересные материалы. Их надо тщательно каталогизировать.

Мэнди последовала за мисс Этьенн вниз по широкой, с плавными изгибами лестнице, затем через холл в приемную. Очевидно, им придется воспользоваться лифтом, а он на первом этаже. Вряд ли это самый разумный способ знакомства с расположением помещений в доме, подумала она, но предложение звучит многообещающе. Похоже, что работу она получит, стоит только захотеть. А с самого первого своего взгляда на Темзу Мэнди поняла, что очень хочет получить эту работу.

Лифт был небольшой, площадью чуть более пяти квадратных футов, и пока он, поскрипывая и постанывая, нес их наверх, Мэнди остро чувствовала присутствие молча стоявшей рядом с ней высокой женщины; их рукава почти соприкасались.

Она не поднимала глаз, неотрывно глядя на решетку лифта, но не могла не чувствовать аромата духов мисс Этьенн, тонкого и чуть экзотического, но такого слабого, что, может, это были и не духи вовсе, а запах очень дорогого мыла. Все у мисс Этьенн казалось Мэнди очень дорогим: неяркий блеск блузки — уж точно из натурального шелка; плетеная золотая цепочка и золотые — запонки — сережки в ушах, и небрежно наброшенный на плечи кардиган, вязанный из тонкой и мягкой, словно кашемир, шерсти. Но физическая близость ее спутницы, острота ощущений, обостренных совершенно новыми и волнующими впечатлениями, которые подарил ей Инносент-Хаус, помогли Мэнди понять кое-что еще: мисс Этьенн была явно не в своей тарелке. Ведь это Мэнди следовало бы нервничать. А вместо этого она чувствовала, что в тесном до клаустрофобии лифте, рывками и с удручающей медлительностью ползущем вверх, даже воздух сотрясается от напряжения. Содрогнувшись в последний раз, лифт остановился, и мисс Этьенн раздвинула двойные решетчатые двери. Мэнди очутилась в узком коридоре с двумя дверями: одной — напротив лифта и другой — по левую руку. Та, что прямо перед ней, была раскрыта настежь, и Мэнди увидела загроможденную до предела комнату: от пола до потолка здесь высились деревянные полки, набитые картонными папками и связками бумаг. От окон до самой двери тянулись стеллажи, меж которыми оставались лишь узкие проходы. Пахло старой бумагой, плесневелой и затхлой. Она последовала за мисс Этьенн вдоль торцов стеллажей, почти касаясь плечом стены; вместе они подошли к другой двери, поменьше, на этот раз закрытой. Здесь мисс Этьенн остановилась и сказала:

— Мистер Донтси в этой комнате разбирает папки. Мы называем ее «малый архивный кабинет». Он обещал оставить пленку на столе.

Мэнди подумалось, что такое объяснение было вовсе не нужным и довольно странным и что мисс Этьенн, уже взявшись за дверную ручку, на миг заколебалась, прежде чем на нее нажать. Затем резким движением, будто ожидая сопротивления, она распахнула дверь. Навстречу им, словно злой дух, вырвалось зловоние: легко узнаваемый запах человеческой рвоты, не очень сильный, но такой неожиданный, что Мэнди инстинктивно отшатнулась. Из-за плеча мисс Этьенн ее взгляд сразу же вобрал в себя маленькую комнату с голым деревянным полом, квадратным столом справа от двери и единственным, высоко расположенным окном. Под окном — узенький диван-кровать, на котором распростерлась женская фигура.

Даже не будь этого запаха, Мэнди сразу поняла бы, что перед ней труп. Она не закричала: она никогда не кричала от страха или потрясения. Но гигантский, закованный в лед кулак сжал ей сердце, сдавил желудок, ее била дрожь, словно она ребенок, только что извлеченный из ледяных волн моря. Ни та ни другая не произнесли ни слова, но вместе с Мэнди, шедшей за ней по пятам, мисс Этьенн двинулась к дивану маленькими, бесшумными шагами.

Женщина лежала поверх клетчатого пледа, укрывавшего диван, но вытащила из-под этого покрывала единственную имевшуюся подушку и подложила себе под затылок, словно в последние мгновения перед тем, как лишиться сознания, хотела поудобнее устроить голову. Рядом с диваном стоял стул, на нем — пустая винная бутылка, бокал цветного стекла и баночка с завинчивающейся крышкой. Под стулом — коричневые шнурованные башмаки, аккуратно поставленные бок о бок. Мэнди пришло в голову, что женщина, наверное, сняла их, не желая запачкать плед. Но плед все равно был запачкан, подушка — тоже. На левой щеке женщины застыл слизистый след рвоты, похожий на огромную улитку; такая же слизь засохла на подушке. Полуоткрытые глаза закатились, седая челка почти не растрепалась. На ней были коричневый джемпер с высоким горлом и юбка из твида, из-под которой, как палки, торчали странно вывернутые тощие ноги. Левая рука откинулась далеко и почти касалась стула, правая лежала на груди. Пальцы правой руки перед смертью вцепились в тонкую шерсть джемпера и приподняли его край так, что под ним виднелась белая майка. Рядом с пустым флаконом из-под таблеток лежал квадратный белый конверт, надписанный четким, твердым почерком.

Мэнди спросила почтительным, как в храме, шепотом:

— Кто она?

Мисс Этьенн ответила не дрогнувшим голосом:

— Соня Клементс. Она была у нас старшим редактором.

— Я должна была с ней работать?

Мэнди поняла, что вопрос ее бестактен, едва успев его произнести. И все-таки мисс Этьенн ответила:

— Да. Часть времени. Но не очень долго. Она должна была уйти в конце месяца.

Она взяла со стула конверт, подержала его в руках, как бы взвешивая. «Ей хочется его вскрыть, только не при мне», — подумала Мэнди. Прошло несколько мгновений, прежде чем мисс Этьенн сказала:

— Адресовано коронеру*. Но и без этого ясно, что здесь произошло. Мне жаль, что вам пришлось испытать такой шок, мисс Прайс. Неосмотрительно с ее стороны. Если кому-то хочется покончить с собой, следует делать это у себя дома.

Мэнди тут же подумала о террасном доме в Стрэтфорд-Исте, с общей кухней и единственной ванной, о своей комнате в конце коридора, о квартире, где так трудно уединиться, чтобы только принять таблетки, не то что от них умереть. Она заставила себя снова вглядеться в лицо мертвой женщины. Почувствовала странное желание поскорее закрыть ей глаза и слегка приоткрывшийся рот. Вот, значит, как выглядит смерть. То есть вот как она выглядит, прежде чем за тебя возьмутся похоронных дел мастера. До этого Мэнди только раз в жизни видела смерть — свою умершую бабушку. Бабушка лежала, аккуратно закутанная в саван с оборочками у горла, упакованная в гроб, словно кукла в подарочную коробку. Она как-то странно уменьшилась в размерах и выглядела такой умиротворенной, какой в жизни никогда не была: живые блестящие глаза закрыты, вечно занятые работой руки сложены и — наконец-то — спокойно лежат на груди. Внезапно горе и жалость волной затопили Мэнди, высвобожденные то ли отложенным шоком, то ли неожиданно острым воспоминанием о смерти бабушки, которую она очень любила. Когда слезы обожгли ей глаза, она сначала не могла понять, о ком они — о бабушке или об этой чужой женщине, распростертой на диване в такой беззащитной неприглядности. Мэнди плакала редко, но когда плакала, слез было не остановить. Ужаснувшись тому, что может напрочь опозориться, она изо всех сил постаралась овладеть собой, обвела комнату глазами, и взгляд ее упал на что-то знакомое, нестрашное, такое, с чем она могла справиться, давшее ей уверенность, что за стенами этой камеры смерти все еще

---

* Коронер — должностное лицо при органах самоуправления графства или города (в данном случае — при городском совете), разбирает дела о насильственной или внезапной смерти при невыясненных обстоятельствах.

существует, по-прежнему живет и длится нормальный мир. На столе лежал маленький магнитофон.

Мэнди подошла к столу и сжала магнитофон в руке, словно талисман.

— Это та пленка? — спросила она. — Тот список? Вам нужно, чтобы я это табулировала?

Мисс Этьенн с минуту молча смотрела на Мэнди, потом ответила:

— Да-да. Сведите это в таблицу. В двух экземплярах. Можете воспользоваться компьютером в кабинете мисс Блэкетт.

И Мэнди поняла, что работа здесь ей обеспечена.

2

За пятнадцать минут до этого Жерар Этьенн, президент и директор-распорядитель издательства «Певерелл пресс», вышел из конференц-зала, где заседал совет директоров, собираясь вернуться в свой кабинет на первом этаже. Вдруг он остановился, шагнул назад, в тень, ступая по-кошачьи бесшумно и мягко, и стоял там, наблюдая из-за балюстрады, как внизу, в холле, кружится, не отрывая глаз от потолка и словно танцуя, молодая девушка. На ней были высокие — почти до бедер — черные сапоги с раструбами наверху, короткая, узкая юбка цвета беж и тускло-красная бархатная курточка. Одной тонкой, изящной рукой она придерживала на голове невиданного фасона шляпку. Это творение, по всей видимости, созданное из красного фетра, имело широкие поля, загнутые кверху спереди и украшенные невероятным количеством разнообразных предметов: цветами, перышками, ленточками из шелка и кружев, даже кусочками стекла. И пока девушка кружилась, шляпка ее то вспыхивала искрами, то меркла. Она должна бы выглядеть смешной, подумал Жерар Этьенн, с этим ее худеньким детским личиком, полуспрятанным под густыми и темными растрепанными волосами, увенчанными столь гротескным головным убором. Вместо этого она казалась обворожительной. Он обнаружил, что улыбается, чуть ли не смеется, и им вдруг овладело безумное желание, какого он не испытывал с тех пор, как ему исполнился двадцать один год, — желание броситься вниз по широкой лестнице, схватить девушку в объятия и кружиться с ней в танце по цветному мраморному полу до самого парадного входа, и так, танцуя, оказаться на площадке у самого края сверкающей под солнцем реки. А девушка прекратила свое медлительное кружение и пошла через холл вслед за мисс Блэкетт. Он с минуту постоял у балюстрады, наслаждаясь пережитым приступом безрассудства, который, как ему казалось, не имел ничего общего с сексуальностью, а был лишь потребностью сохранить в чистоте воспоминание о юности, о первых влюбленностях, о смехе и радости, о свободе от ответственности, о чисто физическом наслаждении миром чувств. Он все еще улыбался, когда, дождавшись, пока холл опустеет, медленно шел вниз по лестнице к себе в кабинет.

Минут десять спустя дверь отворилась, и он узнал шаги сестры. Не отрываясь от бумаг, он спросил:

— Что это за девочка в шляпке?

— В шляпке? — На миг она заколебалась с ответом, не совсем понимая, о чем речь. Потом сказала: — Ах, в шляпке! Это Мэнди Прайс, из агентства по найму секретарей.

В голосе ее звучали необычные ноты, он повернулся и внимательно посмотрел на сестру.

— Клаудиа, что случилось? — спросил он.

— Умерла Соня Клементс. Самоубийство.

— Где?

— Здесь, у нас. В малом архивном кабинете. Мы с этой девочкой ее обнаружили. Собирались забрать оттуда одну из пленок Габриэла.

— Эта девочка ее обнаружила? — Он помолчал, потом добавил: — А где она сейчас?

— Я же сказала — она в малом архивном кабинете. Мы не трогали тело. Зачем?

— Да нет, я спросил — где теперь эта девочка?

— С тобой рядом, у Блэки. Расшифровывает пленку. Не расходуй свою жалость понапрасну. Она вошла туда не одна, и там не было никакой крови. Это поколение жестче нашего. Она и бровью не повела. Ее волновало только, возьмут ли ее на работу.

— А ты уверена, что это — самоубийство?

— Разумеется. Она оставила вот эту записку. Конверт не запечатан, но я не стала читать.

Клаудиа протянула ему конверт, отошла к окну и осталась стоять там, глядя вдаль. Он не сразу открыл письмо. Достав листок, стал читать вслух:

— «Мне жаль причинять всем беспокойство, но этот кабинет кажется мне наиболее пригодным для того, что я собираюсь сделать. Первым сюда скорее всего войдет Габриэл, а он слишком близко знаком со смертью, чтобы испытать шок. Поскольку я теперь живу одна, могло бы случиться так, что дома меня обнаружили бы, когда уже почувствуется запах, а мне представляется, что человек должен сохранять некоторое достоинство даже в смерти. Дела мои в порядке, сестре я написала. Я не обязана объяснять причину моего поступка, но если это представляет для кого-то интерес, дело просто в том, что я предпочитаю уйти из жизни, а не длить бесполезное существование. Это продуманный выбор, на который каждый имеет право». Что ж, все предельно ясно, — проговорил Жерар. — И почерк ее. Как она это сделала?

— Таблетки и вино. Грязи не так уж много, как я и сказала.

— Ты позвонила в полицию?

— В полицию? Не успела. Сразу пришла к тебе. А ты думаешь, это так уж обязательно, Жерар? Самоубийство ведь не преступление. Может, просто вызвать доктора Фробишера?

Он ответил резко:

— Не знаю, так ли уж это обязательно, но вне всякого сомнения, целесообразно. Нам совершенно не нужно, чтобы возникли какие-то недоумения по поводу этой смерти.

— Недоумения? — переспросила Клаудиа. — Недоумения? Какие могут здесь возникнуть недоумения?

Она понизила голос, и теперь их разговор велся практически шепотом. Почти незаметно для себя оба отодвинулись подальше от перегородки, поближе к окну.

— Ну ладно, не недоумения, — сказал он. — Сплетни, слухи, скандал. Можно позвонить в полицию прямо отсюда. Не через коммутатор. Смысла нет. Если ее спустят на лифте, может, удастся вынести ее из здания до того, как сотрудники узнают, что произошло. Там, конечно, Джордж... Разумнее впустить полицейских через тот вход. Придется сказать Джорджу, чтобы держал язык за зубами. А где эта девушка из агентства?

— Я же сказала — с тобой по соседству. У Блэки. Проходит тестирование.

— Или скорее всего рассказывает Блэки и кому ни попадя о том, как ее отвели наверх, чтобы взять пленку, а она обнаружила труп.

— Я дала им обеим четкое указание ничего никому не говорить, пока мы сами не сообщим обо всем нашим сотрудникам. Жерар, если ты полагаешь, что можно хотя бы на два часа сохранить происшедшее в тайне, выбрось это из головы. Будет расследование, огласка. Им придется нести ее вниз по лестнице. Совершенно невозможно уместить в нашем лифте носилки с трупом в пластиковом мешке. Господи, только этого нам еще не хватало! Свалилось как снег на голову, вдобавок к нашим недавним бедам. Великолепный способ поднять дух наших служащих!

На миг оба замолчали. Никто из них не двинулся к телефону. Потом Клаудиа взглянула на брата:

— Когда в прошлую пятницу ты сказал ей, что она уволена, как она это восприняла?

— Она покончила с собой не потому, что я ее выгнал. Она была разумным человеком и понимала, что ей придется уйти. Она, должно быть, поняла это в тот самый день, как я приступил к своим обязанностям. Я всегда давал понять, что в нашем издательстве ровно одним редактором больше, чем нужно, что в крайнем случае мы всегда можем отдать материал внештатнику.

— Но ведь ей пятьдесят три! Ей не так легко было бы найти другую работу. А она проработала здесь двадцать четыре года.

— На полставки.

— На полставки. А работу выполняла почти на полную ставку. Издательство было ей домом.

— Клаудиа, все это сентиментальная чепуха. У нее была какая-то жизнь и вне этих стен. Какое, черт побери, все это имеет к нам с тобой отношение? Человек либо нужен издательству, либо нет.

— Именно так ты ей и сказал? Что она больше не нужна?

— Я не был жесток с ней, если ты это имеешь в виду. Я просто сказал, что предполагаю пользоваться услугами внештатника для редактирования научных и документальных материалов и что в связи с этим ее должность становится излишней. И добавил, что хотя она не может на законных основаниях претендовать на полное выходное пособие, в том, что касается финансовых вопросов, мы все устроим наилучшим образом.

— Все устроим? И что она ответила?

— Что в этом нет необходимости. Что она сама все устроит.

— И устроила. Похоже, с помощью дистальгезика и бутылки болгарского каберне. Ну, по крайней мере деньги она нам сэкономила, только, ей-богу, я с большей охотой ей заплатила бы, чем согласилась столкнуться со всем этим. Я понимаю, что должна бы чувствовать к ней жалость. Думаю, так оно и будет, когда пройдет первый шок. Сейчас это не просто...

— Клаудиа, нет смысла возвращаться к нашим старым спорам. Нужно было ее уволить, и я ее уволил. Никакого отношения к ее смерти это не имеет. Я сделал то, что считал необходимым в интересах фирмы, и, кстати, в тот момент ты со мной согласилась. Ни ты ни я не виноваты в том, что она покончила с собой, и ее смерть никак не связана с недавно приключившимися неприятностями. — Помолчав, он добавил: — Если, разумеется, не она была их инициатором.

Клаудиа уловила внезапные нотки надежды в его голосе. Значит, он сильнее обеспокоен, чем признаётся в этом. Она с горечью заметила:

— Это было бы прекрасным решением всех наших проблем, верно? Но, Жерар, как она могла бы? Помнишь, она не работала — болела, когда оказались испорченными гранки Стилгоу, и ездила в Брайтон, к одному из авторов, когда пропали иллюстрации к книге о Гае Фоксе*. Нет, тут с ней все чисто.

— Ну конечно. Да, я забыл. Слушай, давай я позвоню в полицию, а ты пройди по отделам, объясни сотрудникам, что произошло. Это будет не так драматично, как созвать всех вместе и сделать важное сообщение. И скажи, чтобы все оставались на своих местах, пока не увезут труп.

— Еще одно, Жерар, — медленно произнесла Клаудиа. — Кажется, я была последней, кто видел ее в живых.

— Ну, кто-то же должен был...

— Вчера вечером. Сразу после семи. Я поздно закончила работу. Вышла из гардеробной на первом этаже и увидела Соню. Она поднималась по лестнице. Несла бутылку вина и бокал.

---

* Гай Фокс (1570—1606) — подрывник, один из участников «порохового заговора», организованного группой экстремистов-католиков с целью взорвать 5 ноября 1605 г. здание парламента, вместе с присутствующим на заседании королем Иаковом I. Гай Фокс был захвачен в подвалах парламента накануне намеченного дня, когда закладывал динамит, и вскоре был казнен. Лидер группы, Роберт Кейтсби, был застрелен во время ареста. Остальные заговорщики арестованы и казнены.

— И ты не спросила, что она собирается делать?

— Разумеется, не спросила. Она ведь не какая-нибудь младшая машинистка. Насколько я могла себе представить, она направлялась в малый архивный кабинет, чтобы наедине выпить потихоньку, втайне от всех. Если так, это меня не касалось. Еще я подумала — странно, что она задержалась на работе так поздно. Вот и все.

— А она тебя видела?

— Не думаю. Она не оглядывалась.

— И никого больше там не было?

— В такой поздний час? Я уходила последней.

— Тогда молчи об этом. Это к делу не относится. И помочь не может.

— Знаешь, у меня тогда возникло странное чувство... Вид у нее был какой-то... Она будто кралась, а не шла. Будто хотела улизнуть от кого-то.

— Это тебе теперь так кажется. А ты не проверила здание, перед тем как запереть двери?

— Я заглянула в ее комнату. Свет был погашен, и там ничего не было — ни пальто, ни сумки. Видно, она убрала их в шкаф. Разумеется, я решила, что она уже вышла из издательства и отправилась домой.

— Ты можешь сказать об этом во время расследования. Только больше ничего не говори. Не упоминай, что ты ее перед тем видела. Не то твои слова могут побудить коронера спросить, почему ты не проверила помещения наверху.

— С какой стати?

— Вот именно.

— Но, Жерар... А если меня спросят, когда я ее видела в последний раз?

— Тогда солги. Но ради Бога, Клаудиа, лги убедительно! И держись того, что сказала.

Он направился к столу и взялся за телефонную трубку.

— Странно, но, насколько я помню, полиция является к нам в Инносент-Хаус в первый раз в жизни.

Она наконец отвернулась от окна и посмотрела прямо ему в глаза:

— Будем надеяться, что и в последний.

3

В проходной комнате, за перегородкой, Блэки и Мэнди — каждая за своим компьютером — печатали, не отрывая глаз от экранов. Поначалу пальцы у Мэнди отказывались работать, неуверенно дрожа над клавишами, словно буквы необъяснимо поменялись местами, а сама клавиатура превратилась в бессмысленный набор символов. На мгновение она опустила руки на колени и крепко сжала ладони, усилием воли уняв дрожь, так что, когда она снова принялась печатать, наработанные навыки взяли свое и все пошло как по маслу. Время от времени она бросала быстрый взгляд на мисс Блэкетт. Та явно была глубоко потрясена. Широкое лицо с обвисшими щеками и маленьким, упрямо сжатым ртом стало таким бледным, что Мэнди опасалась, как бы она, потеряв сознание, не ударилась лицом о клавиатуру.

Прошло чуть более получаса с тех пор, как мисс Этьенн и ее брат ушли из кабинета. Минут через десять после того, как за ними закрылась дверь, мисс Этьенн заглянула в комнату и сказала:

— Я попросила миссис Демери принести вам чаю. Ведь это был шок для вас обеих.

Через несколько минут появился чай; его принесла рыжеволосая женщина в цветастом фартуке. Она поставила поднос с чашками на картотечный шкаф со словами:

— Мне не полагается это обсуждать, так я и не стану. Только вреда не будет, если я скажу вам, что полиция уже приехала. Быстро они работают! И уж точно, что чаю захотят.

И она исчезла, словно вдруг осознав, что происходящее вне этой комнаты гораздо интереснее, чем внутри.

Кабинет мисс Блэкетт поражал своей диспропорциональностью: комната выглядела слишком узкой при такой высоте потолка; этот диссонанс еще подчеркивался великолепным мраморным камином со строгим цветным фризом и тяжелой каминной полкой, опирающейся на головы двух сфинксов. Перегородка, деревянная понизу, а в трех футах от потолка увенчанная сплошной панелью зеркального стекла, разрезала одно из узких арочных окон и ромбовидную деталь потолочной лепнины. Если просторную комнату и надо было перегородить, это следовало бы сделать с бо́льшим сочувствием к ее архитектуре, не говоря уж об удобстве мисс Блэкетт, подумала Мэнди. А так создавалось впечатление, что ей просто пожалели выделить достаточно места для работы.

Еще одна, но другого характера странность удивила Мэнди. Ручки двух верхних ящиков стального картотечного шкафа обвивала длинная змея из полосатого зеленого бархата. На ее блестящие глазки-пуговки был надвинут крохотный цилиндр, изо рта, обшитого мягким красным шелком, высовывался раздвоенный язычок алой фланели. Мэнди приходилось уже видеть подобных змей, у ее бабушки тоже была такая. Они предназначались для того, чтобы лежать у подножия дверей, преграждая путь сквознякам, или обвиваться вокруг ручек, чтобы двери оставались приоткрытыми. Но змея выглядела смешной, похожей скорее на детскую игрушку, и вряд ли кто-то мог ожидать, что увидит подобный предмет здесь, в издательстве «Певерелл пресс». Ей хотелось спросить мисс Блэкетт об этом, но мисс Этьенн приказала им не разговаривать, и похоже было, что мисс Блэкетт восприняла это как запрет на все и всяческие разговоры, не касающиеся работы.

Минуты проходили в молчании, пленка у Мэнди должна была вот-вот закончиться. И тут мисс Блэкетт, взглянув на нее, произнесла:

— Можете на этом остановиться. Я теперь вам подиктую. Мисс Этьенн хотела, чтобы я проверила, как вы стенографируете.

Она достала из ящика стола один из каталогов фирмы, протянула Мэнди блокнот и, придвинув поближе к ней свой стул, принялась читать тихим голосом; ее бледные, почти бескровные губы едва двигались. Пальцы Мэнди машинально чертили знакомые иероглифы, но ум ее воспринимал лишь немногое из того, что содержалось в списке подготавливаемых к изданию книг научного и документального характера. Голос мисс Блэкетт иногда прерывался, и она понимала, что та тоже прислушивается к звукам, доносящимся снаружи. После воцарившейся сначала зловещей тишины они теперь могли расслышать чьи-то шаги, полувоображаемое перешептывание, а затем и более громкий звук шагов по мраморному полу и решительные мужские голоса.

Устремив взгляд на дверь, мисс Блэкетт почти беззвучно и без всякого выражения произнесла:

— Вы не могли бы теперь прочитать то, что записали?

Мэнди без запинки прочла свою стенографическую запись. Снова воцарилось молчание. Вскоре дверь отворилась и появилась мисс Этьенн. Она сказала:

— Полиция прибыла. Теперь они ждут судмедэксперта, после этого мисс Клементс увезут. Вам лучше не выходить из кабинета, пока все не закончится. — Она взглянула на мисс Блэкетт: — Вы закончили тестирование?

— Да, мисс Клаудиа.

Мэнди вручила ей отпечатанные списки. Мисс Этьенн бросила на них беглый взгляд.

— Хорошо. Место — ваше, если вы не передумали. Приступайте завтра, в девять тридцать.

4

Через десять дней после самоубийства Сони Клементс и ровно за три недели до первого убийства в издательстве «Певерелл пресс» Адам Дэлгиш встретился с Конрадом Экройдом за ленчем в «Кадавр-клубе». Пригласил его туда сам Экройд, позвонив по телефону и произнеся приглашение тем заговорщическим и чуть зловещим тоном, каким всегда делались приглашения Конрада. Даже во время официальных приемов, которые он устраивал, чтобы выполнить некие весьма важные общественные обязательства, можно было ожидать, что немногим привилегированным посвященным откроются интереснейшие тайны, интриги и секреты. Правда, предложенное им время встречи было Адаму не очень удобно: пришлось внести изменения в заранее намеченные планы. И, занимаясь этим, он размышлял о том, что один из недостатков «продвинутого» возраста — растущее желание избегать встреч с друзьями и невозможность собраться с мыслями (и с силами!), чтобы суметь остроумно отказаться от приглашения. Дружеские отношения с Экройдом — Адам полагал, что такое определение здесь вполне уместно, ведь это было не просто знакомство — основывались на той пользе, какую время от времени оба они приносили друг другу. Поскольку и тот и другой это понимали, ни один из них не считал, что такие отношения нуждаются в оправданиях или извинениях. Конрад, один из самых известных и надежных сплетников в Лондоне, часто был весьма полезен Дэлглишу, особенно в деле Бероуна. Сегодня, видимо, предполагалось, что пользы ждут от Адама, но он знал, что — как это повелось между ними — такая просьба, в какую бы форму она ни облекалась, может вызвать некоторое раздражение, но не будет слишком обременительной. Еда в «Кадавр-клубе» отличная, а Конрад Экройд, человек хотя и несерьезный, никогда не бывает скучным.

Через некоторое время Дэлглишу предстояло увидеть столько ужасного, словно бы проистекшего из их совершенно ординарной встречи за ленчем, что он вдруг поймал себя на странной мысли: «Если бы это происходило в романе, а я был его автором, именно с нашего ленча все бы и началось...»

«Кадавр-клуб» не числится среди наиболее престижных частных клубов Лондона, но в узком кругу его членов он считается самым удобным. Построенное в первое десятилетие девятнадцатого века, его здание поначалу принадлежало богатому, хотя и не весьма успешному адвокату, который в 1892 году завещал свой дом вместе с соответствующим капиталом на его содержание частному клубу, возникшему пятью-шестью годами ранее и проводившему встречи своих членов в адвокатской гостиной. Клуб был исключительно мужским; таким он и остается до сего дня. Главное требование, предъявляемое к его членам, — интерес к убийствам. В настоящее время, как и прежде, среди его постоянных посетителей насчитывается некоторое количество вышедших в отставку высоких полицейских чинов, юристов, как практикующих, так и пенсионеров; здесь также присутствуют почти все выдающиеся профессионалы и любители-криминалисты, несколько репортеров-криминологов и пара-тройка знаменитых авторов криминальных романов. Этих последних принимали со скрипом и едва терпели, полагая, что, когда речь идет об убийствах, никакой роман не может соперничать с реальной жизнью*. Недавно клубу пришлось пережить неприятности: он чуть было не попал из категории эксцентричных модных клубов в категорию опасных. Этого риска удалось избежать, так как приемная комиссия тотчас же парировала удар, забаллотировав шестерых новых кандидатов на вступление. Намек был понят. Как заметил один из отвергнутых, быть забаллотированным у «Гаррика»** огорчительно, но отказ «Кадавра» делает из человека посмешище. Клуб сохраняет немного-

---

* Следует помнить, что слово латинского происхождения «кадавр» (*англ.* «cadaver») и по-русски, и по-английски означает «труп» (помимо прочих значений).
** «Гаррик» («Garrick [Club]») — лондонский клуб актеров, писателей, журналистов, основан в 1831 г. Назван в честь знаменитого актера Дэвида Гаррика (1717—1779).

численность и благодаря своим эксцентричным традициям остается элитарным.

Пересекая Тэвисток-сквер в мягком сиянии сентябрьского солнца, Дэлглиш дивился тому, как это Экройд ухитрился стать членом клуба, пока не вспомнил, что лет пять назад тот написал книгу о трех знаменитых убийцах — Холи Харви Криппене, Нормане Торне и Патрике Мэоне. Экройд прислал Дэлглишу книгу с автографом, и Адам, из чувства долга взявшись ее читать, был поражен тщательно проделанным расследованием и еще более тщательной работой над письменным текстом. Главным тезисом Экройда, хотя и не вполне оригинальным, был тот, что все трое на самом деле невиновны, поскольку ни один из осужденных не имел намерения убить свою жертву. Экройду удалось, пусть и не во всем достаточно убедительно, обосновать свою точку зрения с помощью детального исследования показаний судебных и медицинских экспертов. Главным открытием в этой книге, по мнению Дэлглиша, было то, что человек, желающий избежать обвинения в преднамеренном убийстве, не должен расчленять тело жертвы: английские присяжные давным-давно продемонстрировали свое отвращение к подобной практике.

Договорились встретиться в библиотеке клуба, чтобы выпить по бокалу хереса перед ленчем. Экройд был уже там, уютно расположившись в кожаном кресле с высокой спинкой. Он поднялся на ноги с удивительной для человека таких размеров живостью и направился к Дэлглишу быстрыми, какими-то прыгающими шажками. Выглядел он ни на йоту не старше, чем когда они встретились впервые.

— Хорошо, что вы сумели выбрать время, Адам! — сказал он. — Я понимаю, как вы теперь загружены. Советник по особо важным делам при комиссаре столичной полиции*, член рабочей группы региональной криминальной полиции, да еще порой сами ведете расследование очередного убийства — просто чтобы формы не терять. Не позволяйте им так себя эксплуатировать, мой мальчик. Сейчас позвоню, чтобы принесли херес. Хотел пригласить вас в другой мой клуб, но вы же знаете, как это бывает. Явиться туда на ленч значит просто напомнить всем, что вы еще живы. Такое напоминание полезно, но ведь другие члены клуба будут подходить к вам с поздрав-

---

* Комиссар — глава столичной полиции.

лениями по этому поводу. Стол нам с вами накроют внизу, в «Укромном уголке».

К изумлению и чуть ли не к ужасу своих друзей, Экройд поздно, уже перевалив за средний возраст, вдруг женился и пребывал теперь в семейном благополучии в удобном эдвардианском особняке с небольшим садом, в фешенебельном районе Сент-Джонс-Вуд. Вместе с женой Нелли он посвящал свое время дому и саду, а также двум сиамским кошкам и собственным, в основном воображаемым, недомоганиям. Он был владельцем и редактором журнала «Патерностер ревью»*, который финансировал из собственных, весьма значительных, средств. Журнал представлял собой ниспровергающую традиционные устои смесь литературных статей, обзоров, рецензий и сплетен, порой осторожных, но чаще столь же злых, сколь и достоверных. Нелли Экройд, в минуты, свободные от попыток избавить мужа от приступов ипохондрии, с энтузиазмом собирала рассказы о женских школах двадцатых — тридцатых годов XX века. Брак оказался удачным, хотя друзьям Экройда приходилось делать над собой усилие, чтобы не забыть справиться о здоровье Нелли прежде, чем поинтересоваться, как чувствуют себя сиамские кошки.

В тот последний раз, что Дэлглиш заходил в библиотеку, визит был сугубо профессиональным — Адаму нужна была информация. Но тогда речь шла об убийстве, и принимал его совсем другой член клуба. Казалось, с тех пор здесь мало что изменилось. Окна комнаты выходили на южную сторону — на площадь, и в это утро она была согрета солнечными лучами, которые, просачиваясь сквозь тонкие белые занавеси, делали неяркий огонь в камине почти ненужным. Поначалу бывшая гостиной, эта комната теперь служила одновременно и гостиной, и библиотекой. Стены здесь были сплошь уставлены шкафами красного дерева, заключавшими в себе частное собрание книг о преступлениях, — вероятно, самое представительное из всех, существующих в Лондоне. Здесь были и все до одного тома «Самых известных судебных процессов в Британии», и серийные выпуски «Знаменитых судебных процессов», книги по судебной медицине, по судебной патолого-анатомии, о полицейских судах. А в шкафу поменьше, словно подчеркивая присущую литературному сочинительству неполноценность по

* «Патерностер ревью» (*лат.* Pater Noster — *букв.* Отче наш) — *здесь:* «Магическое обозрение».

сравнению с реальностью, — клубные первые издания произведений Конан Дойла, Эдгара По, Ле Фаню* и Уилки Коллинза. На своем месте оставалась и большая витрина красного дерева с различными предметами, собранными или подаренными клубу за долгие годы его существования: молитвенник, принадлежавший Констанции Кент**, с ее автографом на форзаце; кремневый дуэльный пистолет достопочтенного Джеймса Хэкмана, которым он, как предполагалось, воспользовался для убийства Маргарет Рэй, любовницы графа Сэндвиджа; флакон с белым порошком, якобы мышьяком, обнаруженный у майора Герберта Армстронга.

Однако со времени последнего посещения здесь кое-что добавилось. Оно лежало свернувшись, словно смертельно опасная змея, занимая главное место в витрине, чуть ниже ярлыка, где значилось: «Веревка, на которой был повешен Криппен». Отвернувшись от витрины и последовав за Экройдом прочь из библиотеки, Дэлглиш осторожно предположил, что выставлять столь неприглядные предметы на обозрение публики — варварство. Его протест был так же осторожно отвергнут Экройдом.

— Пожалуй, мрачновато, — произнес он. — Но «варварство» — это уж слишком. Здесь ведь не «Атенеум»***, в конце-то концов. Может быть, даже полезно напоминать некоторым из старейших членов клуба о естественном конце их прежней профессиональной деятельности. А вы остались бы детективом, если бы не отменили смерть через повешение?

---

* Ле Фаню, Джозеф (1814—1873) — ирландский журналист и писатель, автор романов о таинственных событиях и преступлениях и «рассказов с привидениями». Наиболее известны такие его произведения, как «Дом рядом с кладбищем» (1861), «Дядюшка Сайлас» (1864) и др., а также сборники рассказов: «Сквозь тусклое стекло» (1872) и опубликованный в 1923 г. «Призрак мадам Кроул и другие рассказы».

** Констанция (Констанс) Кент (1844—1944) — молодая англичанка, признавшаяся в 1865 г. в том, что в возрасте шестнадцати лет она убила своего единокровного трехлетнего брата. До ее признания сотрудникам Скотланд-Ярда не удавалось раскрыть это жестокое убийство. Констанция Кент была приговорена к двадцати годам тюрьмы. Отсидев весь срок, она вместе со старшим братом уехала в Австралию, где прожила под другим именем еще шестьдесят лет и скончалась в столетнем возрасте в 1944 г. В ее истории удивляет то, что признание ее было скорее всего ложным. Ее показания не соответствуют фактам, установленным расследованием. Судя по этим фактам, мальчик был, вероятнее всего, убит не сестрой, а их отцом. Тайна, лежащая за признанием Констанции, так и осталась неразгаданной.

*** «Атенеум» — лондонский клуб для ученых и писателей, основан в 1824 г. (Atheneum — *греч. букв.* «храм Афины»).

— Не знаю. Что касается меня, отмена эта не решает самой моральной проблемы. Лично я скорее выбрал бы смерть, а не двадцать лет тюрьмы.

— Смерть через повешение?

— Нет. Такую — нет.

Смерть через повешение для Адама, — а он подозревал, что и для большинства других людей, — всегда таила в себе непередаваемый ужас. Вопреки докладам Королевской комиссии по смертным приговорам, утверждавшей, что такая казнь гуманна, поскольку обеспечивает верную и моментальную смерть, повешение оставалось для него самым уродливым и отвратительным видом правосудной казни, осложненной пугающими образами, так же выпукло очерченными в воображении, как на рисунках и гравюрах: груды мертвых тел позади торжествующих победу армий; жалкие, полубезумные жертвы юстиции семнадцатого века; приглушенные барабаны на шканцах кораблей, где военный флот осуществляет свою месть, посылая врагу предупреждение; женщины восемнадцатого века, обвиненные в детоубийстве; смешной и зловещий ритуал — официальное возложение небольшого черного квадрата поверх судейского парика; и потайная, но такая обыденная дверь в камере смертника, через которую его выводят в краткий последний путь. Хорошо, что все это стало достоянием истории. На миг показалось, что «Кадавр-клуб» не очень-то приятное место для ленча и что его эксцентричность не так уж забавна, скорее, просто отвратительна.

«Укромный уголок» в «Кадавре» абсолютно соответствует своему названию. Это небольшое помещение в цокольном этаже, в задней части дома, с двумя окнами и стеклянной дверью, выходящей в узенький мощеный дворик, огороженный десятифутовой стеной, сплошь увитой плющом. Во дворе легко могли бы уместиться три столика, однако члены клуба не очень-то любят обедать на свежем воздухе, даже когда английское лето время от времени дарит им несколько жарких дней: они, видимо, полагают, что такая иноземная эксцентричность лишает их возможности по достоинству оценить еду; кроме того, она нарушает уединение, необходимое для хорошей беседы. А чтобы окончательно отбить охоту у любого, кто захотел бы предаться такому излишеству, весь дворик уставлен керамическими, самых разнообразных размеров горшками с плющом и геранью; пространство его стеснено еще и огромной каменной копией Аполлона Бельведерского в углу, у стены. По слухам, он был подарен одним из первых членов клуба, жена которого строго-настрого запретила мужу установить скульптуру в саду их загородного дома. Сейчас герани еще цвели: ярко-розовые и красные, они словно светились за стеклами окон, усиливая впечатление приветливого домашнего уюта. Это помещение когда-то, несомненно, служило кухней — у дальней стены по-прежнему стояла старинная чугунная плита, ее решетка и духовой шкаф были так начищены, что казались сделанными из эбонита. Почерневшая перекладина над плитой была увешана чугунной кухонной утварью и медными сковородами и кастрюлями, несколько помятыми, но ярко сверкающими. У противоположной стены разместился кухонный стол с полками для посуды, который теперь использовали для демонстрации предметов, подаренных членами клуба, а то и оставленных ими по завещанию, однако не подходящих для витрины в библиотеке или не достойных быть выставленными там.

Дэлглиш вспомнил, что у клуба был неписаный закон — никогда ни один дар, каким бы неподходящим или нелепым он ни оказался, не должен быть отвергнут, если он предложен членом клуба. Кухонный стол, как и вся остальная комната, ярко свидетельствовал о своеобразных вкусах и увлечениях дарителей. Изящные мейссенские тарелки неуместно соседствовали с викторианскими сувенирами в лентах и бантиках, с видами Брайтона и Саут-Энд-он-Си* вдобавок; пивная кружка — толстяк в костюме XVIII века, упёрший в бок руку, скорее всего ярмарочный трофей — стояла между стаффордширским — явно подлинным — барельефом времен королевы Виктории, с изображением Уэсли**, читающего проповедь с двухъярусной кафедры, и великолепным бюстом герцога Веллингтона из паросского мрамора. Рядом с дверью висела картина на стекле — похороны принцессы Шарлотты, а над ней голова лося в панаме, залихватски надетой на левый рог, с мрачным неодобрением устремляла стеклянный взор на огромную, свинцового цвета гравюру «Атака кавалерийской бригады».

Теперешняя кухня находилась где-то совсем рядом: Дэлглиш мог слышать приятное негромкое позвякивание и время от време-

---

* Брайтон и Саут-Энд-он-Си — фешенебельные приморские курорты на юго-востоке и юге Англии.

** Уэсли, Джон (1703—1791) — англиканский священник, лидер оксфордской группы глубоко верующих ученых, ставший основателем методистской церкви.

ни чуть слышный глухой стук спустившегося подъемника, доставлявшего еду из расположенной на втором этаже столовой. Только один из четырех столиков был накрыт, скатерть и салфетки безупречны, и Экройд с Адамом уселись у окна.

Меню и карта вин уже лежали справа от тарелки Экройда. Беря их в руки, Экройд сказал:

— Планты уже здесь не работают. Вместо них у нас теперь Джексоны. Я не вполне уверен, но мне кажется, что миссис Джексон готовит еще лучше. Нам повезло, что мы их заполучили. Она и ее муж держали частный дом для престарелых, но им надоело жить в провинции, захотелось вернуться в Лондон. Им нет необходимости зарабатывать на жизнь, но работа в клубе им нравится. Они придерживаются традиции подавать только одно горячее блюдо к ленчу или к обеду. Очень разумно. Сегодня — салат из тунца с белыми бобами, а на второе — жаренный на решетке барашек со свежими овощами и зеленым салатом. На десерт — лимонный торт, а затем — сыр. Овощи будут свежие. Мы по-прежнему получаем овощи и яйца с приусадебного участка молодого Планта. Вы посмо́трите карту вин? Какое вино вы предпочитаете?

— Оставляю это на ваше усмотрение.

Экройд принялся вслух размышлять над картой вин. Дэлглиш, любивший вина, но не любивший о них говорить, одобрительным взглядом осматривал «Укромный уголок», который вопреки — а может быть, и благодаря — царившей здесь атмосфере эксцентричного, но хорошо организованного беспорядка создавал удивительное ощущение покоя. Не гармонирующие друг с другом предметы не были здесь расставлены так, чтобы произвести впечатление, но с течением времени обрели некое право занимать именно то место, которое и занимали. Порассуждав о достоинствах и недостатках вин, указанных в карте, Экройд, вовсе не ожидавший, чтобы его гость принял в этих рассуждениях участие, остановился на шардонне. В ауре суетливой конфиденциальности, неся с собой аромат свежеиспеченных булочек, перед ними вдруг, словно в ответ на тайно поданный сигнал, появилась миссис Джексон.

— Как приятно познакомиться с вами, коммандер*. Мистер Экройд, сегодня «Укромный уголок» исключительно в вашем распоряжении. Мистер Джексон позаботится о вине.

---

* Комма́ндер — высокий чин в английской столичной полиции, соответствующий чину подполковника в армии.

Когда им подали первое блюдо, Дэлглиш спросил:

— А почему миссис Джексон одета как медсестра?

— Я полагаю потому, что она и есть медсестра. Когда-то она работала старшей сестрой. Она, по-моему, еще и акушерка. Но у нас здесь вряд ли найдется повод использовать ее в этом качестве.

И неудивительно, подумал Дэлглиш, ведь женщины в клуб не допускаются. Но спросил он о другом:

— Вам не кажется, что гофрированный чепец с длинными лентами — это уж слишком?

— Вы так думаете? А мы вроде уже привыкли. Мне думается, члены клуба уже не будут чувствовать себя как дома, если она вдруг перестанет носить этот костюм.

Экройд не стал терять времени и сразу перешел к делу. Как только они наконец остались одни, он сказал:

— На днях в «Бруксе»* лорд Стилгоу перемолвился со мной парой слов. Кстати говоря, он дядя моей жены. Вы с ним знакомы?

— Нет. Я думал, он умер.

— Не представляю даже, откуда вы это взяли. — Он раздраженно потыкал вилкой в бобовый салат. Дэлглиш вспомнил, что Экройд не любил предположений, что кто-то из тех, кого он знает лично, способен и в самом деле умереть: он, разумеется, не мог в первую очередь не подумать о себе любимом. — Стилгоу просто выглядит старше своих лет — ему еще нет и восьмидесяти. Он необычайно бодр для своего возраста. Между прочим, он сейчас публикует свои воспоминания. Будущей весной они выйдут в «Певерелл пресс». Поэтому он и хотел со мной повидаться. Случилась какая-то обеспокоившая его неприятность. Во всяком случае, его жену это обеспокоило. Ей кажется, что ему угрожают, его хотят убить.

— А он что?

— А он получил вот это...

Конрад довольно долго рылся в бумажнике, прежде чем извлек оттуда продолговатый листок и через стол протянул его Дэлглишу. Текст был аккуратно отпечатан на компьютерном принтере, послание — без подписи.

«Думаете, это разумно — издаваться в «Певерелл пресс»? Вспомните Маркуса Сибрайта, Джоан Петри, а теперь и Соню Клементс.

---

* «Брукс» — фешенебельный лондонский клуб. Основан в 1764 г. как клуб буржуазной партии вигов в противовес клубу партии земельной аристократии тори — «Уайтс» (основан в 1693 г.).

Два автора и ваш редактор погибли менее чем за один год. Хотите стать номером четвертым?»

— Мне думается, это скорее хулиганство, чем угроза, — сказал Дэлглиш, — и злобу вызывает не столько Стилгоу, сколько издательство. Нет сомнений в том, что смерть Сони Клементс наступила в результате самоубийства. Она оставила письмо коронеру и написала сестре, что намеревается убить себя. По поводу двух других смертей я ничего припомнить не могу.

— Да я сказал бы, что с этими все довольно ясно. Сибрайту было за восемьдесят, и сердце пошаливало. Он умер от обострения гастроэнтерита, спровоцировавшего инфаркт. Как бы там ни было, для «Певерелл пресс» это вовсе не потеря: уже лет десять, как он ни одного романа не написал. Джоан Петри погибла, когда вела машину, возвращаясь в свой загородный дом. Несчастный случай. У Петри в жизни было всего две страсти — виски и скоростные автомобили. Удивляет только, что она успела убить себя прежде, чем кого-нибудь другого. Совершенно очевидно, что анонимщик притянул эти две смерти, чтобы сделать угрозу более весомой. Но Дороти Стилгоу суеверна. Она придерживается той точки зрения, что незачем публиковаться в «Певерелл пресс» — есть ведь и другие издательства.

— А кто там сейчас делами заправляет?

— О, Жерар Этьенн. И по-настоящему заправляет. Последний их президент и директор-распорядитель — старый Генри Певерелл — умер в начале января и оставил свою долю акций в этой компании своей дочери Франсес и Жерару в равных долях. Его первый партнер, Жан-Филипп Этьенн, ушел на покой примерно год назад, и вполне вовремя. Его акции тоже достались Жерару. Оба старика вели свое дело так, словно это не бизнес, а их личное хобби. Старый Певерелл всегда придерживался того взгляда, что джентльмен не должен зарабатывать деньги — он их наследует. А Жан-Филипп Этьенн давно уже не принимал активного участия в делах фирмы. Его момент славы наступил, разумеется, во время войны: в вишистской Франции* он был героем Сопротивления,

---

* Виши — город в центральной Франции, где во время Второй мировой войны, после заключения перемирия с Германией в 1940 г., находилась штаб-квартира французского правительства во главе с А.Ф. Петеном. Полномочия вишистского правительства распространялись только на южную Францию, т.е. на 2/5 территории всей страны.

но, на мой взгляд, с тех пор он не совершил ничего запоминающегося. Жерар — наследный принц — тихо ждал за кулисами. Теперь он вышел на сцену, и мы можем ожидать от него активной игры, а то и мелодрамы.

— А что, Габриел Донтси все еще там и по-прежнему решает, кого из поэтов печатать, а кого — нет?

— Вы меня удивляете, Адам. Как вы можете спрашивать такое? Не следует допускать, чтобы страсть к ловле убийц лишала вас всяческого представления о реальной жизни. Разумеется, он все еще там. Сам он ни одного стихотворения за последние двадцать лет не написал. Донтси — поэт антологический. Его лучшие стихи так хороши, что постоянно переиздаются, только я думаю, большинство читателей считают, что он давно умер. Он пилотировал бомбардировщик во время Второй мировой, значит, ему теперь должно быть далеко за семьдесят. Решать, кого из поэтов издавать в «Певерелл пресс» — вот, пожалуй, и все, на что он сейчас способен. Другие три компаньона — сестра Жерара, Клаудиа Этьенн, Джеймс Де Уитт, который работает в фирме с тех пор, как окончил Оксфорд, и Франсес Певерелл, последняя из семейства Певерелл. Но управляет фирмой Жерар.

— А что у него за планы, вы не знаете?

— Прошел слух, что он собирается продать Инносент-Хаус и переехать в Доклендс. Вряд ли это понравится Франсес Певерелл. Семейство Певерелл всегда любило Инносент-Хаус, питало к этому зданию особое пристрастие. Теперь оно принадлежит фирме, а не семье Певерелл, но любой из Певереллов будет по-прежнему относиться к нему, как к родному дому. Жерар уже успел многое изменить, нескольких сотрудников уволил, в их число попала и Соня Клементс. Он, разумеется, прав. Издательство необходимо хоть за волосы втащить в двадцатый век, иначе оно потонет. Но Жерар, несомненно, заводит себе врагов. Посмотрите, ведь до того, как он взялся за дело, у издательства неприятностей не было. Это что-нибудь да значит! Стилгоу такое совпадение отметил, хотя жена его по-прежнему считает, что злобу вызывает не фирма, а ее муж лично, и в особенности его воспоминания.

— «Певерелл пресс» понесет большие убытки, если книгу заберут?

— Не слишком, насколько я себе представляю. Конечно, они начнут преувеличивать, вопить, что, мол, эти воспоминания своими разоблачениями могут опрокинуть правительство, дискредитировать оппозицию и покончить с той парламентской демократией, к которой мы все привыкли. Однако мне думается, что, подобно всем политическим мемуарам, они обещают гораздо больше, чем реально могут дать. Впрочем, я не знаю, как можно было бы их забрать. Книга уже в производстве, без борьбы они ее не отдадут, а Стилгоу не пожелает разорвать контракт, если потребуется публично объяснять, почему он так поступает. На самом деле Дороти Стилгоу хочет знать, была ли смерть Сони Клементс действительно самоубийством, и не повредил ли кто-нибудь «ягуар» Джоан Петри? Думаю, она все же верит, что смерть старика Сибрайта наступила в силу естественных причин.

— Так чего от меня ждут?

— В последних двух случаях наверняка проводилось расследование, и предполагается, что полиция осуществляла соответствующее дознание. Кто-то из ваших людей мог бы бросить взгляд на документы, переговорить с теми, кто этим занимался... Словом, что-то в этом роде. Тогда, если Дороти Стилгоу можно будет заверить, что главный детектив столпола* видел документы и они его удовлетворили, она могла бы оставить мужа и «Певерелл пресс» на некоторое время в покое.

— Возможно, она удовлетворится заверением, что смерть Сони Клементс действительно была самоубийством. Однако это вряд ли ее успокоит, если она суеверна, и я не знаю, что в таком случае вообще может ее успокоить. По сути своей суеверие не поддается доводам рассудка. Она скорее всего сочтет, что неудачливый издатель не лучше издателя-убийцы. Надеюсь, она не предполагает всерьез, что кто-то в издательстве подсыпал в бокал Сони Клементс яд, который невозможно обнаружить?

— Да нет, не думаю, что в своих предположениях она заходит так далеко.

— Очень надеюсь, иначе все доходы ее мужа будут проглочены охотниками вчинять иски за клевету. Меня удивляет, почему Стилгоу не обратился к самому комиссару столпола или прямо ко мне?

— Вас это удивляет? Ни за что не поверю. Это выглядело бы... ну, скажем, некоторой трусостью, излишней перестраховкой. Кроме того, он с вами не знаком. А я — знаком. Я вполне понимаю, почему он сначала поговорил со мной. И я никак не могу себе представить его

---

* Столпол (*проф. жарг.*) — столичная полиция (в Лондоне).

в ближайшем полицейском участке, в очереди вместе с владельцами потерявшихся собак, избитыми женами и обиженными водителями. И как он объясняет свою беду сержанту — тоже представить не могу. Откровенно говоря, я подозреваю, он не верит, что кто-то примет его всерьез. Он полагает, что — принимая во внимание тревогу его жены и полученную им анонимную записку — было бы вполне оправданно просить полицию посмотреть, что происходит в издательстве «Певерелл пресс».

Подали барашка; розовое и сочное мясо было таким нежным, что его вполне можно было бы есть ложкой. В те несколько минут молчания, которые Экройд счел необходимыми, чтобы отдать должное прекрасно приготовленному блюду, Дэлглиш вспоминал, как впервые увидел Инносент-Хаус.

Отец взял Адама с собой в Лондон, чтобы таким образом отметить восьмилетие сына: они собирались провести в городе целых два дня, осматривая примечательные места, а ночуя в гостях у отцовского приятеля, приходского священника в Кенсингтоне*, и его жены. Он хорошо помнил, как провел ночь накануне этой поездки, то и дело просыпаясь, чуть не заболев от волнения; помнил огромный и мрачный старый вокзал на Ливерпуль-стрит, его шум и грохот, свой страх, что вдруг отстанет от отца, будет подхвачен и унесен далеко прочь целой армией серолицых людей, решительно, словно на марше, шагающих по улице. В те два дня, когда, как надеялся отец, он мог бы сочетать удовольствие с просвещением сына, — по мысли ученого богослова, эти две вещи были неразделимы, — они оба неизбежно пытались увидеть и узнать слишком много. Поездка совершенно ошеломила восьмилетнего мальчика, оставив путаницу воспоминаний о храмах и галереях, о ресторанах с незнакомой едой, о залитых светом прожекторов башнях и об отблесках огней, пляшущих на черной негладкой воде; об откормленных, лоснящихся лошадях и серебряных касках, об ужасах прошлого и романтичности истории, запечатленных в кирпиче и камне. Но с тех пор обаяние Лондона осталось с ним на всю жизнь: ни взрослая опытность, ни знакомство с другими великими городами не смогли его нарушить.

На второй день их пребывания в Лондоне они посетили Вестминстерское аббатство, а затем отправились на пароходике на про-

---

* Кенсингтон — фешенебельный район на юго-западе центральной части Лондона.

гулку по Темзе, от пирса на Черинг-Кросс до Гринвича. Тогда-то он впервые и увидел Инносент-Хаус, сверкающий в лучах утреннего солнца: казалось, это золотистый мираж поднимается из переливающейся солнечными бликами воды. Маленький Адам восхищенно смотрел на здание, не отрывая глаз. Отец объяснил ему, что дом этот назван по имени улицы Инносент-Уок, что проходит как раз за ним. В начале восемнадцатого века она вела прямо к зданию суда. Обвиняемые, которых после первого слушания брали под арест, отправлялись во Флит*, а более удачливые уходили по мощенной булыжником дороге — к свободе**. Отец начал было рассказывать об архитектурной истории замечательного дома, но голос его утонул в рокочущих пояснениях экскурсионного гида, таких громогласных, что их можно было слышать на всех речных судах сразу.

— А вот теперь, леди и джентльмены, приближается — все посмотрим налево — Инносент-Хаус, самое интересное здание на Темзе, построенное в 1830 году для сэра Фрэнсиса Певерелла, знаменитого издателя того времени. Сэр Фрэнсис посещал Венецию, и у него остались сильнейшие впечатления от Ка'д'Оро — Золотого дворца на Большом канале. Те из вас, кто проводил свой отпуск в Венеции, возможно, видели этот дворец. Вот сэру Фрэнсису и пришло на ум построить свой собственный золотой дом на Темзе. Жаль только, что он не смог перевезти сюда и венецианский климат. — Гид сделал коротенькую паузу, привычно пережидая смех слушателей. — В наши дни здесь расположился главный штаб издательской фирмы «Певерелл пресс», так что Инносент-Хаус по-прежнему остается во владении семьи. Об этом доме рассказывают интересную историю. По всей вероятности, сэр Фрэнсис был так очарован домом, что стал пренебрегать своей молодой женой, чьи деньги очень помогли этот дом построить. Убитая горем женщина бросилась вниз с балкона верхнего этажа и сразу же погибла. Легенда утверждает, что на мраморе площадки до сих пор можно рассмотреть кровавое пятно, которое не удается смыть. А еще говорят, что под конец жизни сэр Фрэнсис совсем повредился в уме, выходил по ночам на площадку и пытался оттереть это многозначительное пятно. Люди рассказывают, что до сих пор

---

* Флит — долговая тюрьма в Лондоне; существовала до 1842 г.
** Инносент-Уок (*англ.* Innocent Walk) — Дорога невиновных; Инносент-Хаус (*англ.* Innocent House) — Дом невиновных.

видят по ночам его призрак, по-прежнему пытающийся оттереть пятно. Некоторые водники побаиваются проходить на судах вблизи его дома после наступления темноты.

Глаза всех пассажиров и так были послушно обращены к замечательному дому, но теперь, заинтригованные кровавым сюжетом, все бросились поближе к борту, перешептываясь, наклоняясь над поручнями и вытягивая шеи, словно легендарное пятно можно было по-прежнему разглядеть.

Необычайно живое воображение восьмилетнего Адама немедленно нарисовало женщину в белых одеждах, с развевающимися белокурыми волосами: она, словно обезумевшая героиня какой-нибудь душещипательной истории из сборника рассказов, бросалась с верхнего балкона, и мальчик слышал глухой звук последнего удара и видел струйку крови, пробирающуюся по мраморным плитам и каплями стекающую в Темзу. И потом, многие годы спустя, этот дом по-прежнему зачаровывал его ощущением могущественной красоты и ужаса, слившихся воедино.

В одной детали гид оказался неточен, и вполне возможно, что история самоубийства тоже была приукрашена или вообще неверна. Теперь Дэлглиш знал, что сэр Фрэнсис был восхищен не Ка'д'Оро, а палаццо дожа Франческо Фоскари. Ка'д'Оро, несмотря на изящество замысловатых линий и искусной резьбы, оказался, на его вкус, недостаточно симметричным, во всяком случае, так он писал своему архитектору. Именно Ка'Фоскари и поручено было тому построить для сэра Фрэнсиса на берегу холодных и неверных вод Темзы. Дом должен был бы выглядеть нелепо — каприз, причудливая беседка на берегу реки, без всякого сомнения, перенесенная сюда из Венеции, да к тому же из Венеции середины пятнадцатого века. И тем не менее дом смотрелся так, словно никакой другой город, никакое другое место не подошли бы ему столь удачно. Дэлглишу до сих пор трудно было понять, как могло оказаться таким успешным это заимствование из иного времени, из иной страны, перенесенное сюда из совсем иного — более мягкого и теплого — климата. Пропорции, разумеется, были изменены; уже одно это могло бы превратить мечту сэра Фрэнсиса в нечто совершенно самонадеянное и неосуществимое. Однако уменьшение размеров было выполнено чрезвычайно искусно, так что величественность оригинала все-таки удалось сохранить. Вместо восьми больших центральных арок с окнами в глубине изящных резных балконов теперь на втором и третьем этажах их было шесть, зато мраморные колонны с декоративными пиннулами были почти такие же, что и в венецианском дворце, а центральная арка здесь, как и там, уравновешивалась высокими арочными окнами — по одному с каждой стороны, придававшими фасаду цельность и изящество. Большая резного дерева дверь открывалась на мраморный патио, из которого вниз вела широкая лестница к пристани, ступенями нисходящей к реке. По обеим сторонам дома располагались два особняка в стиле английский ампир*, с небольшими балконами, по-видимому, предназначавшиеся для размещения кучеров и других слуг: они стояли, словно почтительные часовые, охраняя его великолепие. С того чудесного дня рождения, когда восьмилетний Адам впервые увидел Инносент-Хаус, он множество раз смотрел на него с реки, но никогда так и не побывал внутри. Ему припомнилось — он где-то читал об этом, — что внутри, в главном холле дома, имеется замечательный потолок, расписанный Мэтью К. Уайаттом, и пожалел, что его не видел. Будет обидно, если Инносент-Хаус окажется в руках мещан-обывателей.

— Что же конкретно происходит в «Певерелл пресс»? — спросил он. — Что именно беспокоит лорда Стилгоу, помимо письма анонимщика?

— Значит, до вас тоже дошли слухи? Трудно ответить конкретно. Они не очень-то охотно говорят об этом, да я их и не виню. Но парочка незначительных инцидентов довольно широко известна. Впрочем, не таких уж незначительных. Самый известный произошел как раз перед Пасхой, когда пропали иллюстрации к книге Грегори Мэйбрика о заговоре Гая Фокса. Книжка популярно-историческая, но Мэйбрик хорошо знает этот период. Издательство предполагало прилично на ней заработать. Грегори удалось заполучить несколько интересных гравюр того времени, никогда ранее не публиковавшихся, а также другие, в основном письменные материалы, протоколы... и все они пропали. Он взял их на время у разных владельцев и так или иначе гарантировал сохранность документов.

— Пропали? Как? Потерялись? Были положены не на место? Уничтожены?

_____

* Английский ампир — стиль мебели и архитектуры периода Регентства (1811—1820 гг.).

— Говорят, что он отдал их из рук в руки Джеймсу Де Уитту, редактору книги. Он там старший редактор и обычно занимается художественной литературой, но старик Певерелл, который курировал научные издания, месяца за три перед этим умер, и я полагаю, что им либо не хватило времени, чтобы найти достойную замену, либо захотелось сэкономить деньги. Как большинство издательств, они скорее предпочитают увольнять старых, чем брать новых. Ходят слухи, что им не удастся долго оставаться на плаву. И неудивительно — этот их венецианский дворец содержать никаких денег не хватит. Короче говоря, Мэйбрик передал иллюстрации Де Уитту в собственные руки, и тот на глазах у автора запер их в шкаф.

— Не в сейф?

— Мой милый мальчик, мы же говорим об издательстве, а не о фирме Картье! Зная Певереллов, я удивляюсь только, как это Де Уитт вообще не забыл запереть шкаф.

— А ключ имеет только он один?

— Право же, Адам! Вы ведь сейчас не преступление расследуете! Кстати говоря, так это и было. Де Уитт держал ключ в старой жестяной коробке из-под табака, в левом ящике стола.

Дэглиш подумал — ну конечно, где же еще! — и сказал:

— То есть как раз там, где любой сотрудник или никем не сопровождаемый посетитель мог им воспользоваться.

— Ну, кто-то явно и воспользовался. Джеймсу не нужно было лазать в шкаф дня два-три. Иллюстрации следовало передать в художественный отдел на следующей неделе. Вы знаете, что Певереллы отдают свои художественные работы независимой фирме?

— Нет, я не знал.

— По-видимому, так более экономно. Это та же самая фирма, что вот уже пять лет делает им суперобложки. Очень неплохо, между прочим. Певереллы никогда не позволяли себе снизить планку в том, что касается издания и оформления книг. Их книгу всегда узнаешь, стоит только ее в руки взять. Во всяком случае, так было до сегодняшнего дня. Жерар Этьенн, возможно, и это изменит. Ну, когда Де Уитт заглянул в шкаф, конверта там не было. Исчез. Разумеется, поднялась страшная суматоха. Всех опрашивали. Всюду лихорадочно искали. Все в панике. В конце концов им пришлось признаться Мэйбрику и владельцам материалов. Можете себе представить, как они эту новость приняли.

— А материалы эти все же выплыли на свет божий?

— Да. Но слишком поздно. Сомневались, захочет ли Мэйбрик вообще публиковать эту книгу, но она уже значилась в каталоге, и было решено издать ее с другими иллюстрациями. Пришлось внести некоторые изменения в текст. Через неделю после того, как книга пришла из типографии, конверт вместе с содержимым загадочным образом появился снова: Де Уитт обнаружил конверт точно на том самом месте, где его оставил.

— А это заставляет нас предположить, что вор испытывает некоторое уважение к науке и не намеревался уничтожить документы.

— Это заставляет нас предположить массу других возможностей: неприязнь к Мэйбрику, враждебность к издательству, недоброжелательство к Де Уитту или просто несколько извращенное чувство юмора.

— И Певереллы не сообщили о пропаже в полицию?

— Нет, Адам. Они не слишком-то доверяют нашим замечательным мальчикам в синей форме. Не хочу показаться нелюбезным, но в последнее время полиция не может похвастаться слишком высоким процентом раскрываемости там, где речь идет о бытовых ограблениях. Компаньоны согласились придерживаться того взгляда, что их собственное расследование даст не худшие результаты и позволит избавить сотрудников от излишних огорчений.

— Кто там мог провести расследование? Разве кто-нибудь в издательстве был вне подозрений?

— В этом, разумеется, и заключалась главная трудность. Как тогда, так и теперь никто у них не свободен от подозрений. Мне представляется, что Этьенн принял стратегию старшего преподавателя в закрытой школе, знаете — «Если мальчик, который это сделал, явится ко мне в кабинет тайком от всех после того, как приготовит уроки, и вернет эти документы, никто никогда больше ничего об этом не услышит!». В школе такое никогда не срабатывало. Не думаю, что это могло пройти более успешно и в издательстве. Наверняка конверт взял кто-то из своих, так что это — дело внутреннее, а ведь у них не такой уж большой штат, всего-то двадцать пять человек, не считая пятерых компаньонов-директоров. Большинство — старые, преданные фирме сотрудники, а у остальных, как говорят, имеется алиби.

— Так что происшедшее по-прежнему остается загадкой?

— Так же, как и второй инцидент. Второй серьезный инцидент... думаю, мелкие беды там тоже случались, только про них молчат. Он касается Стилгоу, и очень хорошо, что им пока удается не доводить случившееся до его сведения и что покамест сам инцидент не стал общественным достоянием. У старика появились бы реальные основания подкормить свою паранойю. По всей вероятности, когда были вычитаны гранки и некоторые изменения согласованы со Стилгоу, их запаковали и оставили на ночь под крышкой конторки в приемной, откуда их должны были забрать на следующее утро. Кто-то их распаковал и испортил, изменив некоторые имена, пунктуацию, вычеркнув пару-тройку предложений. К счастью, печатник, который их получил, был человек умный и добросовестный и решил, что некоторые изменения выглядят странно. Он позвонил в издательство — проверить. Компаньонам как-то удалось — Бог его знает как! — с этой неожиданной бедой справиться и сохранить все в тайне от сотрудников и даже от Стилгоу. Выйди эта история наружу, фирме пришлось бы ой как худо. Как я понимаю, теперь все пакеты и все бумаги хранятся до утра под замком, и во всех других отношениях систему охраны в издательстве тоже ужесточили.

Дэглиш подумал: а может, человек, совершивший такое, с самого начала хотел, чтобы новые исправления заметили? Он, по всей видимости, и не имел целью ввести кого-либо в заблуждение, так слаба была попытка их скрыть. Вряд ли ему было бы трудно так исправить гранки, чтобы книге был нанесен серьезный вред, а изменения не вызвали бы подозрений у печатника. Странно и то, что анонимщик не упомянул в письме к Стилгоу об исправлениях, внесенных в его текст. Либо анонимщик (или анонимщица) не знал об этом, что исключило бы из числа подозреваемых пятерых компаньонов, либо не хотел снабжать Стилгоу доказательствами, которые могли бы оправдать его желание забрать из издательства книгу. Интересная загадочка, но слишком мелкая, чтобы предложить старшему офицеру полиции тратить на нее время.

Больше ни слова не было сказано об издательстве «Певерелл пресс», пока они пили кофе в библиотеке клуба. Экройд наклонился вперед и, слегка волнуясь, спросил:

— Так я могу сказать лорду Стилгоу, что вы постараетесь разуверить его жену?

— Мне очень жаль, Конрад, но — нет. Я получу для него письмо о том, что у полиции нет оснований подозревать какую бы то ни было нечестную игру во всех тех случаях, что непосредственно его касаются. Очень сомневаюсь, что письмо поможет, если его жена суеверна, но это его проблема и ее беда.

— А как с другой неприятностью в издательстве?

— Если Жерар Этьенн полагает, что нарушается закон, и хочет, чтобы это дело было расследовано, ему необходимо обратиться в местный полицейский участок.

— Просто как всякому другому?

— Вот именно.

— И вам не хочется пойти в Инносент-Хаус и поговорить с Жераром без формальностей?

— Нет, Конрад. Даже ради того, чтобы взглянуть на потолок, расписанный Уайаттом.

5

В тот день, когда кремировали Соню Клементс, Габриел Донтси и Франсес Певерелл вместе возвращались на такси из крематория в дом № 12 по улице Инносент-Уок. Франсес всю дорогу была необычайно молчалива, сидела чуть отодвинувшись от спутника, не отрываясь смотрела в окно. Она была без шляпки, светло-каштановые волосы блестящим шлемом облегали голову и, завиваясь на концах, спускались к воротнику серого пальто. Ее туфли, сумочка и колготки были черные, у шеи узлом повязан черный шифоновый шарф. Донтси помнил, что такая же одежда была на ней, когда кремировали ее отца, — современный скромный траур, удачно помогающий избежать демонстрации показной печали и проявить приличествующее событию уважение. В этом сочетании серого и черного Франсес выглядела очень молодой, строгая простота костюма подчеркивала то, что так нравилось в ней Габриелу: мягкую старомодную корректность, напоминавшую ему о молодых женщинах его юных лет. Она сидела отстраненно и очень спокойно. Беспокойны были только ее руки. Донтси знал, что у нее на безымянном пальце правой руки — кольцо ее матери, подаренное отцом при их помолвке, и смотрел, как Франсес вертит и вертит его через тонкую лайку черной перчатки. На миг он задумался — а не протянуть ли руку и не взять ли ее пальцы в свою ладонь, ни слова не говоря? Но воспротивился импульсивному желанию, убедив себя, что такой жест способен лишь вызвать смущение у обоих. Не может же он держать ее за руку всю дорогу до Инносент-Уок.

Они испытывали симпатию друг к другу. Он знал — она чувствует, что он единственный человек в Инносент-Хаусе, которому она может довериться, но ни он, ни Франсес не умели открыто выказывать свои чувства. Они жили рядом — всего лишь на расстоянии одного короткого лестничного пролета, но заходили друг к другу только по приглашению, не желая мешать, боясь навязывать свое присутствие или имитировать близость отношений, которая может показаться другому неприятной и вызовет сожаления у обоих. В результате, испытывая взаимную приязнь, радуясь каждой встрече, эти двое виделись гораздо реже, чем если бы жили на расстоянии многих миль друг от друга. Встречаясь, они говорили главным образом о книгах, о стихах, о спектаклях, которые удалось посмотреть, о телепрограммах, но почти никогда — о знакомых. Франсес обладала слишком утонченным вкусом, чтобы обсуждать сплетни, а он, в свою очередь, не желал быть втянутым в разговор о новых порядках в издательстве. У него есть работа, квартира на двух нижних этажах дома № 12 по улице Инносент-Уок. Вряд ли ему удастся надолго сохранить и то и другое, но ведь ему уже семьдесят шесть, он слишком стар, чтобы бороться. И он понимал, что ее квартира — прямо над ним — обладает для него притягательностью, какой следует сопротивляться изо всех сил. Сидя в кресле с высокой спинкой после какого-нибудь из их редких обедов вместе, задернув шторы, чтобы преградить путь легкому, полувоображаемому дыханию реки, и протянув ноги к огню, горящему в открытом камине, когда Франсес покидала его, чтобы приготовить кофе, Донтси любил слушать, как она тихонько движется по кухне, и ощущал, как овладевает им соблазнительное чувство покоя и довольства, которое могло бы так легко навсегда войти в его жизнь.

Гостиная Франсес тянулась во всю длину фасада. Все здесь казалось ему необычайно привлекательным: изящные пропорции старинного мраморного камина, над каминной полкой — портрет маслом: Певерелл с женой и детьми, восемнадцатый век; небольшое бюро в стиле королевы Анны*, книжные шкафы красного дерева по обе стороны камина, с фронтонами наверху, на каждом — изящная головка паросского мрамора — невеста в фате; обеденный стол — английский ампир, вокруг него — шесть стульев, коврики хорошо подобранной расцветки, подчеркивающие блеск натертого паркета. Как просто было бы установить теперь ту дружескую близость, которая могла бы сделать ему доступным мягкий и теплый женственный уют этой квартиры, столь отличной от его собственного — холодного и мрачного, полупустого обиталища ниже этажом. Порой, когда Франсес звонила ему, чтобы пригласить на обед, приходилось придумывать что-нибудь о другом, более раннем приглашении, от которого невозможно отказаться, и уходить в ближний паб. Тогда он сидел там, заполняя долгие часы пребыванием в табачном дыму и шуме и боясь вернуться домой слишком рано — ведь его парадное, выходившее на Инносент-лейн, находилось прямо под окнами ее кухни.

Он чувствовал, что сегодня вечером ей было бы приятно его общество, но она стесняется просить его об этом. Его это нисколько не огорчало. Кремация была весьма угнетающей процедурой и без того, чтобы обсуждать ее банальность; на один этот день ему с избытком хватило смерти. Когда такси приехало на улицу Инносент-Уок и она, отперев свою дверь с чуть торопливым «До свидания», ушла, ни разу не оглянувшись, он почувствовал облегчение. Но двумя часами позже, когда он покончил с супом, семгой и омлетом — это была его любимая еда по вечерам, и он приготовил ее со всегдашней тщательностью, на слабом огне, любовно отодвигая смесь от бортиков сковороды и под конец добавив столовую ложку сливок, — Габриел вдруг представил себе, как она ужинает в полном одиночестве, и устыдился собственного эгоизма. Сегодняшний вечер вовсе не подходил для одиночества. Он набрал ее номер и сказал:

— Франсес, меня интересует вопрос — а не хотели бы вы сыграть партию в шахматы?

По тому, как радостно вдруг зазвучал ее голос, он понял, что его звонок принес ей облегчение.

— Да, Габриел, хотела бы! Пожалуйста, поднимайтесь. Сыграю с огромным удовольствием.

---

* Стиль королевы Анны (правила в 1702—1714 гг.) — стиль мебели и архитектуры начала XVIII в.

Обеденный стол был все еще накрыт, когда он пришел наверх. Она всегда ела, соблюдая принятый ритуал, даже в полном одиночестве. Но тут он увидел, что ее ужин был столь же прост, как его собственный. Доска для сыра и ваза с фруктами все еще оставались на столе, и Франсес явно обошлась одним супом, больше ничего не ела. К тому же он заметил, что она плакала.

Улыбаясь, стараясь, чтобы голос ее звучал весело, Франсес сказала:

— Как хорошо, что вы поднялись ко мне. Это дает мне повод откупорить бутылочку вина. Странно, как люди не любят пить в одиночку. Думаю, это из-за родительских предупреждений, что питье в одиночку — первый признак сползания в алкоголизм.

Она принесла бутылку «Шато Марго», и Габриел подошел к столу, чтобы откупорить вино. Оба не произнесли ни слова, пока не уселись с бокалами в креслах перед камином, и тут, глядя на языки пламени, лизавшие поленья, Франсес сказала:

— Ему следовало быть там. Жерару следовало быть там.

— Он не любит похорон.

— Ох, Габриел, кто же их любит?! И все это было ужасно, правда? Кремация папы тоже прошла плохо, но сегодня было еще хуже. Какой-то жалкий священник, не знавший ее, не знавший никого из нас... Он, конечно, старался, чтобы голос его звучал искренне, когда молился Богу, в которого она не верила... Говорил о вечной жизни, когда у нее и на земле-то не было жизни, достойной того, чтобы жить.

Он ответил мягко:

— Мы ведь не можем этого знать. Мы не можем судить, счастлив или несчастлив другой человек.

— Она хотела умереть. Разве это недостаточное доказательство? На папиных похоронах Жерар все-таки присутствовал. Впрочем, он так или иначе должен был прийти, не правда ли? Наследный принц должен был сказать последнее «прости» старому королю. Если бы он не явился, это выглядело бы неправильно. Там, в конце концов, были важные персоны, писатели, издатели, пресса, люди, на которых ему необходимо было произвести впечатление. А на сегодняшней кремации никого из важных персон не было, так что незачем было затрудняться. Но ему следовало прийти. Ведь это он ее убил.

Донтси ответил, теперь уже более твердо:

— Франсес, вам не следует так говорить. Нет ни малейших свидетельств, что смерть Сони вызвана тем, что́ Жерар сделал или сказал. Вы же знаете, что́ она написала в предсмертной записке. Если бы она решила покончить с собой из-за того, что Жерар ее уволил, думаю, она бы так и написала. Текст записки был предельно ясен. Вы не должны даже заикаться об этом за пределами вашей квартиры. Такой слух может принести очень большой вред. Обещайте мне, это очень важно.

— Хорошо. Я обещаю. Я никому, кроме вас, этого не говорила, но я не единственная в Инносент-Хаусе, кто так думает, а кое-кто и говорит. Стоя на коленях в этой кошмарной часовне, я пыталась молиться — о папе, о ней, обо всех нас. Но все было так бессмысленно, так бесполезно. Все, о чем я только и могла думать, был Жерар, Жерар, который должен был бы сидеть на первой скамье вместе с нами, Жерар, который был моим любовником, Жерар, который больше уже не мой любовник. Это все так унизительно! Разумеется, теперь я знаю, что́ это было. Жерар думал: «Бедная Франсес, двадцать девять ей, а она все еще невинна. Надо что-то с этим делать. Дать ей кое-какой жизненный опыт, и очень даже неплохой. Показать, чего она была лишена». Это было его «доброе дело дня». Вернее, «доброе дело» трех месяцев. Думаю, со мной это длилось дольше, чем с большинством других. А конец был таким грязным, таким омерзительным. Но так ведь бывает всегда? Жерар умеет прекрасно начинать любовную интрижку, но никогда не знает, как закончить ее достойно. Только ведь и я не знаю. И у меня была иллюзия, что я не такая, как другие его женщины, что на этот раз все серьезно, что он любит, что хочет, чтобы мы связали себя обязательствами, чтобы мы поженились. Я думала, мы вместе будем управлять издательством «Певерелл пресс», вместе жить в Инносент-Хаусе, воспитывать здесь детей. Я даже думала сменить название фирмы, думала, ему это будет приятно. Я повторяла другие названия вслух, проверяя, какое из них лучше звучит. Я думала, он хочет того же, что и я, — семьи, детей, настоящего домашнего очага, хочет делить со мной жизнь. Разве это так уж неразумно? О Боже, Габриел, я чувствую себя такой идиоткой, мне так стыдно!

Она никогда раньше не говорила с ним так открыто, так откровенно, никогда не показывала ему, как глубоко ее смятение. Могло показаться, что она до этого молча репетировала свою речь, ожидая, когда же наступит момент облегчения, когда она наконец найдет человека, которому сможет довериться, которому сможет все рассказать. Но его привел в ужас этот неудержимый поток горечи и отвращения к себе, изливавшийся из уст Франсес, такой разумной, такой всегда гордой и сдержанной. Возможно, это похороны, воспоминания о недавней кремации отца заставили вырваться наружу давно копившуюся ненависть и чувство унижения. Габриел не был уверен, сможет ли справиться с этим, но знал, что должен попытаться. Этот всплеск боли требовал большего, чем пустых и банальных слов утешения вроде: «Он вас недостоин, забудьте. Боль со временем пройдет». Но ведь это последнее утверждение — правда. Боль действительно проходит со временем, и не важно, боль ли это от предательства или боль утраты. Кто мог бы знать это лучше, чем он? Ему подумалось: трагичность утраты не в том, что мы горюем, а в том, что перестаем горевать, и возможно, именно тогда умершие действительно умирают...

Он мягко произнес:

— Все, о чем вы говорите — дети, семья, домашний очаг, плотская любовь, — желания вполне естественные, кто-то даже сказал бы — желания, присущие всякому человеку. Дети — наша единственная надежда на бессмертие. Таких желаний не следует стыдиться. Это ваша беда, а не позор, что желания Этьенна не совпадали с вашими. — Он на мгновение замолчал, размышляя, стоит ли продолжать, не сочтет ли она его дальнейшие слова грубо бестактными. — Джеймс любит вас.

— Кажется, да. Бедный Джеймс. Он никогда не говорил мне... Да в этом нет необходимости, правда? Знаете, я, наверное, могла бы влюбиться в Джеймса, если бы не Жерар. А ведь Жерар мне вовсе не нравится. Никогда не нравился, даже когда я его больше всего хотела. Вот что самое ужасное в сексе — он может существовать без любви, без привязанности, без уважения. О, я пыталась обмануть себя. Когда он бывал нечуток, эгоистичен или груб, находила тысячу оправданий, напоминала себе, какой он блестящий, красивый, остроумный, какой замечательный любовник. Он и на самом деле был таким. И сейчас такой. Я говорила себе, что к Жерару не следует применять мелочные критерии, применимые к другим людям. Но ведь я его любила. Когда любишь, не судишь. А теперь я его ненавижу. Не знала, что могу ненавидеть — по-настоящему ненавидеть человека. Это совсем иное, чем не выносить какой-то предмет, ненавидеть какие-то политические взгляды, какую-то философию или социальное зло. Это такое сконцентрированное, такое чисто физиологическое чувство, оно делает меня больной. Моя ненависть такова, что с ней я ложусь ночью спать и с ней же встаю по утрам. Но ведь это дурно. Это — грех. Это обязательно должно быть дурно, я чувствую, что живу в состоянии смертного греха, и не будет мне отпущения, потому что не могу перестать ненавидеть.

— Я не могу рассуждать в таких терминах, — ответил Донтси, — грех, отпущение... Но ненависть опасна. Она извращает чувство справедливости.

— О, справедливость! В этом смысле я никогда ничего особенного не ожидала. А ненависть сделала меня такой скучной! Я скучна самой себе. И понимаю, что и вам со мной становится скучно, дорогой Габриел, но ведь вы — единственный человек, с кем я могу говорить. А иногда — вот как сегодня — мне необходимо поговорить с вами, не то я могу сойти с ума! И вы человек мудрый. Во всяком случае, такая у вас репутация.

— Репутацию человека мудрого заслужить очень легко, — с сухой иронией ответил Донтси. — Стоит лишь прожить долгую жизнь, мало говорить и еще меньше делать.

— Зато когда вы говорите, Габриел, вас стоит слушать. Скажите же, что мне делать?

— Чтобы избавиться от него?

— Чтобы избавиться от этой боли.

— Ну, существуют обычные средства, их три: пьянство, наркотики, самоубийство. Первые два ведут к третьему, просто это более долгий, более дорогостоящий и унизительный путь. Я бы не советовал идти по нему. Или — убить Жерара. Этого я тоже вам не посоветовал бы. Можете совершить это убийство — каким угодно изощренным способом — в собственном воображении, только не в реальности. Если, конечно, вам не хочется десять следующих лет гнить в тюрьме.

— А вы могли бы это вынести?

— Не в течение десяти лет. Я мог бы выдержать от силы три года, не больше. Есть ведь и другие средства справиться с болью, помимо смерти, его или вашей. Убедите себя, что боль есть часть жизни: чувствовать боль и значит жить. Я вам завидую. Если бы я мог чувствовать боль, я мог бы быть поэтом. Вам следует больше ценить себя. Вы не стали менее человечны оттого, что какой-то эгоистичный, высокомерный, бесчувственный человек не счел вас достойной любви. Неужели вам нужно оценивать себя по критериям какого бы то ни было мужчины, не говоря уже о Жераре Этьенне? Не забывайте, что власть, какую он обретает над вами, это та власть, что вы даете ему сами. Отберите у него эту власть, и он не сможет больше причинять вам боль. И помните, Франсес, вам не обязательно оставаться в фирме. Только не говорите мне, что в издательстве «Певерелл пресс» всегда был хоть один Певерелл.

— Конечно, был. С самого 1792 года, до того еще, как мы переехали в Инносент-Хаус. Папа не хотел бы, чтобы я была последней.

— Кто-то же должен быть. Кто-то обязательно будет последним. У вас были определенные обязанности по отношению к отцу, определенный долг — при его жизни. Но все прекратилось с его смертью. Мы не можем оставаться рабами умерших.

Стоило ему произнести эти слова, как он пожалел о сказанном, наполовину уверенный, что она спросит: «А как же вы сами? Разве вы не остаетесь рабом своих умерших — вашей жены, ваших погибших детей?» И он поспешно спросил:

— А что бы вы делали, если бы у вас был свободный выбор?

— Думаю, работала бы с детьми. Преподавала бы в младших классах. У меня ведь диплом. Очевидно, понадобился бы год на переподготовку. А потом, я думаю, поехала бы работать куда-нибудь в деревню или в небольшой городок.

— Так сделайте это! У вас есть свободный выбор. Не надо бесцельно бродить в поисках счастья. Найдите себе работу по вкусу, обретите свое место и такую жизнь, которая пришлась бы вам по душе. Счастье придет само, если вам повезет. Большинство людей получают свою долю счастья. А некоторые даже бо́льшую долю, чем им положено, хотя иногда она умещается в предельно сжатом отрезке времени.

— Странно, что вы не процитировали Блейка, — заметила Франсес, — то стихотворение, где он говорит, что боль и радость тонко сплетены в ткань, облекающую одеяньем наши богоданные души. Как там дальше?

> Создан человек для радости и боли;
> И когда мы это сознаем,
> Ничего не опасаясь боле,
> По дорогам Мира мы идем.

Только ведь вы не верите в богоданные души, не так ли?

— Нет. Это было бы абсолютным самообманом.

— Но вы тем не менее идете, «ничего не опасаясь боле, по дорогам Мира». И знаете, что такое ненависть. Мне кажется, я всегда понимала, что вы ненавидите Жерара.

— Нет, Франсес, вы не правы, — ответил он. — Я не ненавижу Жерара. Я ничего к нему не чувствую. Совсем ничего. И это делает меня человеком для него очень опасным. Опаснее кого бы то ни было. Может, все-таки сыграем партию?

Он достал из углового шкафчика тяжелую шахматную доску, а Франсес подвинула стол так, чтобы он поместился меж креслами перед камином, и помогла Габриелу расставить фигуры.

Протянув ей сжатые кулаки, чтобы она выбрала — белые или черные, он сказал:

— Надеюсь, вы дадите мне фору: юность должна выказывать почтение старости.

— Чепуха какая! Вы меня в прошлый раз разбили в пух и прах. Играем на равных.

Франсес сама себе удивилась. Раньше она бы уступила. Этот незначительный поступок был актом самоутверждения, и она увидела, что Габриел улыбается, берясь плохо гнущимися пальцами за шахматные фигуры.

6

Мисс Блэкетт каждый вечер отправлялась домой, в Уиверс-Коттедж, в деревню Уэст-Марлинг, что в Кенте. Вот уже девятнадцать лет, как она жила там вместе с овдовевшей двоюродной сестрой, Джоан Уиллоуби, годами постарше, чем она. Они были привязаны друг к другу, но их отношения не отличались особой эмоциональностью. Миссис Уиллоуби вышла замуж за ушедшего от дел священника, и когда, три года спустя, он умер (мисс Блэкетт втайне полагала, что три года — предельный срок, дольше которого ни муж, ни жена выдержать не могли бы), представлялось вполне естественным, чтобы вдова попросила свою кузину оставить неудобную съемную квартиру и переехать в коттедж. В самом начале прожитых вместе девятнадцати лет установилась некая рутина, устраивавшая обеих: ее никто не планировал, она возникла как бы сама собой. Джоан занималась домашним хозяйством и ухаживала за садом. Блэки по воскресеньям готовила главную трапезу дня, которую они и съедали тут же по приготовлении, ровно в час пополудни; эта обязанность освобождала Блэки от посещения воскресной утрени, но никак не от вечерни. Вставая утром пораньше, именно Блэки приносила кузине поднос с горячим чаем; она же готовила ежевечерний овалтин* или какао, чтобы выпить на ночь, в половине одиннадцатого. Они вместе отдыхали летом, в последние две недели июля, обычно где-нибудь за границей, поскольку некому было пригласить их в какие-либо интересные места в Англии. Каждый год в июне они с нетерпением ожидали теннисного чемпионата в Уимблдоне, а временами — по субботам или воскресеньям — наслаждались симфоническим концертом, театральным спектаклем или посещением картинной галереи. И каждая говорила себе, хотя и не произносила этого вслух, что им обеим в жизни повезло.

Уиверс-Коттедж стоял на северной окраине деревни. Когда-то это были два солидных строения, но в пятидесятые годы их объединили в один коттедж, и занималась этим семья с совершенно определенными представлениями о том, в чем состоит обаяние сельского дома. Черепичную крышу заменили тростниковой, сквозь тростник пучеглазо глядели три мансардных окна; вместо обычных рам в окна дома были вставлены решетчатые, а к входной двери добавили крыльцо, которое летом украшали вьющиеся розы и клематис. Миссис Уиллоуби обожала свой коттедж, и если решетчатые рамы делали гостиную более темной, чем ей хотелось бы в идеале, если кое-какие из дубовых балок были не столь подлинными, как остальные, эти недостатки никогда вслух не упоминались. Коттедж, с его безупречной тростниковой крышей и ухоженным садом, слишком часто появлялся на календарях, его такое бесчисленное количество раз фотографировали приезжие, что можно было не беспокоиться о мелких деталях, нарушавших его архитектурную целостность. Бóльшая часть сада располагалась перед домом, и именно здесь миссис Уиллоуби проводила свободные от домашних занятий часы, оберегая, сажая и поливая то, что считалось самым впечатляющим палисадом в Уэст-Марлинге, создан-

---

* Овалтин — горячий молочно-шоколадный напиток, приготовленный из специального порошка.

ным для того, чтобы доставлять удовольствие не только прохожим, но и самим обитателям дома.

— Я стремлюсь для каждого из времен года находить что-то интересное, — объясняла она тем, кто останавливался у ее сада полюбоваться и выразить свое восхищение, и в этом она, без сомнения, преуспела. Однако она и в самом деле была прекрасным садовником, обладавшим богатым воображением. Растения буквально процветали под ее неустанной заботой: ее наметанный глаз и интуитивная способность находить наиболее подходящие места для растений, умело сочетая их цвет и количество, приводили к необыкновенным результатам. Может быть, коттедж и не был таким уж подлинным, зато ее сад был, вне всякого сомнения, английским. Здесь имелась небольшая лужайка с тутовым деревом, которое весной окружали крокусы и подснежники, а попозже — сверкающие горны желтых и белых нарциссов. Летом к крыльцу вели густо засаженные цветами длинные газоны, опьяняющие буйством красок и запахов, а зеленая буковая изгородь, подстриженная низко, чтобы не скрывать таящуюся за ней красоту, являла собой живой символ сменяющихся времен года — от первых нежных, туго свернутых почек до сочно-красного и золотого сияния осеннего наряда.

Миссис Уиллоуби всегда возвращалась с ежемесячных собраний приходского церковного совета с сияющими глазами и полная энтузиазма. Некоторые люди, размышляла по этому поводу Блэки, сочли бы вовсе не вдохновляющими частые препирательства с викарием из-за того, что он предпочитает новую литургию старым традициям богослужения, или из-за его других мелких несообразностей, но Джоан, казалось, просто расцветала от всего этого. Она удобно усаживалась у стола с закругленными краями, плотно уперев ступни в пол и слегка раздвинув полные ноги, так что туго натягивалась твидовая юбка, и наливала два бокала амонтильядо*. Сухое печенье потрескивало на крепких белых зубах, изящная ножка хрустального бокала из винного сервиза, казалось, вот-вот переломится в ее руке.

— Теперь проблема — вот вам пожалуйста! — всеохватывающий язык. Он желает в следующее воскресенье читать во время вечерни «Сквозь ночь сомнения и горя», а мы должны будем петь

---

* Амонтильядо — сухой выдержанный херес.

«Возьмитесь за руки, о люди, без страха мы пройдем сквозь ночь». Но я очень скоро все это застопорила, и меня, к счастью, поддержал мистер Хиггинсон. Не могу простить этому человеку то, сколько он берет за бекон и как выпускает свою драную старую кошку в витрину, а она там усаживается прямо в кукурузные хлопья, но когда он разумно ведет себя на заседаниях ПЦС, а это обычно так и бывает... А мисс Мэтлок, представь, предложила «Возьмитесь за руки, о сестры!».

— Ну и что в этом плохого?

— Да ничего, только ведь автор не так написал. А ты хорошо день провела?

— Да нет, не очень.

Но мысли миссис Уиллоуби были все еще на заседании ПЦС.

— Я не так уж люблю этот псалом. Всегда не любила. Не понимаю, почему мисс Мэтлок так к нему прицепилась. Ностальгия, наверное. Воспоминания детства. Не так уж много сомнений и горя у прихожан церкви Святой Маргариты. Слишком хорошо питаются. Слишком хорошо обеспечены. Но у них появится предостаточно и горя, и сомнений, если викарий вдруг отменит божественную литургию по утрам в воскресенье, которую служат с 1662 года. Будет предостаточно и горя, и сомнений в приходе, уж будьте уверены.

— А что, он это предложил?

— Не то чтобы выразил словами. Но ведь он внимательно следит за количеством прихожан. Нам с тобой надо обязательно увеличивать число присутствующих на службах. Я попробую подвигнуть на это еще кое-кого в нашей деревне. Все эти модные веяния идут, конечно, от Сюзан. Викарий легко воспринимал бы наши аргументы, если бы не постоянные подначки жены. Она уже поговаривает о том, что поедет готовиться, чтобы стать диаконессой. Не успеем опомниться, как она будет рукоположена в священницы. Конечно, им обоим лучше бы служить в каком-нибудь приходе в центре большого города. Там они могли бы устраивать в храме игру на банджо и гитарах, и смею сказать, там это прихожанам понравилось бы. Ну а как ты съездила?

— Не так уж плохо. Вечером было лучше, чем утром. Мы на целых десять минут задержались на Черинг-Кросс — дурное начало дурного дня: сегодня ведь хоронили Соню Клементс. Мистер

Жерар не явился. Полагаю, она недостаточно важная персона. Естественно, из-за этого я почувствовала, что должна остаться.

— Ну, это ведь особых трудностей не составляет, — ответствовала Джоан. — Кремация, правда, всегда ужасно угнетает. Можно получить некоторое удовлетворение от хорошо организованных похорон, но никак не от кремации. Кстати говоря, наш викарий сказал, что предполагает воспользоваться альтернативным требником, когда во вторник, на следующей неделе, он будет отпевать старого Мерриуэзера. Но я очень быстро это застопорила. Мистер Мерриуэзер дожил до восьмидесяти девяти лет, и ты прекрасно знаешь, как он ненавидел всякие перемены. Он подумал бы, что его похоронили не так, как надо, если бы отпевали не по требнику, утвержденному в 1662 году.

Когда в прошлый вторник Блэки вернулась домой с новостью о самоубийстве Сони Клементс, Джоан восприняла это известие с поразительной стойкостью духа. Блэки постаралась убедить себя, что это неудивительно. Кузина часто приводила ее в изумление совершенно неожиданными реакциями на сообщения или события. Мелкие домашние неприятности могли вызвать у нее взрыв гнева, а страшная трагедия воспринималась со стоическим спокойствием. Нечего было и ждать, что именно эта трагедия может как-то ее тронуть: в конце концов, она не была знакома и даже никогда не видела Соню Клементс.

Сообщая кузине неприятную новость, Блэки тогда сказала:

— Я, разумеется, не стала сплетничать с младшими сотрудниками издательства о том, что произошло, но, как я понимаю, все считают, что она покончила с собой потому, что мистер Жерар ее уволил. Я тоже думаю, что он сделал это недостаточно тактично. Она оставила записку, и в ней, как видно, не упоминается потеря работы. Однако общая точка зрения такова, что — если бы не мистер Жерар — она бы этот мир не покинула.

Джоан ответила спокойно и здраво:

— Послушай, это же смешно. Взрослые женщины не кончают с собой, теряя работу. Если бы потеря работы была причиной самоубийств, пришлось бы рыть братские могилы. Просто бесчувственно с ее стороны, она совершенно не подумала о других. Если ей так необходимо было покончить с собой, она должна была сделать это где-нибудь в другом месте. Представляешь, ведь ты сама могла первой войти в малый архивный кабинет и ее обнаружить. Это было бы не так уж приятно.

— Это было не так уж приятно для мисс Прайс, нашей новой временной, — сказала тогда Блэки, — но должна заметить, она отреагировала весьма хладнокровно. С какой-нибудь другой молоденькой девицей случилась бы истерика.

— Что толку устраивать истерику из-за какого-то трупа? Мертвые никому вреда принести не могут. Большим везением для нее будет, если ей не придется увидеть в жизни чего-нибудь похуже.

Блэки, потягивая херес, смотрела на кузину из-под полуопущенных век, словно впервые увидела ее беспристрастным взглядом. Плотное, почти лишенное талии тело, крепкие ноги с начинающими выступать варикозными венами и удивительно стройными щиколотками; пышные волосы, когда-то светло-каштановые, чуть тронуты сединой, но по-прежнему густые, свернуты в тяжелый узел на затылке (эта прическа не изменилась с тех пор, как Блэки впервые встретилась с Джоан); веселое, огрубевшее от ветра и солнца лицо. Кто-то мог бы сказать — благоразумное лицо. Благоразумное лицо благоразумной женщины, похожей на замечательных женщин Барбары Пим*, только без мягкости и сдержанности, столь свойственных героиням этой писательницы. Кузина с безжалостной добротой решает деревенские проблемы, будь то тяжкое горе или просто непослушание мальчишек из церковного хора; распределение удовольствий и обязанностей в ее жизни так же четко отрегулировано, как годовое расписание церковных служб, дающих этой жизни стержень и форму. Вот так и в жизни Блэки когда-то были и стержень, и форма. Теперь ей казалось, что она не в силах ни с чем сладить — ни с жизнью, ни с работой, ни с собственными чувствами, и что, умерев, Генри Певерелл унес с собой весьма существенную часть ее самой.

Неожиданно для себя она произнесла:

— Джоан, мне думается, я не смогу дольше оставаться в «Певерелл пресс». Жерар Этьенн становится совершенно невыносимым. Мне даже запрещено принимать для него телефонные звонки. Он сам на них отвечает по личному телефону у себя в кабинете. Мистер Певерелл оставлял дверь в кабинет приоткрытой, эта

---

* Барбара Пим (1913—1980) — английская писательница, автор сатирических романов-трагикомедий о жизни среднего класса. Имеется в виду ее роман «Замечательные женщины» («Excellent Women», 1952).

антисквозняковая змея — Шипучий Сид — не давала двери закрываться. Мистер Жерар ее плотно закрывает, да еще большой шкаф велел придвинуть к стеклянной перегородке, чтобы получше уединиться. Обо мне даже не подумал. Ведь это мне еще больше свет загораживает. А теперь ко мне собираются поместить эту новую временную, Мэнди Прайс, хотя она должна работать с референтом мисс Клаудии, Эммой Уэнрайт. Она и должна сидеть у Эммы. А после того как мистер Жерар перегородку передвинул, мой кабинет даже для одного человека тесен. Мистер Певерелл никогда бы не согласился на такую перегородку — она перерезает окно столовой и лепной потолок. Он терпеть не мог перегородок и изо всех сил боролся против них, когда в доме начались перемены.

— А его сестра может что-нибудь сделать? — спросила Джоан. — Может, стоит с ней поговорить?

— Не люблю жаловаться. А ей — особенно. Да и что она может сделать? Мистер Жерар — директор-распорядитель и президент компании. Он разрушает издательство, и никто не смеет ему перечить. Я вовсе не уверена, что кто-нибудь вообще пожелает вступиться. Кроме, пожалуй, мисс Франсес. Но ее он и слушать не станет.

— Тогда уходи. Тебе вовсе не обязательно там работать.

— Это после двадцати семи лет?

— Вполне достаточно для работы на одном месте. Пораньше уйдешь на пенсию. Ты включилась в пенсионную программу фирмы сразу, как мистер Певерелл этот фонд основал. Я тогда еще подумала — как это мудро. Именно я тебе это и посоветовала — помнишь? Конечно, полной пенсии ты не получишь, но что-то тебе оттуда будет идти. А то можешь найти симпатичную небольшую работку на пол- или четверть ставки в Тонбридже. С твоими профессиональными навыками это будет не трудно. Только зачем тебе работать? Мы и без этого обойдемся. А в деревне полно дел. Я не позволяла ПЦС тебя использовать, пока ты работаешь у Певереллов. Говорила викарию, что моя кузина работает личным секретарем главы издательства и вынуждена целый день печатать на машинке. Несправедливо ожидать, что она будет делать это еще и по вечерам или в выходные. Я решительно взяла на себя эту задачу — защищать тебя, не допускать, чтобы тебя эксплуатировали. Но совсем другое дело, если ты уйдешь на пенсию. Джефри Хардинг жалуется, что работа в качестве секретаря ПЦС становится для него все более тяжким бременем. Для начала ты могла бы его заменить. Кроме того, у нас ведь есть литературно-историческое общество. Им наверняка тоже была бы полезна помощь опытного секретаря.

Эти слова, эта жизнь, столь кратко обрисованная кузиной, привели Блэки в ужас. Словно в совершенно обыденных фразах Джоан прозвучал приговор о пожизненном заключении. Впервые она осознала, какую незначительную роль в ее жизни играл Уэст-Марлинг. Ей вовсе не была неприятна эта деревушка с ее ровными рядами ничем не примечательных коттеджей, с неухоженной зеленью вокруг дурно пахнущего пруда, с недавно построенным пабом, безуспешно пытавшимся стать похожим на паб семнадцатого века: там даже были крашенные в черный цвет потолочные балки и открытый очаг, только горел в нем газ, а не настоящие поленья. И небольшая церковь с симпатичным, похожим на вертел шпилем не вызывала у нее никаких эмоций.

Здесь она жила, ела, спала. Но целых двадцать семь лет центром ее жизни было совсем иное место. Она, конечно, радовалась, возвращаясь по вечерам в Уиверс-Коттедж, в его уют и порядок, к нетребовательному общению с кузиной, к хорошо приготовленной и элегантно сервированной трапезе, к сладковатому запаху поленьев, горящих в камине зимними вечерами, к бокалу вина в саду в теплые летние сумерки. Ей нравился контраст между этим сельским покоем и стимулирующей, требовательно напряженной жизнью издательства, словно подгоняемой резкими голосами реки. Ей необходимо было жить где-то, раз уж она не могла жить рядом с Генри Певереллом. Но сейчас, в этот поразительный момент истины, она вдруг поняла, что без работы в издательстве ее жизнь в Уэст-Марлинге станет непереносимой. Она вдруг увидела эту жизнь, как целую серию ярких, не связанных друг с другом образов, словно бегущих на экране, вспыхнувшем в ее мозгу; они неумолимо и неуклонно следовали один за другим: часы, дни, недели, месяцы, годы предсказуемой, ничем не заполненной, монотонной скуки. Мелкие домашние дела и заботы, дающие иллюзию полезной занятости; помощь кузине в саду — под ее неусыпным оком; печатание на машинке, выполнение секретарских функций для ПЦС или ЖИ*, поездка за покупками в Тонбридж по суббо-

---

* ЖИ — «Женский институт» — организация, объединяющая женщин, живущих в сельских районах; в ее рамках действуют различные объединения и кружки.

там, божественная литургия и вечерня по воскресеньям, планирование экскурсий, высвечивающее кульминационные моменты месяца... Недостаток средств, чтобы бежать отсюда, отсутствие удобоваримого предлога, чтобы бежать, и места, куда бежать. Да и с чего бы ей вдруг захотелось уйти от всего этого? Ее кузина находит такую жизнь вполне удовлетворительной и дающей возможность реализовать себя психологически, место Джоан на деревенской иерархической лестнице раз и навсегда установлено, ее коттедж стал теперь ее законной собственностью, сад составляет для нее непреходящий интерес и дарит радость. Большинство знакомых и незнакомых жителей деревни сказали бы, что ей, Блэки, просто повезло, что она участвует в такой жизни, повезло, что не приходится платить за квартиру (уж это-то они знали, в деревне нюх на такие подробности невероятно острый), повезло, что дом такой красивый и общество кузины приятное. Она утратит уважение деревни, с Джоан станут больше считаться, чем с ней, ведь она — всего лишь бедная родственница. Ее работа, суть которой в деревне не очень хорошо понимали, но чье значение сильно преувеличивала в своих рассказах Джоан, позволяла Блэки сохранять достоинство. Да, работа придавала ей больше значимости и достоинства, обеспечивала положение в обществе. Не потому ли все так боятся потерять работу, а для некоторых мужчин выход на пенсию оказывается таким травмирующим событием? И она, конечно, не сможет найти, как выразилась Джоан, «симпатичную небольшую работку» в Тонбридже. Она прекрасно понимает, что это значит — работать с молодыми, дурно обученными девушками, только что со школьной скамьи или с секретарских курсов, переживающими период сексуального становления и ищущими любовных приключений; ее возненавидят за профессионализм или начнут жалеть за слишком явное стародевичество. Как сможет она унизиться до того, чтобы пойти куда-то на неполную ставку, она, которая раньше была личным секретарем и помощником Генри Певерелла?

Неподвижно сидя перед бокалом недопитого хереса и неотрывно, словно загипнотизированная, глядя на его янтарное мерцание, она чувствовала, как рвется от боли сердце, как в душе звучит крик: «О дорогой мой, зачем же ты меня оставил?! Зачем тебе понадобилось умереть?!»

Ей редко доводилось видеть его вне стен издательства, ее никогда не приглашали к нему на квартиру, в дом № 12, да и сама она никогда не приглашала его в Уиверс-Коттедж, никогда не говорила с ним о своей личной жизни. Но целых двадцать семь лет он был центром ее существования. Она пробордствовала с ним вместе гораздо больше часов, чем с кем бы то ни было за всю свою жизнь. Для нее он всегда оставался мистером Певереллом, а он называл ее мисс Блэкетт при посторонних, но Блэки, когда они были одни. Она не могла припомнить, касалась ли ее рука его руки когда-нибудь за эти двадцать семь лет, кроме того единственного раза, когда она впервые, робеющей семнадцатилетней девчонкой, только окончив секретарские курсы, явилась в Инносент-Хаус на интервью, а мистер Певерелл, улыбаясь, поднялся из-за письменного стола ей навстречу. Ее умение печатать на машинке и стенографировать было уже проверено его секретаршей, которая увольнялась потому, что выходила замуж. Не решаясь взглянуть в красивое, «ученое» лицо и невероятно синие глаза, она понимала — это и есть главное, последнее испытание. Он мало говорил о работе, да и зачем? Мисс Аркрайт уже объяснила ей с пугающими подробностями, чего именно от нее ждут. Но зато он спросил ее, как она доехала, и сказал:

— У нас есть катер, который доставляет некоторых наших сотрудников на работу. Он может забирать вас у пирса на Черинг-Кросс и привозить в издательство по Темзе, если, конечно, вы не боитесь воды.

И она поняла, что это и есть главный экзаменационный вопрос, что она не получит места, если не любит реку.

— Нет, — сказала она. — Я не боюсь воды.

После этого она говорила очень мало и почти неслышно, все время думая о том, как каждый день будет приезжать на работу в этот сияющий дворец. Заканчивая интервью, Генри Певерелл сказал:

— Если вам кажется, что здесь вам будет хорошо, то, может быть, мы с вами дадим друг другу месяц испытательного срока?

Через месяц он ей ничего не сказал, но она знала — ему и не надо ничего говорить. Она осталась с ним до самой его смерти.

Она помнила то утро, когда с ним случился инфаркт. Неужели это было всего восемь месяцев назад? Дверь между его кабинетом и ее комнатой была приоткрыта — как всегда, как он любил. Бархатная змея с искусно разрисованной спиной и красным раздвоенным язычком из шерстяной фланели свернулась у подножия двери. Он окликнул ее только раз, но голосом таким режущим слух и задыхающимся, что этот крик едва походил на человеческий, и ей показалось, что это кричит с Темзы какой-то речник. Ей понадобилось почти две секунды, чтобы осознать, что этот чужой бестелесный голос окликнул ее по имени. Она вскочила со стула, услышала, как тот заскользил по полу прочь, и очутилась у стола Генри Певерелла, глядя на него сверху вниз. Он все еще сидел в своем рабочем кресле, застывший, словно окоченелый, сжимая руки повыше локтя пальцами так, что побелели костяшки, набухшие глаза подкатывались под лоб, на котором выступили блестящие крупные капли пота, густого как гной. Он выдохнул:

— Боль! Боль! Врача!

Она пробежала мимо телефона на его столе — к тому, что стоял в ее комнате, словно только в этой привычной обстановке могла справиться со страхом. Пролистала телефонную книгу и только тут вспомнила, что фамилия и телефон его врача — в маленьком черном справочнике, в ящике ее стола. Рывком выдернув ящик, она запустила туда руку — взять справочник, тщетно пытаясь вспомнить фамилию доктора, отчаянно спеша вернуться к этому ужасу в рабочем кресле, в то же время боясь того, что может там увидеть, зная, что помощь необходима, необходима немедленно... И вспомнила. «Скорая помощь»! Конечно же! Надо вызвать «скорую помощь»! Пальцы застучали по кнопкам аппарата, и она услышала голос — спокойный, уверенный, авторитетный. Она сделала вызов. Взволнованная настойчивость и ужас, звучавший в ее словах, должно быть, сделали свое дело. «Скорая» выедет сразу.

Потом она вспоминала то, что произошло, какими-то не связанными между собой кусками, не в прямой последовательности, а как бы серией отдельных, очень живых и ярких картин. Через дверь кабинета она едва успела заметить Франсес Певерелл, беспомощно стоящую рядом с отцом; через мгновение появился Жерар Этьенн и твердой рукой захлопнул дверь, сказав:

— Не нужно больше никому сюда входить. Ему необходим воздух.

Это был самый первый из пережитых ею с тех пор отказов. Она помнила громкие звуки, доносившиеся из кабинета, когда медики «скорой помощи» занимались Генри Певереллом; помнила, что голова его была повернута в противоположную от нее сторону, когда его, укрытого красным пледом, несли мимо нее на носилках; помнила чьи-то рыдания — она и сама могла бы так рыдать; помнила пустоту кабинета, такого же пустого, каким он бывал по утрам, когда она приходила туда раньше Генри, или по вечерам, когда Генри уходил раньше ее; но сейчас он опустел навсегда, будет пуст постоянно, лишенный всего, что придавало ему смысл и содержание. Блэки больше так и не увидела Генри Певерелла. Она хотела навестить его в больнице и спросила у Франсес Певерелл, в какое время это удобнее всего сделать. Но в ответ услышала:

— Он все еще в отделении интенсивной терапии. Посещения разрешены только членам семьи и компаньонам. Извините, Блэки.

Поначалу известия о нем были обнадеживающими. Ему становилось все лучше и лучше. Все надеялись, что его вот-вот переведут из отделения интенсивной терапии в обычную палату. Но на четвертый день после первого он перенес еще один — обширный — инфаркт. И умер. Во время кремации Блэки сидела в часовне в третьем ряду скамей, вместе с остальными служащими. Никто не сказал ей слов утешения — с чего бы вдруг? Она ведь не была в числе тех, кому официально полагалось испытывать горе, не была членом семьи. Когда, выйдя из часовни, она рассматривала траурные венки и не смогла сдержаться — разрыдалась, Клаудиа Этьенн быстро взглянула на нее с жестом раздраженного удивления, как бы говоря: «Уж если его дочь и друзья способны держать себя в руках, почему же вы не можете?» Ее горе показалось им проявлением дурного вкуса, таким же претенциозным, каким выглядел ее венок, хвастливо бьющий в глаза среди свежесрезанных цветов, принесенных родственниками и друзьями. Она запомнила случайно услышанные ею слова Жерара Этьенна, обращенные к сестре: «Бог мой, Блэки ужасно перебарщивает. Этот венок не посрамил бы и похорон какого-нибудь нью-йоркского мафиози. Чего она добивается? Чтобы все подумали — она была его любовницей?»

А на следующий день, во время небольшой закрытой церемонии, пятеро компаньонов бросили прах Генри Певерелла с террасы Инносент-Хауса в Темзу. Блэки не была приглашена принять участие в церемонии. Приглашена она не была, но Франсес Певерелл пришла к ней в кабинетик и сказала:

— Может быть, вы захотите присоединиться к нам там, на террасе, Блэки? Мне думается, отцу хотелось бы, чтобы вы там были.

Блэки держалась позади всех, стараясь не мешать им. Они стояли на некотором расстоянии друг от друга, у самого края террасы. Белые раскрошенные кости — все, что осталось от Генри Певерелла, — помещались в жестяном контейнере, странно похожем, как ей показалось, на банку из-под печенья. Они передавали контейнер из рук в руки, каждый брал оттуда горсть праха и забрасывал подальше или просто ронял вниз, в воду Темзы. Она помнила — тогда был высокий прилив и подувал свежий ветерок. Охряно-коричневая река билась о стенки причала, посылая наверх крохотные капли водяной пыли. Руки Франсес Певерелл были влажны, частички праха прилипли к коже, и она потом незаметно отерла руки о юбку. Она казалась совершенно спокойной, когда читала наизусть строки из «Цимбелина»*, начинавшиеся словами:

> Теперь тебе не страшен солнца зной,
> Не страшны вьюги зимние и снег,
> Ты завершил нелегкий путь земной,
> Обрел свой вечный дом, уснув навек.

Блэки подумалось, что они забыли договориться заранее о том, кто за кем будет говорить, и возникла небольшая пауза, прежде чем Джеймс Де Уитт подошел еще ближе к краю террасы и произнес слова из Апокрифа:

— «Души праведных пребудут в руках Господа — и вечные муки не коснутся их».

Потом он медленно, прерывистой струйкой высыпал белый прах из сложенных ковшиком ладоней, словно отсчитывая в уме каждую падающую частичку.

Габриел Донтси прочел стихотворение Уилфрида Оуэна**, которое до тех пор было ей не знакомо, но позже она его отыскала и подивилась выбору старика.

> Я призраком брожу у Шадуэлла*** ступеней,
> Меж верфей старых, мрачных темных боен,
> Я — тень среди во тьме живущих теней,
> Я там брожу, и дух мой неспокоен.

---

* «Цимбелин» — пьеса У. Шекспира, впервые опубликованная в 1623 г., уже после смерти автора (1616). Считается, что она могла быть написана в 1609—1610 гг. и поставлена в 1611 г.

** Уилфрид Оуэн (1893—1918) — английский поэт, участник Первой мировой войны, погибший в бою. Стал известен впервые как «окопный поэт» (при жизни были опубликованы только пять его стихотворений), но затем, после выхода его произведений в 1931 г., обрел широкое признание.

*** Шадуэлл — район Ист-Энда вокруг площади Шадуэлл-Плейс и станция метро того же названия, близ Темзы.

Но дух мой в плоть одет, во тьме я не исчезну,
Тревожные глаза мерцают, как опалы
Иль фонари над полноводной Темзой,
Когда вечерний мрак вплывает на причалы.

Речь Клаудии Этьенн была самой короткой — всего две строки:

Все, что нам выпадет, коль мерить справедливо, —
Дремота долгая и долгий сон счастливый.

Она произнесла эти слова громко и торопливо, с какой-то яростной силой; впечатление было такое, что она не одобряет всю эту игру в шарады.

После нее заговорил Жан-Филипп Этьенн. Он не приезжал в Инносент-Хаус с той поры, как год тому назад ушел от дел; из эссекского дома на морском берегу, где он теперь жил, его — всего за несколько минут до церемонии — доставил в Лондон личный шофер. Он и уехал сразу, как только церемония закончилась, не пожелав остаться на ленч а-ля фуршет, устроенный в конференцзале. Но выбранный им отрывок был самым длинным, и он прочел его тусклым, тихим голосом, держась рукой за перила чугунной ограды. Позже Де Уитт сказал Блэки, что отрывок был взят из «Размышлений» Марка Аврелия*, но тогда только малая часть текста запечатлелась в ее мозгу:

«Одним словом, все, что от тела — словно река, а все, что от духа — словно пар или сон; жизнь есть борьба и временный приют странника, а слава после смерти — одно лишь забвение».

Жерар Этьенн говорил последним. Он подальше забросил измельченные кости, словно отрясая с рук прах прошлого, и произнес слова из Екклесиаста:

— «Кто находится между живыми, тому есть еще надежда, так как и псу живому лучше, нежели мертвому льву. Живые знают, что умрут, а мертвые ничего не знают, и уже нет им воздаяния, ибо и память о них предана забвению; и любовь их, и ненависть их, и ревность их уже исчезли, и нет им более части вовеки ни в чем, что делается под солнцем».

* Марк Аврелий Антонин (121—180) — римский император (161—180), философ-стоик, автор 12-ти томов «Размышлений».

Закончив церемонию, все они молча пошли прочь от реки и поднялись в конференц-зал, где их ждали холодные закуски и вино. А ровно в два часа пополудни Жерар Этьенн, ни слова не говоря, прошел через комнату Блэки в кабинет Генри Певерелла и впервые сел в его кресло. Лев был мертв, и живой пес занял его место.

7

После кремации Сони Клементс Джеймс Де Уитт отказался от приглашения Франсес и Габриела поехать вместе с ними на такси, сказав, что ему необходимо пройтись пешком и что от станции Голдерз-Грин он поедет на метро. Он не ожидал, что путь до метро окажется таким долгим, но был рад, что остался в одиночестве. Остальных сотрудников издательства развозили по домам машины похоронного бюро, и Джеймс не мог решить, что было бы хуже — видеть напряженное, несчастное лицо Франсес, не имея ни малейшей надежды ее утешить, или быть стиснутым в переполненном помпезном автомобиле шумной компанией младших сотрудников издательства, которым было интереснее поучаствовать в похоронах, чем провести эти полдня на работе, и чьим языкам, развязавшимся после фальшивой торжественности прощальной церемонии, будет помехой его присутствие. Даже новая временная — Мэнди Прайс — была здесь. Но это-то как раз было понятно: ведь она присутствовала при том, как был обнаружен труп.

Кремация прошла отвратительно, и в этом он винил себя. По правде говоря, он всегда винил себя, и порой, размышляя над этим, думал, что такое острое чувство греховности при отсутствии веры, дающей утешительную надежду на отпущение, очень неудобная черта характера. Сестра мисс Клементс, монахиня, появилась на похоронах, словно по волшебству, в самый последний момент, села на скамью в самом последнем ряду и столь же стремительно исчезла, когда все кончилось. Она ненадолго задержалась лишь для того, чтобы обменяться рукопожатиями с теми из сотрудников «Певерелл пресс», кто успел протиснуться к ней и пробормотать неловкие слова утешения. Она заранее написала Клаудии, прося фирму взять на себя все заботы о похоронах, и им следовало сделать это гораздо лучше. Он сам должен был обо всем позаботиться, а не перепоручать дело Клаудии, что практически означало — поручить это ее секретарю.

Должна была бы существовать какая-то церемония, рассчитанная на тех, кто не принадлежит ни к какой религии, думал он. Возможно, такая на самом деле существует, просто они не позаботились об этом узнать. Это могло бы стать интересным и даже прибыльным для издательства мероприятием, если бы они опубликовали книгу об альтернативных похоронных ритуалах для гуманистов, атеистов, агностиков, книгу о некоей официально принятой церемонии поминовения, о празднике человеческого духа, никак не связанном с надеждой на продолжение жизни после жизни. Быстро шагая по направлению к станции метро в распахнутом и развевающемся от ветра длинном пальто, он занимал себя мыслями о том, какие прозаические отрывки или стихи можно было бы включить в такую книгу. «Взгляни в последний раз на сей прекрасный мир» Де ла Мара — чтобы придать всему этому оттенок меланхолической ностальгии. Может быть, «Non Dolet» Оливера Гогарти, «Оду к осени» Китса, если человек был стар, и «Жаворонку» Шелли — если молод. «Строки, написанные над Тинтернским аббатством» Вордсворта — в память о любителе природы. Вместо псалмов туда можно было бы включить песни, а медленная часть из бетховенского концерта «Император» вполне подошла бы для того, чтобы служить похоронным маршем. И ведь еще есть текст третьей части из Екклесиаста:

> Всему свое время, и время всякой вещи под небом.
> Время рождаться, и время умирать;
> Время насаждать, и время вырывать посаженное;
> Время убивать, и время врачевать;
> Время разрушать, и время строить;
> Время плакать, и время смеяться...

Он мог бы составить что-нибудь подходящее для Сони Клементс, мог бы даже включить какие-нибудь отрывки из книги, которую она заказала автору и редактировала, — в память о двадцати четырех годах, проведенных Соней в служении фирме; такое поминовение Соня одобрила бы, будь она жива. Как странно, думал он, что так важны эти ритуалы проводов усопших; они несомненно предназначены для утешения и помощи живым, поскольку самих усопших тронуть они никак не могут.

Он зашел в супермаркет у Ноттинг-Хилл-Гейт — купить пару пакетов полуобезжиренного молока и флакон жидкости для бритья и только потом тихо вошел в дом. Было очевидно, что у Руперта — гости: сверху доносились звуки музыки и шум голосов. Джеймс надеялся застать Руперта в одиночестве и подивился, как это часто случалось, что смертельно больной человек способен выносить такой шум. Во всяком случае, шум был веселый, и Руперту не так уж долго приходилось его выносить. Это ему, Джеймсу, приходилось потом справляться с неминуемыми последствиями. Вдруг он почувствовал, что не в силах встретиться ни с кем из этих людей. Он прошел на кухню и, не снимая пальто, налил себе горячего чая, открыл дверь черного хода и вышел с кружкой в тишину и темноту сада; там он опустился на деревянную скамью у самой двери. Вечер для конца сентября был теплый, и, сидя так в сгущающейся тьме, отделенный от грохота и ярких огней Ноттинг-Хилл-Гейт расстоянием всего-навсего в восемьдесят ярдов, он ощущал, что в спокойном воздухе этого маленького сада живут воспоминания и о неописуемой сладости лета, и о влажном великолепии осени. Вот уже десять лет, с того времени как крестная оставила ему это наследство, дом был для Джеймса неизменным источником радости и довольства. Он не ожидал, что будет испытывать такое острое чувство наслаждения от обладания собственностью: он с детства тешил себя мыслью, что, кроме собственных картин, владение каким-либо имуществом для него совершенно не имеет значения. Но теперь он понял, что владение этим конкретным имуществом, таким прочным и неизменным, стало в его жизни определяющим элементом. Ему нравились непритязательный, в стиле эпохи Регентства, фасад дома, окна со ставнями, гостиная на втором этаже, разделенная аркой на две части, с фасадными окнами, смотрящими на улицу, и с зимним садом в противоположном конце, откуда открывался вид на его собственный сад и на сады его соседей. Ему нравилась мебель восемнадцатого века, которую крестная привезла сюда, когда сравнительная бедность заставила ее переехать на эту улицу, тогда еще вполне захолустную, не успевшую заселиться людьми богатыми и довольно обшарпанную. Она оставила ему все, кроме ее картин, но здесь их вкусы расходились, и он не жалел об этом. Все стены гостиной были уставлены книжными шкафами в четыре фута высотой, а над ними он развесил свои гравюры и акварели. Дом все еще хранил свойственную крестной атмосферу женственности, но Джеймсу не хотелось навязывать дому собственные мужские вкусы. Каждый вечер он возвращался домой, входил в маленький, но элегантный холл с выцветшими обоями и плавно огибающей его лестницей, и чувствовал, что входит в свой собственный, защищенный и бесконечно приятный ему мир. Но это было до того, как он взял к себе Руперта.

За пятнадцать лет до этого Руперт Фарлоу опубликовал в «Певерелл пресс» свой первый роман, и Джеймс до сих пор помнил смешанное чувство радостного возбуждения и благоговейного страха, когда читал рукопись, представленную не через литагента, а прямо в издательство. Рукопись была дурно напечатана на плохой бумаге и сопровождалась не письмом или объяснительной запиской, а всего лишь подписью — Руперт Фарлоу — и адресом, словно автор заранее бросал вызов незнакомому еще читателю, предлагая признать высокие достоинства книги. Второй его роман, два года спустя, был принят уже не с такой готовностью и не столь щедро оплачен, как это часто бывает со вторым произведением после поразительного первого успеха, но Джеймс не был разочарован. Перед ним, несомненно, было подтверждение выдающегося таланта. Руперта в Лондоне больше не видели, на письма и звонки ответа не было. Ходили слухи, что он в Северной Африке, в Калифорнии, в Индии. А потом он вдруг опять на короткое время появился, но новой работы не принес. Он не написал больше ни одного романа, и теперь уже не напишет. Это Франсес Певерелл сказала Джеймсу, что, по слухам, Руперт погибает от СПИДа в уэст-лондонском хосписе. Франсес его там не навещала, а Джеймс навестил и продолжал навещать. У Руперта начался период ремиссии, но сотрудники хосписа не знали, как с ним быть: его квартира не годилась для тяжелобольного, хозяин не испытывал к нему сочувствия, а сам Руперт терпеть не мог своих сотоварищей по хоспису. Все это выяснилось без малейших жалоб с его стороны. Жаловался он только на бытовые неудобства. Казалось, он воспринимает свою болезнь не как жестокое и несправедливо постигшее его несчастье, но как предопределенный и неизбежный конец, против которого нет смысла восставать, с которым следует смириться. Руперт умирал мужественно и с достоинством, но он оставался прежним Рупертом, злым или озорным, коварным или импульсивным — как кому захотелось бы его охарактеризовать.

Очень осторожно, опасаясь, что его предложение вызовет возмущение или будет неверно понято, Джеймс предложил Руперту переехать к нему в Хиллгейт-Виллидж. Предложение было принято, и четыре месяца тому назад Руперт поселился у него в доме.

Покой, порядок, защищенность — все рухнуло. Руперту трудно было взбираться по лестнице, так что Джеймс поставил для него кровать в гостиной, и больной проводил большую часть дня там или в зимнем саду, если день стоял солнечный. На втором этаже были душ и уборная и еще комната размером чуть больше стенного шкафа, где Джеймс оборудовал кухоньку с электрочайником и двухконфорочной электрической плиткой: там Руперт мог готовить себе кофе и подогревать сандвичи. Второй этаж, таким образом, превратился как бы в отдельную квартиру, которой Руперт завладел и в которой установил свой собственный — неопрятный, ниспровергающий принятые нормы, злобно-озорной — стиль жизни. По иронии судьбы дом стал гораздо менее покойным местом после того, как в нем поселился умирающий. К Руперту шел непрерывный поток посетителей: приходили новые и старые друзья Руперта, его рефлексолог, его массажистка, за которой тянулся аромат экзотических масел; приходил отец Майкл, который являлся, чтобы выслушать исповедь больного, но его заботы Руперт воспринимал, как казалось, с той же насмешливой покорностью, что и заботы о состоянии своего тела. Друзья редко оказывались в доме одновременно с Джеймсом, исключением были только выходные дни. Впрочем, свидетельства их посещений он находил каждый вечер: цветы, журналы, фрукты, флаконы со сладко пахнущими маслами. Посетители сплетничали, готовили кофе, их угощали вином. Как-то раз Джеймс спросил Руперта:

— Отцу Майклу нравится вино?

— Во всяком случае, он точно знает, какие бутылки снизу тащить.

— Тогда все в порядке.

Джеймсу не жаль было кларета, если отец Майкл понимал, что именно он пьет.

Он снабдил Руперта ручным звонком, таким же большим и звучным, как школьный звонок. Приобретен он был на рынке Портобелло-роуд, чтобы Руперт мог ночью вызвать Джеймса из спальни на верхнем этаже, если вдруг понадобится помощь. Теперь Джеймс спал плохо, боясь услышать требовательный звон и в полусне представляя себе грохот колес по булыжной мостовой пораженного «черной смертью» Лондона, телегу с мертвыми телами и печальный вопль: «Выносите своих покойников!»

Он помнил каждое слово, сказанное Рупертом два месяца назад, его внимательный иронический взгляд и улыбающиеся губы, лицо человека, ожидающего, что ему не поверят:

— Я просто сообщаю вам факты. Жерар Этьенн знал, что Эрик болен СПИДом, и сделал все возможное, чтобы мы познакомились. Я не жалуюсь, вовсе нет. У меня ведь был какой-то выбор. Жерар же не уложил нас силком в постель друг с другом.

— Жаль, что вы не воспользовались этим выбором.

— Как это не воспользовался? Вы ведь Эрика не знали, верно? Он был прекрасен. Таких людей не много. Есть привлекательные, интересные, сексуальные, приятной внешности. Но прекрасных — нет. А он был прекрасен. Красота для меня всегда была непреоборима.

— И это все, что вам требуется в любимом человеке — физическая красота?

Руперт передразнил его, в глазах и голосе — мягкая издевка:

— И это все, что вам требуется в любимом человеке? Джеймс, дорогой мой, в каком мире вы живете, что вы за человек такой? Нет, это не все, что мне требуется. Требовалось. В прошедшем времени, заметим. Было бы более тактично с вашей стороны, если бы вы аккуратнее обращались с грамматикой. Нет, это было не все. Мне нужен был человек, которому я тоже нравился бы. Человек с определенными навыками в постели. Я не спрашивал у Эрика, что он любит больше — джаз, камерную музыку или оперу, или, может быть, балет? И какое вино он предпочитает? Я говорю о страсти. Я говорю о любви. Господи, да это все равно что объяснять музыку Моцарта человеку, которому медведь на ухо наступил. Послушайте, давайте остановимся вот на чем: Жерар Этьенн сознательно свел нас. К тому времени он уже знал, что у Эрика СПИД. Он мог надеяться, что мы станем любовниками, мог не надеяться. Ему вообще могло быть все это до лампочки. Я думаю, он просто развлекался. Не знаю, что у него было на уме. Да меня это и не интересует. Я знаю, что было на уме у меня самого.

— Ну а Эрик? Он-то знал, что его болезнь заразна. Он ничего вам не сказал? Господи, да о чем же он думал?!

— Сначала ничего не сказал. Только потом. Но я его не виню. И если уж я его не виню, то вам следует держать свои высокоморальные суждения при себе. Не знаю, о чем он думал. Я не лезу своим друзьям в душу. Может, ему нужен был компаньон, чтобы вместе пройти последнюю пару миль перед тем, как погрузиться в бесконечное исследование пресловутой тишины? — Помолчав, он спросил: — А вы? Вы не прощаете своих друзей?

— Вряд ли слово «прощение» подходит для отношений между друзьями. Но никто из моих друзей не заразил меня смертельной болезнью.

— Но, мой дорогой Джеймс, вы ведь не даете им такой возможности, верно?

Джеймс расспрашивал Руперта с дотошностью опытного следователя, стремясь выведать у него правду, которую ему так необходимо было знать.

— Как вы можете быть уверены, что Жерар Этьенн знал о болезни Эрика?

— Джеймс, не нужно устраивать мне перекрестный допрос. У вас даже голос, как у прокурора-обвинителя. И вы обожаете говорить обиняками, правда? Он знал об этом, потому что Эрик сам ему сказал. Этьенн спросил, когда можно ждать от него новую книгу. Издательство очень успешно распорядилось его первой книгой путешествий. Этьенн купил ее задешево и, видимо, надеялся получить следующую на тех же условиях. А Эрик ответил, что книг больше не будет. Что у него нет ни сил, ни намерения писать. Что у него есть другие планы на оставшуюся ему жизнь.

— И в эти планы входили вы?

— Вошел — со временем. Через две недели после этой беседы Этьенн организовал прогулку по Темзе на теплоходе. Само по себе подозрительно, вы не находите? Развлечение вовсе не в его духе. Чух-чух-чух вниз по матушке по Темзе — взглянуть на противопотопную дамбу; чух-чух-чух обратно — вот вам сандвичи с семгой и шампанское. Между прочим, как это вам удалось не участвовать?

— Я был во Франции.

— Ну да, действительно. Это ведь ваш второй родной дом. Странно, что старик Этьенн все эти годы довольствуется жизнью вдали от родной земли. Жерар и Клаудиа тоже туда не ездят, верно? Можно предположить, что им было бы интересно пару раз взглянуть на те места, где их папочка с товарищами так весело проводил время, пуляя из-за скал в немцев. Они никогда туда не ездят, а вы не можете удержаться. Чем вы там занимаетесь? Выясняете про него?

— С какой это стати?

— Я просто так спросил, без задней мысли. В любом случае у вас не получится повесить что-нибудь на старика Этьенна. Документально доказано, что он настоящий герой Сопротивления, это никаких сомнений не вызывает.

— Давайте продолжим о прогулке по Темзе.

— О, ничего необычного. Хихикающие машинистки, чуть окосевшая мисс Блэкетт, с красным отекшим лицом, с ее кошмарным стародевическим лукавством. Она взяла с собой эту вашу антисквозняковую змею. Ее называют Шипучим Сидом. Женщины в издательстве поразительны. Я бы сказал, что у них абсолютно отсутствует чувство юмора, если бы не эта змея. Некоторые девицы свешивались над бортом, грозя, что сейчас ее утопят, а еще одна пыталась напоить змею шампанским. В конце концов они обмотали ее вокруг шеи Эрика, и он так и ехал с ней до самого возвращения. Но это случилось позже. Когда плыли вверх по реке, я попытался укрыться от толпы на носу. Эрик стоял там в полном одиночестве, совершенно неподвижно, словно резная фигура. Он повернулся и взглянул на меня. — Руперт замолк, потом сказал тихо, почти шепотом: — Он повернулся и взглянул на меня... Джеймс, лучше забыть о том, что я только что говорил.

— Нет, я не забуду. Вы ведь говорите правду?

— Разумеется. Разве я не всегда?..

— Нет, Руперт, не всегда.

Неожиданно его воспоминания были прерваны. Дверь кухни резко распахнулась, и приятель Руперта высунул в проем голову:

— Мне послышалось, что хлопнула входная дверь. Мы как раз уходим. Руперт спрашивает — вы пришли? Вы же всегда проходите прямо наверх?

— Да, — ответил он. — Я всегда прохожу прямо наверх.

— Так чего же вы тут сидите?

Приятель спросил об этом без особого любопытства, но Джеймс ответил:

— Размышляю над третьей частью Екклесиаста.

— Мне кажется, Руперту нужно вас видеть.

— Я уже иду.

И он стал подниматься по лестнице — с трудом, словно старик, преодолевая ступени; стал подниматься в этот беспорядок, в эту духоту, в эту экзотическую неразбериху запахов и вещей, в какую теперь превратилась его гостиная.

8

Было девять часов, и чуть в стороне от Уэстберн-Гроув, на верхнем этаже террасного дома, Клаудиа Этьенн лежала в постели с любовником.

— Интересно, — сказала она, — отчего это всегда после похорон испытываешь вожделение? Мощное взаимодействие смерти и секса, я так полагаю. Ты знал, что во времена королевы Виктории проститутки часто обслуживали клиентов на кладбищах, на плоских могильных плитах?

— Жестко, холодно и слишком зловеще. Надеюсь, у них хоть подстилки были. Меня бы такое не завело. Я бы все время думал о гниющем подо мной трупе, обо всех этих чертовых червях, выползающих из пустых глазниц и вползающих обратно. Милая моя, до чего же необычайные ты знаешь факты, побудешь с тобой — никакого образования не понадобится.

— Да, — ответила она. — Ты прав.

Интересно, размышляла Клаудиа, а что, он тоже, как и она, думает сейчас не только об исторических фактах? «Побудешь с тобой», — сказал он. Не «полюбишь тебя»...

Он повернулся к ней, оперся головой на руку:

— Что, кошмарные были похороны?

— Они были не просто кошмарные. Еще и предельно унылые и мрачные. Музыка в записи, гроб выглядел так, будто уже был в употреблении, заупокойная служба отцензурирована, чтобы никого не обидеть — Господа Бога в том числе, и священник, изо всех сил старавшийся сделать вид, что все мы участвуем в чем-то таком, что и правда имеет какой-то смысл.

— Когда придет мой черед, мне хотелось бы быть сожженным на погребальном костре у моря, как Китс.

— Шелли.

— Ну, как тот поэт, не важно кто. Знойная ночь, ветер, никакого гроба, полно выпивки, и все твои друзья плавают голышом в прибрежных волнах, а потом, счастливые и радостные, греются у моего огня, и это я их согреваю. А новый прилив может смыть оттуда мой пепел. Как думаешь, если я оставлю распоряжение об этом в своем завещании, кто-то позаботится его выполнить?

— Я не очень-то надеялась бы на это. Скорее всего ты — как и все мы — окажешься на кладбище в Голдерз-Грин.

Его спальня была не очень большой, почти все пространство пола занимала огромная — в пять футов шириной — викторианская кровать, отделанная орнаментированной медью, с четырьмя высокими столбиками с шишечками наверху. На них Деклан укрепил викторианское лоскутное покрывало, местами сильно потертое. Освещенное прикроватной лампой, оно ярким узорчатым пологом из перемежающихся кусочков блестящего шелка и атласа простиралось над любовниками. Кое-где обрывки потрепанного шелка свисали вниз, и Клаудии вдруг захотелось их подергать. Она разглядела, что на шелке виднеются старинные буквы: черные паутинки строк, начертанных давно истлевшей рукой, были хорошо различимы. Семейная история, семейные беды и радости вместились в эти строки. Все королевство Деклана, — а ей казалось, что это и впрямь королевство, — лежало внизу, под ними. Магазин и вся эта недвижимость принадлежали мистеру Саймону (она так и не узнала его имени, только фамилию). Он сдал Деклану два верхних этажа дома за смехотворно низкую сумму и столь же скудно платил ему за управление магазином. Сам мистер Саймон, в неизменной черной ермолке, тоже всегда присутствовал там, чтобы приветствовать самых любимых покупателей. Он сидел за диккенсовской конторкой прямо у входной двери, никаким иным образом не участвуя в купле и продаже товаров, но внимательно следя за потоком наличности в кассе. Передняя часть дома была оборудована по вкусу мистера Саймона, под его личным наблюдением: избранные предметы обстановки, картины, предметы искусства были представлены здесь в самом выгодном свете. А вот в дальней части первого этажа господствовал Деклан. Здесь во всю длину дома шел зимний сад с витражами из особо прочного стекла; здесь у обоих концов стояло по пальме, чьи стройные стволы были из металла, а лапчатые листья, колеблющиеся от малейшего прикосновения руки, — из тонкой жести, крашенной в ярко-зеленый цвет. Это напоминание о средиземноморском солнце контрастировало с общей атмосферой зимнего сада, отдаленно напоминающего храм.

Некоторые из прежних стеклянных панелей были понизу заменены кусками цветного стекла странной формы, взятыми из разрушенных церквей; получалась словно бы составная картинка из златоволосых ангелов и святых с нимбами, печальных апостолов и фрагментов сцены Рождества Христова или Тайной вечери, бытовых виньеток с изображением рук, наливающих вино в кувшины или берущих буханки хлеба. Размещенные в радостном беспорядке на самых разных столах, кучами сваленные на стульях, здесь находились предметы, собранные Декланом, среди которых бродили, в которых рылись его собственные покупатели, удивляющиеся, восхищенно восклицающие, делающие свои открытия и находки.

Тут и правда было что открывать. У Деклана, как обнаружила Клаудиа, был наметанный глаз. Он любил все красивое, разнообразное, необычное. Он был необычайно широко осведомлен о вещах, о которых она сама почти ничего не знала. Ее поражало то, что он знает, точно так же как и то, чего он не знает. Время от времени его находкам уделялось место и в передней части дома. В таком случае он моментально терял к ним интерес; вообще любовь Деклана к его приобретениям была непостоянной. «Ты же видишь, Клаудиа, милая моя, что я просто должен был это заполучить! Ты же понимаешь, что я не мог этого не купить?» И он принимался гладить свое новое приобретение, изучал его, восхищался, не мог глаз от него отвести, помещал на самое видное место. Но месяца три спустя оно могло вдруг таинственным образом исчезнуть, уступив очередному предмету любви и энтузиазма. Деклан не пытался расположить вещи в своем магазине так, чтобы продемонстрировать их достоинства: все предметы были свалены беспорядочными кучами, никуда не годные вместе с достойными внимания. Здесь смешались: мемориальная фигурка «Гарибальди на коне» — стратфордширский фарфор, треснувший соусник из Дерби, монеты и медали, чучела птиц под стеклянными колпаками, сентиментальные викторианские акварели, бронзовые бюсты Дизраэли и Гладстона*, тяжелый викторианский комод, пара позолоченных деревянных стульев в стиле ар-деко**, чучело медведя

---

* Дизраэли, Бенджамин (1804—1881) — премьер-министр Великобритании (1868 и 1874—1880); Гладстон, Уильям Юарт (1809—1898) — премьер-министр Великобритании (1868—1874, 1880—1885, 1886 и 1892—1894).

** Ар-деко (20—30 гг. XX в.) — декоративный стиль в мебели и архитектуре, отличавшийся яркими красками и геометрическими формами.

и обильно инкрустированная фуражка офицера германских военно-воздушных сил. Тогда, рассматривая этот последний экспонат, она спросила:

— В каком качестве ты это продаешь? Как головной убор покойного маршала Германа Геринга?

Она ничего не знала о прошлом Деклана. Как-то он сказал ей с сильным и не очень убедительным ирландским акцентом: «И верно, я ведь просто бедный паренек из Типперери, мамаша давно померла, а папаша вообче сгинул неизвестно где». Но она ему не поверила. Речь его лилась свободно, голос был хорошо поставлен, и в том, что он говорил, нельзя было расслышать ни малейшего намека на происхождение или семейные связи. Клаудиа надеялась, что, когда они поженятся — если поженятся, — он ей что-нибудь о себе расскажет, а если не расскажет, она его, может быть, сама спросит. А пока что она интуитивно понимала, что спрашивать было бы неразумно: интуиция велела ей молчать. Невозможно было представить себе, что у Деклана самое обыкновенное прошлое, представить его в большой семье, с нормальными родителями, сестрами, братьями, в школе, на первом месте работы... Порой ей казалось, что он — экзотический подкидыш, подброшенный эльфами и неожиданно материализовавшийся в этой набитой вещами комнате в глубине дома, тянущий жадные пальцы к реалиям прошлых веков, тогда как сам может быть реален только в этот — вполне конкретный — момент настоящего.

Они встретились полгода назад в поезде метро: сидели на скамье рядом как раз в тот день, когда на Центральной линии произошла крупная авария. Во время ожидания, которое казалось им бесконечным, пока пассажирам не дали указания покинуть поезд и идти вперед по рельсовому пути, он заглянул в ее газету — она читала «Индепендент» — и, когда их глаза встретились, сказал с извиняющейся улыбкой:

— Простите меня, я знаю — это невежливо, но у меня клаустрофобия, я побаиваюсь замкнутого пространства. Я легче переношу такие вот задержки, если есть с собой что почитать. Обычно есть.

— Я уже ее прочла, — ответила Клаудиа. — Возьмите, пожалуйста. К тому же у меня в портфеле книга.

Так они и сидели рядом, читая, не обмолвившись больше ни словом, но она остро ощущала его присутствие. Она говорила себе, что это всего лишь результат напряженности и подспудного страха. Когда наконец раздалось указание покинуть поезд, паники не было, но для многих это происшествие оказалось неприятным, а для некоторых просто страшным. Пара-тройка остроумцев реагировали на напряжение грубыми шутками и громким смехом, но большинство пассажиров хранили молчание. Рядом с Клаудией сидела пожилая женщина, явно плохо себя почувствовавшая, и им двоим пришлось чуть ли не на руках вынести ее из вагона и, поддерживая, вести по рельсовому пути. Она объяснила им, что у нее больное сердце и астма и что она боится, как бы пыль в туннеле не вызвала у нее приступа.

Когда они добрались до станции и оставили женщину на попечении одной из дежурных медсестер, он повернулся к Клаудии и сказал:

— Мне кажется, мы оба заслуживаем выпивки. Во всяком случае, мне она необходима. Может, отыщем какой-нибудь паб?

Она сказала себе тогда: ничто так не сближает, как вместе пережитая опасность и вызванное ею взаимное расположение; будет гораздо разумнее сразу же попрощаться и пойти своей дорогой. Вместо этого она приняла его предложение. К тому времени как они наконец распрощались, Клаудиа уже понимала, к чему все это ведет. Но она не бросилась в эту связь очертя голову. Она никогда не заводила новых романов, не будучи внутренне уверена, что это она владеет ситуацией, что ее любят больше, чем любит она, что скорее она может причинить боль, чем испытает боль сама. Теперь она вовсе не была в этом уверена.

Примерно через месяц после того, как они стали любовниками, он сказал:

— Слушай, а почему бы нам не пожениться?

Клаудиа не могла отнестись к этим словам как к предложению руки и сердца, они скорее звучали как информация к размышлению. Она так удивилась, что целую минуту молчала. А он продолжал:

— По-моему, неплохая идея, тебе не кажется?

Она обнаружила, что принимает эту информацию всерьез, хотя не может определить, не есть ли это очередная из его идей, какие он порой высказывал, не рассчитывая, что Клаудиа в них поверит, и нисколько не интересуясь, поверила она или нет.

Она медленно произнесла:

— Если ты это серьезно, то ответ будет такой: мне кажется, что эта идея очень плохая.

— Тогда давай устроим помолвку. Мне нравится идея перманентной помолвки.

— Но это же нелогично.

— Отчего же? Старый Саймон будет в восторге. Я мог бы ему говорить: «Сегодня я жду невесту». Он тогда будет не так шокирован, если ты останешься у меня на ночь.

— Он никогда не выказывал ни малейшего признака, что это его шокирует. Сомневаюсь, что он обратил бы внимание, если мы вдруг принялись бы совокупляться прямо у него в магазине, конечно, при условии, что не распугаем покупателей.

Но иногда он все-таки называл ее своей невестой в разговорах со старым Саймоном, и она чувствовала, что не может позволить себе опровергнуть это определение: оба они оказались бы в дурацком положении, а опровержение придало бы всей этой истории значение, которого она вовсе не заслуживала. Деклан больше не заговаривал о женитьбе, а она была смущена и расстроена, вдруг поняв, что эта идея постепенно завладевает какой-то частью ее сознания.

В этот вечер, приехав с похорон, она поздоровалась с мистером Саймоном и сразу прошла в глубину дома. Деклан внимательно рассматривал какую-то миниатюру. Клаудиа любила наблюдать за ним, когда — каким бы кратковременным ни было его увлечение — он занимался предметом, вызвавшим его энтузиазм. Это был портрет дамы восемнадцатого века: ее низкий корсаж и блузка с рюшами были написаны чрезвычайно тонко, но красивое лицо под высоким пудреным париком казалось, пожалуй, чуть слишком сладким.

— Видно, богатый любовник портрет оплачивал, — произнес Деклан, — она больше похожа на шлюху, чем на жену, правда? Думаю, может, это Ричард Кори писал? Если так, то это всем находкам находка. Ты же видишь, милая моя, я просто должен был ее заполучить.

— У кого же ты ее заполучил?

— У одной женщины. Она дала объявление о продаже нескольких рисунков. Думала, это оригиналы. Оказалось — нет. Зато эта — оригинал.

— Сколько же ты за нее заплатил?

— Три пятьдесят. Она и меньше взяла бы — отчаянно нуждается в деньгах. Но я люблю доставлять людям радость, платя чуть больше, чем они ожидают.

— А стоит она раза в три дороже, я полагаю?

— Примерно. Она прелестна, ты не находишь? Сама миниатюра, я хотел сказать. Там сзади завиток такой выбивается на шее... Не хочу выставлять ее в магазине у Саймона. Стащат в один момент. Глаза у старика уже не те.

— Он выглядит совсем больным, — сказала Клаудиа. — Ты не хочешь попробовать уговорить его обратиться к врачу?

— Смысла нет. Я уже пытался. Старик терпеть не может врачей. Боится, что они его загонят в больницу, а больницы он ненавидит еще больше. Больница для него всего лишь место, куда люди отправляются умирать, а ему не хочется думать о смерти. Неудивительно, если всех твоих родных стерли с лица земли в Освенциме.

Сейчас, в постели, улегшись на спину и устремив взгляд на узорчатый шелк полога, освещенный мягким светом прикроватной лампы, Деклан спросил:

— Тебе удалось поговорить с Жераром?

— Нет еще. Поговорю после следующего заседания совета директоров.

— Послушай, Клаудиа, я хочу купить этот магазин. Он мне нужен. Я его создал. Он отличается от всех существующих благодаря мне. Нельзя, чтобы старый Саймон продал его кому-то другому.

— Я понимаю. Нам надо постараться, чтобы не продал.

Как удивительно, подумала она, это стремление дарить, удовлетворять каждое желание любовника, словно стараешься примирить его с тяжким бременем твоей любви. Или где-то в глубине души таится иррациональная уверенность, что он заслуживает получить то, что хочет, если уж захотел, просто потому, что тебя к нему так влечет? А когда Деклан чего-то хотел, то хотел этого со всей страстью, как избалованный ребенок; ему не было удержу, он забывал о чувстве собственного достоинства, о необходимости проявить терпение. Однако на этот раз, говорила себе Клаудиа, его желание было вполне взрослым и рациональным. Получить право владеть этим домом, состоявшим из двух квартир, и обеими частями магазина, уплатив всего триста пятьдесят тысяч фунтов стерлингов, — сделка необычайно выгодная. Саймон хотел продать дом, хотел продать его Деклану, но ждать дольше он просто не мог.

— Он что, недавно снова с тобой говорил? Сколько еще времени нам остается?

— Нет, не говорил. Но он собирается выставить дом и магазин на продажу, если мы к тому времени не дадим ему определенного ответа. Он, конечно, запросит за него больше, чем хочет с меня.

— Я собираюсь предложить Жерару выкупить мою долю, — медленно проговорила Клаудиа.

— Ты имеешь в виду все твои акции в «Певерелл пресс»? И он может это себе позволить?

— Не без затруднений. Но если согласится, он найдет деньги.

— А как-нибудь иначе ты это сделать не можешь?

Она подумала, что могла бы продать квартиру в Барбикане* и переехать сюда, только как это поможет решению их проблем? И ответила:

— У меня нет трехсот пятидесяти тысяч фунтов на депозите в банке, если ты это имеешь в виду.

— Но Жерар — твой брат, — продолжал настаивать Деклан. — Он наверняка сможет помочь.

— Мы не так близки. Да и не могли сблизиться. После смерти матери нас отослали учиться в разные школы. Мы практически не виделись, пока не явились в Инносент-Хаус, чтобы начать работать в издательстве. Он купит у меня акции, если решит, что это ему выгодно. Если нет — не купит.

— И когда же ты его спросишь?

— После заседания совета директоров, четырнадцатого октября.

— Зачем ждать так долго?

— Потому что это будет самый удобный момент.

Тянулись минуты. Клаудиа и Деклан лежали, ни слова не говоря. Вдруг она нарушила молчание:

— Слушай, Деклан, почему бы нам не проехаться по реке четырнадцатого? Заедешь за мной в половине седьмого, возьмем катер и поплывем к дамбе. Ты ведь ее в темноте никогда не видел?

— Я ее вообще никогда не видел. А холодно не будет?

---

* Барбикан — район лондонского Сити, сильно пострадавший от воздушных налетов во время Второй мировой войны и перестроенный как единый комплекс. В настоящее время также один из культурных центров Лондона.

— Не очень. Наденешь что-нибудь теплое. Я возьму с собой термос с супом и вино. Это в самом деле стоит посмотреть. Представь, Деклан, огромные темные конусы поднимаются из воды и громоздятся над тобой. Давай поедем. Мы могли бы остановиться в Гринвиче и поесть в пабе.

— Ладно. Так и быть, поеду, почему бы и нет? — согласился он. — Не знаю, зачем тебе понадобилось так задолго договариваться, но я поеду, при условии, что не встречусь с твоим братцем.

— Это я тебе вполне могу обещать.

— Значит, в половине седьмого я приеду в Инносент-Хаус. Могу и пораньше, если хочешь.

— Нет, самое раннее — половина седьмого. До тех пор катер не освободится.

— Ты так говоришь, будто это очень важно, — заметил он.

— Да, это очень важно, — ответила она. — Важно для нас обоих.

9

Габриел ушел от Франсес сразу, как только они закончили игру: эту партию он выиграл легко и просто. Франсес с чувством раскаяния отметила, каким уставшим он выглядел, и подумала, что он скорее всего поднялся наверх из сочувствия к ней, а не за ее поддержкой. Похоже, эти похороны оказались для него тяжелее, чем для остальных компаньонов. Ведь он был единственным человеком в издательстве, к кому Соня, по всей видимости, чувствовала хоть какую-то привязанность. Собственные попытки Франсес завязать с ней более или менее дружеские отношения Соня обычно искусно пресекала, будто принадлежность к Певереллам лишала Франсес права на дружескую близость. Возможно, для Габриела, единственного из компаньонов, смерть Сони была поистине горем.

Шахматы разбудили мысли, и Франсес поняла, что ложиться сейчас спать бессмысленно: ночь станет одной из тех ночей, когда краткие мгновения сна перемежаются периодами бессонного беспокойства, и она встает утром более усталой, чем если бы совсем не ложилась. Повинуясь порыву, она прошла в холл, достала из стенного шкафа теплое зимнее пальто, затем, выключив свет, отворила стеклянную дверь и вышла на балкон. Ночной воздух был холоден и чист, в нем ясно ощущался знакомый запах реки. Крепко держась за перила, она испытывала странное чувство, словно, лишенная телесной оболочки, она парит в воздухе. Гряда низких туч стояла над Лондоном, кое-где запятнанная розовыми отсветами, и ей подумалось, что это похоже на повязку из корпии, впитавшую кровь города. Она все смотрела, и вдруг тучи разошлись, меж ними показалось иссиня-черное ночное небо и на нем — одинокая звезда. Вверх по течению реки пролетел, шлепая лопастями, вертолет — украшенная алмазами металлическая стрекоза. Вот так, ночь за ночью, стоял здесь ее отец, перед тем как улечься в постель. Она обычно бывала занята на кухне, прибирая после обеда, а вернувшись в гостиную, обнаруживала, что весь свет, кроме одной низкой лампы, там погашен, и видела темную тень, безмолвную неподвижную фигуру — отца, стоящего на балконе, устремив взгляд на реку.

Они переехали в дом № 12 в 1983 году, когда издательство переживало период сравнительного процветания и расширялось: Инносент-Хаус по необходимости пришлось использовать для большего числа служебных помещений. До этого дом № 12 был сдан в долговременную аренду нанимателю, который очень вовремя умер, освободив владение и тем самым позволив обеспечить Франсес и ее отца большой квартирой на верхнем этаже, а Габриела Донтси — квартирой поменьше на нижнем. Отец отнесся к необходимости переезда философски, казалось, даже с удовольствием; Франсес подозревала, что только после того, как она через два года приехала к нему, окончив Оксфорд, он почувствовал ограниченность квартирного пространства, вызывавшего у него чуть ли не клаустрофобию.

Мать Франсес, никогда не отличавшаяся особым здоровьем, умерла от вирусной пневмонии, когда девочке было всего пять лет, и дочь все свое детство провела с отцом и няней в Инносент-Хаусе. Только став совсем взрослой, она поняла, как необычны были годы ее детства, каким неподходящим для семейного очага был Инносент-Хаус, каким неудобным даже для их небольшой, уменьшенной смертью семьи, для них двоих — отца и дочери. У нее не было друзей-сверстников; несколько георгианских площадей и скверов Ист-Энда, уцелевших от бомбежек, были застроены фешенебельными жилыми комплексами для представителей лондонского среднего класса. Местом для игр ей служили выложенный мраморными плитами холл и дворик перед фасадом дома, где, несмотря на защищающую его ограду, за девочкой пристально следили, не разрешая ей ни кататься на велосипеде, ни даже играть в мяч. Улицы были небезопасны для ребенка, и ее вместе с няней Босток отправляли — иногда на издательском катере — на другой берег Темзы, в Гринвич, в небольшую частную школу, где главный упор делался не столько на развитие пытливого ума, сколько на хорошее воспитание; однако именно тогда она по меньшей мере получила хорошую жизненную подготовку. В большинстве случаев катер все-таки был нужен издательству, чтобы доставлять служащих в Инносент-Хаус от пирса на Темзе, и Франсес с няней Босток отправлялись на автомобиле к Гринвичскому пешеходному туннелю. Во время этой подземной прогулки их всегда сопровождал шофер или сам отец — для вящей безопасности. Взрослым никогда и в голову не приходило, что туннель вызывал у девочки непреодолимый ужас, но она скорее умерла бы, чем призналась им в этом. С раннего детства она поняла, что отец ценит храбрость больше всех других достоинств. Она шла между отцом и няней, держа их за руки как бы из детского послушания, изо всех сил стараясь не слишком крепко сжимать их пальцы своими и низко опустив голову, чтобы они не заметили, что глаза ее плотно закрыты. Она вдыхала характерный запах туннеля, вслушивалась в эхо их шагов и представляла себе неизмеримую тяжесть плещущих над ними речных волн, их ужасающую мощь, которая в одно непрекрасное утро взломает крышу туннеля, и вода начнет сочиться внутрь сквозь лопающиеся керамические плитки — сначала крупными каплями, а затем вдруг ворвется громадной громыхающей волной, черной и зловонной, собьет их всех с ног, завертит в водовороте, понесет все выше и выше, пока между их борющимися телами, с открытыми в крике ртами, и крышей туннеля не останется лишь нескольких дюймов наполненного воздухом пространства. А потом не останется и этого.

Через пять минут они поднимались в лифте и выходили на свет дня, навстречу величественному виду Гринвичского военно-морского училища, с его двумя куполами, увенчанными золочеными флюгерами. Для девочки это было подобно выходу из адских глубин к лицезрению небесного града. Здесь же стоял в сухом доке клипер «Катти Сарк»*, радовавший взгляд высокими мачтами и изящными линиями корпуса. Отец рассказывал ей о том, как Ост-Индская компания в восемнадцатом веке монополизировала торговлю на Дальнем Востоке и как эти огромные клиперы, построенные для того, чтобы развивать большую скорость, состязались друг с другом, чтобы в рекордные сроки доставить на британский рынок высокоценные и скоропортящиеся сорта чая из Китая и Индии.

С самого раннего детства отец рассказывал дочери бесчисленные истории о Темзе. Река была для него прямо-таки наваждением, представлялась огромной полнокровной артерией, беспредельно завораживающей, бесконечно меняющейся, несущей на своих мощных волнах всю историю Англии. Он рассказывал дочери о плотах и кораклах**, первыми появившихся на Темзе, о квадратных парусах римских судов, привозивших грузы в Лондиниум, о викингах на барках с изогнутыми носами. Он описывал ей Темзу в начале восемнадцатого века, когда Лондон был величайшим портом мира, а высокие мачты стоявших в доках и у пристаней порта бесчисленных кораблей были похожи на облетевший по осени лес. Он говорил ей о трудных буднях припортовых районов, о множестве занятий и ремесел, чью жизнь питал этот кровоток: о портовых грузчиках и подрядчиках, производящих загрузку и погрузку кораблей, о речниках на лихтерах, снабжающих провизией суда, вставшие на якорь, о поставщиках линей и такелажа, о судовых булочниках, плотниках, крысоловах, о содержателях ночлежных домов, о ростовщиках и трактирщиках, о торговцах подержанным корабельным имуществом, не важно, бедных или богатых — обо всех людях, чья жизнь зависела от реки. Отец рассказывал о значительных событиях на реке: о том, как увенчанный золотым гербом королевский барк с Генрихом VIII шел на веслах вверх по течению в Хэмптон-Корт***, и длинные весла вздымались вверх в торжественном салюте; как в 1806-м везли из Гринвича вверх по реке тело погибшего в бою адмирала Нельсона на барке, построенном когда-то для Карла II; о праздниках на воде, о наводнениях, о трагедиях... Франсес жаждала его любви и одобрения. Она

* «Катти Сарк» — последний из больших чайных клиперов, построенный в 1869 г.
** Коракл — рыбачья лодка, сплетенная из ивняка и обтянутая кожей.
*** Хэмптон-Корт — грандиозный дворец с парком на берегу Темзы, близ Лондона, королевская резиденция до 1760 г. Построен в 1515—1520 гг.

прилежно слушала его рассказы, задавала правильные вопросы, инстинктивно понимая: он считает, что она, как и он, искренне интересуется всем этим. Однако теперь она сознавала, что обман лишь добавил чувство вины к ее природной сдержанности и робости, что река стала для нее еще ужаснее, так как она не смогла признаться в своих страхах, а отношения с отцом — более отчужденными, потому что строились на лжи.

Но Франсес создала для себя иной мир, и по ночам, лежа без сна в неуютной помпезной детской, она свертывалась калачиком под одеялом и погружалась в его ласковую безопасность. В этом придуманном ею мире у нее были сестра и брат; вместе с ними она жила в большом деревенском пасторском доме. При доме были сад с фруктовыми деревьями, хранилище для фруктов и огород, длинные ряды грядок с овощами отделялись от просторных зеленых лужаек живой изгородью из аккуратно подстриженных кустов самшита. За садом плавно тек ручей, глубиной всего в несколько дюймов, который легко было перепрыгнуть, и рос огромный дуб, в ветвях которого был устроен детский домик, уютный, как настоящая хижина, где они втроем сидели, читали и грызли яблоки. Все трое спали в одной детской, чьи окна выходили на лужайку и на клумбы роз, за ними виднелась церковь, и не было здесь ни хриплых голосов, ни запаха реки, ни страшных видений, только нежность и покой. Тут была и мама — высокая, прекрасная, в длинном синем платье, с белокурыми волосами и полузабытым лицом; она шла через лужайку навстречу Франсес, протянув руки, чтобы девочка могла броситься к ней в объятия, потому что была самой младшей и самой любимой.

Франсес знала, что существует взрослый эквивалент этих детских мечтаний, этого ничем не пугающего ее мира. Она могла бы выйти замуж за Джеймса Де Уитта и переехать в его прелестный дом в Хиллгейт-Виллидж, родить ему детей, — ведь она сама так хотела детей. Она могла быть уверена в его любви, в его доброте, она знала, что какие бы проблемы ни возникли в их семейной жизни, в ней не будет ни жестокости, ни отторжения. Она могла бы приучить себя если не испытывать к нему желание — ведь желание не зависит от твоей воли, — то находить в доброте и нежности Джеймса то, что может заменить желание, так что со временем секс с ним стал бы не только возможным, но даже приятным; по самой меньшей мере это было бы достойной платой за его любовь, а по большей — залогом привязанности и веры в то, что со временем любовь может породить любовь. Но три месяца она была любовницей Жерара Этьенна. После произошедшего с ней чуда, после этого поразительного откровения она обнаружила, что не может вынести даже случайного прикосновения Джеймса. Жерар, взявший ее походя и так же походя ее бросивший, лишил ее самой возможности найти утешение в ком-то не столь выдающемся.

Воображением Франсес всегда владел непреодолимый ужас перед рекой, а вовсе не романтика Темзы, не ее загадочность. После жестокого разрыва с Жераром этот ужас, который, как она надеялась, отошел в прошлое вместе с ее детством, с новой силой воцарился в ее душе. Темза вставала в ее воображении приливными волнами черного страха, вратами в застенки Тауэра, выстланными промокшими насквозь зловонными водорослями; глухие удары волн звучали словно топор палача; речные воды плескались о ступени Старой лестницы в Уоппинге, где в былые времена пойманных пиратов привязывали к сваям при низкой воде и оставляли до тех пор, пока три прилива — это называлось «милосердие Уоппинга» — не пройдут над ними, а у Грейвсенда стояли зловонные понтоны — плавучие тюрьмы с закованным в цепи человеческим грузом... Даже речные пароходы, пыхтящие вверх по Темзе, с громко смеющимися и празднично одетыми людьми на палубах, непрошено возвращали ее мыслями к величайшей из всех происшедших на Темзе трагедий, когда — в 1878 году — тяжело груженный колесный пароход «Принцесса Элис», возвращавшийся с экскурсии в Ширнесс, был смят угольщиком и шестьсот сорок человек утонули. Теперь ей казалось, что это их крики слышатся в голосах чаек, и, глядя в ночной тьме на черную воду, испещренную отблесками огней, она представляла себе бледные, глядящие вверх лица утонувших детей, вырванных из материнских объятий и, словно хрупкие лепестки, уносимых прочь темными водами реки.

Когда ей исполнилось пятнадцать лет, отец впервые взял ее с собой в Венецию. Он говорил, что пятнадцать лет — самый ранний возраст, начиная с которого ребенок оказывается способен воспринимать искусство и архитектуру Возрождения, но она уже тогда подозревала, что отец любит путешествовать один, а поездка с дочерью — долг, исполнение которого он — по логике вещей —

не может долее откладывать. Однако исполнение этого долга таило в себе некую надежду для них обоих.

Это были их первые и последние каникулы, проведенные вместе. Франсес думала, что ее ждет яркое и жаркое солнце, броско одетые гондольеры на синей воде, блистающий мрамор дворцов, обед наедине с отцом в новом платье — одном из тех, что выбрала ей специально для этой поездки их экономка, миссис Ролингс, и что впервые в жизни она будет за обедом пить вино. Она отчаянно надеялась, что эти каникулы станут началом новой жизни. Но все началось плохо. Им пришлось отправиться в путешествие в школьные каникулы, и город был переполнен. Целых десять дней над ними висело свинцовое небо, то и дело поливавшее их дождем, тяжелые капли рябили коричневую, как в Темзе, воду каналов. От путешествия у нее осталось впечатление постоянного шума, хриплых и резких голосов, говорящих на чужом языке, страха потерять в толпе отца; запомнились плохо освещенные храмы, где гид, шаркая ногами, отправлялся зажигать свет перед фреской, картиной или запрестольным образом. Тяжелый воздух был пропитан смешанным запахом ладана, кислой плесени, промокшей одежды. Отец протискивался вместе с ней в первый ряд толкающихся туристов и шепотом рассказывал ей о картине, стараясь, чтобы она слышала его, несмотря на гомон множества непонятных языков и повелительные окрики гидов в отдалении.

В памяти очень ярко запечатлелась одна картина: мать, кормящая грудью младенца под набухающим грозой небом, и одинокая фигура мужчины, стерегущего или охраняющего их*. Девочка понимала, что было в этой картине что-то, рождающее в ее душе отклик, какая-то тайна сюжета и замысла, и ей так хотелось разделить это волнение с отцом, сказать ему... пусть и не очень умное, но такое, что не заставило бы его отвернуться в молчаливом неодобрении, к которому она успела уже привыкнуть. В тяжкие моменты ей всегда вспоминались услышанные ею слова: «Мадам так и не оправилась после родов, нет, не была уж больше такой, как раньше. Эта беременность ее просто убила, тут и сомнения никакого быть не может. И посмотрите-ка, что теперь у нас на руках осталось». Женщина, сказавшая

---

* Очевидно, Франсес имеет в виду картину Джорджоне «Гроза», находящуюся в художественной галерее венецианской Академии изящных искусств. Джорджоне (Джорджо Барбарелли или Джорджо да Кастельфранко, ок. 1478—1510) — венецианский художник, ключевая фигура итальянского Ренессанса в Венеции. Одним из его учеников был Тициан.

эти слова — ее имя и должность в доме Франсес давно забыла, — по всей вероятности, имела в виду всего лишь, что им теперь нужно было заботиться о трудноуправляемом хозяйстве большого дома без руководящих указаний хозяйки. Но для девочки смысл этих слов был совершенно ясен: «Это она убила свою мать, и смотрите, вот что мы получили взамен».

Еще одно воспоминание об этих каникулах оставалось очень ярким все последующие годы. Это случилось, когда они в первый раз посетили музей Академии* и отец, ласково положив ладонь ей на плечо, подвел ее к картине Витторе Карпаччо** «Сон св. Урсулы». На этот раз они были одни и, стоя рядом с ним, чувствуя тяжесть его руки на своем плече, она подняла глаза и обнаружила, что смотрит на свою собственную спальню в Инносент-Хаусе. Здесь были и двойные закругленные окна, чьи верхние полукружия из узорчатого стекла заполняли прозрачные, похожие на донышки бутылок, диски, и приоткрытая дверь в углу, и две вазы с цветами на общем для обоих окон подоконнике, так похожие на вазы у них дома, точно такая же кровать — изящная, с четырьмя столбиками, резным изголовьем и бахромой с кистями по краю покрывала.

Отец сказал:

— Видишь, ты спишь в венецианской спальне пятнадцатого века.

На кровати лежала женщина, голову она опустила на руку.

— Эта женщина умерла? — спросила Франсес.

— Умерла? С чего ты взяла?

В голосе его она расслышала знакомое раздражение. Она не ответила ему, ничего больше не сказала. Их молчание длилось и длилось, пока он, все еще держа потяжелевшую — или так ей казалось? — руку у нее на плече, не повел ее прочь. Она снова не оправдала его надежд. Ей всегда было суждено чувствовать любую смену его настроений и не уметь или не обладать достаточной уверенностью в себе, чтобы откликнуться на эти настроения, ответить ему так, как он ожидал.

---

* Академия — Академия изящных искусств Венеции, с музеем и художественной галереей; расположена на правом берегу Большого канала в несколько раз перестраивавшихся зданиях средневекового монастыря, храма и школы «Della Carita»; образована в XIX в.

** Витторе Карпаччо (ок. 1450/60—1525/26) — венецианский художник, особенно известный пейзажами Венеции и циклом картин «Сцены из жизни св. Урсулы».

Их разделяла даже вера. Мать была католичкой, но насколько глубоко верующей, Франсес не знала и не имела возможности выяснить. Миссис Ролингс, тоже католичка, взятая в дом за год до смерти матери, чтобы исполнять обязанности отчасти экономки при не вполне здоровой хозяйке, отчасти воспитательницы ее ребенка, каждое воскресенье пунктуально водила девочку слушать мессу, но во всем остальном пренебрегала ее религиозным воспитанием, создав у нее впечатление, что их вера — это что-то такое, чего ее отец не только не понимает, но и с трудом переносит, что это какая-то чисто женская тайна, о которой лучше не упоминать в его присутствии. Они редко посещали одну и ту же церковь чаще чем два раза подряд. Миссис Ролингс как бы пробовала веру на вкус, отбирая образцы предлагаемых ритуалов, архитектуры, музыки, проповедей, боясь преждевременно связать себя принадлежностью к одному определенному храму, быть признанной верующими как постоянный член их конгрегации, опасаясь, что священник будет приветствовать ее у входа как свою прихожанку, вовлечет ее в активную деятельность в приходе и ей даже придется приглашать посетителей в Инносент-Хаус. Взрослея, Франсес стала подозревать, что возможность найти новый храм для посещения воскресной утренней мессы стала у миссис Ролингс чем-то вроде испытания ее личной инициативы, рождающей ожидание приключения и придающей некоторое разнообразие монотонной недельной рутине, а также создающей интересный сюжет для оживленного обсуждения по дороге домой.

— Не очень-то хороший хор, правда? До хора в храме Оратории* не дотягивает. Надо будет опять сходить в Ораторию, когда сил поднаберусь. Слишком далеко, чтобы каждое воскресенье ездить, зато там проповеди короткие. Не могу я слушать длинные проповеди. Не так уж много душ можно спасти после первых десяти минут, скажу я вам.

Или:

— Не нравится мне этот отец О'Брайен. Во всяком случае, так он себя называет. Посещаемость — хуже некуда. Потому-то он так любезно и встретил нас у входа. Хотел заманить к себе в следующее воскресенье. Да и неудивительно.

---

* Оратория — *здесь:* ответвление римско-католической церкви, образованное в Риме сообществом нерукоположенных священников в 1564 г. Характеризуется простыми для понимания формами проповедования и богослужения.

Или:

— Какие у них распятия красивые! Люблю резные распятия. Раскрашенные, которые мы в прошлое воскресенье в храме Святого Михаила видели, ужасно безвкусные, должна я сказать. Ну а здесь к тому же у мальчиков из хора были чистые саккосы*. Кто-то тут хорошо поработал над ними.

В одно воскресное утро, после посещения особенно скучного храма, где дождь барабанил по крыше, словно камешки по жестяному навесу («Люди вовсе не нашего уровня. Больше сюда не пойдем»), Франсес спросила:

— А мне обязательно ходить к мессе каждое воскресенье?

— Так это потому, что твоя мама была РК. На это твой папа согласился. Мальчиков воспитывали бы как АЦ. Ну а у твоего папы ведь ты**.

Да, ведь у него была она. Презираемый пол. Презираемая религия.

А миссис Ролингс сказала:

— В мире много разных религий. Каждый может подобрать себе что-то им подходящее. Все, что тебе надо запомнить, — это что наша одна из всех истинная. Только знаешь, нет смысла слишком много обо всем этом задумываться, во всяком случае, пока не приспичит. Думаю, на следующей неделе мы опять пойдем в собор***. Ведь будет праздник Тела Христова. Они там такой спектакль грандиозный устроят в его честь. И неудивительно.

Большим облегчением для ее отца, да и для нее самой, было то, что, когда ей исполнилось двенадцать лет, ее отправили в школу при католическом женском монастыре. Отец сам приехал за ней в конце первого полугодия, и она расслышала слова матери-настоятельницы, когда та прощалась с ними у выхода:

— Мистер Певерелл, девочка совсем не образованна в вопросах веры.

— Веры ее матери. Поэтому, мать Бриджет, я прошу вас дать ей это образование.

Они с терпеливой добротой сделали все, чтобы выполнить эту просьбу. И не только: они сделали для нее гораздо больше. Они

---

* Саккос — род стихаря.
** ...была РК (*простореч.*) — принадлежала к римско-католической церкви; ...воспитывали бы как АЦ — воспитывали бы как принадлежащих к англиканской церкви.
*** Имеется в виду собор Святого Павла в Лондоне.

подарили ей недолгий период защищенности, ощущения, что ее ценят, сознания, что — вполне вероятно — ее можно любить. Они подготовили ее к поступлению в Оксфорд, а это, предполагала она, следовало считать поощрительной премией, поскольку мать Бриджет часто внушала ей, что цель истинно католического воспитания — подготовить человека к смерти. Это они тоже сумели сделать, Франсес только не была уверена, что они смогли подготовить ее к жизни. И уж конечно, они не подготовили ее к Жерару Этьенну.

Она вернулась в гостиную, плотно закрыв за собой балконную дверь. Шум реки ослабел, превратившись в еле слышный шепот ночного ветерка.

«Он не сможет иметь власть над вами, если вы сами не дадите ему эту власть», — сказал Габриел. Ей нужно как-то найти в себе силы, волю и мужество, чтобы избавиться от этой власти раз и навсегда.

10

Первые четыре недели, проведенные Мэнди в Инносент-Хаусе, столь неудачно начавшиеся с самоубийства и завершившиеся в конце концов еще более трагично — убийством, как ни парадоксально, казались ей самыми счастливыми днями во всей ее рабочей жизни. Как это всегда бывало, она быстро освоилась с ежедневной рутиной издательства, и ей, за немногими исключениями, нравились ее сотрудники. Работы было много, и это ее вполне устраивало, тем более что работа оказалась гораздо более разнообразной и интересной, чем та, что ей обычно приходилось выполнять.

В конце первой недели миссис Крили спросила, нравится ли ей на новом месте, и Мэнди ответила, что бывало и похуже и что она могла бы и подольше потерпеть. Такое заявление было в ее устах самой высшей оценкой предложенной ей работы. Ее быстро приняли сотрудники — молодость и жизнерадостность в сочетании с высокой эффективностью редко вызывают стойкую неприязнь. Мисс Блэкетт, после того как целую неделю бросала на Мэнди сурово осуждающие взгляды, видимо решила, что ей приходилось встречать и гораздо худших временных сотрудниц. Мэнди, всегда очень быстро осознававшая, что́ в каждом конкретном случае было в ее интересах, относилась к мисс Блэкетт с почтительной доверчивостью, что не могло той не польстить: она приносила ей кофе из кухни, спрашивала у нее совета, вовсе не намереваясь ему следовать, и с веселой готовностью брала на себя исполнение самых скучных поручений. Про себя она считала, что бедная старушка вызывает жалость и надо проявлять к ней сочувствие. Было совершенно очевидно, что сам мистер Жерар не выносит даже вида мисс Блэкетт, да и неудивительно. Мэнди думала, что старушку скоро выгонят с треском. Во всяком случае, обе они были слишком заняты, чтобы тратить время на рассуждения о том, как мало между ними общего, насколько им не по душе одежда друг друга и как по-разному они относятся к руководству издательства. Кстати говоря, Мэнди не должна была все время сидеть в комнатке мисс Блэкетт. Ее часто вызывали стенографировать к мисс Клаудии или к мистеру Де Уитту, а как-то во вторник, когда Джордж отсутствовал по причине острого желудочного расстройства, ей пришлось заменить его за конторкой в приемной, и она справилась с коммутатором, направив не по адресу всего несколько звонков.

В среду и в четверг второй недели она провела по целому дню в рекламном отделе, организуя рекламные туры и читательские встречи с авторами для подписания книг; там Мэгги Фицджеральд, помощница мисс Этьенн, познакомила ее с уязвимыми местами писателей — этих непредсказуемых и сверхчувствительных созданий, от которых — тут Мэгги снизошла до неохотного признания — прямо зависело благополучие «Певерелл пресс». Были среди них любители припугнуть — их следовало оставить на мисс Клаудиу, она умела с такими справляться; были скромные и неуверенные в себе, которых нужно постоянно подбадривать, чтобы они смогли хоть слово произнести в телеинтервью на Би-би-си и у которых сама перспектива литературного ленча вызывала невыразимый ужас и несварение желудка. Столь же трудно иметь дело с агрессивными, сверхсамоуверенными авторами, которые, если их не удерживать, могут вырваться из-под контроля куратора, забежать в первый попавшийся магазин с предложением подписывать книги, нанося тем самым ущерб тщательно подготовленной рекламной акции и порождая хаос. Но хуже всего, доверительно сообщила ей Мэгги, были самовлюбленные и тщеславные — чаще всего те, чьи книги не так уж хорошо продаются и которые тем не менее претендуют на билеты первого класса, на пятизвездочные отели и лимузины, требуют, чтобы их сопровождали высшие представители руководства «Певерелл пресс», а потом пишут жалобы, если очередь за их подписями не выстраивается вокруг всего квартала. Мэнди просто наслаждалась этими днями, проведенными в рекламном отделе, юношеским задором сотрудников, их веселыми голосами, перекрикивающими назойливую непрерывность телефонных звонков; ей нравились громогласные приветствия появляющимся в отделе продавцам книг, несущим с собой свежие сплетни и последние новости, возбуждало ощущение безотлагательности дел и надвигающегося кризиса. Она с сожалением вернулась на свое место в комнате мисс Блэкетт.

Гораздо меньше энтузиазма вызывала у нее необходимость печатать тексты под диктовку мистера Бартрума, заведующего бухгалтерией, который, как Мэнди доверительно сообщила миссис Крили, был зануда, очень пожилой и к тому же смотрел на нее так, будто она испачкалась в чем-то гадком. Бухгалтерия находилась в доме № 10, и после того, как работа с мистером Бартрумом была закончена, Мэнди убегала наверх — несколько минут поболтать, пофлиртовать и обменяться ритуальными оскорблениями с тремя упаковщиками. Они существовали в своем собственном мирке с голыми полами, деревянными козлоногими столами, складными ящиками коричневого картона и катушками упаковочной клейкой ленты «Селлотейп»; тут же находились огромные мотки бечевки, и все пропитывал характерный запах только что пришедших из типографии книг. Мэнди нравились все трое: Дейв в потертой шляпе объездчика, который, несмотря на свой малый рост, обладал бицепсами размером с футбольный мяч и мог справляться с невероятными тяжестями; Кен — высокий, нескладный молчун; и Карл, завскладом, работающий в издательстве с тех пор, как пришел сюда мальчишкой.

— С этим у них ничего хорошего не выйдет, — говорил он, хлопнув ладонью по набитому картонному ящику.

— Он никогда не ошибается, — восхищенно шептал ей Дейв. — Он бестселлер нюхом чует, прям с упаковки, ему и читать-то их незачем.

Охота, с которой Мэнди вызывалась готовить чай и кофе для двух личных секретарей и для директоров, давала ей возможность дважды в день посплетничать с уборщицей, миссис Демери. Владения миссис Демери охватывали огромную кухню и прилегающую небольшую гостиную на первом этаже, в самой глубине дома. Обстановку на кухне составляли прямоугольный сосновый стол, за которым могли усесться десять человек, две плиты — газовая и электрическая, микроволновка, двойная раковина, огромный холодильник и шкафчики, целиком увешавшие одну из стен. Здесь, на кухне, заполненной терпким ароматом смешанных и не всегда согласующихся меж собой запахов разнообразной еды, в любое время, от двенадцати до двух, все сотрудники издательства, кроме руководящих, поглощали свои сандвичи, разогревали в контейнерах из фольги готовые к употреблению итальянские макароны или карри, делали омлеты или варили яйца, поджаривали на гриле бекон, заваривали чай, готовили кофе. Пятеро директоров никогда в этом не участвовали. Франсес Певерелл и Габриел Донтси отправлялись в дом № 12 и ели свой ленч порознь, каждый в своей квартире. Этьенны — Клаудиа и Жерар — и Джеймс Де Уитт садились на катер и отплывали вверх по реке — поесть где-нибудь в городе, или поднимались пешком на проспект Уитби, а то и на Уоппинг-Хай-стрит, в какой-нибудь из пабов. Кухня, освобожденная от их подавляющего присутствия, была центром обмена сплетнями. Новости здесь выслушивались, бесконечно обсуждались, украшались подробностями, словно вышивкой, и разносились дальше и шире. Мэнди всегда молча сидела перед своей коробкой с сандвичами, понимая, что в ее присутствии служащие — особенно из среднего звена — необычайно сдержанны. Какие бы чувства они ни испытывали по отношению к новому президенту фирмы или к предполагаемому будущему издательства, высказывать критические замечания по этому поводу в присутствии временной сотрудницы им не позволяла преданность фирме и значительность собственного статуса. Но когда она оставалась наедине с миссис Демери, готовя утренний кофе или послеполуденный чай, ничто не сдерживало высказываний последней.

— А мы-то думали, мистер Жерар и мисс Франсес поженятся. Да и она так думала, бедная девочка. А тут еще мисс Клаудиа с ее малолетним дружком.

— Мисс Клаудиа с ее малолетним дружком? Да ладно вам, миссис Д.!

— Ну, может, он и не такой уж малолетний, хоть и очень молодой. Во всяком случае, моложе ее. Сама-то я его видела, когда он на вечер в честь помолвки мистера Жерара явился. Красивый, ничего не скажешь. У мисс Клаудии глаз на красивых парней наметанный. Он антиками занимается. Знаешь, как в «Антик-гипермаркете»*. Считается, что они помолвлены. Только я у нее кольца-то не видела, она без кольца ходит.

— Так она же старая, правда? А люди ее возраста не так уж о кольцах беспокоятся.

— Ну, эта леди Люсинда, во всяком случае, с кольцом ходит, видала? Ох и огромный же изумруд в нем, а вокруг — бриллианты. Наверняка мистер Жерар целую кучу денег за него отвалил. Не знаю, с чего это он на дочери графа женится. Да она ему самому в дочери годится. Как на мой характер, так это просто неприлично.

— А может, ему нравится, чтоб у жены титул был, миссис Д. Знаете как: леди Люсинда Этьенн. Может, ему нравится, как это звучит.

— Да это все уже не так много значит, как раньше, Мэнди, если посмотреть, как эти древние семьи в наши дни себя ведут. Нисколько нас не лучше. Все по-другому было, когда я девчонкой была, они тогда хоть каким-то уважением пользовались. А этот ее братец — он и гроша ломаного не стоит, будь он сто раз граф или не граф, если верить в то, что газеты про него говорят. Ну да поживем — увидим. — Этими словами миссис Демери неизменно завершала беседу.

В первый свой понедельник в издательстве, такой солнечный, что можно было поверить — лето вернулось, Мэнди с некоторой завистью наблюдала, как первая группа сотрудников входит на борт катера в половине шестого, чтобы их доставили на Черинг-Кросс. Неожиданно для себя самой она спросила речника Фреда Баулинга, нельзя ли ей проехаться с ними. Возражений не было, и она поспешно прыгнула на борт. На пути к пирсу он молча сидел у штурвала. Мэнди подозревала, что так оно всегда и было. Однако когда все сотрудники сошли на берег и катер пошел в обратный путь, вниз по течению, она стала задавать ему вопросы о реке и поразилась, как много он знает. Не было на берегах ни одного здания, о котором он не мог бы рассказать, ни одной, как казалось, истории, какую бы он не знал, ни одного речника, кого он не признал бы в лицо, и очень мало судов, которые он не смог

---

* «Антик-гипермаркет» — большой антикварный магазин на Кенсингтон-Хай-стрит в Лондоне.

назвать. Это от него она узнала, что Игла Клеопатры* была первоначально воздвигнута примерно в 1450 году до Рождества Христова перед храмом Изиды в Гелиополе, а отбуксирована в Англию и поставлена на набережной в 1878 году. Что у нее есть обелиск-двойник, и стоит он в Центральном парке Нью-Йорка. Ей представилось, как огромный контейнер с тяжелой гранитной сердцевиной, словно огромную рыбу, треплют бурные волны Бискайского залива. Он указал ей на паб «Костюм и значок Доггетта»** недалеко от моста Блэкфрайарз и рассказал о лодочных гонках «Костюм и значок Доггетта» на Темзе, которые проводятся с 1722 года от гостиницы «Старый лебедь» у Лондонского моста до гостиницы «Старый лебедь» в Челси, — первые в мире гонки двухвесельных одиночек. Его собственный племянник участвовал в такой гонке. Когда катер шел между огромными башнями Тауэрского моста, Фред Баулинг сообщил ей длину каждого пролета и рассказал, что Хай-Уок*** проходит в ста сорока двух футах над высокой водой. Подплывая к Уоппингу, Фред посвятил ее в историю Джеймса Ли, садовника из Фулхэма, выращивавшего цветы на продажу, который в 1878 году заметил в окне одного из домов цветущее растение, привезенное каким-то моряком домой из Бразилии. Джеймс Ли купил его за восемь фунтов стерлингов, рассадил черенки и на следующий год заработал целое состояние, продав триста растений по гинее за штуку.

— И как ты думаешь, что это было за растение? — спросил он.

— Не знаю, мистер Баулинг. Я в растениях не разбираюсь.

— Да ладно тебе, Мэнди. Попробуй догадаться.

— Может, это роза была?

— Роза? Вот уж точно, что не роза! Розы в Англии растут спокон веку. Нет, это была фуксия.

Подняв на него глаза, Мэнди увидела, что его изрезанное морщинами лицо, по-прежнему обращенное вперед, озарила улыбка. Какие странные бывают люди, подумала она. Никакое великоле-

---

* Игла Клеопатры — принятое в Великобритании название обелиска из розового гранита, установленного на набережной Темзы в Лондоне в 1878 г. Это один из двух обелисков, воздвигнутых ок. 1500 г. до н.э. у храма Изиды в египетском городе Гелиополе.

** «Костюм и значок Доггетта» — лодочные гонки речников на Темзе на приз в виде оранжевого костюма и серебряного значка. Введены в 1715 г. ирландским комическим актером Томасом Доггеттом и в настоящее время представляют собой старейшие соревнования по одиночной гребле в мире.

*** Хай-Уок — пешеходная дорога Тауэрского моста.

пие, никакие ужасы, связанные с рекой, не казались ему столь примечательными и не вызывали такого удовольствия, как открытие одного этого цветка.

Когда они приближались к Инносент-Хаусу, Мэнди разглядела у причала силуэты двух последних пассажиров — Джеймса Де Уитта и Эммы Уэнрайт, готовящихся взойти на борт. Сумерки уже сменились темнотой, и вода в реке казалась гладкой и густой, словно масло; когда катер рванулся прочь, этот гладкий черный поток был взбаламучен рыбьим хвостом белой пены. Мэнди пересекла патио, направляясь к своему мотоциклу. Ей не хотелось здесь задерживаться. Она не была суеверной или как-то по-особому нервной, но когда тьма окутывала Инносент-Хаус, он казался ей более таинственным и чуть-чуть зловещим, несмотря на два больших, матово светящихся шара, бросающих мягкий и теплый свет на мрамор площадки. Мэнди шла, устремив взгляд вперед, усилием воли заставляя себя не смотреть вниз — вдруг она увидит то легендарное пятно крови? — и не смотреть вверх, на балкон, откуда эта давно погибшая женщина, эта отчаявшаяся жена бросилась навстречу смерти.

Так и проходили дни. Мэнди переходила из кабинета в кабинет, охотно и добросовестно выполняя поручения, ее быстро и легко принимали повсюду, и ничто не ускользало от ее острого, наметанного взгляда: расстроенность мисс Блэкетт, равнодушное презрение, с которым относился к несчастной женщине мистер Жерар; напряженное бледное лицо мисс Франсес, стоически переносящей свое горе; взволнованный взгляд старого Джорджа от конторки вслед проходящему через приемную мистеру Жерару; полуподслушанные разговоры, прекращавшиеся с ее появлением. Мэнди понимала, что сотрудники издательства обеспокоены своим будущим. Весь Инносент-Хаус был пропитан атмосферой тревоги, чуть ли не предчувствия беды. Атмосферу эту она ясно ощущала и порой даже воспринимала с некоторым удовольствием, поскольку, как всегда, чувствовала себя лицом посторонним, привилегированным зрителем, которому никакая личная опасность не угрожает, кто получает понедельную зарплату, никому ничем не обязан и может уйти когда угодно, по собственному желанию. Порой в конце дня, когда свет начинал угасать и река перед домом превращалась в черный поток, а звук шагов по мраморному полу в холле рождал в душе суеверный страх, она вспоминала часы, проведенные в ожидании сильной грозы, — сгущающуюся тьму, ощущение тяжести и острый металлический запах, пропитывающий воздух, сознание, что ничем не сломить это напряжение: снять его могут лишь первый раскат грома и ярость молнии, неистово разорвавшей небеса.

11

Наступил четверг, четырнадцатое октября. Заседание совета директоров должно было начаться в десять утра в конференц-зале, и в девять сорок пять Жерар Этьенн, как это было у него заведено, уже занял свое место за овальным столом красного дерева. Он сидел посередине, с той стороны стола, что была обращена к окну и к реке за окном. В десять часов по правую руку от брата обычно садилась Клаудиа, а по левую — Франсес Певерелл. Джеймс Де Уитт и — справа от него — Габриел Донтси сидели напротив. Такое распределение мест за столом не менялось с тех пор, как девять месяцев назад Жерар Этьенн официально принял пост президента и директора-распорядителя издательства «Певерелл пресс». В этот четверг все четверо его коллег медлили у входа, словно каждому из них было неприятно входить в зал поодиночке. Подойдя к двойной двери из красного дерева, он без колебаний распахнул ее створки и решительно зашагал назад к столу; там он сел в старое кресло Генри Певерелла. Вслед за ним, все вместе, вошли остальные четверо компаньонов и молча расселись по своим местам, будто подчиняясь какому-то заранее определенному плану, который устанавливал и подтверждал их статус в фирме. Жерар занимал место Генри Певерелла вроде бы по праву, это и на самом деле было по праву. Он вспомнил, что во время того короткого заседания Франсес сидела бледная и почти все время молчала. После заседания Джеймс Де Уитт отвел его в сторону и спросил:

— Вам обязательно надо было усесться в кресло ее отца? Ведь он всего десять дней как умер.

И Жерар снова почувствовал удивление и раздражение, которые охватили его в тот момент. А какое из кресел следовало ему тогда занять? Чего, собственно, хотел от него Джеймс — чтобы он тратил зря время, пока все пятеро будут из вежливости уступать друг другу, обсуждая, кому следует или не следует занять место с видом на реку? Что он предлагал — сыграть без аккомпанемента в «музыкальные стулья»*? Это кресло с подлокотниками принадлежало директору-распорядителю фирмы, а он, Жерар Этьенн, и есть директор-распорядитель. И какое вообще значение имеет, когда умер старик Певерелл? Генри занимал это кресло, когда был жив, сидел на этом месте за столом, время от времени поднимал взгляд к окну, чтобы посмотреть на реку в те вызывающие раздражение моменты, когда погружался в какие-то свои размышления, пока остальные пятеро терпеливо ждали продолжения заседания. Но ведь Генри умер. Джеймс наверняка хотел предложить, чтобы это кресло так и оставалось незанятым, стало чем-то вроде памятника, а на сиденье была бы прикреплена соответствующая табличка.

Жерар счел этот инцидент свидетельством типичной для Джеймса сверхчувствительности, непомерно раздутой и ему самому доставляющей удовольствие. Типичным для Джеймса было и еще одно качество, что особенно озадачивало Жерара и вызывало интерес, поскольку касалось его самого. Порой ему казалось, что мыслительные процессы других людей столь радикально отличаются от его собственного, будто он сам и остальные существуют в разных мыслительных измерениях. Факты, являвшиеся для него самоочевидными, требовали от остальных четырех партнеров долгого обдумывания и обсуждения, прежде чем принимались ими, да к тому же весьма неохотно; обсуждения осложнялись путаницей эмоций и личных соображений, которые ему самому казались необоснованными и иррациональными. Он говорил себе, что прийти к определенному решению с ними — все равно что испытать оргазм с фригидной женщиной, требующей долгого и нудного эротического стимулирования и непропорционального расходования энергии. Время от времени ему очень хотелось довести это сравнение до сведения партнеров, но он, смеясь в душе, решил, что эту замечательную шутку лучше всего оставить при себе. Франсес, например, ни в коем случае не сочтет ее забавной. Но сегодня утром все это будет происходить снова и снова. Выбор, который им предстоит сделать, ясен и неизбежен. Им следует продать Инносент-Хаус и использовать полученный капитал для основания и развития новой фирмы. Они могли бы заключить с каким-то дру-

---

* «Музыкальные стулья» — детская игра: под музыку дети ходят вокруг стульев, которых на один меньше, чем играющих; когда музыка прекращается, все бросаются занимать стулья.

гим издательством договор, в соответствии с которым «Певерелл пресс» удастся сохранить хотя бы название. Иначе им вообще придется закрыть дело. Второй вариант будет означать более длительный и неприятный путь, вплоть до самого последнего момента: он непременно начнется с всеобщего оптимизма, а закончится унизительным исчезновением с лица земли. Жерар не собирался идти этим хоженым-перехоженым путем. Дом необходимо продать. Франсес следует понять, — им всем следует понять, — что они не могут одновременно и сохранить Инносент-Хаус, и продолжать дело.

Он поднялся из-за стола и прошел к окну. И вдруг вид из окна закрыл круизный теплоход, приблизившийся неожиданно и беззвучно; он был так близко, что на мгновение Жерар мог заглянуть в освещенный иллюминатор и увидеть в полукруге яркого света женскую головку, изящную, словно камея. Женщина подняла бледные руки, погрузив пальцы в ореол волос, словно расчесывая их, и Жерару представилось, что их глаза встретились в мимолетной, поразительно интимной близости. Он на краткий миг задумался, правда, без особого любопытства, — кто был там, в каюте, вместе с ней? Муж, любовник, друг? Какие у них планы на этот вечер? У него самого никаких планов не было. По установившемуся обычаю вечером в четверг он работал допоздна. С Люсиндой он не увидится до пятницы, когда у них намечен концерт на Саут-Бэнк*, а потом — обед в ресторане «Бомбей-Брассери»: Люсинда заявила, что любит индийскую еду. Жерар думал об этом уик-энде без особого волнения, но с чувством спокойного удовлетворения. Одним из достоинств Люсинды была ее решительность. Если он спрашивал Франсес, где бы она хотела пообедать, та неизменно отвечала: «Где хочешь, дорогой», — а если еда его разочаровывала и он начинал жаловаться, она говорила, прислоняясь к нему плечом и продевая руку под его локоть, стараясь вернуть ему доброе расположение духа: «Это было вполне съедобно, даже совсем неплохо. Да и какое все это имеет значение, дорогой? Мы же были вдвоем». Люсинда никогда не предполагала, что его общество может компенсировать или извинить плохо приготовленный обед и дурное обслуживание. Да он и сам порой сомневался, что его общества для этого достаточно.

---

* Саут-Бэнк — южный берег Темзы, район, где расположены преимущественно общественные здания — театры, концертные залы, художественные галереи и т.п.

12

— Мисс Блэкетт, — сказал Жерар Этьенн, — у нас закрытое совещание. Нам необходимо обсудить некоторые конфиденциальные дела. Я сам буду вести записи. А вам нужно много документов распечатать, так что есть чем заняться.

Он выпроваживал ее вежливо, но в его голосе звучало презрение. Мисс Блэкетт вспыхнула и как-то быстро вздохнула, словно беззвучно охнула. Приготовленный блокнот выскользнул из ее пальцев, она с трудом нагнулась за ним, поднялась и направилась к двери, безуспешно пытаясь сохранить достоинство.

— Это любезно, по-вашему? — спросил Джеймс Де Уитт. — Блэки вела записи на совещаниях директоров более двадцати лет подряд. Она всегда здесь присутствовала.

— Зря тратила и свое время, и наше.

— Не нужно было намекать, что мы ей не доверяем, — заметила Франсес.

— Я не намекал. И ведь все равно, когда будем обсуждать происшествия в издательстве, она окажется в числе подозреваемых. Не вижу, почему к ней следует относиться иначе, чем к другим сотрудникам. У нее нет алиби ни для одного из инцидентов. А возможностей предостаточно.

— Так ведь и у меня тоже, — откликнулся Габриел Донтси. — Как у каждого из пятерых здесь присутствующих. И разве мы не достаточно времени потратили, обсуждая эти злобные шутки? Это нас ни к чему не приведет.

— Возможно. Прежде всего — важная новость. Гектор Сколлинг повысил предлагаемую за Инносент-Хаус сумму еще на триста тысяч фунтов. В целом — четыре с половиной миллиона. И впервые за все то время, что ведутся переговоры, он произнес слова «окончательное предложение». А раз сказав такое, он своих слов назад не берет. Это на целый миллион больше, чем, как я полагал, мы могли бы получить. Больше, чем дом стоит с коммерческой точки зрения, но недвижимость стоит всегда ровно столько, сколько кто-то готов за нее платить, а Гектору Сколлингу дом нравится. В конце концов, ведь вся его империя располагается в Доклендсе. Разница между домами, которые он строит здесь для сдачи внаем, и домом, где он собирается жить сам, огромная. Я предлагаю сегодня выразить наше согласие устно, а разработку деталей поручить нашим поверенным, с тем чтобы завершить сделку в течение месяца.

— Мне казалось, — вступился Джеймс Де Уитт, — что на прошлом заседании мы обсуждали эту проблему, но к окончательному решению не пришли. Думаю, если свериться с протоколом...

— Мне в этом нет надобности. Я руковожу компанией, опираясь вовсе не на то, что мисс Блэкетт сочтет нужным записать в протокол.

— Который, кстати говоря, вы пока так и не подписали.

— Совершенно верно. Предлагаю, чтобы в дальнейшем мы проводили наши заседания в менее формальной обстановке. Вы же всегда говорите, что наша компания — партнерство друзей и коллег и что это я настаиваю на утомительной процедуре и ненужном бюрократизме. Тогда зачем все эти формальности, повестка, протоколы, резолюции, если все сводится просто к ежемесячной встрече партнеров?

— Все сочли это полезным, — сказал Де Уитт. — И мне кажется, я, со своей стороны, никогда не утверждал, что все мы — друзья и коллеги.

Франсес Певерелл сидела абсолютно прямо, с побелевшим лицом.

— Вы не можете продать Инносент-Хаус, — сказала она.

Этьенн сидел, не глядя на нее, погруженный в свои записи.

— Я — могу. Мы можем, — ответил он. — Нам придется продать дом, если мы хотим, чтобы издательство выжило. Нельзя успешно вести издательское дело из венецианского дворца на Темзе.

— Моя семья вела его отсюда сто шестьдесят с лишним лет.

— Я сказал — *успешно* вести дело. Вашей семье не было необходимости в успехе — она почивала на своих частных доходах. Издательское дело во времена вашего дедушки даже не было занятием для джентльмена, для джентльмена это было всего лишь хобби. В наши дни издатель должен делать деньги и делать их успешно, иначе он потонет. Вы этого хотите? А я не предполагаю тонуть. Я предполагаю сделать «Певерелл пресс» доходным предприятием, а затем его расширить.

— Чтобы потом продать? — тихо спросил Габриел Донтси. — Заработать себе миллионы и выйти из дела?

Этьенн ему не ответил.

— Для начала я собираюсь избавиться от Сидни Бартрума. Он вполне компетентный бухгалтер, но нам нужно гораздо больше. Я предполагаю назначить финансового директора и поручить ему найти деньги и создать в издательстве соответствующую финансовую систему.

— У нас вполне надежная финансовая система, — сказал Де Уитт. — Аудиторы ни разу не предъявляли претензий. Сидни работает с нами уже девятнадцать лет. Он честный, добросовестный и усердный работник.

— Совершенно верно. Он именно такой, как вы говорите. Но не более того. Как я уже сказал, нам нужно гораздо больше. Например, мне нужно знать максимальную прибыль от каждой проданной книги при общих затратах на ее производство. Другие издательства обладают такой информацией. Как сможем мы отсечь не приносящих прибыли авторов, если мы не знаем их в лицо? Нам нужен кто-то, кто будет зарабатывать для нас деньги, а не только сообщать нам, как мы их потратили. Я сам знаю, как мы их потратили. Если все, что нам нужно, — это компетентный бухгалтер, я сам это буду делать. Я мог ожидать, что вы его поддержите, Джеймс. Он жалок, невзрачен и не так уж продуктивен. Естественно, это сразу же вызывает вашу симпатию. Вы непременно испытываете любовь и сочувствие к самым униженным. Вам следовало бы что-то сделать с этим вашим синдромом жалостливого сердца.

Джеймс покраснел, но сказал довольно спокойно:

— Мне не особенно по душе этот человек. Я вздрагиваю каждый раз, как он называет меня «мистер Де Уитт». Я предлагал, чтобы он звал меня просто Де Уитт или Джеймс, но он так смотрел на меня, будто я предлагал ему что-то неприличное. И все же он вполне компетентный бухгалтер и проработал у нас девятнадцать лет. Он знает фирму, знает нас, знает, как мы работаем.

— Как работали, Джеймс, как работали.

— Он всего год как женился, — сказала Франсес. — У них только что родился ребенок.

— Да какое все это имеет отношение к вопросу о том, подходит он для этой работы или нет?!

— Вы кого-то определенного имеете в виду? — спросил Де Уитт.

— Я просил Паттерсона Макинтоша из «охотников за головами»* назвать нам несколько фамилий.

— Придется выложить немало фунтов. «Охотники за головами» недешево стоят. Поразительно, что мы теперь не можем обойтись без «охотников за головами», чтобы нанять сотрудников, без экспертов по хронометражу рабочих операций, чтобы повысить производительность, и должны вызывать консультантов по менеджменту, чтобы нам объяснили, как лучше провести сокращение штатов, когда у нас духу не хватает сделать это самостоятельно. Вы встречали когда-нибудь хоть одного такого консультанта, который не советовал бы увольнять сотрудников? Да им платят за то, чтобы они такие советы давали, и они немалый куш за это получают.

Вмешалась Франсес:

— Советоваться по этому поводу нужно было с нами.

— Так с вами же и советуются.

— В таком случае нам следует прекратить этот разговор. Так не будет. Никто не собирается продавать Инносент-Хаус.

— Так будет. Будет, если хоть один из вас согласится на его продажу. Это все, что мне требуется. Ты забыла, сколько у меня акций, Фран. И дом этот не твой. Твоя семья продала его фирме в 1940 году, вспомни-ка. Ну ладно, согласен — его купили задешево, но скорее всего никто особенно не верил в то, что он долго протянет, ведь Ист-Энд так интенсивно бомбили. Он был застрахован на очень низкую сумму, а перенести его на другое место было все равно невозможно. Вбей себе наконец в голову, Фран, — это больше не фамильное гнездо Певереллов. Да и с чего это ты так волнуешься? Детей у тебя нет. Нет Певерелла, чтобы унаследовать этот дом.

Вспыхнувшая до корней волос Франсес поднялась было со стула, но Де Уитт тихо сказал ей:

— Не надо, Франсес. Не уходите. Нам всем следует обсудить этот вопрос.

— Здесь нечего обсуждать.

Наступившее молчание нарушил спокойный голос Габриела Донтси:

_____

* «Охотники за головами» — жаргонное название различных агентств, подыскивающих работников на ответственные должности в крупных фирмах, отбирая особенно способных выпускников престижных вузов, переманивая сотрудников других фирм и т.п.

— А что, мои восемь с половиной процентов акций могут обеспечить издание моих стихов или нет?

— Мы, разумеется, продолжим издание ваших томов, Габриел. Какие-то книги нам придется по-прежнему издавать.

— Хочу надеяться, что публикация моих томов не станет слишком обременительной.

— Кроме всего прочего, продажа этой недвижимости потребует, чтобы вы освободили дом номер двенадцать. Сколлингу нужно все владение целиком — главное здание и прилегающие два особняка. Мне очень жаль.

— Но ведь я прожил в нем более десяти лет, к тому же за смехотворно низкую плату.

— Что ж, таков был ваш договор с Генри Переллом, и вы были вправе взять то, что он вам дал. — Жерар помолчал немного и добавил: — Были вправе и продолжать брать. Но вы должны понять, — нельзя позволить таким вещам продолжаться.

— О да. Конечно, я понимаю. Нельзя позволить таким вещам продолжаться.

Этьенн заговорил снова, словно не слышал:

— Наступило время избавиться от Джорджа. Его надо было отправить на пенсию сто лет назад. Диспетчер у коммутатора — первый контакт посетителей с фирмой. Здесь нужна молодая, живая, привлекательная девушка, а не этот шестидесятивосьмилетний старик. Ему ведь шестьдесят восемь, да? И нечего говорить мне, что он проработал в издательстве двадцать два года. Я знаю, сколько лет он здесь проработал, в том-то и беда.

— Он ведь не только диспетчер у коммутатора, — сказала Франсес. — Он открывает двери издательства, проверяет систему охранной сигнализации, и он вообще мастер на все руки.

— А как же ему таким не быть? В этом доме вечно что-нибудь портится. Давно пора переехать в современный дом, с определенной целью построенный, работать в эффективно управляемом здании. А мы даже не начали использовать современную технику. Вы решили, что вы все тут ужасно современные, прямо-таки опасные новаторы, когда заменили несколько пишущих машинок компьютерами. Но у меня имеется еще одна хорошая новость. Есть шанс, что мы сможем переманить Себастиана Бичера от его теперешних издателей. Ему там вовсе не так уж хорошо.

— Но он ведь очень плохой писатель! — воскликнула Франсес. — И как человек ненамного лучше.

— Дело издателя — давать людям то, чего они хотят, а не выносить высокоморальные суждения.

— Такие аргументы вы могли бы приводить, если бы мы выпускали сигареты.

— Я приводил бы их и в том случае, если бы выпускал сигареты или даже виски.

— Аналогия не вполне верна, — возразил Де Уитт. — Вы могли бы утверждать, что пить полезно, если соблюдать меру. Но вы никогда не сможете утверждать, что плохой роман — это нечто иное, чем плохой роман.

— Плохой — для кого? И что вы имеете в виду под словом «плохой»? Бичер мощно выстраивает повествование, где действие развивается динамично, насыщает его смесью секса и насилия, а именно это сейчас явно требуется читателю. Кто мы такие, чтобы диктовать читателям, что для них хорошо, а что плохо? Да и, по правде говоря, разве не вы всегда утверждали, что важнее всего — заставить людей читать? Пусть начинают с дешевого романтического чтива, потом смогут перейти к романам Джейн Остен* или Джордж Элиот**. Впрочем, не вижу, зачем бы им переходить... к классикам, я хочу сказать. Это же ваши доводы, не мои. Что дурного в том, что люди читают дешевое чтиво, если это доставляет им удовольствие? На мой взгляд, это довольно высокомерно — утверждать, что массовая беллетристика хороша лишь тогда, когда ведет к более высоким вещам. Ну а то, о чем думаете вы с Габриелом, и есть более высокие вещи.

— Вы хотите сказать, — спросил Донтси, — что нам не следует выносить оценочные суждения? Мы делаем это каждый день на протяжении всей своей жизни.

— Я хочу сказать, что вам не следует делать их за других людей. Я хочу сказать, что я не должен делать их как публицист и

* Джейн Остен (1775—1817) — английская писательница, чьи романы снова вошли в моду начиная с 1950-х гг. В России наиболее известны «Чувство и чувствительность» (1811), «Гордость и предубеждение» (1813) и др.
** Джордж Элиот (Мэри Энн Эванс, 1819—1880) — английская писательница, автор многочисленных романов, переводчик с немецкого философских трудов. Наиболее известны романы «Адам Бид» (1859), «Мельница на Фиоссе» (1860), «Сайлес Марнер» (1861) и др.

издатель. В любом случае у меня имеется один неопровержимый аргумент: если мне не дозволено получать прибыль, издавая массовую продукцию, я не могу публиковать не столь массовую продукцию для тех, кого вы считаете разбирающимся в литературе меньшинством.

Теперь Франсес Певерелл повернулась к нему всем лицом. Щеки ее пылали, голос дрожал, она с трудом владела собой.

— Почему вы всегда говорите «я»? Все время — «я сделаю это, я опубликую то»! Может быть, вы и президент компании, но вы не издательство. Мы — издательство. Все пятеро. Коллективно. И сейчас мы собрались здесь не как Книжная комиссия. Это будет на следующей неделе. Сегодня мы собрались поговорить о будущем Инносент-Хауса.

— Именно это мы и обсуждаем. Я предлагаю принять предложение Сколлинга и приступить к переговорам.

— И куда вы предлагаете нам переехать?

— В офисные помещения в Доклендсе, у реки. Возможно, ниже по течению. Надо обсудить, будем ли мы их покупать или возьмем в долгосрочную аренду, но и то и другое вполне возможно. Цены сейчас низкие, как никогда. А Докленд никогда не пользовался таким престижем, как сейчас. Теперь, когда доклендская узкоколейка заработала, а линию метро собираются тянуть дальше, к нам станет гораздо легче добираться. Катер будет не нужен.

— Выгнать Фреда после стольких лет? — спросила Франсес.

— Моя дорогая Франсес, Фред — речник высокой квалификации. Найти другую работу для него не проблема.

В разговор вступила Клаудиа:

— Все это слишком поспешно, Жерар. Я согласна, что Инносент-Хаус, видимо, рано или поздно придется продать. Но не будем решать этот вопрос сегодня. Занеси что-то на бумагу, несколько цифр, например. Рассмотрим проблему после того, как у нас будет время подумать.

— И потерять предложение?

— Думаешь, такое возможно? Брось, Жерар. Если Гектор Сколлинг хочет купить этот дом, он не станет отзывать свое предложение из-за того, что придется с недельку подождать ответа. Ну, прими его, если тебе так будет легче. Мы всегда сможем отказаться продавать дом, если передумаем.

— Я хотел выяснить про новый роман Эсме Карлинг, — сказал Де Уитт. — На прошлом заседании вы что-то говорили о предполагаемом отказе.

— Роман «Смерть на Райском острове»? Я уже отказался его принять. Я полагал, что мы об этом договорились.

— Нет, мы об этом не договорились, — спокойно и очень медленно произнес Де Уитт, словно обращаясь к разбаловавшемуся ребенку. — Мы очень коротко обсудили этот вопрос и отложили решение.

— Как и многие другие наши решения. Вы четверо напоминаете мне известное определение совещания — собрание людей, не торопящихся сменить приятность беседы на ответственность за поступок или трудное решение. Что-то вроде того. Вчера я поговорил с литагентом Эсме и сообщил ей эту новость. Подтвердил это письменно, в двух экземплярах — агенту и самой Карлинг. Я так понимаю, что ни один из вас не станет утверждать, что Карлинг — писательница хорошая или хотя бы дающая прибыль. Лично я предпочитаю то или другое, а лучше всего — и то и другое.

— Мы издавали книги и похуже, — сказал Де Уитт.

Этьенн повернулся к нему и произнес с нескрываемой издевкой:

— Бог знает почему вы ее поддерживаете, Джеймс! Вы же принципиально стоите за то, чтобы публиковать художественную литературу, номинантов на премию Букера, сентиментальные романчики для ублажения литературных мафиози. Пять минут назад вы упрекали меня за попытку опубликовать Себастиана Бичера. Вы же не станете утверждать, что «Смерть на Райском острове» повысит репутацию «Певерелл пресс»? Я вот что хочу сказать: я понимаю так, что вы сами не считаете этот роман достойным премии компании «Уайтбред»* в качестве «книги года». Между прочим, я с гораздо большей симпатией отнесся бы к вашим так называемым «букеровским книгам», если бы они хоть иногда попадали в Букеровский шорт-лист**.

Джеймс спокойно ответил:

— Возможно, наступило время нам с ней расстаться, с этим я согласен. Возражаю я не против результата, а против способа, ка-

---

* «Уайтбред» — одна из крупнейших пивоваренных компаний в Великобритании; производит также спиртные напитки; имеет собственные пабы во многих городах страны. Основана в 1742 г.

** Шорт-лист — список кандидатов на премию, допущенных к последнему туру конкурса.

ким вы этого результата добиваетесь. Если припоминаете, на прошлом заседании я предлагал, чтобы мы опубликовали новую книгу Эсме, а затем достаточно тактично сообщили бы автору, что закрываем серию популярного детектива.

— Вряд ли это прозвучало бы убедительно, — сказала Клаудиа. — Карлинг — единственный автор в этой серии.

Джеймс продолжал, обращаясь непосредственно к Жерару:

— Книга нуждается в тщательном редактировании, но Эсме примет правку, если это сделать тактично. Сюжет следует усилить, средняя часть слабовата. Но описание острова очень хорошо. И Карлинг прекрасно создает атмосферу нависшей угрозы. Характеристика персонажей здесь значительно лучше, чем в предыдущем романе. Мы ничего не потеряем на этой книге. Мы издавали Эсме тридцать лет. Это очень давняя связь. Мне хотелось бы, чтобы она закончилась доброжелательно и великодушно. Вот и все.

— Она уже закончилась, — ответил Жерар Этьенн. — К тому же мы — издательство, а не благотворительное заведение. Мне жаль, Джеймс, но Карлинг должна уйти.

— Вы могли бы дождаться совещания Книжной комиссии, — возразил Де Уитт.

— Я, возможно, и подождал бы, если бы ее литагент не позвонила. Карлинг срочно понадобилось узнать срок выхода книги и что мы предполагаем сделать, чтобы организовать ее презентацию. Презентацию! Тут больше подошли бы поминки! Не было смысла кривить душой. Я прямо сказал ее литагенту, что книга не соответствует уровню и мы не собираемся ее публиковать. Вчера я письменно подтвердил это решение.

— Она плохо это воспримет.

— Разумеется, она плохо это воспримет. Писатели всегда плохо воспринимают отказ. Они считают его равным детоубийству.

— А что у нас с ее уже опубликованными книгами?

— А вот тут мы еще можем сделать кое-какие деньги.

Неожиданно снова заговорила Франсес Певерелл:

— Джеймс прав. Мы договорились обсудить этот вопрос снова. У вас не было абсолютно никаких полномочий говорить с Эсме Карлинг или с ее агентом — Велмой Питт-Каули. Мы вполне могли бы издать ее новый роман, а потом мягко сообщить ей, что это — в последний раз. Габриел, вы ведь согласны? Вы ведь тоже думаете, что нам следует принять «Смерть на Райском острове»?

Все четверо компаньонов смотрели на Донтси в ожидании того, что он скажет, словно он представлял здесь последнюю инстанцию — апелляционный суд. Старик сидел, погрузившись в бумаги, но теперь поднял голову и улыбнулся Франсес:

— Я не думаю, что это смягчило бы удар, а вы? Ведь отвергают не автора. Отвергают книгу. Если мы опубликуем этот ее новый роман, она преподнесет нам следующий, и перед нами встанет та же проблема. Жерар действовал поспешно и, как мне представляется, не особенно деликатно, но я думаю, что решение было правильным. Роман либо стоит печатать, либо нет.

— Рад, что мы хоть что-то уладили. — Этьенн принялся складывать бумаги.

— Если только вы понимаете, что это единственное, что мы уладили, — откликнулся Де Уитт. — Больше никаких переговоров о продаже Инносент-Хауса до тех пор, пока мы не проведем очередное совещание и вы не представите нам необходимые цифры и полный бизнес-план.

— Вы получили бизнес-план. Я представил его вам месяц назад.

— Этот план нам непонятен. Мы встречаемся через неделю. Было бы полезно, если бы вы раздали нам материалы днем раньше. И нам нужны альтернативные предложения. Один план на случай продажи Инносент-Хауса, другой — если продавать дом не станем.

— Второй представить легко, — сказал Этьенн. — Либо мы договариваемся со Сколлингом, либо объявляем себя банкротами. А Сколлинг не из терпеливых.

— Успокой его обещанием, — посоветовала Клаудиа. — Скажи ему: если мы решим продавать дом, он получит право первого выбора.

Этьенн улыбнулся:

— Ну уж нет. Не думаю, что мог бы дать ему такого рода обещание. Как только всем станет известно, что он проявляет интерес к этому дому, мы сможем набавить еще тысяч пятьдесят. Не очень уверен, что получится, но как знать? Я слышал, что Музей Грейфрайерз ищет помещение, чтобы разместить свою коллекцию картин на морские темы.

— Мы не собираемся продавать Инносент-Хаус, — заявила Франсес Певерелл. — Ни Гектору Сколлингу, ни кому бы то ни было еще. Только через мой труп. Или — ваш.

13

В секретарской комнате Мэнди Прайс подняла голову, когда вошла Блэки, и увидела, как та с пылающим лицом прошла к своему столу, села за компьютер и застучала по клавишам. Минуту спустя ее любопытство одержало верх над сдержанностью, и Мэнди спросила:

— Что случилось? Я думала, вы всегда ведете записи на совещаниях директоров.

Голос Блэки звучал странно: он был хриплым и в то же время в нем была слабая нотка мстительного удовлетворения.

— Больше не веду, по всей видимости.

Бедная старая корова, подумала Мэнди, выперли все-таки! И снова спросила:

— А что такого секретного? Чем они там у себя занимаются?

— Занимаются? — Пальцы Блэки, беспокойно бегавшие по клавишам, замерли. — Губят нашу фирму, вот чем они там занимаются. Выметают, как мусор, все, ради чего мистер Певерелл работал, что любил, что отстаивал больше тридцати лет. Строят планы, как продать Иннসосент-Хаус. А мистер Певерелл так его любил. Дом принадлежал их семье целых сто шестьдесят лет, даже больше. Инносент-Хаус и есть «Певерелл пресс». Не будет одного — не будет и другого. Мистер Жерар планировал избавиться от дома, еще когда старший мистер Этьенн уходил в отставку. А теперь, когда он стал главным, никто его не остановит. Мисс Франсес это вовсе не по душе, только ведь она в него влюблена, да и вообще на нее никто особого внимания не обращает. Мисс Клаудиа — она его сестра. Мистер Де Уитт... У этого духу не хватит его остановить. Ни у кого не хватит. Мистер Донтси мог бы, только он уже старый и теперь ему все равно. Никто из них не устоит перед мистером Жераром. А он знает, что я думаю. Потому и не хотел, чтоб я там была. Он знает — я не согласна. Знает — я бы его остановила, если бы могла.

Мэнди видела — в глазах Блэки стояли слезы, но это были слезы гнева. Смутившись, от всей души желая утешить, но с огорчением понимая, что чуть погодя Блэки пожалеет о своей невольной откровенности, она сказала:

— Он иногда ведет себя просто как подонок. Я заметила, как он с вами обращается. Почему бы вам не уйти самой? Попробуйте немного поработать в качестве временной. Заберите свои документы и сообщите ему, куда ему следует засунуть эту работу.

Блэки, делая героические усилия, чтобы успокоиться, попыталась снова обрести чувство собственного достоинства:

— Не смешите меня, Мэнди. Я не собираюсь увольняться. Я здесь старший личный секретарь и помощник, а не какая-то временная. Никогда временной не была. И не буду.

— Ну, есть должности и похуже временного сотрудника. Тогда как насчет чашечки кофе? Я могла бы приготовить прямо сейчас, какой смысл ждать? А к нему пару ломтиков шоколадного печенья — поспособствовать пищеварению?

— Ну хорошо. Только не трать время, сплетничая с миссис Демери. Мне надо, чтобы ты кое-что скопировала, когда закончишь печатать письма. И, Мэнди, учти: то, что я тебе сказала, — закрытая информация. Я говорила с тобой немного более откровенно, чем следовало бы, и хочу, чтобы за стены нашей комнаты это не вышло.

Ну да, как же, подумала Мэнди. Что же, мисс Блэкетт не знает, что все издательство только и гудит об этом? Но ответила:

— Я умею держать язык за зубами. Не моего ума дело, верно ведь? Меня тут уже не будет, когда вы переезжать станете.

Едва она поднялась со стула, как телефон на ее столе зазвонил и она услышала взволнованный голос Джорджа; однако тон у него был заговорщический, так что она с трудом разбирала, что он говорит.

— Мэнди, ты не знаешь, где мисс Фицджеральд? Я не могу вызвать мисс Блэкетт с совещания, а у меня тут миссис Карлинг. Она требует мистера Жерара, и я не уверен, что смогу удерживать ее здесь еще какое-то время.

— Все в порядке. Мисс Блэкетт сейчас здесь. — Она передала Блэки трубку. — Это Джордж. Миссис Карлинг в приемной и скандалит, требуя мистера Жерара.

— Это невозможно.

Блэки взяла трубку, но прежде чем успела ответить, дверь распахнулась, и миссис Карлинг ворвалась в комнату, отшвырнула с дороги Мэнди и ринулась прямо в кабинет директора. Мгновенно вернувшись оттуда, она гневно обратилась к ним обеим:

— Ну так где же он? Где Жерар Этьенн?

Блэки, пытаясь сохранить невозмутимый вид, раскрыла настольный календарь.

— Мне кажется, вы не договаривались с ним о встрече, миссис Карлинг?

— Разумеется, я не договаривалась с ним об этой чертовой встрече. После тридцати лет работы в издательстве мне не надо договариваться о встрече с моим издателем. Я не какой-нибудь жулик, желающий всучить ему место для рекламы. Где он?

— Он совещается с компаньонами, миссис Карлинг.

— Я полагала, они заседают только в первый четверг месяца?

— Мистер Жерар перенес заседание на сегодня.

— Тогда им придется это заседание прервать. Они, видимо, в конференц-зале?

Миссис Карлинг решительно направилась к двери, но Блэки оказалась проворнее. Она проскользнула мимо писательницы и встала перед ней спиной к двери.

— Вы не можете пойти туда, миссис Карлинг. Совещания директоров никто никогда не прерывает. У меня строгие указания задерживать даже срочные телефонные звонки.

— В таком случае я буду ждать, пока они закончат.

Блэки, все еще охраняющая дверь, обнаружила, что ее рабочее кресло прочно занято, но присутствия духа не утратила:

— Мне неизвестно, когда это произойдет. Они могут послать на кухню за сандвичами. И разве вы не должны сегодня после полудня участвовать в подписании книг в Кембридже? Я сообщу мистеру Жерару, что вы заходили, и он, несомненно, свяжется с вами в первую же свободную минуту.

Утренняя неприятность, желание восстановить свой авторитет в глазах Мэнди сделали ее тон более властным, чем того требовал обычный такт, но и при этом ярость, звучавшая в ответе, их поразила. Миссис Карлинг вскочила с кресла с такой быстротой, что оно закрутилось, и встала так, что ее лицо чуть ли не касалось лица Блэки. Она была на целых три дюйма ниже ростом, но Мэнди казалось, что из-за этого она выглядит нисколько не менее устрашающе. Мышцы на вытянувшейся шее напряглись, как канаты, поднятые вверх глаза сверкали, а под крючковатым носом маленький злобный рот превратился в красную расщелину, источающую яд.

— В первую же свободную минуту?! Ах ты безмозглая сука! Занесшаяся самовлюбленная идиотка! С кем, по-твоему, ты разговариваешь? Только благодаря моему таланту ты получаешь зарплату последние двадцать с лишним лет, не забывай об этом! Тебе давно пора было понять, как мало ты значишь для этого издательства. Только потому, что ты работала на мистера Певерелла и он тебя терпел, и баловал, и давал почувствовать, что ты нужна, ты позволяешь себе задирать нос перед теми, кто был связан с «Певерелл пресс», когда ты еще мокроносой девчонкой бегала в школу. Старый Генри тебя избаловал, но я-то знаю, что он о тебе на самом деле думал, и могу это прямо сказать. Почему? Да потому что он сам мне говорил, вот почему. Ему до смерти надоело, что ты вечно крутишься рядом с ним и смотришь на него словно корова, у которой мозги набекрень. Он до смерти устал от твоей преданности. Он мечтал от тебя избавиться, только духу не хватало тебя выгнать. У бедняги ни на что никогда не хватало духу. Если бы хватало, Жерар Этьенн не стоял бы сейчас во главе фирмы. Скажи ему, мне надо его видеть, и пусть это будет, когда мне удобно, а не ему!

Когда Блэки заговорила в ответ, губы ее побелели так, что Мэнди показалось, они почти не шевелятся, произнося слова:

— Это неправда. Вы лжете. Это неправда.

И тут Мэнди испугалась. Она привыкла к скандалам в самых разных учреждениях. Более чем за три года работы в качестве временного сотрудника ей пришлось наблюдать несколько весьма впечатляющих взрывов темперамента, но словно крепкий маленький кораблик, она весело носилась по волнам разбушевавшейся стихии посреди терпящих крушение судов. Пожалуй, хороший учрежденческий скандал мог даже доставить ей удовольствие. Лучшего противоядия от скуки просто и быть не могло. Но на этот раз все было по-другому. Сейчас — она это понимала — перед ней было истинное страдание, настоящая взрослая боль и взрослая злоба, рожденная вызывающей ужас ненавистью. Перед ней было горе, которое не утишить свежесваренным кофе и парой ломтиков шоколадного печенья из жестяной коробки, которую миссис Демери держала исключительно для директоров фирмы. С непередаваемым ужасом она на миг подумала, что Блэки сейчас закинет голову и завоет от муки. Ей хотелось протянуть руку — утешить, поддержать, но она знала — этому горю нет утешения и ее порыв впоследствии вызовет неприязнь.

Дверь с грохотом захлопнулась. Миссис Карлинг словно вымело из комнаты.

Блэки повторила:

— Это ложь. Это все ложь. Она об этом ничего не знает.

— Конечно, не знает, — уверенно ответила Мэнди. — Конечно, она лжет, это всякому было бы видно. Она просто завистливая старая сука. Я не стала бы на нее внимание обращать.

— Я пойду в туалет.

Было очевидно, что Блэки сейчас стошнит. И опять Мэнди подумала, не пойти ли с ней, но решила, что лучше не надо. Блэки вышла на негнущихся ногах, словно робот, чуть не столкнувшись с миссис Демери, внесшей в комнату два пакета.

— Они пришли второй доставкой, так что я подумала — отнесу-ка их вам сама, — сказала миссис Демери. — А что это с ней?

— Расстроилась. Компаньоны не захотели, чтоб она присутствовала на совещании. А потом явилась миссис Карлинг и хотела увидеть мистера Жерара, а Блэки ее не пустила.

Миссис Демери сложила руки на груди и прислонилась к столу мисс Блэкетт.

— Думаю, она письмо утром получила, что ее новый роман печатать не хотят.

— Господи Боже, да откуда вы знаете, миссис Демери?

— Не так уж много у нас случается такого, чего до моих ушей не доходит. А тут-то уж точно беда будет, попомни мои слова.

— А если он недостаточно хорош, отчего бы ей его не поправить или новый не написать?

— Так она думает, что не сможет, вот отчего. Такое с писателями всегда бывает, когда кому отказывают. Они вот этого и боятся все время, что талант свой потеряют, что с ними творческий блок случится. Потому с ними так щекотливо дело иметь. Щекотливый они народ, эти писатели. Приходится им все время твердить, какие они замечательные, не то они прямо на глазах у тебя развалятся. Я сама такое видала, да не один раз. Вот старый мистер Певерелл знал, как с ними обращаться. У него к авторам подход правильный был, у мистера Генри был, это точно. А у мистера Жерара не выходит. Он другой совсем. Он не поймет никак, чего это они хныкать не перестанут и за работу не возьмутся.

Этот взгляд вызывал у Мэнди самое глубокое сочувствие. Она могла сказать Блэки, что мистер Жерар — настоящий подонок, и на самом деле была уверена в этом, но ей все же трудно было испытывать к нему неприязнь. Она чувствовала, что — будь у нее такая возможность — она вполне могла бы с ним справиться. Однако дальнейший обмен новостями был прерван Блэки, вернувшейся гораздо раньше, чем Мэнди ожидала. Миссис Демери тотчас же выскользнула из комнаты, а Блэки, ни слова не говоря, снова уселась за клавиатуру компьютера.

Целый час после этого они работали в гнетущем молчании, прерываемом Блэки только для того, чтобы отдать какое-нибудь распоряжение. Она послала Мэнди в копировальную — сделать три копии недавно поступившей рукописи, которая, если судить по первым трем прочитанным Мэнди абзацам, вряд ли когда-нибудь выйдет в свет. Потом ей вручили три чрезвычайно слепых экземпляра для перепечатки, а после этого велели разобраться в ящике с надписью «Хранить некоторое время» и выбросить все бумаги более чем двухгодичной давности. Это весьма полезное хранилище использовалось всем издательством для бумаг, которые сотрудники не знали куда девать, но никто не хотел выбрасывать. Здесь было полно материалов как минимум двенадцатилетней давности, и разборка ящика «Хранить некоторое время» считалась крайне непопулярным занятием. Мэнди чувствовала, что ее подвергают несправедливо тяжелому наказанию за приступ откровенности Блэки.

Совещание директоров закончилось раньше, чем обычно. Было всего лишь половина двенадцатого, когда Жерар Этьенн, в сопровождении своей сестры и Габриела Донтси, энергично прошагал через секретарскую комнату к кабинету. Клаудиа Этьенн задержалась, чтобы поговорить с Блэки, когда дверь кабинета распахнулась и Жерар появился снова. Мэнди увидела, что он едва сдерживает ярость. Он спросил, обращаясь к Блэки:

— Это вы взяли мой личный ежедневник?

— Конечно, нет, мистер Жерар. Разве его нет в правом ящике стола?

— Разумеется, нет, иначе я вряд ли стал бы спрашивать об этом.

— Я заполнила его расписанием на неделю в этот понедельник и положила обратно в ящик. С тех пор я его больше не видела.

— Он был там вчера утром. Если вы его не брали, вам следует выяснить, кто это сделал. Я полагаю, вы согласитесь с тем, что следить за сохранностью моего ежедневника входит в ваши обязанности. Если же вам не удастся отыскать ежедневник, я был бы рад, если бы мне вернули карандаш. Он золотой, и я испытываю к нему некоторую привязанность.

Лицо Блэки побагровело. Клаудиа Этьенн наблюдала за происходящим, с насмешливым изумлением подняв брови. Мэнди, учуяв битву, старательно изучала значки в блокноте для стенографических записей, словно они вдруг стали совершенно непонятными.

Голос Блэки дрожал на грани истерики:

— Вы обвиняете меня в краже, мистер Жерар? Я работаю в издательстве вот уже двадцать семь лет, но... — Голос ее прервался.

Этьенн раздраженно ответил:

— Не будьте идиоткой! Никто вас ни в чем не обвиняет. — Взгляд его упал на бархатную змею, обвивавшую ручку картотечного шкафа. — И уберите вы эту чертову змею, ради всего святого! Выкиньте ее в реку. Из-за нее наше издательство стало похожим на детский сад!

Он скрылся в кабинете. Сестра последовала за ним. Не произнеся ни слова, Блэки схватила змею и убрала ее в ящик своего стола. Потом сказала Мэнди:

— Что это вы там рассматриваете? Если вам нечего печатать, я скоро найду вам работу. А пока можете сварить мне немного кофе.

Мэнди, вооруженная новой сплетней, которой могла доставить миссис Демери удовольствие, была просто счастлива выполнить это поручение.

14

Для прогулки по Темзе Деклан должен был подъехать к половине седьмого, а в четверть седьмого Клаудиа вошла в кабинет брата. Во всем здании издательства оставались только они двое. По четвергам Жерар неизменно работал допоздна, хотя в этот день недели сотрудники уходили пораньше, чтобы воспользоваться возможностью сделать покупки в магазинах, работающих по четвергам дольше обычного. Жерар сидел за столом в ореоле света, падавшего от настольной лампы. Он встал, когда Клаудиа вошла в кабинет. Его манера вести себя с ней всегда была официальной, всегда абсолютно безупречной. Она порой думала, не уловка ли это с его стороны, чтобы отбить у нее охоту сблизиться с ним.

Она села напротив и начала сразу, без предисловий:

— Слушай, я поддержу тебя в вопросе о продаже Инносент-Хауса. Буду на твоей стороне и во всех других твоих планах, когда дойдет до дела. Имея мою поддержку, ты легко добьешься перевеса голосов в свою пользу. Но мне сейчас нужны триста пятьдесят тысяч фунтов наличными, и я хочу, чтобы ты купил у меня половину моих акций. Или все — если хочешь.

— Я не могу себе этого позволить.

— Сможешь, когда продашь Инносент-Хаус. Когда вы обменяетесь контрактами, ты получишь миллион или около того. С моими акциями у тебя всегда будет прочный перевес при голосовании. Это даст тебе абсолютную власть. За это стоит заплатить. Я останусь членом компании, но с меньшим количеством акций или без них.

— Об этом, несомненно, стоит подумать, но не сейчас, — спокойно ответил он. — И я не смогу воспользоваться деньгами, полученными от продажи. Они принадлежат компании. Да и все равно они будут нужны мне для перевода издательства в новое помещение и для осуществления других моих планов. Но ты сама могла бы получить эти триста пятьдесят тысяч. Если могу я, то можешь и ты.

— Мне это не так легко. Потребуется масса хлопот и времени. А мне срочно нужны деньги. До конца месяца.

— Зачем? Что ты собираешься с ними делать?

— Вложить их в антикварное предприятие совместно с Декланом Картрайтом. У него есть возможность купить антикварный магазин у старика Саймона: триста пятьдесят тысяч фунтов за четырехэтажный дом с полной собственностью на землю и всем его содержимым. Это очень выгодная цена. Старик любит Деклана и предпочел бы, чтобы именно он получил эту собственность, но не может ждать, пока Деклан ее купит. Саймон стар, он болен, и у него мало времени.

— Картрайт — красивый мальчик. Но триста пятьдесят тысяч... Он не слишком ли высоко себя оценивает?

— Я не идиотка. Эти деньги не передаются: они остаются моими деньгами, вложенными в совместное предприятие. Деклан тоже не дурак. Он знает, что делает.

— Ты ведь за него замуж не собираешься? Или может быть?..

— Может быть. Это тебя удивляет?

— Пожалуй, — ответил он. И добавил: — Мне кажется, ты к нему больше привязана, чем он к тебе. А это всегда опасно.

— Да нет, мы больше на равных, чем ты думаешь. Он чувствует ко мне ровно столько, сколько он способен чувствовать, а я к нему — ровно столько, сколько способна чувствовать я. Просто его и моя способность чувствовать неодинаковы, вот и все. Мы оба даем друг другу то, что можем дать.

— Так что ты предполагаешь его купить?

— А разве не так мы с тобой всегда получали то, что хотели? Разве не покупая? А как насчет вас с Люсиндой? Ты уверен, что это правильно? Для тебя, я хочу сказать. За нее я не беспокоюсь. Меня этот ее вид хрупкой невинности не проведет. Она прекрасно умеет о себе позаботиться. Во всяком случае, люди ее круга всегда это умели.

— Я намерен на ней жениться.

— Ну зачем этот воинственный тон? Никто не собирается тебя отговаривать. Между прочим, ты предполагаешь сообщить ей правду о себе... о нас? И — что еще важнее — сказать ее родителям?

— Я предполагаю дать ответы на резонные вопросы. Пока что мне никаких вопросов не задавали — ни резонных, ни нерезонных. Мы, слава Богу, живем не в те времена, когда у отцов просят благословения, а от женихов требуется подтверждение моральной стойкости и финансовой честности. Да все равно, у нее ведь только один брат и есть. Кажется, он пришел к выводу, что у меня имеется дом, где она сможет жить, и хватит денег, чтобы сделать эту жизнь достаточно комфортной.

— Но у тебя ведь нет дома, не так ли? Ты же не о квартире в Барбикане говоришь, я надеюсь? Не представляю, как она будет жить в барбиканской квартире. Там же места просто нет!

— Кажется, ей очень нравится Хэмпшир*. Во всяком случае, это можно будет обсудить поближе к дню свадьбы. Но я сохраню квартиру в Барбикане. Очень удобно для работы.

— Ну что ж, надеюсь, у вас получится. Откровенно говоря, из этих двух союзов у нас с Декланом побольше шансов, чем у вас. Мы не путаем секс с любовью. А у тебя могут возникнуть трудности, если надо будет выкарабкаться из этого брака. У Люсинды

---

* Хэмпшир — графство на юге Англии.

могут появиться религиозные принципы, запрещающие развод. Да и вообще развод — вещь вульгарная, неприятная и дорогая. Ну ладно, она не сможет этому помешать после двух лет жизни врозь, но это будут очень неприятные годы. Тебе вряд ли понравится прослыть в обществе неудачником.

— Послушай, я еще даже не женился. Рановато решать, как я буду справляться с неудачами. Неудачником я быть не собираюсь.

— Честно, Жерар, я не понимаю, что ты хочешь получить от этого брака, кроме красивой жены на восемнадцать лет моложе тебя самого.

— Большинство людей сочли бы, что этого достаточно.

— Только легковерные глупцы. Это наилучший способ навлечь на себя беду. Ты же не член королевской семьи. Ты не обязан брать в жены совершенно неподходящую тебе девицу лишь для того, чтобы продолжить династию. Или это и есть главная причина? Хочешь основать род? Да, я уверена — в этом все дело. Дожив до средних лет, ты стал банальным и консервативным. Захотелось упорядоченной жизни, детишек.

— Это представляется мне самой разумной причиной вступления в брак. Кое-кто сказал бы — единственной разумной причиной.

— Ты, конечно, вдоволь наигрался на этом поле, так что теперь решил найти себе молодую, красивую девственницу, предпочтительно из хорошей семьи. Откровенно говоря, я думаю, тебе больше подошла бы Франсес.

— Я никогда не считал это возможным.

— Зато она считала. Прекрасно вижу, как это произошло. Девственница под тридцать, явно стремящаяся приобрести сексуальный опыт, и кто же смог бы обеспечить ей этот опыт лучше, чем мой умный братец? Но это было ошибкой. Ты восстановил против себя Джеймса Де Уитта, а этого делать нельзя.

— Он со мной никогда об этом не говорил.

— Разумеется, нет. Джеймс поступает иначе. Он не разговаривает, он действует... Пару слов в порядке совета: не стой слишком близко у края балкона на верхнем этаже Инносент-Хауса. Одной насильственной смерти в этом доме совершенно достаточно.

— Спасибо за предупреждение, — спокойно ответил Жерар, — но я не думаю, что Джеймс Де Уитт стал бы главным подозреваемым. Вообще-то говоря, если я умру до того, как женюсь и составлю новое завещание, ты получишь все мои акции, квартиру в Барбикане и деньги по страховке. Так что сможешь купить антиквариата почти на два с половиной миллиона.

Клаудиа успела подойти к двери, когда он, холодно и не поднимая глаз от бумаг, заговорил снова:

— Между прочим, «гроза издательства» снова нанесла удар.

Резко обернувшись, Клаудиа спросила:

— Что ты имеешь в виду? Как? Когда?

— Сегодня днем, в двенадцать тридцать, если быть точным. Кто-то послал отсюда факс в Кембридж, в магазин «Лучшие книги», отменив встречу Карлинг с читателями для подписания книг. Она приехала и обнаружила, что объявления сняты, стол и стул убраны, полные надежд читатели отосланы прочь, а большая часть книг переставлена в самый дальний отдел. По всей видимости, она просто раскалилась от злости. Жаль, меня там не было — интересно было бы посмотреть.

— Господи! Когда ты узнал об этом?

— Ее литагент, Велма Питт-Каули, позвонила мне в два сорок пять, когда я вернулся после ленча. Пыталась дозвониться с половины второго. Карлинг позвонила ей из магазина.

— И ты до сих пор молчал?

— У меня были более важные занятия, чем крутиться по издательству, выясняя у сотрудников, есть ли у них алиби. В любом случае это твое дело. Только я не стал бы придавать этому слишком большое значение. Я догадываюсь, кто в этом виноват. И вообще все это не так уж важно.

— Но не для Эсме Карлинг, — мрачно ответила Клаудиа. — Ты вправе ее не любить, презирать или жалеть, но недооценивать ее нельзя. Она может оказаться гораздо более опасной, чем ты воображаешь.

15

Верхний зал ресторана «Коннот армз», близ Ватерлоо-роуд, был переполнен. Мэтт Бейлис, владелец ресторана, не сомневался в успехе поэтического вечера. Уже к девяти часам выручка в баре превысила всегдашнюю четверговую норму. В небольшом зале наверху обычно подавали ленч — горячие обеды в «Коннот армз» не пользовались особым спросом, — но порой зал можно было освободить и для других надобностей. Брат Мэтта, работавший в какой-то организации, имевшей отношение к искусству, уговорил обслужить его мероприятие вечером в четверг. Планировалось, что несколько уже публиковавшихся поэтов будут читать свои произведения, а в промежутках станут выступать любители — все, кто захочет принять в вечере участие. Установили входную плату — по фунту с человека, и Мэтт поставил стойку в дальнем конце зала, где вино шло за наличные. Мэтт и представления не имел, что поэзия так популярна и что такое множество его постоянных посетителей стремятся выразить себя в стихах. С самого начала продажа билетов шла вполне удовлетворительно, но теперь запоздавшие прямо-таки валом валили, да и посетители бара, услышав, что у них над головами происходит что-то развлекательное, спешили наверх по узкой лестнице с кружками в руках.

Энтузиазм Колина вызывали самые разнообразные и самые модные направления: искусство черных, женское искусство, искусство голубых, искусство Британского содружества, упрощенное искусство, новаторское искусство, искусство для народа. Сегодняшнее мероприятие рекламировалось как «Поэзия для народа». Самого Мэтта главным образом интересовало пиво для народа, но он не видел причин тому, чтобы интерес брата к искусству и его собственный не соединились к взаимной выгоде. Колин стремился превратить «Коннот армз» в общепризнанный центр декламации современных стихов и публичную трибуну для молодых поэтов. Мэтт, наблюдая, как нанятый помогать на вечере бармен торопливо откупоривает бутылки калифорнийского красного, неожиданно для себя обнаружил, что и его интересует современная культура. Он время от времени поднимался из бара в зал, чтобы попробовать новое развлечение на вкус. Стихи были ему в основном непонятны; разумеется, очень немногие из них обладали рифмой или сколько-нибудь отчетливым ритмом, а именно это для него служило определением поэзии; однако все стихи встречались энергичными аплодисментами. Поскольку большая часть публики и сами поэты курили, застоявшийся воздух был пропитан запахом табака и пивными парами.

Гвоздем программы был объявлен Габриел Донти. Он просил, чтобы ему дали выступить пораньше, но большинство поэтов, читавших стихи до него, превышали регламент, особенно любители, не обращавшие внимания на Колина, шепотом намекавшего, что их время истекло, так что было уже почти половина десятого, когда Донтси медленно поднялся на трибуну. Его слушали в почтительном молчании и громко аплодировали, но Мэтту было ясно, что стихи Донтси о войне, которая для большинства присутствующих была уже историей, не имели ни малейшего отношения к тому, что занимало этих людей сегодня. Потом Колин протолкался к Габриелу сквозь толпу:

— Вам обязательно нужно уйти? Несколько наших собираются после окончания пойти куда-нибудь поесть.

— Сожалею, но мне это будет слишком поздно. Где я могу взять такси?

— Мэтт может позвонить из бара, но вы, пожалуй, поймаете машину быстрее, если выйдете на Ватерлоо-роуд.

Донтси вышел из ресторана почти незамеченным. Никто ему даже «спасибо» не сказал, и у Мэтта осталось неловкое чувство, будто со стариком как-то нехорошо обошлись.

Донтси едва успел выйти из ресторана, как к стойке бара подошла пожилая пара. Мужчина спросил Мэтта:

— Что, Габриел Донтси уже ушел? У моей жены есть первое издание его стихов. Она была бы в восторге, если бы он подписал книгу. А наверху его нигде не видно.

— Вы на машине? — спросил Мэтт.

— Припаркована в трех кварталах отсюда. Не могли найти места поближе.

— Так вот он только что ушел. Идет пешком. Если поспешите, сможете его догнать. Но вы его скорее всего упустите, если станете ждать, чтобы сходили за вашей машиной.

Они поспешно ушли. Женщина с полными надежды глазами сжимала в руке томик стихов.

Не прошло и трех минут, как они вернулись. Из-за стойки бара Мэтт видел, как они входят в дверь, с обеих сторон поддерживая Габриела Донтси. Он прижимал ко лбу пропитанный кровью платок. Мэтт бросился им навстречу:

— Что случилось?

Явно потрясенная, женщина ответила:

— На него напали. Трое. Двое черных и один белый. Они над ним наклонились, но убежали, когда нас увидели. Впрочем, бумажник его они забрать успели.

Мужчина оглядел бар, нашел свободный стул и усадил Донтси.

— Надо вызвать полицию и «скорую помощь», — сказал он.

Голос Донтси звучал сильнее, чем ожидал Мэтт.

— Нет, нет. Со мной все в порядке. Не нужно ни полиции, ни «скорой помощи». Это только ссадина. Я как раз этим местом ударился, когда упал.

Мэтт в нерешительности смотрел на старика. Казалось, тот страдал больше от потрясения, чем от боли. И какой смысл вызывать полицию? Нет ни одного шанса, что налетчики будут пойманы, и в полицейской статистике добавится еще одно не раскрытое мелкое преступление. Мэтт, вообще-то принципиальный сторонник полиции, тем не менее предпочитал видеть полицейских у себя в баре как можно реже.

Взглянув на мужа, женщина твердо сказала:

— Мы будем проезжать мимо больницы Святого Фомы. Отвезем его туда, в отделение травматологии. Это самый разумный выход.

Было очевидно, что последнее слово в этом разговоре не за Габриелом Донтси.

Они хотят как можно скорее избавиться от ответственности, подумал Мэтт, однако у него и в мыслях не было их за это винить. Когда они ушли, он поднялся в зал, чтобы проверить запасы вина, и обнаружил на столе возле входа пачку тонких томиков. Его вдруг охватила жалость к Габриелу Донтси. Бедный чертяка не стал даже ждать, когда станут подписывать книги. Но может, это и к лучшему. Всем было бы неловко, если бы ему не удалось свои книги продать.

16

На следующее утро — в пятницу, пятнадцатого октября — Блэки проснулась в предчувствии чего-то ужасного. Ее первым осознанным ощущением был страх перед наступающим днем, перед тем, что могло ждать ее впереди. Она накинула халат и пошла вниз — готовить утренний чай, размышляя, не разбудить ли Джоан. Она ведь может сказать ей, что у нее болит голова и она, пожалуй, не пойдет на работу. Может попросить ее попозже позвонить и извиниться, пообещав, что в понедельник Блэки обязательно будет на месте. Однако она не поддалась соблазну. Понедельник наступит слишком быстро и принесет с собой еще более тяжкие волнения. А ее отсутствие сегодня может показаться подозрительным. Все в издательстве знают, что она никогда не брала отгулов, никогда не болела. Она должна явиться на работу как ни в чем не бывало, словно это самый обычный день.

Позавтракать она не смогла. Сама мысль о яичнице с беконом вызвала у нее тошноту, а первая же ложка овсянки комом застряла в горле. На станции она, как обычно, купила «Дейли телеграф», но так и продержала газету неразвернутой, всю дорогу крепко сжимая ее в руке и не отрывая невидящего взгляда от калейдоскопа летящих мимо кентских предместий. Катер задержался с отплытием от пирса на Черинг-Кросс на целых пять минут. Мистер Де Уитт, обычно такой пунктуальный, запыхавшись вбежал по трапу на борт, как раз когда Фред Баулинг решил отдать швартовы.

— Прошу у всех прощения, — коротко извинился мистер Де Уитт. — Спасибо, что подождали. Я уж думал, придется вторым рейсом ехать.

Все теперь были в сборе, весь обычный состав первого рейса. Мистер Де Уитт, она сама, Мэгги Фицджеральд и Эми Холден из рекламного, мистер Элтон из правового и Кен со склада. Блэки заняла свое всегдашнее место на носу. Ей хотелось бы встать и пройти на корму, посидеть там в одиночестве, но и это могло вызвать подозрения. Казалось, что она как-то особенно обращает внимание на каждое произносимое ею слово, на каждое движение или поступок, словно она уже находится под допросом. Она слышала, как Джеймс Де Уитт рассказывает остальным, что накануне, поздно вечером, ему позвонила мисс Франсес и сообщила, что на мистера Донтси напали. Это случилось после поэтического вечера, где он читал свои стихи. Его очень быстро нашли двое из тех, кто находился в ресторане, и они отвезли его в больницу Святого Фомы. Он больше пострадал от потрясения, чем от налета, и теперь чувствует себя нормально. Блэки никак не прореагировала на это известие. Просто еще одна небольшая неприятность, еще кому-то не повезло. Все казалось несущественным по сравнению с ее собственным чувством тревоги.

Поездка по реке обычно доставляла ей огромное удовольствие. Блэки совершала эти поездки вот уже более двадцати пяти лет, но они никогда не утрачивали для нее своей прелести. Однако сегодня все так хорошо знакомые ей вехи казались просто дорожными столбами на пути к грозной беде: изящные металлические переплеты железнодорожного моста Блэкфрайарз; Саутуоркский мост с лестницей, ведущей на Саутуорк-Козуэй*, от ступеней которой отплывал на лодке с гребцами Кристофер Рен, наблюдавший за строительством собора Святого Павла**; Лондонский мост, где когда-то у обоих его концов выставлялись головы изменников, насаженные на пики; Ворота изменников***, позеленевшие от ила и водорослей; и Мертвецкая дыра под Тауэрским мостом, откуда по традиции разбрасывали за пределами города прах умерших; и сам Тауэрский мост с бело-голубой пешеходной дорогой наверху и со сверкающим золотом гербом; королевский корабль «Белфаст» под флагом НАТО. Блэки смотрела на все это равнодушными глазами. Она убеждала себя, что ее тревога необоснованна и беспричинна. У нее была лишь одна небольшая причина чувствовать себя виноватой, да и та скорее всего была в конечном счете не настолько важной, чтобы заслуживать обвинений. Надо только держать себя в руках, и все будет хорошо. Однако ее тревога, которая теперь превратилась в настоящий страх, все возрастала по мере того, как они приближались к Инносент-Хаусу, и Блэки казалось, что своим настроением она заразила и всех остальных. Мистер Де Уитт во время поездки по реке всегда сидел молча, чаще всего читая газету, но женщины были настоящими болтушками и обычно щебетали не переставая. В это утро все они смолкли, когда катер медленно, покачиваясь на волнах, подошел к швартовому кольцу справа от лестницы.

Неожиданно Де Уитт произнес:

— Инносент-Хаус. Ну что ж, вот мы и приехали...

В голосе его звучали нотки напускного веселья, словно все они покидали катер после речной прогулки, но лицо оставалось мрачным. «Интересно, что это с ним, о чем он думает?» — мелькнуло в голове у Блэки. И вместе с другими она стала медленно и осторожно подниматься по омытым приливной волной ступеням на мрамор патио, собираясь с духом, чтобы встретиться с тем, что могло ожидать ее в издательстве.

* Саутуорк-Козуэй — пешеходная дорога Саутуоркского моста.
** Кристофер Рен (1632—1723) — английский архитектор и ученый, один из членов-основателей Королевского общества (т.е. Академии наук), ставший впоследствии его президентом (1680 г.). Собор Святого Павла строился с 1670 по 1710 г.
*** Ворота изменников — главные водные ворота в Тауэр со стороны Темзы. Через них в крепость привозили узников.

17

Джордж Коупленд, укрытый за своей конторкой в приемной, смущенный собственной неспособностью что-либо предпринять, с облегчением услышал шаги многих ног по булыжнику мостовой. Значит, катер наконец-то пришел. Лорд Стилгоу прекратил гневное хождение взад и вперед, и оба они повернулись к дверям. Группка сотрудников вошла тесной кучкой, возглавляемая Джеймсом Де Уиттом. Мистер Де Уитт бросил быстрый взгляд на встревоженное лицо Джорджа и спросил:

— Что случилось, Джордж?

Ответил ему лорд Стилгоу:

— Этьенн пропал. Мы с ним договорились встретиться в его кабинете в девять часов. Когда я приехал, здесь никого не было, кроме диспетчера и уборщицы. Со мной так себя не ведут. Я в отличие от Этьенна ценю свое время. У меня сегодня утром встреча с врачом.

— Как это — Этьенн пропал? — успокаивающим тоном спросил Де Уитт. — Он, я думаю, попал по дороге в пробку.

Тут вмешался Джордж:

— Он должен быть где-то здесь, мистер Де Уитт. Его пиджак висит на спинке кресла у него в кабинете. Я заходил туда, когда он не ответил на мой звонок. И парадная дверь не была толком заперта сегодня утром, не на сейфовый замок. Когда я пришел на работу, я открыл ее одним английским ключом. И на охрану не поставлена. Мисс Клаудиа только что приехала. Теперь везде проверяет.

Все направились в холл, словно движимые общим порывом. Клаудиа Этьенн, сопровождаемая миссис Демери, вышла из комнаты Блэки.

— Джордж прав, — сказала она. — Он должен быть где-то здесь. Пиджак накинут на спинку кресла, и связка ключей лежит в правом верхнем ящике стола. — Она обратилась к Джорджу: — А в десятом доме вы проверяли?

— Да, мисс Клаудиа. Мистер Бартрум приехал, но в здании больше никого нет. Он везде посмотрел и позвонил мне сюда. «Ягуар» мистера Жерара на месте, там же, где он его вчера поставил.

— А что, свет в помещении горел, когда вы пришли?

— Нет, мисс Клаудиа. И в его кабинете тоже света не было. Нигде не было.

В этот момент появились Франсес Певерелл и Габриел Донтси. Джордж заметил, что мистер Донтси выглядит слабым и бледным. Он шел, опираясь на палку, а справа на лбу у него виднелась полоска липкого пластыря.

— У вас там, в номере двенадцать, нет, случайно, Жерара? — спросила Клаудиа. — Он, кажется, куда-то исчез.

— У нас его не было, — ответила Франсес.

Войдя вслед за ними и стаскивая шлем, Мэнди сказала:

— Его машина тут. Я ее видела в конце проулка Инносент-Пэсидж, когда мимо проехала.

Клаудиа ответила раздраженно:

— Да, Мэнди, это мы знаем. Пойду посмотрю наверху. Он должен быть где-то в здании. А вы все оставайтесь и ждите здесь.

Она решительно направилась к лестнице. Миссис Демери следовала за ней по пятам. Блэки, словно не расслышав приказа, негромко ахнула и неловко засеменила за ними.

— Ох уж эта миссис Демери, — сказала Мэгги Фицджеральд, — всегда вовремя окажется на месте происшествия...

Однако голос ее звучал неуверенно, и когда никто не откликнулся на замечание, она покраснела, словно пожалев, что заговорила в такой момент.

Притихшая группка пришла в движение и замерла, образовав полукруг. Будто каждого осторожно подтолкнула невидимая рука, подумал Джордж. Он зажег в холле свет, и роспись потолка засияла над ними, своим великолепием и непреходящестью как бы подчеркивая мелочность людских забот и незначительность тревог. Все глаза устремились вверх. Джорджу пришло в голову, что они напоминают фигуры на религиозных картинах, людей, замерших в ожидании какого-то сверхъестественного явления. Он ждал вместе с ними, не зная, правильно ли, что он находится здесь, а не за конторкой. Ему не полагалось проявлять инициативу, он не должен был участвовать в поисках. Как всегда, он лишь исполнял то, что приказывали, но его удивило поведение компаньонов. Почему они так охотно согласились ждать? А почему бы и нет? Какой смысл всей толпой носиться по Инносент-Хаусу? Трех человек для поисков вполне достаточно. Если мистер Жерар в здании, мисс Клаудиа его отыщет. Никто не произнес ни слова, никто не двинулся, кроме мистера Де Уитта, который тихонько подошел к Франсес Певерелл. Джорджу казалось, что они, застыв, словно участники «живых картин», ждут уже много часов, хотя на самом деле прошло всего несколько минут.

Вдруг Эми голосом, охрипшим от испуга, сказала:

— Кто-то кричит! Я слышала крик! — Круглыми от ужаса глазами она оглядела стоявших рядом с ней сотрудников.

Джеймс Де Уитт, не глядя на нее — он не сводил глаз с лестницы, — спокойно ответил:

— Никто не кричал, Эми. Вам показалось.

И тут крик раздался снова, на этот раз громче, так что ошибиться было невозможно, — отчаянный, на высокой ноте вопль. Все двинулись к подножию лестницы, но подниматься не стали. Казалось, никто не осмеливается сделать первый шаг наверх. Секунду длилось молчание, затем послышались рыдания; сначала тихие и жалобные, они звучали все громче и ближе. Ноги Джорджа от ужаса приросли к полу. Он не мог узнать голос, не понимал, кто рыдает. Звуки казались ему совершенно нечеловеческими, похожими на вой сирены или визг кошки в ночи.

— Господи, Господи, что же это такое? — прошептала Мэгги Фицджеральд.

И тогда, с драматической внезапностью, на верхней площадке лестницы возникла миссис Демери. Джорджу показалось, что она материализовалась прямо из воздуха. Она поддерживала Блэки, чьи рыдания утихали, сменяясь тяжкими, вздымавшими грудь всхлипываниями.

Джеймс Де Уитт спросил — очень тихим голосом, но вполне отчетливо:

— Миссис Демери, в чем дело? Что произошло? Где мистер Жерар?

— Он в малом архивном кабинете. Мертвый! Убитый! Вот что произошло. Он лежит там полуголый и затвердевший, как та чертова доска. Какой-то дьявол задушил его этой поганой змеей. У него вокруг шеи Шипучий Сид замотан, да еще голова Сида ему в рот затолкана.

Джеймс наконец обрел способность двигаться. Он одним прыжком одолел сразу несколько ступеней. Франсес последовала было за ним, но он обернулся к ней, произнес: «Нет, Франсес, нет» — и мягко ее отстранил. Лорд Стилгоу двинулся вслед разболтанной старческой походкой, хватаясь за перила лестницы. Габриел Донтси, мгновение поколебавшись, тоже пошел за ними.

Миссис Демери крикнула сверху:

— Да помогите же мне кто-нибудь! Она же тяжелая, как мертвая все равно!

Франсес тотчас же подошла к ней и обвила рукой талию Блэки. Глядя вверх на этих троих, Джордж подумал, что если кто и нуждается в помощи, так это мисс Франсес. Они вместе спустились с лестницы, миссис Демери и мисс Франсес чуть ли не несли Блэки на руках. Блэки шептала сквозь всхлипывания:

— Простите меня. Простите меня...

Они пошли через холл в глубину дома, поддерживая Блэки с обеих сторон. Группка оставшихся в холле сотрудников в смятении провожала их глазами, не произнося ни слова.

Джордж вернулся за конторку, к своему коммутатору. Здесь он был на своем месте. Здесь он чувствовал себя в безопасности и мог собраться с силами. Здесь он знал, что делать. Ему были слышны голоса. Ужасные рыдания стихли, но он слышал громогласные увещевания миссис Демери и невнятный женский гомон. Он перестал о них думать. У него есть работа, которую он обязан выполнять, и ему лучше заняться делом. Он попытался открыть сейф под прилавком, но руки у него тряслись так, что он не мог попасть ключом в скважину замка. Зазвонил телефон. Джордж вздрогнул и стал дрожащими пальцами надевать наушники. Звонила миссис Велма Питт-Каули, литагент миссис Карлинг, желавшая поговорить с мистером Жераром. Джордж от потрясения снова смолк, потом с трудом выговорил, что мистера Жерара нет. Даже на его собственный слух голос у него был неестественно тонким и надтреснутым.

— Тогда с мисс Клаудией. Надеюсь, она здесь?

— Нет, — сказал Джордж. — Нет.

— Что случилось? Ведь это вы, Джордж? В чем дело?

Джордж в ужасе отключил миссис Питт-Каули. Тотчас же телефон зазвонил снова, но Джордж не ответил, и через некоторое время звон прекратился. Джордж уставился на коммутатор, дрожа от бессилия и неспособности что-то сделать. Никогда раньше он так не поступал. Шло время — секунды, минуты. Вдруг над конторкой вырос лорд Стилгоу, и Джордж почувствовал запах, идущий у него изо рта, и силу его торжествующего гнева.

— Звоните в Нью-Скотланд-Ярд*. Я хочу говорить с самим комиссаром. Если его нет, свяжите меня с коммандером Адамом Дэлглишем.

---

* Нью-Скотланд-Ярд — название Скотланд-Ярда с 1891 г.

КНИГА ВТОРАЯ
СМЕРТЬ ИЗДАТЕЛЯ

18

Детектив-инспектор Кейт Мискин оттолкнула локтем наполовину освобожденный упаковочный ящик, открыла балконную дверь своей новой доклендской квартиры и, сжав руками балконный поручень из полированного дуба, оглядела переливчато поблескивающие воды Темзы сверху вниз, от плёса Лаймхаус-Рич до огромной излучины у Собачьего острова. Было всего девять пятнадцать утра, но рассветный туман успел рассеяться, и почти безоблачное небо становилось все ярче, источая опаловое сияние с проблесками нежной и чистой голубизны. Это утро было больше похоже на то, каким бывает утро ранней весной, а не в середине октября, но от реки шел осенний запах, терпкий, как запах влажных листьев и тучной земли, смешанный с соленым запахом моря. Прилив достиг своей высшей точки, и Кейт казалось, что под крохотными отблесками света, вспыхивавшими и плясавшими, подобно светлячкам, на волнующейся поверхности реки, она может представить себе неодолимый напор воды, неостановимый поток, почти физически ощущает его мощь. Эта квартира, этот вид из окон, это достижение еще одной поставленной себе цели стали новым шагом прочь от мрачной и тесной, как коробка, квартиры на верхнем этаже жилого комплекса Эллисон-Феаруэзер-билдингз, где она провела первые восемнадцать лет своей жизни.

Ее мать умерла через несколько дней после ее рождения, отец так и остался неизвестным, и о девочке не очень охотно заботилась бабушка — мать ее матери. Бабушке ни к чему был ребенок, из-за которого ее квартира на верхнем этаже превратилась для нее в тюремную камеру, лишив возможности выходить по вечерам и искать веселого общества, ярких огней и теплой атмосферы местного паба. Ее все больше раздражала сообразительность подраставшей внучки и тяжесть ответственности, которую она не способна была нести из-за возраста, слабого здоровья и дурного характера. Кейт слишком поздно поняла — лишь в тот момент, когда бабушка умирала, — как сильно она ее любила. Теперь ей казалось, что в тот момент смерти каждая из них отдала другой запас любви, недоданной друг другу за всю их совместную жизнь. Кейт понимала, что ей никогда не удастся полностью освободиться от комплекса Феаруэзер-билдингз. Поднимаясь в свою новую квартиру в просторном современном лифте, окруженная тщательно упакованными картинами маслом, написанными ею самой, она вспоминала лифт в Феаруэзер-билдингз, грязные, испятнанные стены с граффити, запах мочи, окурки и пустые пивные банки. Лифт там часто намеренно и бессмысленно портили, так что им с бабушкой приходилось пешком тащить пакеты с покупками или с бельем из прачечной наверх, останавливаясь на каждой площадке, чтобы бабушка могла перевести дух. Сидя посреди полиэтиленовых мешков, прислушиваясь к хриплому дыханию старой женщины, Кейт поклялась: «Стану взрослой — выберусь отсюда. Навсегда уйду из этого проклятого дома. Из этого района. Никогда сюда не вернусь. Никогда больше не буду бедной. Никогда больше не буду дышать этой вонью».

Она выбрала службу в полиции как средство вырваться оттуда, устояв против соблазна поступить в шестой класс* или в приготовительный колледж, чтобы пойти в университет. Она хотела как можно скорее начать зарабатывать, скорее выбраться из Эллисон-Феаруэзер-билдингз. Ее первая квартирка в викторианском доме в Холланд-Парке была только началом. После смерти бабушки Кейт прожила там еще девять месяцев, зная, что уехать сразу было бы дезертирством, хотя от чего именно — она не могла бы сказать с уверенностью. Возможно, от действительности, которую надо было встретить лицом к лицу, ведь она понимала, что ей надо загладить свою вину, надо узнать что-то о себе, а узнать это можно, только оставаясь здесь. Придет время, и тогда правильно будет

---

* Шестой класс — последние два или три класса привилегированной частной, а также классической средней школы, где учащиеся занимаются на каком-либо отделении, дающем специализацию в определенной области; экзамены сдаются на повышенном уровне.

отсюда уехать: она сможет закрыть за собой дверь с чувством исполненного долга, с чувством, что прошлое, которое нельзя изменить, остается позади. Однако теперь его можно будет принять со всеми его бедами и ужасами — да! — но и с радостями тоже; с ним можно будет теперь примириться, осознать как часть самой себя.

И вот это время пришло.

Новая квартира, конечно, была не такой, как ей поначалу представлялось. Она воображала, как будет жить в одном из громадных, перестроенных в жилые дома складов близ Тауэрского моста, с высоко расположенными окнами, огромными комнатами, мощными дубовыми стропилами и, разумеется, со все еще ощутимым ароматом специй. Но даже с падением цен на рынке недвижимости такое оказалось ей не по средствам. Да и квартира, которую она после долгих и тщательных поисков выбрала, вовсе не была какой-нибудь второсортной. Кейт взяла самую большую ипотечную ссуду, какую только было возможно, рассудив, что правильнее всего купить лучшее из того, что она способна себе позволить. Теперь у нее была большая комната — восемнадцать футов на двенадцать, и две спальни поменьше, при одной из них имелся отдельный душ. Кухня была достаточно велика, чтобы в ней можно было обедать, и хорошо оборудована. Южный балкон — он шел во всю длину гостиной — оказался довольно узким, но все же мог вместить небольшой стол и стулья. Летом она может есть там. Ее радовало, что мебель, купленная для предыдущей квартиры, не была дешевой. Диван и два кресла, обитые натуральной кожей, должны выглядеть очень неплохо и вполне на своем месте в этой современной обстановке. И как удачно, что она тогда не взяла с черной обивкой, а предпочла цвет беж. Черная кожа выглядела бы слишком кричаще. Простой кленовый стол и такие же стулья тоже здесь вполне уместны.

У ее новой квартиры было еще одно великое преимущество. Она находилась в торце дома, выходила на две стороны и имела два балкона. Из окна спальни перед Кейт открывалась широкая сверкающая панорама пристани Канари-уорф, вид на башню маяка, поднимающуюся в небо, словно огромный ажурный карандаш, грифель которого увенчан огнем, на широкую белую дугу прилегающего здания, на стоячую воду старого Вест-Индского дока и на идущую в отдалении доклендскую узкоколейку: ее поезда были похожи на заводные игрушки. Жизнь в этом городе из стекла и бетона станет более напряженной с переездом сюда новых фирм. Кейт сможет сверху разглядывать многоцветную, вечно меняющуюся картину с более чем полумиллионом торопящихся по своим делам людей, проживающих каждый свою собственную судьбу.

Другой балкон смотрел на юго-запад, на Темзу, на сравнительно более медленное движение по реке: баржи, прогулочные суда, катера речной полиции и Лондонского портового управления, круизные лайнеры, идущие вверх по течению, чтобы встать на якорь у Тауэрского моста. Ей по душе был этот стимулирующий контраст; здесь, в новой квартире, она по желанию сможет переходить от одного мира к другому, от стоячих вод к полноводному потоку, который Т.С. Элиот* назвал могущественным смуглым богом.

Квартира оказалась особенно удобной для офицера полиции: у парадного входа имелся домофон, а ее передняя дверь была снабжена двумя замками с секретом и цепочкой. Под домом располагался гараж, к которому у каждого жильца был свой ключ. Да и путь в Скотланд-Ярд будет не таким уж трудным. Но может быть, время от времени она сможет ездить к Вестминстерскому пирсу по реке — на речном трамвае. Она познакомится с Темзой, станет частью ее жизни, ее истории. Она будет просыпаться по утрам под крики чаек и выходить в этот прохладный белый простор. Сейчас, стоя между сверкающей бликами водой и нежной голубизной высокого неба, она ощутила в душе странный порыв — такое бывало с ней и раньше, и она думала, что это чувство должно быть ближе всего к переживанию религиозного экстаза — насколько она была способна на такое переживание. Она ощутила почти физическую по своей напряженности потребность молиться, вознести хвалу, сказать «спасибо!» — не зная кому, вскричать от радости, более глубокой, чем радость, которую ей доставляло ее физическое здоровье, ее благополучие и успехи, более сильной, чем наслаждение красотой материального мира.

Кейт оставила встроенные книжные полки на старой квартире, но новые, сделанные по ее собственному проекту, уже сплошь

---

* Томас Стернз Элиот (1888—1965) — англо-американский поэт, историк культуры; крупнейшая фигура английской, а затем и мировой поэзии с 1920-х гг. Наиболее известны его поэмы «Бесплодная земля» (1922), «Полые люди» (1925), поэтические сюиты «Пепельная среда» (1930), «Четыре квартета» (1943), стихотворные драмы «Убийство в соборе» (1935), «Воссоединение семьи» (1939) и др., а также историко-литературные статьи по общим проблемам культуры и поэтического творчества.

занимали стену напротив окна, и сейчас Элан Скалли, стоя на коленях рядом с упаковочным ящиком, расставлял на этих полках ее книги. Она сама удивлялась тому, какое множество книг она приобрела с тех пор, как познакомилась с ним. Ни с одним из этих авторов она в школе не встречалась, но теперь с благодарностью думала о хрестоматии «Энкрофт Компрехенсив». «Энкрофт» ей здорово помог. Учителя, которых она когда-то с юной заносчивостью презирала, на самом деле — это она поняла лишь недавно — были преданы своему делу, изо всех сил старались поддержать дисциплину, справиться с переполненными классами, с детьми, говорящими на дюжине разных языков, с противоречащими друг другу требованиями, пытались решать ужасающие семейные проблемы некоторых учеников и провести их через экзамены, которые могли бы открыть им путь к чему-то лучшему. Но большая часть ее образования пришла к ней уже после школы. За школьными велосипедными навесами и на асфальтовой игровой площадке Кейт узнала о сексе все, что было не важно, и ничего из того, что было важно. Именно Элан помог ей узнать самые важные вещи об этом и о многом другом. Он учил ее разбираться в книгах, не снисходительно, не считая себя новым Пигмалионом, а стремясь поделиться с той, кого любил, тем, что любил сам. Но теперь пришло время и всему этому тоже закончиться.

Она услышала его голос:

— Если у нас перерыв, я сварю кофе. Или ты просто наслаждаешься видом с балкона?

— Наслаждаюсь видом. Восторгаюсь. А тебе нравится, Элан?

Он впервые видел эту квартиру, и Кейт демонстрировала ее с чувством, очень похожим на гордость ребенка, показывающего гостю свою новую игрушку.

— Мне понравится, когда ты окончательно устроишься. То есть если я ее увижу, когда ты окончательно устроишься. Как быть с этими книгами? Ты хочешь разделить их на поэзию, прозу, документалистику? Вот у меня тут рядом стоят Дефо и Дэлглиш.

— Дефо? Я даже не знала, что у меня есть Дефо! Я вовсе и не люблю Дефо. Ну, раздели книги. И поставь по именам авторов.

— А Дэлглиш у тебя — самое первое издание. Зачем было покупать его в твердом переплете? Думаешь, так надо, потому что он твой начальник и ты с ним работаешь?

— Нет. Я читаю его стихи, чтобы понять, смогу ли разобраться в нем получше.

— Ну и как — разбираешься?

— Да не очень на самом-то деле. Не удается соотнести стихи с человеком. А когда удается, меня это пугает. Он слишком многое видит.

— Ну а я вижу, что книга не подписана. Ты автограф у него не попросила?

— Это только смутило бы нас обоих. Хватит возиться с ней, Элан, просто поставь на полку.

Она прошла через комнату и опустилась на колени рядом с ним. Он не задавал ей вопросов о книгах по специальности, и Кейт заметила, что все они лежат аккуратными стопками рядом с ящиком. Одну за другой она стала устанавливать их на самую нижнюю полку: экземпляр последнего выпуска «Статистики уголовных преступлений», «Закон 1974 г. о свидетельских показаниях в полицейских и уголовных судах», блэкстоновский «Справочник к Закону 1991 г. об уголовном судопроизводстве», «Полицейское право» Баттеруорта, «Современное доказательственное право» Кина, «Уголовное право» Клиффорда Хогана, учебник по полицейской подготовке и «Доклад о создании Совета по регулированию отношений с сотрудниками полиции» Шихи. Кейт подумала: типичная коллекция начинающей женщины-профессионала... Интересно, подумала она еще, то, что Элан отложил эти книги в сторону, ни слова о них не сказав, не есть ли некий комментарий, может быть, даже осуждение, и не только ее библиотеки? В первый раз за несколько лет она взглянула на их отношения глазами стороннего и критически настроенного наблюдателя. Вот перед нами женщина-профессионал, успешная, честолюбивая, знающая, к чему стремится. Изо дня в день пытаясь справиться с грязным ворохом неупорядоченных человеческих судеб, она сумела исключить грязь и беспорядок из своей собственной жизни. Необходимым элементом этой хорошо организованной самодостаточности должен был стать любовник — умный, привлекательный, являющийся по первому зову, умелый в постели и непритязательный за ее пределами. Более трех лет всем этим требованиям прекрасно отвечал Элан Скалли. Она знала, что в ответ дает ему нежность, верность, доброту и понимание: давать ему все это ей не составляло труда. И разве удивительно, что он, целиком отдав себя ей, хотел стать для нее чем-то гораздо бо́льшим, чем просто эквивалентом какой-то модной вещи?

Она молола зерна, с наслаждением вдыхая свежий запах кофе. Никакой напиток не имел такого замечательного вкуса, как запах кофейных зерен. Потом они пили кофе, усевшись на пол, опираясь спинами о еще не раскрытый упаковочный ящик. Кейт спросила:

— Каким рейсом ты улетаешь в следующую среду?

— В одиннадцать утра. «Бритиш эйруэйз», 175. Ты не передумала?

Она чуть было не ответила: «Нет, я не могу, Элан. Это невозможно», — но удержалась. Это было *не* невозможно. Она вполне могла бы передумать. Если говорить честно, она просто не хотела. Они уже много раз обсуждали проблему своих отношений, и теперь она твердо знала — компромисса быть не может. Кейт понимала, что он чувствует и чего хочет. Элан вовсе не пытался ее шантажировать. Ему выпала удача получить на три года работу в Принстонском университете, и он очень хотел туда поехать. Это было важно для его карьеры, для его будущего. Но он готов был остаться в Лондоне, остаться работать на своем прежнем месте — в библиотеке, если бы Кейт согласилась связать себя обязательствами по отношению к нему, согласилась бы выйти за него замуж или по меньшей мере жить с ним вместе и родить ему ребенка. Дело было не в том, что Элан считал свою карьеру важнее, чем ее: в случае необходимости он мог бы на время бросить библиотеку и оставаться дома, пока она работает. Но ему надоело существовать на задворках ее жизни. Кейт была женщиной, которую он любил, вместе с которой хотел провести жизнь. Он готов отказаться от Принстона, но не ради того, чтобы все продолжалось так, как есть: жить, встречаясь с ней лишь тогда, когда позволяет работа, зная, что он — ее любовник и никогда не сможет стать для нее чем-то бо́льшим.

И она сказала:

— Я не готова к замужеству, Элан. И к материнству. Может быть, никогда не буду готова — особенно к материнству. У меня ничего хорошего из этого не получится. Видишь ли, меня этому никто никогда не учил.

— Не думаю, что это требует *особого* обучения.

— Но это требует любви к *особым* обязанностям. Вот этого я не могу дать. Человек не может дать то, чего никогда не имел.

ПЕРВОРОДНЫЙ ГРЕХ

Он не спорил, не пытался ее уговорить. Время разговоров прошло.

— Ну, во всяком случае, у нас есть еще целых пять дней, — сказал он. — И у нас есть сегодня. Целое утро распаковки вещей и ленч в пабе у реки, может быть, на проспекте Уитни. На это у нас должно хватить времени. Тебе надо поесть. К которому часу тебя ждут в Скотланд-Ярде?

— В два, — ответила она. — Я взяла только полдня. Дэниел Аарон сегодня выходной, так что все не очень просто. Я уйду, как только смогу, а пообедаем мы с тобой вечером, прямо здесь. Можем взять у китайцев обед навынос.

Элан нес кофейные кружки на кухню, когда зазвонил телефон.

— Вот и первый звонок! — крикнул он ей. — Вот что получается, когда рассылаешь открытки с сообщением о смене адреса. Друзья тебя просто засыплют пожеланиями счастья.

Однако разговор был коротким, и Кейт, держа трубку у уха, не произнесла почти ни слова. Положив трубку, она повернулась к Элану.

— Это дежурный. Смерть при подозрительных обстоятельствах, — сказала она. — Требуют явиться немедленно. А.Д. захватит меня прямо отсюда, он уже на катере Речного управления полиции. Извини, Элан. — Кажется, последние три года она только и делала, что говорила «Извини, Элан».

С минуту они молча смотрели друг на друга. Потом Элан сказал:

— Так было в самом начале, так оно есть и сейчас, и так будет всегда. Что ты хочешь, чтобы я делал, Кейт? Продолжал распаковывать вещи?

Неожиданно для нее самой мысль о том, что он останется здесь в полном одиночестве, показалась ей невыносимой.

— Нет, — ответила она. — Брось. Я сделаю все сама, попозже. Это подождет.

Но он продолжал распаковывать ящики, пока она переодевалась, меняя джинсы и тренировочную рубашку, надетые для пыльной работы — сначала переезд, потом уборка квартиры, — на бежевые брюки из рубчатого вельвета, отличного покроя твидовый пиджак и кремовый, тонкой шерсти джемпер с высоким горлом. Заплела густые волосы в косу высоко на затылке и закрепила кончик заколкой.

Когда она вернулась в гостиную, Элан, как всегда, взглянул на нее с одобрительной улыбкой и сказал:

— Рабочая одежда? Никогда не могу решить, ради кого ты наряжаешься — ради Адама Дэлглиша или для подозреваемых? Во всяком случае, явно не ради трупа.

— Этот труп ведь не в канаве лежит, — ответила она.

Это было сравнительно новым явлением — ревность Элана к ее начальнику; возможно, она была не только симптомом, но и причиной их изменившихся отношений.

Они вышли вместе в полном молчании. Только когда Кейт запирала переднюю дверь на два замка, Элан заговорил снова.

— Я увижу тебя перед отъездом в следующую среду? — спросил он.

— Не знаю, Элан. Я не знаю, — ответила она.

Но она знала. Если это дело будет настолько серьезным, как обещает быть, ей придется работать по шестнадцать часов в сутки, а то и дольше. Она станет оглядываться на те несколько часов, что они вместе провели в ее квартире, с удовольствием, даже с печалью. Но то, что она сейчас ощущала, было чувством гораздо более возбуждающим, и она испытывала его всегда, когда ее вызывали расследовать новое дело. Это ее работа, дело, которому она была обучена, которое умела хорошо делать, которое любила. Уже зная, что — может быть — видит Элана в последний раз, что не увидит его несколько лет, она отдалялась, мысленно уходила от него, психологически готовясь к выполнению той задачи, что ждала ее впереди.

Машину Элан оставил на одном из специально помеченных мест парковки, справа от переднего двора, но сейчас он не стал в нее садиться. Он прошел вслед за Кейт до берега и вместе с ней ждал, пока подойдет полицейский катер. Когда обтекаемые контуры темно-синего катера показались вдали, Элан отвернулся и, не произнеся ни слова, пошел назад, к машине. Но и теперь он не уехал. Когда катер подошел к берегу, Кейт была совершенно уверена, что Элан смотрит, как высокий человек в темном, стоящий на носу суденышка, протягивает ей руку, помогая взойти на борт.

19

Звонок раздался, когда инспектор Дэниел Аарон подъезжал к Истерн-авеню. Останавливать машину ему не пришлось — сообщение было коротким и четким. Смерть при подозрительных обстоятельствах. Инносент-Хаус, Инносент-Уок. Явиться немедленно. Роббинс привезет его следственный чемоданчик.

Сообщение пришло вовремя — лучшего и желать было невозможно. Дэниела охватила волна радостного возбуждения: вот наконец важное дело, о котором он мечтал, которого ждал с нетерпением. Он сменил Мэссингема в спецотделе всего три месяца назад, и ему очень хотелось проявить себя. Но для радости была еще одна причина. Он ехал к родителям, в их дом на Драйве, в Илфорде, праздновать сорокалетие со дня их свадьбы. Устраивался праздничный ленч вместе с сестрой матери и ее мужем. Дэниел заранее попросил об отпуске на сутки, понимая, что пропустить такое семейное торжество он без уважительной причины никак не может. Но он вовсе не жаждал в нем участвовать. Ленч в ресторане при одном из самых посещаемых в Илфорде магазинов (мать предпочла именно этот ресторан) обещал быть претенциозным и скучным, а за ним непременно последовала бы не менее скучная беседа дома — на весь день, до самого вечера. Дэниел знал — тетушка считает, что он недостаточно заботливый сын, дурной племянник и плохой еврей. На семейном торжестве она не станет открыто выражать свое неодобрение, но ее кратковременная снисходительность вряд ли сделает атмосферу более приятной.

Он свернул на боковую дорогу и остановил машину, чтобы позвонить родителям. Разговор предстоял трудный, и он не хотел быть в это время за рулем. Набирая номер, он сознавал, что им владеют смешанные чувства: облегчение — ведь у него была теперь вполне уважительная причина не явиться на торжество; явное нежелание сообщать родителям эту новость; радостное возбуждение оттого, что он едет расследовать дело, которое обещает быть значительным; и всегдашнее иррациональное, разрушающее любое удовольствие, чувство вины. Он не собирался тратить время на споры или долгие объяснения. Кейт Мискин уже, наверное, на месте преступления. Родителям придется усвоить, что ему надо делать свою работу.

Трубку поднял отец:

— Дэниел, ты что, еще не выехал? Ты же сказал, что приедешь пораньше, посидишь спокойно с нами до прихода гостей. Где ты?

— На Истерн-авеню. Прости, отец, я не смогу приехать. Мне только что позвонили из отдела. Срочно. Расследование убийства. Я должен немедленно явиться на место преступления.

Послышался голос матери — она взяла у отца трубку:

— Что ты такое говоришь, Дэниел? Ты говоришь, что не приедешь? Но ты же должен! Ты же обещал. Твои тетя и дядя приедут. Это ведь сороковая годовщина нашей свадьбы! Что это за праздник, если со мной не будет обоих моих сыновей? Ты же обещал, Дэниел.

— Я знаю, что обещал. Я не был бы сейчас на Истерн-авеню, если бы не собирался приехать. Мне только что позвонили.

— Так тебя же отпустили. Какой смысл брать выходной, если тебя вот так вызывают? Что, никто не может тебя заменить? Почему это всегда должен быть ты?

— Вовсе не всегда это должен быть я. Но сегодня — должен. Неотложное дело. Убийство.

— Убийство! И тебе обязательно надо быть впутанным в убийство, вместо того чтобы побыть с родителями? Убийство. Смерть. Ты можешь хоть на минуту задуматься, какую жизнь ты ведешь?

— Прости, мама, я должен ехать, — сказал Дэниел и, мрачно добавив: — Желаю приятно провести время за ленчем, — отключил телефон.

Все получилось хуже, чем он ожидал. Он посидел несколько секунд, усилием воли заставляя себя успокоиться, борясь с раздражением, перераставшим в злость. Затем мягко включил сцепление, отыскал удобную дорогу, чтобы выехать на противоположную сторону, и двинулся в обратный путь в потоке машин. Теперь он стал частью типичной для часа пик утренней гонки, хотя само это слово вряд ли подошло бы для описания неровного, запинающегося продвижения машин вперед. К тому же Дэниелу не везло со светофорами. По пути он вынужден был то и дело останавливаться: красный свет зажигался прямо перед его носом с каким-то извращенным, доводящим до исступления постоянством. Место насильственной смерти, к которому он направлялся на такой удручающе малой скорости, пока невозможно было даже представить себе, но он знал, что как только доберется туда, неотложные задачи потребуют сосредоточить на них все его мысли и силы. Физически он теперь все больше отдалялся от родительского дома в Илфорде, с трудом преодолевая милю за милей, но никак не мог выбросить из головы мысли о нем и о том, как течет там жизнь.

Из террасного дома в Уайтчепеле, где Дэниел родился, семья переехала в Илфорд, когда ему исполнилось десять лет, а Дэвиду — тринадцать. Дэниел по-прежнему вспоминал о жилом комплексе на

Балаклава-Террас, 27, как о родном доме. Их улица была одной из немногих в районе, не разрушенных вражескими взрывами. Дома здесь стойко держались, тогда как здания по соседству рушились, вздымая тучи едко пахнувшей пыли, а на их месте вырастали, словно какой-то иноземный город, высоченные серые башни. Балаклава-Террас тоже была бы стерта с лица земли, если бы не эксцентричность и решимость некоей пожилой женщины с близлежащей площади, чьи усилия сохранить хоть что-то от прежнего Ист-Энда случайно совпали с недостатком средств у местных властей для осуществления их более авантюрных планов. Так что улица все еще стояла на месте, а население жилого комплекса теперь, несомненно, облагородилось — старые дома стали убежищем от агрессивно наступающей модернизации для начинающих администраторов, для обслуживающего персонала Лондонской больницы и для студентов-медиков, совместно снимающих квартиры.

Никто из семьи Дэниела никогда больше сюда не возвращался. Для его родителей переезд был осуществлением мечты — мечты, обретшей просто пугающий характер, когда появилась надежда, что это осуществимо, когда это стало постоянным предметом полупонятных разговоров, затягивавшихся далеко за полночь. Отец, успешно пройдя аттестацию по бухгалтерскому делу, получил повышение по службе. Переезд означал, что прошлое будет сброшено, как сбрасывает старую кожу змея, переезд в северо-восточную часть города, кроме всего прочего, означал путь наверх, еще на несколько миль дальше от той польской деревушки с непроизносимым названием, откуда когда-то уехала прабабка Дэниела. Это к тому же означало ипотеку, сложные, взволнованные арифметические подсчеты, обсуждение альтернатив.

Но все прошло без сучка и задоринки. В те полгода, что осуществлялась подготовка к переезду, неожиданная смерть одного из сотрудников фирмы повлекла за собой очередное повышение отца по службе, а следовательно, и чувство уверенности в собственной финансовой состоятельности. В их илфордском доме была современная, полностью оборудованная кухня и комплект из трех предметов для гостиной. Женщины, посещавшие местную синагогу, были нарядно одеты, а его мать теперь стала одной из самых нарядных. Дэниел подозревал, что он единственный из всей семьи, кто сожалеет о переезде с Балаклава-Террас. Он стыдился родительского дома в Илфорде и стыдился своего презрения к тому, что было заработано многолетним упорным трудом. В душе он знал, что если когда-нибудь и приведет Кейт Мискин в свой дом, то предпочел бы, чтобы она увидела квартиру на Балаклава-Террас, а не дом на Драйве, в Илфорде. Но Боже ты мой, что за дело Кейт Мискин до того, где и как он живет? С Кейт Мискин он работает в спецотделе всего три месяца. Что за дело Кейт Мискин до того, как живет его семья?

Дэниел подумал, что знает источник своего недовольства: ревность. Чуть ли не с раннего детства он понял, что любимый сын у матери — его старший брат. Она родила Дэвида, когда ей было уже тридцать пять и она почти утратила надежду иметь ребенка. Всепоглощающая любовь к первенцу оказалась для нее откровением такой силы, что она отдала своему первому мальчику практически всю материнскую нежность, на какую была способна. Родившегося тремя годами позже Дэниела встретили с радостью, но он уже не был таким желанным, как Дэвид. Он помнил, как четырнадцатилетним подростком обратил внимание на женщину, заглянувшую в соседскую коляску с новорожденным младенцем со словами: «Так это номер пять? Но каждый из них приносит с собой любовь к себе, правда ведь?» А он вовсе не чувствовал, что принес с собой такую любовь.

А когда Дэвиду исполнилось одиннадцать, с ним случилась беда. Дэниел до сих пор помнил, как это потрясло мать. Помнил, как она, с расширившимися от ужаса глазами, прижималась к отцу, помнил ее лицо, побелевшее от страха и боли, — чужое лицо теряющего рассудок человека, помнил невыносимые рыдания, долгие часы, которые мать проводила в Лондонской больнице у постели Дэвида, пока за Дэниелом присматривали соседи. В конце концов Дэвиду отняли левую ногу пониже колена. Мать привезла своего первенца из больницы с таким ликованием и нежностью, будто он восстал из мертвых. Но Дэниел знал, что вообще не может конкурировать с братом. Дэвид всегда был бесстрашным, никогда не ныл и не жаловался: он не был трудным ребенком. А он, Дэниел, — угрюмый, ревнивый — был ему полной противоположностью. Он подозревал, что умнее Дэвида, но довольно рано бросил соревноваться с братом в учебе. Именно Дэвид поступил в Лондонский университет, изучал право, был принят в корпорацию барристеров*, а теперь нашел свое место в

---

* Барристер — адвокат, обладающий правом выступать в высших судах Англии.

адвокатской конторе, занимающейся уголовными делами. И из чувства противоречия, как только ему исполнилось восемнадцать, Дэниел прямо со школьной скамьи пошел в полицию.

Он говорил себе — и почти верил в это, — что родители стыдятся его работы. Конечно, ведь они никогда не хвастали его успехами так, как хвастали успехами Дэвида. Ему вспоминался разговор с матерью на ее прошлом дне рождения. Поздоровавшись с ним, она сказала:

— Я не говорила миссис Форсдайк, где ты работаешь. Разумеется, я скажу ей об этом, если она спросит, чем ты занимаешься.

А отец спокойно добавил:

— Да к тому же в спецотделе коммандера Дэлглиша. Ему поручают особо секретные уголовные дела.

Он тогда ответил с горечью, удивившей даже его самого:

— Вряд ли это поможет смыть позорное пятно. Да и что случится со старой грымзой, если она узнает? Упадет в обморок прямо в салат с креветками? С чего бы ей беспокоиться о том, где я работаю? Разве что ее старикан мошенничает по мелочи и уже выписан ордер на его арест?

«Ох ты, Боже мой, опять я все это затеваю», — подумал он тогда, но продолжал:

— Выше голову! У вас есть хотя бы один вполне респектабельный сын. Можете объяснить миссис Форсдайк, что Дэвид занимается тем, что лжет, пытаясь вызволить преступников из тюряги, а я занимаюсь тем, что лгу, пытаясь их туда засадить.

Ну и пусть себе наслаждаются, критикуя его над ресторанными закусками. И Белла, конечно, тоже там. Она тоже юрист, как Дэвид, но находит время побыть с его родителями. Белла — идеальная будущая невестка. Белла учит идиш, дважды в год посещает Израиль и собирает деньги для помощи иммигрантам из России и Эфиопии; она ходит в Бейт-Мидраш — талмудистский учебный центр при синагоге — и соблюдает субботу; та самая Белла, которая поднимает на него полные упрека черные глаза и беспокоится о состоянии его души.

Не имело смысла говорить им, что он больше в это не верит. А насколько сами они — его мать и его отец — в это верили? Заставь их предстать перед судом и отвечать под присягой, верят ли они, что Бог вручил Моисею Тору на горе Синай? Что они ответят, если от правдивого ответа будет зависеть их жизнь? Он задавал этот вопрос брату и запомнил, что тот сказал. Тогда его ответ удивил Дэниела, удивлял и сейчас, приоткрыв возможность увидеть в Дэвиде тонкость, существование которой раньше и заподозрить было нельзя.

— Наверное, я бы солгал, — сказал ему брат. — Существуют убеждения, за которые стоит умереть, независимо от того, строго ли они соответствуют истине или нет.

Мать, конечно, никогда бы не решилась сказать: «Мне все равно, веришь ты или не веришь. Я хочу, чтобы ты был с нами в субботу. Хочу, чтобы тебя видели вместе с отцом и братом в синагоге». И это вовсе не являлось доказательством ее психологической нечестности, хотя он пытался убедить себя, что именно так оно и было. Можно без конца доказывать, что очень немногие верующие (кроме фундаменталистов) принимают все до единой догмы своей религии и что Бог знает, в какое несметное число раз фундаменталист опаснее, чем любой неверующий. Бог знает. Как это естественно, как широко распространено — с такой легкостью переходить на язык веры. И возможно, мать права, хотя ни за что не скажет правды. Очень важно соблюдать видимую форму. Соблюдение религиозных обрядов означало для него не просто их психологическое приятие. Быть увиденным в синагоге означало заявить во всеуслышание: «Здесь я стою, здесь мой народ, здесь ценности, в соответствии с которыми я пытаюсь жить, таким сделали меня многие поколения моих предков, вот он — я — такой, какой есть». Он помнил слова деда, сказанные ему после бар-митцвы*: «Что такое еврей без веры? Неужели мы сами должны совершить над собой то, чего не смог совершить над нами Гитлер?» Давнее возмущение снова поднималось в душе. Еврею даже не позволено быть атеистом! С самого детства обремененный чувством вины, Дэниел не мог отречься от веры без того, чтобы не просить прощения у Бога, в которого больше не верил. В глубине сознания безмолвными свидетелями его отступничества неизбывно присутствовали толпы нагих людей — юных, зрелых, старых, — бесконечным мрачным потоком вливающиеся в двери газовых камер.

И вот сейчас, остановленный очередным красным светом, думая о доме, который никогда не станет ему родным, видя ясным внутренним взором сияющие окна, кружевные занавеси с банта-

---

* Бар-митцва — религиозный обряд инициации, совершаемый над мальчиком по достижении 13-летнего возраста, когда его приводят в синагогу, где во время богослужения он читает священные тексты.

ми, безупречную лужайку перед крыльцом, Дэниел думал: «Почему это я должен судить о себе по тем несправедливостям, которые были совершены другими по отношению к моему народу? Чувство вины тяжело само по себе, что же теперь, добавить к нему еще одно бремя — чувство невиновности? Я — еврей, разве этого недостаточно? Я что, должен символизировать собой — для себя и для других — все зло рода человеческого?»

Наконец он добрался до хайвея, и, как это часто здесь бывает, каким-то таинственным образом транспортный поток вдруг разрядился, и Дэниел повел машину с приличной скоростью. Если повезет, минут через пять он будет у Инносент-Хауса. Это преступление не представляется банальным, тайну этой смерти не так легко будет раскрыть. Их группу не вызвали бы для расследования рутинного дела. Впрочем, для тех, кого это близко касается, никакая смерть не бывает банальной, никакое расследование не может быть рутинным. Но сейчас Дэниелу представлялся шанс доказать Адаму Дэлглишу, что тот был прав, назначив его на освободившееся место Мэссингема, а уж он, Дэниел, этого шанса не упустит. И ничего важнее — ни в личном, ни в профессиональном плане — для него сейчас не было.

20

Полицейский катер мчался вперед по северной излучине Темзы между Ротерхайтом и Нэрроу-стрит, преодолевая мощное встречное течение. Едва заметный бриз сменился несильным ветром, и утро оказалось холоднее, чем обещало быть, когда Кейт проснулась. Небольшие облачка прозрачно-белыми мазками плыли по бледной голубизне неба и таяли без следа. Кейт и раньше видела Инносент-Хаус с реки, но когда он вдруг, совершенно неожиданно, возник перед глазами, как только они обогнули Лаймхаус-Рич, она издала негромкий возглас удивления и, подняв взгляд на Дэлглиша, успела заметить на его лице беглую улыбку. В лучах утреннего солнца дом светился так необычайно ярко, что на миг Кейт показалось — он освещен прожекторами. Двигатель полицейского катера замолк, и пока катер, осторожно и ловко маневрируя, подходил к рядам подвешенных на стене причала покрышек справа от ступеней, ведущих к патио, Кейт готова была поверить, что этот дом — часть декораций какого-то фильма, хрупкий дворец из легкого картона и папье-маше и что за этими эфемерными стенами суетятся вокруг якобы мертвого тела режиссер, осветители, актеры, а гримерша бросается к «трупу» и, торопливо стирая с его лба бисеринки пота, добавляет еще одно — последнее — пятно искусственной крови. Собственные фантазии огорчили ее — ей не было свойственно актерство или необузданная игра воображения, однако трудно было избавиться от сознания искусственности ситуации, от чувства, что она одновременно и зритель, и участник происходящего. Недоуменная неподвижность встречавших лишь усиливала неловкость.

Это была группа из двух мужчин и двух женщин. Женщины стояли чуть впереди. Рядом с каждой из них, немного отступя, стоял мужчина. Неподвижно застыв на широкой мраморной площадке дворика, они походили на статуи, следящие за тем, как швартуется полицейский катер. Лица их были серьезны, казалось даже — критичны. Во время недолгой поездки по реке Дэлглиш успел кое-что рассказать Кейт о происшедшем, и она могла теперь догадаться, кто эти люди. Высокая темноволосая женщина, по-видимому Клаудиа Этьенн, сестра убитого, а с ней, по ее левую руку, последняя из семьи Певерелл — Франсес Певерелл. Старший из двух мужчин — ему, похоже, далеко за семьдесят, — должно быть, Габриел Донтси, глава поэтического отдела, а младший — Джеймс Де Уитт. Они стояли так, будто какой-то режиссер тщательно расставил их в кадре. Однако когда к ним приблизился Дэлглиш, маленькая группа распалась, и Клаудиа Этьенн шагнула вперед, протянув для рукопожатия ладонь, и принялась знакомить прибывших со своими компаньонами. Потом она повернулась и повела всех по короткому, мощенному булыжником переулку к боковому входу в Инносент-Хаус.

Пожилой человек сидел за конторкой у коммутатора. Почти безупречный овал бледного, гладкого лица с красными пятнами румянца высоко на щеках и добрые глаза делали его похожим на старого клоуна. Он поднял голову и взглянул на них, когда они вошли, и Кейт заметила в его ясных глазах выражение страха и мольбы. Такой взгляд она уже видела. В помощи полиции могли нуждаться, полицейских могли ожидать с нетерпением, но редко встречали без опасений даже те, кто ни в чем не был виноват. На пару секунд она вдруг задумалась о том, представителей каких профессий приглашают люди в свои дома без всяких оговорок. Врачи и сантехники, несомненно, займут верхние строчки такого списка, а на самом верху, видимо, будут акушеры. Интересно, думала она, какое чувство возникает, когда тебя встречают словами: «Слава Богу, наконец-то вы здесь!»? Тут зазвонил телефон, и старик отвернулся от них, чтобы взять трубку. Голос у него был низкий и очень приятный, но в нем явственно слышалось страдание, а руки дрожали.

— «Певерелл пресс». Чем я могу быть вам полезен? Нет, к сожалению, мистер Жерар не сможет переговорить с вами. Но, если вы не возражаете, я попрошу кого-то другого попозже вам позвонить.

Он снова поднял на них глаза, теперь уже на Клаудиу Этьенн, и растерянно произнес:

— Это секретарь Мэтью Эванса, от Фаберов, мисс Этьенн. Ему нужно поговорить с мистером Жераром. По поводу совещания в следующую среду. О литературном пиратстве.

Клаудиа взяла трубку.

— Это Клаудиа Этьенн. Будьте добры, скажите мистеру Эвансу, что я позвоню ему, как только смогу. Мы сейчас закрываем издательство на весь остаток дня. Боюсь, у нас тут произошло несчастье. Сообщите ему, что мистер Жерар умер. Я уверена — мистер Эванс поймет, что сейчас я не могу с ним разговаривать.

Она положила трубку, не дожидаясь ответа, и обратилась к Дэлглишу:

— Нет смысла скрывать происшедшее, не правда ли? Смерть — это смерть. Не какая-то временная неприятность или мелкое домашнее затруднение. Невозможно сделать вид, что этого не было. Все равно пресса очень скоро ухватится за эту новость.

Тон у нее был резкий, взгляд — жесткий. Казалось, ею владеет не горе, а гнев. Она обратилась к старику за конторкой, и тон ее стал мягче.

— Джордж, запишите на автоответчик сообщение, что издательство сегодня не работает. Потом пойдите и возьмите себе кофе покрепче. Миссис Демери где-то здесь. Если придут другие сотрудники издательства, скажите им, чтобы шли домой.

— Вы думаете, они пойдут, мисс Клаудиа? — спросил Джордж. — Я хочу сказать, от меня-то они наверняка такого распоряжения не примут.

— Пожалуй, нет. — Клаудиа Этьенн нахмурила брови. — Видимо, мне, так или иначе, придется встретиться с ними. А лучше всего вызовите-ка мистера Бартрума. Он ведь где-то здесь, а, Джордж?

— Мистер Бартрум в своем кабинете, в доме номер десять, мисс Клаудиа. Он сказал — у него много работы и лучше ему остаться на месте. Он думал, что это можно, раз он все равно не работает в главном здании.

— Позвоните ему, хорошо, Джордж? Попросите его переговорить со мной. Он сумеет справиться с теми, кто придет попозже. Некоторые могут взять работу домой. Пусть скажет им, что я поговорю со всеми сотрудниками в понедельник. — Она повернулась к Дэлглишу. — Мы так уже делали. Отсылали сотрудников по домам. Надеюсь, это нормально? Мне подумалось, что лучше всего, если в здании не будет слишком много людей.

— Со временем нам необходимо будет поговорить с каждым из них, — ответил Дэлглиш. — Но с этим можно подождать. Кто обнаружил вашего брата?

— Я. Блэки... Мисс Блэкетт, секретарь моего брата, была вместе со мной. И миссис Демери, наша уборщица. Мы пошли наверх вместе.

— Кто из вас первым вошел в кабинет?

— Я.

— Тогда не могли бы вы показать мне, как туда пройти? Ваш брат пользовался лифтом или поднимался по лестнице?

— По лестнице. Но он обычно не поднимался на самый верхний этаж. Совершенно необычно, что он вообще мог оказаться в малом архивном кабинете.

— Тогда мы пойдем по лестнице, — сказал Дэлглиш.

— Я заперла комнату после того, как мы нашли тело брата. Ключ у лорда Стилгоу, он попросил, и я дала. А почему бы и нет, если это доставило ему удовольствие? Думаю, он опасался, что кто-нибудь из нас вернется туда и повредит улики.

Но лорд Стилгоу уже протиснулся к ним поближе:

— Я подумал, мне лучше хранить ключ у себя, коммандер. И вообще мне с вами надо поговорить наедине. Я ведь вас предупреждал. Я знал, что рано или поздно здесь произойдет трагедия.

Он протянул Дэлглишу ключ, но взяла его Клаудиа.

— Лорд Стилгоу, вы знаете, как умер Жерар Этьенн? — спросил Дэлглиш.

— Конечно, нет! Откуда мне знать?

— Тогда мы с вами поговорим позднее.

— Но я, конечно же, видел труп. Я всего лишь подумал, что это мой долг! Какая гнусность! Но я вас предупреждал. Совершенно очевидно, что это преступление — часть кампании, которая ведется против меня и моей книги.

— Позднее, лорд Стилгоу, — повторил Дэлглиш.

Как всегда, он не торопился осматривать тело. Кейт знала, что, как бы срочно Дэлглиш ни выезжал на место убийства, он всегда появлялся там с неспешным сосредоточенным спокойствием. Однажды она слышала, как он, протянув руку, чтобы придержать слишком энергичного сержанта полиции, тихо сказал: «Спокойнее, сержант. Вы ведь не врач. Мертвых не воскресишь».

Теперь он обратился к Клаудии Этьенн:

— Пойдем наверх?

Та повернулась к своим компаньонам, вместе с лордом Стилгоу молча стоявшим тесной группкой, словно ожидая распоряжений, и сказала:

— Может, вам лучше подождать в конференц-зале? Я приду туда, как только смогу.

— Боюсь, я не могу дольше здесь оставаться, коммандер, — откликнулся лорд Стилгоу более рассудительным тоном, чем Кейт могла ожидать. — Потому-то я и договорился о встрече с мистером Этьенном в такой ранний час. Я хотел обсудить с ним, как продвигается публикация моих мемуаров, до того как отправлюсь в больницу, чтобы подвергнуться небольшой операции. Должен быть там ровно в одиннадцать. Иначе я рискую потерять место, а мне бы этого не хотелось. Я позвоню вам или комиссару в Скотланд-Ярд из больницы.

Кейт почувствовала, с каким облегчением восприняли его предложение и Де Уитт, и Донтси.

Все вместе они прошли через открытые двери в холл. Кейт ахнула про себя от восхищения и на мгновение замедлила шаг, но поборола соблазн позволить себе слишком явно окинуть взглядом эту красоту. Полицейские — всегдашние нарушители уединения; если она будет вести себя как платный турист, это может выглядеть оскорбительно. Но ей показалось, что в этот первый миг —

миг открытия — она восприняла и осознала все до единой детали величия этого зала: искусное сочетание сегментов мраморного пола, шесть колонн разноцветного мрамора с изящными резными капителями; великолепие расписанного художником потолка — сверкающую панораму Лондона восемнадцатого века, с его мостами, шпилями, башнями и домами, с многомачтовыми кораблями в гавани, — панораму, объединенную голубым простором реки; элегантную двойную лестницу с балюстрадой, спускавшейся вниз двумя плавными изгибами. Балюстрада завершалась двумя бронзовыми смеющимися мальчиками верхом на дельфинах, высоко вздымающими большие стеклянные шары ламп. По мере того как маленькая группа поднималась по лестнице, это великолепие все меньше бросалось в глаза, декоративные детали становились более сдержанными, но на пути к месту, оскверненному жестоким убийством, людей окружали величие, гармония пропорций и элегантность стиля.

На четвертом этаже они оказались у открытой двери, обитой зеленым сукном. Поднялись по узкой лестнице. Впереди шла Клаудиа, чуть позади нее — Дэлглиш, Кейт замыкала шествие. Лестница повернула направо, и последние полдюжины шагов привели их в довольно узкое помещение, шириной всего футов в десять, с решетчатой дверью лифта в левом торце. В правой стене дверей не было, но в левой они увидели закрытую дверь, и еще одну, открытую, — прямо перед собой.

— Здесь помещается архив, где мы храним наши старые документы, — сказала Клаудиа Этьенн. — Чтобы попасть в малый архивный кабинет, нужно пройти через него.

Архив занимал помещение, которое раньше явно было двумя комнатами, но разделявшую их стену убрали, и получилась одна очень длинная комната, тянущаяся почти во всю длину дома. Ряды деревянных стеллажей для папок с документами находились под прямым углом к входной двери и доставали чуть ли не до потолка. Они стояли так тесно, что между ними почти не оставалось места для прохода. Между рядами висело по нескольку лампочек без абажуров. Естественное освещение шло от шести высоких узких окон, за которыми Кейт мельком заметила замысловатую резьбу изящного каменного парапета. Они пошли направо вдоль свободного пространства, фута в четыре шириной, остававшегося между стеной и торцами стеллажей, и подошли к еще одной двери.

Клаудиа Этьенн протянула Дэлглишу ключ. Взяв ключ, Дэлглиш сказал:

— Если вы сможете это выдержать, я попросил бы вас войти и подтвердить, что все в этой комнате — и тело вашего брата тоже — выглядит точно так, как выглядело, когда вы впервые сюда вошли. Если это слишком для вас тяжело, не беспокойтесь. Это может нам помочь, но это не так уж обязательно.

— Все нормально, — ответила она. — Сейчас мне сделать это будет легче, чем было бы завтра. Я никак не могу поверить, что это реальность. Абсолютно все здесь кажется нереальным, не ощущается как что-то реальное. Думаю, завтра я пойму, что все происшедшее реально и что реальность эта необратима.

Однако для Кейт нереально прозвучали именно слова Клаудии Этьенн. В них слышалась фальшивая нота, размеренные модуляции голоса казались наигранными, словно были продуманы заранее. Но Кейт решила не делать слишком поспешных выводов. Ведь так легко неправильно истолковать дезориентированность горя. Кому, как не ей, знать, какими странно неадекватными бывают первые словесные реакции на потрясение или беду. Она хорошо помнила жену водителя автобуса, убитого ударом ножа в айлингтонском пабе: ее первой реакцией было сожаление, что она в то утро не сменила мужу сорочку и не успела опустить в почтовый ящик талон футбольного тотализатора. А ведь эта женщина любила своего мужа и искренне горевала о нем.

Теперь ключ был в руках у Дэлглиша. Ключ легко повернулся в замке, и Дэлглиш отворил дверь. Кислый запах, похожий на запах газа, ядовитым облаком выплыл им навстречу. Полуобнаженное тело как-то внезапно, с неприглядной театральностью смерти, возникло перед ними и тотчас же застыло в своей ирреальности — странный, необычайной силы образ, врезанный в неподвижную атмосферу комнаты.

Жерар лежал навзничь, ногами к двери. На нем были серые брюки и серые носки. Туфли из мягкой черной кожи казались совсем новыми, их подошвы почти не были поцарапаны. Как странно, подумала Кейт, что человек способен замечать такие детали. Верхняя часть тела была обнажена, кулак откинутой в сторону правой руки сжимал скомканную белую сорочку. Шею Жерара двумя витками обвивала бархатная змея. Ее хвост лежал у него на груди, а голова была засунута ему в разверстый рот. Кейт померещилось, что в открытых, остекленевших, несомненно, мертвых глазах вдруг мелькнул взгляд, полный возмущенного удивления. Все краски были необычайно яркими, неестественно сочными: густые темно-каштановые волосы, странный розовато-красный румянец на щеках и такие же пятна на груди, снежная белизна сорочки, зловещая зелень змеи. Впечатление недюжинной физической силы, создаваемое распростертым телом, было столь мощным, что Кейт инстинктивно отшатнулась и мягко стукнулась плечом о плечо Клаудии Этьенн. «Очень сожалею!» — сказала она, но общепринятое извинение прозвучало совершенно неуместно, хотя на самом деле относилось всего лишь к незначительному физическому столкновению. Однако первоначальный образ растаял, и реальность вступила в свои права. Мертвое тело стало тем, чем оно на самом деле и было — полуобнаженным, гротескно украшенным мертвым телом, лежащим на полу, словно на сцене.

И вот теперь, стоя в раскрытых дверях, быстрым взглядом окидывая комнату, она смогла увидеть все, что в ней находилось, до малейших деталей. Комната была небольшая, футов двенадцать в длину и восемь в ширину, мрачная, словно камера смертника; стены — голые, а дощатый пол ничем не прикрыт. Единственное высоко расположенное узкое окно было плотно закрыто, с середины потолка свисала одинокая лампа с абажуром. На оконной раме болтался обрывок шнура, длиной не более трех дюймов. Слева от окна находился небольшой викторианский камин из цветных изразцов с цветами и плодами. Каминную решетку когда-то убрали и внутрь вставили старомодный газовый камин. У противоположной стены стоял небольшой деревянный стол, а на нем — по-современному угловатая черная лампа для чтения и две проволочные корзинки для бумаг, в каждой — по нескольку потрепанных коричневатых папок. Сознавая нелепость одной из мелких деталей, Кейт обвела взглядом оставшееся пространство комнаты, чтобы отыскать обрывок оконного шнура, и заметила его под столом, будто он был небрежно откинут ногой или отброшен, чтобы не мешал. Клаудиа по-прежнему стояла за ее плечом, и Кейт чувствовала, как она неподвижна, слышала ее неглубокое, тщательно сдерживаемое дыхание.

— В таком виде вы и застали комнату? Сейчас вам не бросается в глаза что-нибудь, чего вы тогда не видели? — спросил Дэлглиш.

— Здесь ничего не изменилось, — ответила Клаудиа. — Да и как это могло бы случиться? Я заперла дверь, когда мы уходили. Я не очень много смогла в комнате заметить, когда... Когда я его здесь нашла.

— Вы не прикасались к телу?

— Я опустилась рядом с ним на колени и дотронулась до его лица. Он был ужасно холодный. Но я поняла, что он мертвый, еще до этого. Я так и стояла на коленях... Когда остальные вышли, я... Кажется, я... — Она помолчала, потом решительно произнесла: — Я на секунду прижалась щекой к его щеке.

— Ну а комната?

— Сейчас она выглядит странно. Я не очень часто поднимаюсь сюда. Последний раз — когда обнаружила тело Сони Клементс... Только сейчас комната выглядит иначе — более чистой, более пустой... И чего-то здесь не хватает. Магнитофона. Габриел — мистер Донтси — диктует... записывает на пленку, и магнитофон обычно остается здесь на столе. И я не заметила обрывка шнура на окне, когда в первый раз сюда зашла. А где оторванный кусок? Жерар лежит на нем, да?

— Он под столом, — ответила ей Кейт.

Клаудиа Этьенн взглянула на него и произнесла:

— Как странно. Ему следовало бы лежать под окном.

Она пошатнулась, и Кейт протянула руку, чтобы ей помочь, но Клаудиа движением плеча эту руку стряхнула.

— Спасибо, что поднялись сюда с нами, мисс Этьенн, — сказал Дэлглиш. — Я понимаю, как вам было нелегко. Это пока все, о чем я хотел спросить. Кейт, вы не могли бы?..

Но прежде чем Кейт успела шевельнуться, Клаудиа сказала:

— Не прикасайтесь ко мне! Я вполне способна сама спуститься по лестнице. Я буду вместе с остальными в конференц-зале, если опять вам понадоблюсь.

Однако путь вниз по узкой лестнице оказался прегражден. Послышались мужские голоса, быстрые легкие шаги. Несколько секунд спустя в комнату быстро вошел Дэниел Аарон, а следом за ним — два полицейских из отдела убийств — Чарли Феррис и его напарник.

— Прошу простить за опоздание, сэр, — сказал Дэниел Аарон. — Пробки на Уайтчепел-роуд.

Он поймал взгляд Кейт и, пожав плечами, с удрученным видом ей улыбнулся. Кейт нравился Дэниел, она относилась к нему с уважением. Работать с ним было нетрудно — во всех отношениях лучше, чем с Мэссингемом. Но, как и Мэссингем, он всегда огорчался, если Кейт оказывалась на месте преступления раньше его.

21

Четверо компаньонов направились на второй этаж в конференц-зал не столько по обдуманному решению, сколько из подспудного ощущения, что разумнее всего им быть вместе, слышать, что говорят другие, почувствовать пусть иллюзорное, но все же утешение от товарищеского общения и не быть вынужденными укрываться в вызывающем подозрение одиночестве. Но им нечем было себя занять: никто из них не испытывал желания послать за делами, документами, текстами для прочтения, опасаясь, что это может быть принято за проявление черствого равнодушия. Дом казался странно затихшим. Где-то внизу, как им было известно, несколько сотрудников издательства все еще совещались, спорили, размышляли вслух. Были и у них самих проблемы, которые следовало обсудить, следовало договориться о временном перераспределении обязанностей, но заняться этим сейчас представлялось им таким же бездушным варварством, как ограбление мертвых.

Однако поначалу ждать им пришлось недолго. Не прошло и десяти минут со времени прибытия Дэлглиша, как коммандер появился в конференц-зале вместе с инспектором Кейт Мискин. Пока высокий человек в темном костюме молча шел к столу, четыре пары глаз сурово следили за его движениями, словно его появление, которого так желали и в то же время боялись, стало непрошеным вторжением в их общую беду. Все четверо так и сидели не шевелясь, пока Дэлглиш выдвигал из-за стола стул для женщины — офицера полиции, а потом и для себя. Наконец он сел, положив руки на стол.

— Прошу простить меня за то, что заставил вас ждать, — начал он, — но, боюсь, ожидание и нарушение рабочего режима неизбежны, когда мы сталкиваемся со смертью при невыясненных обстоятельствах. Мне необходимо будет встретиться с каждым из вас наедине, и я надеюсь начать эти встречи в ближайшее время. Нет ли здесь у вас комнаты с телефоном, которой я мог бы воспользоваться, никому не причиняя слишком больших неудобств? Она нужна мне только на сегодня. В дальнейшем моя приемная будет в полицейском участке Уоппинга.

Ответила ему Клаудиа:

— Даже если бы вы заняли все помещение издательства на целый месяц, это неудобство не могло бы идти в сравнение с неудобством, причиняемым убийством.

— Если это убийство, — еле слышно произнес Де Уитт. И всем показалось, что в конференц-зале, и до того необычайно тихом, стало еще тише — ждали, что на это скажет Дэлглиш.

— Мы не можем с уверенностью судить о причине смерти, пока не проведена аутопсия. Судебный патологоанатом скоро сюда приедет, и я узнаю, когда примерно она будет проведена. Кроме того, могут понадобиться кое-какие лабораторные исследования. Это тоже займет некоторое время.

— Вы можете воспользоваться кабинетом моего брата, — предложила Клаудиа. — Это будет выглядеть совершенно нормально. Кабинет находится на первом этаже и расположен в фасадной части здания. Чтобы войти в кабинет, надо пройти через комнату личного секретаря, но мисс Блэкетт может на время куда-нибудь перейти, если ее присутствие там вам неудобно. Что еще может вам потребоваться?

— Мне хотелось бы получить список всех сотрудников, в настоящее время работающих в издательстве, перечень комнат, которые они занимают, а также имена и фамилии тех, кто ушел из издательства, но работал здесь в течение того времени, что действовал ваш зловредный шутник. Я полагаю, вы сами расследовали каждый из этих инцидентов. Очень прошу представить мне подробные сведения об этих инцидентах и о результатах — если есть хоть какие-то результаты — ваших расследований.

— Так вы об этом знаете? — спросил Де Уитт.

— В полицию об этом сообщили. Было бы очень полезно, если бы я мог получить план этого дома.

— По-моему, у нас есть такой план, где-то в папках с документами, — сказала Клаудиа. — Пару лет назад мы сделали кое-какие внутренние изменения в доме, и архитектор представил новые чертежи как внешнего, так и внутреннего вида Инносент-Хауса. Оригиналы первоначальных чертежей дома в целом и его внутренней отделки находятся в архиве, но я не думаю, что главным образом вас интересует архитектура.

— В данный момент — нет. Как обеспечивается охрана здания? У кого находятся ключи?

— У каждого компаньона есть набор ключей от всех дверей в этом здании, — ответила мисс Этьенн. — Парадный вход в дом — с террасы, со стороны Темзы. Однако теперь им пользуются только в особо торжественных случаях, когда бо́льшая часть гостей приезжает к нам катером. В последнее время такие случаи весьма редки. Последними были летний праздник для всех сотрудников издательства и прием по поводу помолвки моего брата — десятого июля. Главный вход с улицы — на Инносент-Уок, но им тоже пользуются очень редко. Из-за необычной архитектуры дома вошедшему в эту дверь приходится идти мимо служб, кухни и комнат для прислуги. Поэтому входная дверь всегда заперта на замок и на засов. Она и сейчас заперта на замок и на засов. Лорд Стилгоу проверил двери перед вашим приездом. — Она, видимо, собиралась прокомментировать деятельность лорда Стилгоу, но удержалась. — Вход, которым мы пользуемся, — продолжала она, — боковой, из переулка Инносент-лейн. Именно в него вы и вошли. Он обычно открыт целый день, все то время, что Джордж Коупленд находится у коммутатора. Двери и окна на четырех этажах запираются. Боюсь, охранная система весьма рудиментарна, однако возможность ограбления нас никогда особенно не волновала. Дом, разумеется, сам по себе огромная ценность, но, к примеру, очень немногие из картин здесь — оригиналы. В кабинете у Жерара стоит большой сейф, и когда были повреждены гранки книги лорда Стилгоу, мы поставили дополнительные запирающиеся шкафы в трех комнатах и сейф под конторкой в приемной, чтобы можно было запирать на ночь рукописи и важные документы.

— А кто обычно появляется здесь первым и отпирает двери? — спросил Дэлглиш.

Ему ответил Габриел Донтси:

— Обычно это Джордж Коупленд. Ему полагается начинать работу в девять часов, и к этому времени он всегда уже у коммутатора. Он — человек очень надежный. Если он вдруг задерживается — он живет на южной стороне реки, — то это может быть мисс Певерелл или я. У нас обоих квартиры в доме номер двенадцать, что слева от Инносент-Хауса. В общем, это все зависит от случая. Кто первым приходит, тот и отпирает дверь и отключает охранную систему. На двери в переулке Инносент-лейн — один английский замок и один сейфовый. Сегодня утром Джордж пришел первым, как обычно, и обнаружил, что на сейфовый замок дверь не была заперта. Он смог открыть ее одним ключом — от английского замка. Охранная система тоже была отключена, так что он, естественно, предположил, что кто-то из нас уже пришел.

— Кто из вас четверых видел мистера Этьенна последним? — спросил Дэлглиш.

— Я, — сказала Клаудиа. — Я пришла к нему в кабинет поговорить с ним перед своим уходом, незадолго до половины седьмого. Он обычно поздно работал по четвергам, оставался на весь вечер. Он все еще сидел за столом. В издательстве мог быть еще кто-то из сотрудников, но мне кажется, все тогда уже ушли. Разумеется, я не проверяла и никого не пыталась найти.

— А многим было известно, что ваш брат задерживается в издательстве по четвергам?

— В издательстве это было всем известно. Возможно, кто-то еще знал об этом.

— Он показался вам таким же, как всегда? — спросил Дэлглиш. — Он не сказал вам, что собирается работать в малом архивном кабинете?

— Он показался мне совершенно таким же, как всегда, и ни словом не обмолвился о малом архивном кабинете. Насколько я знаю, в малый архивный кабинет он вообще никогда не заходил. Не имею ни малейшего представления, почему он поднялся туда, и тем более — почему он там умер... если он и в самом деле умер там.

И снова четыре пары глаз пристально вглядывались в лицо Дэлглиша. Он молчал. Задав вполне ожидаемый формальный вопрос о том, не знают ли они кого-то, кто мог бы желать смерти Жерара Этьенна, и получив столь же ожидаемый ответ, он поднялся со своего места. Встала и женщина-офицер, за все время не произнесшая ни слова. Затем он спокойно поблагодарил всех, а она отошла чуть в сторону, чтобы Дэлглиш мог первым пройти к двери.

После их ухода в конференц-зале на какую-то долю минуты воцарилось молчание. Потом Де Уитт сказал:

— У такого копа не спросишь, который час. Мне, например, он кажется просто устрашающим — и это ведь он такой с невиновными. Бог знает, что при нем происходит с виновными. А вы его знаете, Габриел? В конце концов, вы ведь с ним одним делом занимаетесь.

Донтси поднял на него глаза и ответил:

— Конечно, я знаю его работы. Однако не думаю, что нам приходилось встречаться. Он — прекрасный поэт.

— Да мы все это знаем. Меня просто удивляет, что вы не попытались отлучить его от издательства. Остается лишь надеяться, что он такой же хороший детектив.

— Все-таки странно, правда? — сказала Франсес. — Он ведь так ничего и не спросил про змею.

— Что́ не спросил про змею? — немедленно откликнулась Клаудиа.

— Он не спросил, знали ли мы, где находилась эта змея.

— Он еще спросит, — сказал Де Уитт. — Спросит, можете мне поверить.

22

В малом архивном кабинете Дэлглиш спросил:

— Вам удалось поговорить с доктором Кинастоном, Кейт?

— Нет, сэр. Он сейчас в Австралии, у сына. Но док Уордл уже едет сюда. Я застала его в лаборатории, так что много времени нам ждать не придется.

Не очень благоприятное начало, подумал Дэлглиш. Он привык работать с Майлзом Кинастоном: тот не просто был приятен ему как человек, но вызывал глубокое уважение как один из самых блестящих судебных патологоанатомов в Англии. Так что Дэлглиш, — как выяснилось, совершенно безосновательно, — счел само собой разумеющимся, что не кто иной, как Кинастон, присядет на корточки рядом с телом Жерара Этьенна, что именно короткопалые руки Кинастона, затянутые в резиновые, тонкие, как вторая собственная кожа, перчатки, станут обследовать труп, так мягко и осторожно его касаясь, словно эти окоченелые члены все еще могли вздрогнуть под ощупывающими их пальцами. Реджинальд Уордл был очень способным патологоанатомом, иначе его не взяли бы в столичную полицию. Он хорошо сделает свое дело. Составленный им протокол посмертного обследования будет столь же исчерпывающим, как протоколы Кинастона, и представит он его вовремя. Свидетельские показания Уордла в суде — если возникнет такая необходимость — будут такими же четкими и убедительными, достаточно осторожными, но неопровержимыми на перекрестном допросе. Несмотря на это, он всегда вызывал у Дэлглиша раздражение, и Адам подозревал, что и Реджинальд испытывает к нему такую же антипатию, впрочем, не настолько сильную, чтобы перерасти в неприязнь и помешать их сотрудничеству.

Когда Уордла вызывали на место преступления, он являлся туда незамедлительно, — никто не мог бы упрекнуть его в нежелательной задержке, — но всегда входил лениво-небрежным шагом, с таким видом, словно хотел подчеркнуть, как мало значение насильственной смерти вообще, и этого мертвеца в частности, в принятой им для себя системе ценностей. Он начинал вздыхать и цокать языком над трупом, будто возникшие здесь проблемы были не столько интересны ему, сколько вызывали раздражение и вряд ли оправдывали полицейских, посмевших пригласить его сюда и оторвавших его от более существенных дел в лаборатории. На месте преступления он сообщал минимум информации, возможно, из вполне естественной осторожности, но при этом очень часто старался дать понять, что полиция безосновательно пытается вынудить его сделать преждевременное заключение. Чаще всего от него можно было услышать: «Лучше подождать, коммандер. Лучше подождать. Вот скоро уложу его на стол, тогда узнаем».

К тому же он умел подать себя. Если на месте преступления он производил впечатление скучного и неохотно идущего на сотрудничество человека, то на званых обедах — к всеобщему удивлению — был блестящим рассказчиком и вообще, кажется, гораздо больше любил поесть за чужой счет, чем многие другие его коллеги. Дэлглиш, не представлявший себе, как это человек может не только добровольно участвовать в долгом ресторанном обеде, но еще и наслаждаться чаще всего плохо приготовленной едой, лишь ради удовольствия подняться из-за стола и что-то произнести, мысленно добавил эту черту к списку других мелких ненормальностей

Реджинальда. Однако у себя в секционной док Уордл становился совершенно иным человеком. Возможно, потому, что здесь было его всеми признанное царство, он, казалось, был рад и горд демонстрировать свое недюжинное мастерство и порой с готовностью обменивался мнениями и высказывал свои предположения.

С Чарли Феррисом Дэлглишу уже приходилось работать, и он с удовольствием увидел его здесь. Прозвище Чарли — Хорек — редко кто произносил ему в лицо, но оно настолько подходило к этому парню, что удержаться было довольно трудно. У него были маленькие острые глазки с белесыми ресницами, длинный нос, легко ловивший любые запахи, и тонкие ловкие пальцы, которые могли подбирать мельчайшие предметы, словно притягивая их магнитом. На работу он часто являлся в необычном, порой просто причудливом виде: так, чтобы провести обыск, он надевал туго обтягивающие хлопчатобумажные шорты или брюки, тренировочную трикотажную рубашку, хирургические резиновые перчатки и полиэтиленовую купальную шапочку. Его профессиональным кредо было утверждение, что ни один убийца не может покинуть место преступления, не оставив какой-нибудь материальной улики, и что его дело — эту улику найти.

— Тут ваша обычная работа, Чарли: обыск, — сказал Дэлглиш. — Только нам придется вызвать газовщика, вынуть газовый камин и составить протокол. Скажите им — это срочно. Если в камине скопился мусор, заблокировавший дымоход, мне нужно, чтобы он был отправлен в лабораторию вместе с образцами отвалившейся внутренней облицовки трубы. Это очень старый газовый камин для детской, со съемным краном. Не уверен, что нам удастся получить с него сколько-нибудь приличный отпечаток. Скорее всего — нет. Все поверхности камина надо проверить на отпечатки. Очень важен оконный шнур. Хотелось бы знать, он оборвался в результате естественного износа или был поврежден специально. Сомневаюсь, что вы сможете сказать что-либо определенное, кроме собственного мнения. Но надеюсь, лаборатория сумеет помочь.

Предоставив полицейским заниматься обыском, он опустился рядом с трупом на колени, с минуту пристально вглядывался в лицо, затем, осторожно протянув руку, коснулся щеки. Непонятно, что это было — игра воображения или румянец на лице, только Дэлглишу показалось, что щека под его пальцами чуть теплая. Или это теплота его собственных пальцев на несколько секунд наделила иллюзорной жизнью мертвую плоть? Он провел рукой вдоль челюсти, осторожно, стараясь не сдвинуть змею. Челюсть подалась под его легким нажимом, плоть, ее покрывавшая, была мягкой.

Он кивнул Кейт и Дэну:

— Посмотрите, что вы можете сказать о челюсти? Только осторожно. Не сдвиньте змею. Мне надо, чтобы она оставалась на месте, пока не проведут аутопсию.

Они по очереди — Кейт первой — опустились на колени, потрогали челюсть, вгляделись в лицо, положили ладони на обнаженный торс.

— Rigor mortis* в верхней части тела установилось полностью, — сказал Дэниел, — однако челюсть подвижна.

— А это значит?

На этот раз ответила Кейт:

— Кто-то нарушил окоченение в области подбородка через несколько часов после смерти. Предположительно это было необходимо, чтобы затолкать в рот змею. Только зачем было так стараться? Достаточно ведь просто обмотать змею вокруг шеи. Эффект получился бы тот же самый.

— Это выглядело бы не так драматично, — заметил Дэниел.

— Возможно. Но то, что рот был раскрыт силой, доказывает, что кто-то подходил к трупу через несколько часов после того, как наступила смерть. Это мог быть убийца... если это — убийство. Это мог быть кто-то другой. Мы никогда не заподозрили бы, что кто-то подходил к трупу второй раз, если бы змея была просто обернута вокруг шеи.

— Может быть, именно об этом убийца и хотел дать нам знать, — предположил Дэниел.

Дэлглиш внимательно разглядывал змею. Она была около пяти футов длиной и явно предназначалась для защиты от сквозняков. По зеленому бархату верхней части ее туловища шли полосы, а нижняя часть была из какого-то более грубого коричневатого материала. Под бархатом ощущалась негладкая, как бы зернистая поверхность.

Из помещения архива донеслись медлительные шаги.

— Вроде бы док Уордл прибыл, — сказал Дэниел.

---

* Rigor mortis (*лат.*) — трупное окоченение.

Док Уордл был очень высок — под два метра ростом. Внушительная голова возвышалась над широкими костистыми плечами, на которых, как на проволочной вешалке, болтался плохо сшитый из тонкого материала пиджак. Крючковатый, в рытвинах нос, грубый голос и пронзительные глаза под кустистыми бровями — они были такими яркими, светились такой неуемной энергией, что казалось, жили своей отдельной, собственной жизнью — делали его похожим на карикатурного раздражительного полковника. Его рост мог бы стать ему помехой в работе — ведь трупы довольно часто обнаруживаются в самых неудобных местах — в канавах, в канализационных люках, в шкафах и самодельных могилах, — однако его длинное тело могло с неожиданной легкостью и даже изяществом протиснуться в самое малодоступное место. Сейчас он пристально оглядывал комнату, явно не одобряя ее абсолютную простоту и то неприятное дело, из-за которого ему пришлось оторваться от микроскопа. Потом он опустился рядом с трупом на колени и с мрачным вздохом произнес:

— Вы, конечно, спросите меня о приблизительном времени смерти, коммандер. Это всегда первый вопрос после «Он мертв?». Так вот — да, он мертв. Это единственный факт, по поводу которого мы все можем быть согласны. Тело холодное, rigor mortis установилось полностью. За одним интересным исключением, но об этом поговорим позже. Его состояние позволяет предположить, что смерть наступила тринадцать или пятнадцать часов тому назад. В комнате тепло — слишком тепло для этого времени года. Температуру измерили, да? Двадцать шесть градусов. Этот факт, как и то, что метаболизм к моменту смерти скорее всего шел вполне активно, и мог задержать наступление окоченения. Вы, несомненно, успели уже обсудить имеющуюся интересную аномалию. И все-таки расскажите мне об этом, коммандер. Расскажите об этом. Или вы, инспектор. Я вижу — вам не терпится это сделать.

Дэлглиш был почти уверен, что Уордл добавит: «Это было бы слишком — надеяться, что вы удержались и не трогали тело». Он взглянул на Кейт. Она сказала:

— Челюсть подвижна. Rigor mortis лица, подбородка и шеи наступает примерно через пять — семь часов после смерти и полностью устанавливается примерно через двенадцать часов. Оно исчезает в той же последовательности. Так что оно либо уже проходит в области челюсти, что указывало бы на более раннее —

часов на шесть — время смерти, либо рот был раскрыт с применением силы. Я бы сказала, что произошло именно последнее. Лицевые мышцы неподвижны.

— Я иногда удивляюсь, коммандер, зачем вы вообще вызываете патологоанатома, — сказал Уордл.

Кейт, не смутившись, продолжала:

— Это может означать, что голову змеи затолкнули в рот этого человека не в момент смерти, а пять — семь часов спустя. Так что удушение не может быть причиной смерти. Во всяком случае, не удушение с помощью змеи. Но мы и не думали, что это было причиной.

— Пятна на лице и на теле и само положение трупа, — сказал Дэлглиш, — позволяют предположить, что тело лежало лицом вниз и было впоследствии перевернуто. Интересно было бы выяснить — почему?

— Легче было уложить змею, вставить ее голову ему в рот, так? — предположила Кейт.

— Возможно.

Пока док Уордл продолжал осмотр, Дэлглиш не произнес ни слова. Он и так уже посягнул на бо́льшую часть территории патологоанатома, чем было позволительно. У него практически не было сомнений о причине смерти, и сейчас он думал, что именно — осторожность или своенравие — заставляет Уордла молчать об этом? Теперешний случай был далеко не первым из известных им обоим случаев смерти в результате отравления угарным газом. Посмертная синюшность, более, чем обычно, выраженная в результате замедленного оттока крови, розовато-красные пятна на коже, такие яркие, что труп казался раскрашенным, убедительно говорили сами за себя: ошибки здесь быть не могло.

И тут Уордл сказал:

— Прямо по учебнику, верно? Вряд ли требуется судебный патологоанатом, да и коммандер тоже, чтобы диагностировать отравление угарным газом. Только не стоит нам пока так уж радоваться. Давайте сначала водрузим его на стол, ладно? Тогда пиявки-лаборанты возьмут у него пробы крови и дадут нам ответ, на который мы сможем вполне положиться. Вы хотите, чтобы эта змея так и осталась у него во рту?

— Думаю, да. Мне хотелось бы, чтобы ее не трогали до конца вскрытия.

— А вскрытие, несомненно, следует провести немедленно или еще скорее? Ведь вы этого хотите?

— Как всегда.

— Могу провести вскрытие сегодня вечером. Нас пригласили на прием в шесть тридцать, но он не состоится — хозяйка неожиданно заболела: грипп. Во всяком случае, она так объясняет отмену. В шесть тридцать, в нашем морге, если вы сможете приехать к этому времени. Я им позвоню, скажу, что мы к ним собираемся. А что, труповозку вызвали?

— Она должна быть здесь с минуты на минуту, — ответила Кейт.

Дэлглиш прекрасно понимал, что post mortem* проведут независимо от того, сможет он приехать в морг или нет, но он, разумеется, там обязательно будет. Уордл на этот раз с необычайной охотой шел на сотрудничество. Однако Адаму пришлось напомнить себе, что, когда доходит до дела, Уордл именно так и поступает.

23

С первого взгляда на миссис Демери Дэлглиш понял, что с ней никаких трудностей не будет: ему уже не раз приходилось иметь дело с подобными ей свидетельницами. Он по собственному опыту знал, что у таких вот миссис Демери вовсе нет предубеждений против полицейских, которые, по их мнению, всегда на их стороне и вообще добры и полезны. В то же время эти женщины не видят причин выказывать полиции неумеренное почтение или считать, что полицейские более рассудительны и разумны, чем это обычно свойственно остальным представителям мужского пола. Эти женщины, несомненно, могут солгать с такой же легкостью, как и другие свидетели, когда надо защитить себя или своих, но так как они в принципе честны и не обременены богатым воображением, предпочитают говорить правду — ведь в целом говорить правду не так беспокойно, а раз уж она сказана, можно не мучить свою совесть раздумьями о собственных побудительных мотивах или о намерениях других людей. Они неколеби-

---

* Post mortem (*лат. букв.* «после смерти») — сокращение от «post mortem autopsis» — посмертное вскрытие, аутопсия.

мы в своих показаниях и упрямо стоят на своем, а на перекрестных допросах порой полны презрения. Дэглиш подозревал, что эти женщины находят мужчин ужасно смешными, особенно тех, что одеты в мантии и парики и с важным видом вещают что-то надменными голосами поверх голов всех остальных людей; а уж сами они не собираются выслушивать назидания и не позволят, чтобы их запугивали или унижали эти неприятные существа.

И вот теперь перед Дэглишем сидела представительница этой замечательной породы и смотрела на него откровенно оценивающим взглядом блестящих, умных глаз. Ее волосы яркого золотисто-оранжевого цвета, очевидно, совсем недавно покрашенные, были уложены в высокую прическу в стиле старых эдвардианских фотографий: поднятые сзади и у висков и туго заколотые на макушке, они пышной завитой челкой спускались низко на лоб. Остроносая, с ярко блестящими, чуть выпуклыми темными глазами, миссис Демери показалась Дэглишу похожей на умного экзотического пуделька.

Не дожидаясь, пока он начнет разговор, она сказала:

— А я ведь вашего папашу знала, мистер Дэглиш.

— Что вы говорите! Когда это, миссис Демери? Во время войны?

— Ага, точно. Мы с братом — у меня брат есть, близнец — были в вашу деревню вакуированы. Помните Картеровых близняшек? Ой, ну конечно, откуда вам помнить! У вашего папаши вас тогда еще и в задумке не было. Ну, он был очень даже приятный джентльмен. Мы-то не в доме священника были размещенные, у вас тогда матери-одиночки жили. А нас в коттедж к мисс Пилгрим вселили. Ох, Господи, мистер Дэглиш, ну и ужасное место эта ваша деревня! Не знаю, как вы там жить-то могли, когда еще мальчишечкой были. Отвратила меня от сельской жизни до конца дней, вот что ваша деревня со мной сделала. Грязь, дождь и эта вонища со скотного двора! А уж про скуку и говорить нечего!

— Да, наверное, городским детям там трудно было себе занятие найти.

— Ну, я бы так не сказала, занятий как раз хватало. Только начни чего делать, в такую беду попадешь, что жизнь не мила станет.

— Вроде запруды на деревенском ручье?

— Так вы об этом слыхали? А как нам было знать, что вода зальет кухню этой миссис Пиггот и кошку ее старую потопит?

Представить только, что вы об этом узнали, а? — На лице миссис Демери отразилось глубочайшее удовлетворение.

— Вы с братом стали частью деревенского фольклора, миссис Демери.

— Да вы что?! Это приятно. А помните поросят мистера Стюарта?

— Мистер Стюарт помнит. Ему уже далеко за восемьдесят, но ведь бывают события, которые навсегда отпечатываются в памяти.

— Ну, скажу я вам, это должны были быть настоящие скачки. Мы этих задохликов выстроили в ряд... Ну, более-менее. А они возьми да разбежись по всей деревне. А больше всего — по нориджской дороге. А вообще-то, ох ты Господи, ужасное место эта ваша деревня! А тишина-то! Мы по ночам лежали и всё к ней прислушивались, к тишине этой. Все равно как мы умерли уже. А темнота! Я и не знала, что такая темнота бывает. Как смоль черная. Будто на тебя толстое черное шерстяное одеяло положили и давят, пока не задохнешься. Мы с Билли просто выдержать этого не могли. У нас никогда ночных кошмаров не было, пока нас не вакуировали. Мама когда нас навестить приезжала, так мы ревели не переставая. До сих пор помню эти ее приезды, как она тянет нас за руки по этой улице гадкой, а мы с Билли плачем и ноем, чтобы она нас домой забрала. Жаловались, что мисс Пилгрим нам есть не дает и только и делает, что гоняется за нами с тапкой в руке. Про еду — это правда была. Мы никогда приличного куска во рту не имели за все время, что у нее жили. Ну, в конце концов мама нас домой забрала, чтоб ей самой спокойней было. И нам тогда хорошо было. Мы очень интересно время проводили, особенно когда бомбежки начались. У нас в садике бомбоубежище Андерсона* стояло, так мы все там очень уютно сидели — с мамой, бабушкой, тетей Эдди и с миссис Пауэлл из сорок второго номера, когда ее разбомбили.

— А разве в бомбоубежище не было темно? — спросил Дэглиш.

— Так у нас же фонарики были, а как же? А когда налеты шли где-то подальше, мы выходили и смотрели, как прожекторы работают. Ох и красиво же они в небе перекрещивались — все небо, бывало, исчертят. А уж шума-то, шума — и говорить

---

* Бомбоубежище Андерсона — семейное бомбоубежище; такие бомбоубежища сооружались во дворах во время Второй мировой войны. Назывались по имени тогдашнего министра внутренних дел Джона Андерсона.

нечего. Зенитки эти — будто огромный лист железа рифленого кто-то рвет. Ну, мама всегда говорила: если даешь своим детям счастливое детство, жизнь им уже ничего особо плохого потом сделать не сможет.

Дэлглиш понимал, что спорить с этим жизнерадостным взглядом на воспитание детей не только бесполезно, но и непродуктивно. Он собрался было тактично предположить, что пора бы и к делу перейти, но миссис Демери его опередила.

— Ну, хватит уж старые добрые дни вспоминать, — сказала она. — Вы же меня про это убийство спросить хотите.

— Вы так это расцениваете, миссис Демери?

— А как же еще? Не сам же он эту змею себе вокруг шеи замотал! Его задушили, верно ведь?

— Мы не узнаем, как он умер, пока не получим результатов посмертного вскрытия.

— Ну, на мой взгляд, он выглядел так, будто его задушили. Лицо все розовое, и змеиная голова в рот заткнута. И я вам вот что скажу — никогда не видала, чтоб труп выглядел таким здоровым! Он лучше выглядел, чем в жизни, а он ведь очень собой хорош был, живой-то. Красивый был, тут уж ни отнять, ни прибавить. Я всегда думала, что он на молодого Грегори Пека немножко походит.

Дэлглиш попросил ее подробно описать, что произошло после того, как она утром пришла в Инносент-Хаус.

— Я тут каждый рабочий день, кроме среды, с девяти до пяти. А по средам считается так, что сюда фирму уборщиков приглашают, чтоб все здание как следует вычистить. Они себя называют «Наилучшая фирма по уборке офисных помещений». А я так скажу — им правильней бы называться «Наихудшая фирма по уборке»... Думаю, они стараются, делают, что могут, только ведь у них личного интереса к этому дому нету. Джордж приходит на полчаса раньше, чтоб их впустить. Заканчивают они обычно к десяти.

— А кто вас впускает, миссис Демери? Или у вас есть свои ключи?

— Нет. Старый мистер Этьенн предлагал, чтоб у меня были, только я ответственность такую на себя брать не захотела. И так в моей жизни ключей хватает. Обычно Джордж издательство открывает. А то, бывает, мистер Донти или мисс Франсес. Зависит, кто раньше придет. Сегодня утром мисс Певерелл и мистера Донти тут не было, а Джордж был — он меня и впустил. Ну я тихонько прибирала на кухне и в дальней части дома. Ничего не происходило, пока без чего-то девять этот лорд Стилгоу не явился. Явился и говорит, что у него встреча назначена с мистером Жераром.

— А вы были там, внизу, в этот момент?

— Так получилось, что как раз я там была. Немножко с Джорджем поболтала. Ну, лорд Стилгоу не очень-то доволен был, что никого нет — только кто в приемной дежурит да я. Джордж все кабинеты в издательстве обзвонил, чтоб мистера Жерара найти, и уже предлагал лорду Стилгоу в приемной обождать, когда как раз мисс Этьенн и прибыла. Она у Джорджа спрашивает, мол, мистер Жерар у себя в кабинете? А Джордж ей объясняет, что звонил, а там никто не отвечает. Так что она пошла через холл к нему в кабинет, а лорд Стилгоу и я — за ней следом. Пиджак мистера Жерара на спинке кресла висел, а стул от стола был отодвинут, — это как-то странно нам показалось. Тогда она рукой в правый ящик стола залезла и ключи его достает. Мистер Жерар, когда в кабинете своем работал, ключи в этот ящик обязательно клал. Связка-то тяжелая, вот он и не любил, чтоб пиджачный карман оттягивала. Мисс Клаудиа говорит: «Он должен быть где-то здесь. Может, в десятый дом пошел, к мистеру Бартруму?» Так что мы вернулись в приемную, а Джордж говорит, что звонил в десятый. Мистер Бартрум приехал, но мистера Жерара не видал, хоть его «ягуар» на месте стоит. Мистер Жерар всегда свой «яг» в проулке Инносент-Пэсидж ставил, говорил, там безопасней. Ну, тут мисс Клаудиа и говорит, надо, мол, нам его найти, пойдем поищем. К тому времени уже первый катер прибыл, а потом — мисс Франсес и мистер Донтси.

— Мисс Этьенн была взволнована?

— Больше озадачена, если вы понимаете, что я хочу сказать. Ну, я ей говорю, что я, мол, уже почти всю заднюю часть дома прошла и первый этаж тоже, и что на кухне его нету. А мисс Клаудиа отвечает что-то вроде: «Вряд ли он мог там быть, с чего бы вдруг...» — и пошла вверх по лестнице, я — за ней, а мисс Блэкетт — за мной.

— Вы не говорили, что с вами была мисс Блэкетт.

— Не говорила? Ну, она ведь с первым катером приехала, а как же? Конечно, теперь ее и не заметишь, после того как старый мистер Певерелл помер. Ну, все ж таки она была с нами, хоть пальто еще не успела снять, так в нем и пошла за нами наверх.

— Вы втроем искали одного человека?

— Ну, ведь так оно и было. Думаю, я-то из любопытства пошла. Или это у меня вроде инстинкта какого... А почему мисс Блэкетт пошла, я не знаю. Вам у нее надо спросить. Мисс Клаудиа сказала: «Начнем поиски с самого верха». Так мы и сделали.

— Так она пошла прямо в архив?

— Точно. И прямо через него — в малый архивный. Дверь была не заперта.

— А как она ее открыла, миссис Демери?

— Что это такое вы спрашиваете — как открыла? Открыла, как все всегда двери открывают.

— Она ее широко распахнула, сразу? Или осторожно, тихонько? Вам не показалось. что она чего-то страшится?

— Да нет, я ничего такого не приметила. Просто открыла дверь, и все. Ну вот. А он там и лежит. Лежит на спине, лицо все розовое, и змея вокруг шеи обмотана, а голова ее — у него во рту засунута. Глаза открыты и так глядят пристально... Ужас страх какой! И вот что заметьте: я сразу поняла, что он уже мертвый, хотя, как я вам сказала, выглядел он красивше, чем живой, я его таким и не видала никогда. Мисс Клаудиа прошла и на коленки встала около него. Сказала: «Идите позвоните в полицию. Да убирайтесь же вы обе отсюда!» Грубовато у нее получилось. Ну все-таки он ведь ей брат был. А я понимаю, когда я лишняя, так что я ушла. Да и не больно-то хотелось там оставаться.

— А что мисс Блэкетт?

— А она прям за мной стояла. Я думала, она вот-вот закричит, но она вместо этого как-то так тоненько завыла... Ну, я ее обняла за плечи, а ее страх как трясет. Я и говорю, мол, пошли-ка отсюда, милая, пошли, все равно уж ничего тут не поделаешь. Ну мы пошли вниз по лестнице. Я подумала, это быстрей будет, чем на лифте, он вечно застревает. Но может, на лифте было бы лучше. Трудновато было ее по лестнице вниз вести, так ее трясло. Один-два раза у нее ноги подгибались, я боялась, она упадет. А раз даже подумала, что придется ее бросить и за помощью сходить... Когда мы до нижнего пролета добрались, там внизу лорд Стилгоу и мистер Де Уитт со всеми остальными стояли и смотрели вверх, на нас. Думаю, по моему лицу и по состоянию мисс Блэкетт они поняли, что что-то ужасное случилось. Ну я тогда им сказала. Они, кажется, целую минуту в толк взять не могли, а потом мистер Де Уитт бросился бегом вверх по лестнице, а за ним лорд Стилгоу и мистер Донтси.

— А потом что случилось, миссис Демери?

— Я помогла мисс Блэкетт до ее кресла добраться и пошла принести ей воды.

— В полицию не позвонили?

— А я решила это дело им оставить. Мертвое тело не могло ведь никуда деваться, верно? Чего ж было торопиться? Да и все равно, если б я позвонила, это было бы неправильно. Вернулся лорд Стилгоу, подошел прямо к конторке и говорит Джорджу: «Соедините меня со Скотланд-Ярдом. С комиссаром. А если его нет — с коммандером Адамом Дэлглишем». Ну, ему-то самую верхушку подавай, а как же! Потом мисс Клаудиа попросила меня заварить кофе покрепче. Я и пошла. Она была бледная, белая как полотно. Да и чего тут удивляться, верно?

— Мистер Жерар Этьенн принял дела как президент и директор-распорядитель компании совсем недавно, правда? — спросил Дэлглиш. — Его любили?

— Ну, его не вынесли бы отсюда в похоронном мешке, если б он к нам как луч света явился. Кто-то его сильно невзлюбил, это точно. И конечно, ему не так легко было в должность вступать после старого мистера Певерелла. Мистера Певерелла-то все до единого уважали. Очень уж хороший человек он был. Но я-то с мистером Жераром неплохо уживалась. Мне до него дела не было, а ему — до меня. Ну, все же я не считаю, что так уж много людей тут у нас будут по нему слезы лить. Да только убийство — это убийство, и шок будет сильный, тут и сомневаться нечего. И издательству ничего хорошего не принесет, тут уж и удивляться не приходится. А у меня вот какая мысль, интересно, как она вам покажется? Может, он сам над собой это сделал, а потом этот тип, который тут у нас шутки шуткует, змею ему на шею намотал, чтоб показать, что́ они все о нем думают? Может, стоит об этом подумать?

Дэлглиш не стал говорить ей, что об этом уже подумали. Он спросил:

— Вас удивило бы, если бы вам сказали, что он сам убил себя?

— Ну если по правде, то удивило бы. Уж очень он был сам собой довольный, я так вам скажу. Да и вообще, с чего бы вдруг?

Ладно, у издательства трудные времена, а у какой фирмы они сейчас не трудные? Он бы выкарабкался, тут и сомнения никакого нет. Не представляю, чтоб мистер Жерар как Роберт Максвелл* сделать мог. А с другой стороны, кто бы такое про Роберта Максвелла подумал? Так что тут никогда точно не знаешь, правда? Люди очень загадочные, вот что я вам скажу, очень загадочные. Я могла бы вам много чего порассказать про то, какие они загадочные.

Тут вмешалась Кейт:

— Мисс Этьенн, должно быть, очень расстроена была, когда его вот так нашли. Родной брат все-таки!

Миссис Демери переключила свое внимание на Кейт, хотя вмешательство третьего лица в ее тет-а-тет с Дэлглишем ей явно пришлось не по душе.

— Задайте прямой вопрос и получите прямой ответ, инспектор, — сказала она. — Насколько мисс Клаудиа была расстроена? Это вы хотели узнать, да? Так это вам у нее придется спросить. Откуда мне знать? Она на коленках стояла возле его тела и ни разу головы не повернула, пока мы с мисс Блэкетт в комнате были. А мы там совсем недолго были. Я не знаю, что она там чувствовала. Я только знаю, что она сказала.

— «Да убирайтесь же вы обе отсюда!» Грубовато получилось.

— Ну может, у нее шок был. Вы уж сами с этим разберитесь.

— И вы оставили ее одну с телом брата?

— Ну, она, видно, этого хотела. Да я все равно не могла бы остаться. Кто-то же должен был мисс Блэкетт вниз свести.

— А издательство — хорошее место, миссис Демери? — спросил Дэлглиш. — Вам здесь нравится работать?

— Конечно, хорошее. Лучше-то ведь мне не получить. Послушайте, мистер Дэлглиш, мне уже шестьдесят три. Ну ладно, это не такой уж большой возраст, у меня пока еще и глаза смотрят, и ноги ходят, и работаю я получше некоторых, кого не будем называть. Но в шестьдесят три новое место искать не станешь, а я

---

* Ян Роберт Максвелл (Ian Robert Maxwell, 1923—1991) — вышедший из низов английский миллиардер и медиа-магнат, основатель и глава издательских домов в Лондоне и Париже («Пергамон пресс», «Максвелл и Кº Лтд» и др.), владелец газеты «Дейли миррор», американской корпорации «Макмиллан», член палаты общин (1964—1970, лейборист), член нескольких научных обществ в Англии и Америке, глава комитета по науке и технике в Совете Европы, создатель благотворительных фондов, успешный продюсер музыкальных фильмов, автор книги «Муж и жена» (Man and Wife, 1968). Утонул во время поездки по Средиземному морю (предположительно — покончил с собой).

работать люблю. Я б с тоски померла, если б дома сидела. А к этому месту я привыкла, ведь я уже почти что двадцать лет тут. Конечно, такая работа не всякому по душе придется, но мне она подходит. И она под рукой... ну, более-менее. Я же в Уайтчепеле жить осталась. У меня теперь симпатичная квартирка, небольшая, зато современная.

— И как вы сюда добираетесь?

— Метро́м до Уоппинга, оттуда — пешком. Да это и не далеко вовсе. Меня лондонские улицы не пугают. Ходила по ним, когда вас еще и в помине не было. Старый мистер Певерелл говорил, он за мной такси будет присылать каждое утро, если мне дорога эта не по душе. И присылал бы, как пить дать. Он совсем особенный был джентльмен, старый мистер Певерелл. И это показывало, как он про меня думает. Приятно, когда тебя ценят.

— Это верно... Расскажите мне, миссис Демери, как у вас убирают в архиве — в большом помещении и в малом, где был найден мистер Этьенн. Вы отвечаете за уборку в архиве, или это обязанность уборщиков из фирмы?

— Я отвечаю. Пришлые уборщики никогда так высоко не заходят, чтоб на верхний этаж попасть. Это еще при старом мистере Певерелле заведено было. Там, наверху, вся эта бумага, понимаете? А они курят, так он боялся, что пожар устроят. А потом, ведь эти все дела — они конфиденциальные. Только не спрашивайте почему. Я как-то заглянула в одно или два, так там всего-навсего письма старые да рукописей полно, насколько я могла понять. Они там никаких кадровых документов или еще чего такого секретного не держат. Ну, все ж таки старый мистер Певерелл большущую важность этим архивам придавал. А все равно согласился те две комнаты под мою ответственность отдать. Да никто почти никогда туда наверх и не ходит, только вот мистер Донтси, так что я не слишком-то и утруждаюсь. Смысла нет. Один раз в месяц, по понедельникам, туда поднимусь и быстренько пыль смету.

— А пол пылесосите?

— Могу по-быстрому пройтись кругом, если увижу, что вроде надо. А то и нет. Я уже сказала — там только мистер Донтси пользуется, а он не больно-то и мусорит. Хватает уборки по всему дому, времени нету пылесос наверх тащить, где в нем и нужды нет.

— Понятно. А когда вы в последний раз в маленькой комнате убирали?

— Я там прошлый раз в понедельник, три недели назад, пыль быстренько смела. И опять пойду туда в следующий понедельник. Ну, по крайней мере я так всегда делаю. Только думаю, теперь ведь вы комнату эту запертой держать станете.

— Не очень долго, миссис Демери. Поднимемся туда?

Они поднялись на лифте, который шел медленно, но довольно ровно. Дверь малого архивного кабинета была открыта. Инженер-газовщик пока не приехал, но двое полицейских из Отдела убийств и фотографы все еще там работали. По знаку Дэлглиша они проскользнули мимо него за дверь и остановились в ожидании.

— Не входите туда, миссис Демери, — сказал Дэлглиш. — Просто встаньте у двери и скажите, не замечаете ли вы каких-нибудь изменений?

Миссис Демери медленно обвела комнату взглядом. Глаза ее мельком задержались на обрисованных мелом очертаниях мертвого тела там, где лежал Жерар Этьенн, но она не произнесла ни слова. После секундной паузы она сказала:

— Так ваши ребята тут хорошую уборочку сделали, да?

— Мы никакой уборки здесь не делали, миссис Демери.

— Но кто-то сделал. Я трехнедельной пыли тут не вижу. Посмотрите на каминную полку и на пол. Этот пол хорошо пропылесосили. Вот черт! Он, значит, вычистил всю комнату перед тем, как человека убить, да еще моим пылесосом!

Она обернулась к Дэлглишу, и он впервые увидел, как в ее глазах появляются возмущение, испуг и суеверный ужас. До сих пор ничто в смерти Жерара Этьенна не задевало ее столь глубоко, как эта заранее подготовленная камера смерти.

— Откуда вы знаете, миссис Демери?

— Пылесос стоит в кладовке на первом этаже, рядом с кухней. Когда нынче утром я за ним пошла, я так себе и сказала: «Кто-то им уже попользовался!»

— Как вы могли это заметить?

— Потому как он был поставлен на чистку гладкого пола, а не ковров. У него две установки, понимаете? Когда я его убирала на место, он был поставлен на чистку ковров. Последнее, чего я делала, это ковры чистила в конференц-зале.

— Вы уверены, миссис Демери?

— Ну, в суде я на Библии бы не поклялась. Есть вещи, про которые можно поклясться, а про которые — нет. Думаю, я могла поменять установку, вроде как бы случайно. Все, что я помню, так это что нынче утром, когда пылесос брала, я себе сказала: «Кто-то им уже попользовался!»

— А вы ни у кого не спросили, брал кто-то пылесос или нет?

— Так никого ж тут тогда не было, верно? А потом, это не мог быть никто из наших сотрудников. С чего бы вдруг кто-то захотел взять пылесос? Это ведь моя работа, а не ихняя. Я подумала было, может, кто из пришлых уборщиков брал, только это тоже странно — они со своим инструментом приходят.

— А пылесос был на своем обычном месте?

— На обычном. И шланг обернут крест-накрест, как я всегда делаю. Только установка другая.

— Еще что-нибудь в комнате вам не кажется необычным?

— Оконного шнура нету. Думаю, ваши ребята его с собой забрали. Он уже поизносился, разлохматился. Я сказала мистеру Донтси в понедельник, когда в дверь к нему голову просунула, что надо шнур заменить. А он ответил, что с Джорджем об этом поговорит. Джордж у нас на все руки мастер, он всякие работы в доме делает. У мистера Донтси в тот раз окно было наполовину открыто. Он всегда его так и держит, наполовину открытым. Он не очень-то обеспокоился, но, как я уже сказала, все равно обещал, что с Джорджем поговорит. А еще, видите, стол подвинут. Я никогда стол не двигаю, когда пыль здесь сметаю. Сами посмотрите — он дюйма на два вправо подвинут. Можно разглядеть почти что незаметную грязную полосу, где он раньше стоял. И магнитофона мистера Донтси нету. Тут раньше диван-кровать был, только его вынесли после того, как мисс Клементс с собой покончила. Тоже хорошенькое было дело. Целых две смерти в этой комнате, мистер Дэлглиш. Я так считаю, что пора ее насовсем запереть.

Прежде чем закончить с миссис Демери, Дэлглиш попросил ее никому ничего не говорить о том, как, по всей вероятности, был использован ее пылесос. Однако он не питал слишком больших надежд на то, что она сможет достаточно долго держать эту новость про себя.

Когда миссис Демери ушла, Дэниел спросил:

— Насколько надежны эти показания, сэр? Неужели она может и в самом деле отличить, давно убирали комнату или недавно? Это не просто игра ее воображения?

— Она же эксперт, Дэниел. И мисс Этьенн тоже отметила чистоту комнаты. Как призналась миссис Демери, полы ее не очень-то заботят. А здесь на полу совершенно нет пыли, даже в углах. Кто-то совсем недавно его пропылесосил, и это не была миссис Демери.

24

В конференц-зале четверо компаньонов все еще томились в ожидании. Габриел Донтси и Франсес Певерелл сидели за овальным столом рядом, но чуть отстраняясь друг от друга. Де Уитт стоял у окна, прижав одну руку к стеклу, словно ища опоры. Клаудиа пристально изучала огромную копию картины Каналетто* «Большой канал», висящую около двери. Великолепие этого зала как-то умаляло, делало более формальным бремя, легшее на плечи каждого из четверых, — бремя страха, горя, гнева, а может быть, и вины. Они словно участвовали в плохо поставленном спектакле, где на декорации потрачено целое состояние, но актеры — всего лишь любители, роли недоучены, движения неловки и дурно отрепетированы. Когда Дэлглиш и Кейт покинули зал, Франсес Певерелл сказала:

— Оставьте дверь открытой.

Де Уитт, ни слова не говоря, прошел к двери и оставил ее приоткрытой. Им всем необходимо было ощущать присутствие внешнего мира, слышать, пусть слабый и отдаленный, доносящийся лишь время от времени, звук людских голосов. Закрытая дверь слишком явно напоминала бы о пустом кресле в середине стола: она как будто ждала, чтобы Жерар Этьенн нетерпеливым шагом вошел в зал, а оно — чтобы сел на президентское место.

Не оборачиваясь, Клаудиа вдруг сказала:

— Жерару не нравилась эта картина. Он считал, что Каналетто вообще переоценивают. Что он пишет слишком точно, плоско,

* Каналетто (Джованни Антонио Канале, 1697—1768) — венецианский художник-пейзажист, весьма популярный у английской аристократии того времени, заказывавшей ему картины с видами Большого канала и венецианских карнавалов. Его ранние полотна отличаются выразительностью и свободой письма, но после 1730 г. он стал писать более гладко и точно, почти фотографично. Манерность и механистичность стиля в конце концов привели к резкому снижению популярности художника.

невыразительно. Жерар говорил, что легко может представить себе, как ученики аккуратненько пишут ему волны.

— Ему не Каналетто не нравился, — возразил Де Уитт, — а только эта картина. Он говорил, ему надоело постоянно объяснять посетителям, что это всего лишь копия.

Голос Франсес был едва слышен:

— Он терпеть ее не мог. Она напоминала ему о том, что дедушке в трудные времена пришлось продать оригинал, и всего за четвертую часть той суммы, которую за нее можно было взять.

— Нет, — твердо возразила Клаудиа. — Он терпеть не мог Каналетто.

Де Уитт медленно отошел от окна.

— Полицейские не торопятся, — сказал он. — Представляю себе, как миссис Демери наслаждается, изображая из себя уборщицу-кокни*, добродушную, но острую на язычок. Надеюсь, коммандер это оценит.

Клаудиа оторвалась от скрупулезного изучения полотна Каналетто.

— Поскольку она на самом деле уборщица-кокни, вряд ли можно сказать, что она «изображает из себя». Однако она и правда порой слишком много болтает, когда волнуется. Нам надо постараться этого не делать. Не слишком много болтать. Не сообщать полиции ничего такого, что им нет нужды знать.

— Что конкретно вы имеете в виду? — спросил Де Уитт.

— То, что мы не вполне были согласны в вопросе о будущем издательства. Полицейские мыслят устоявшимися клише. Поскольку действия преступников клишированы, возможно, такое мышление и есть сильная сторона полиции.

Франсес Певерелл подняла голову. Никто не видел, чтобы она плакала, но ее лицо было отекшим, глаза под припухшими веками потускнели, и, когда она заговорила, голос ее звучал хрипло и чуть раздраженно:

— Какое значение имеет, много болтает миссис Демери или нет? Какое значение имеет, что именно мы скажем? Никому из нас здесь нечего скрывать. Жерар умер от каких-то естественных причин... или это был несчастный случай, а тот, кто тут устраивает

* Кокни — житель рабочих районов Лондона, а также язык, характерный для этих районов, изобилующий неправильностями, грубыми словечками и поговорками, часто рифмованными, и отличающийся особым произношением.

нам злые розыгрыши, нашел его мертвым и решил сделать его смерть позагадочней. Вам, конечно, невероятно тяжело было найти его вот так, с обернутой вокруг шеи змеей. Но все это должно очень просто объясняться. Иначе и быть не может.

Клаудиа набросилась на нее с такой яростью, словно они обе были в разгаре ссоры:

— Какой такой несчастный случай? Вы предполагаете, это был несчастный случай? Какой? Что с Жераром случилось?

Казалось, Франсес съежилась на своем стуле, но голос ее был тверд:

— Я не знаю. Меня ведь при этом не было, не правда ли? Я всего лишь высказала предположение.

— Чертовски глупое предположение!

— Клаудиа! — Тон у Де Уитта был не строгий, а мягко увещевающий. — Нам сейчас не следует ссориться. Нам нужно сохранять спокойствие и держаться вместе.

— Как это — держаться вместе? Дэлглиш захочет говорить с каждым из нас по отдельности.

— Не физически вместе, а как партнеры. Как единая команда.

Франсес сказала снова, будто Де Уитт вовсе ничего не говорил:

— А может быть, инфаркт. Или инсульт. Это иногда случается с самыми здоровыми людьми.

— У Жерара было абсолютно здоровое сердце, — ответила Клаудиа. — Со слабым сердцем не взбираются на Маттерхорн*. И я не могла бы себе представить менее подходящий объект для инсульта.

Успокаивающим тоном вступился Де Уитт:

— Нам пока еще не известна причина смерти. Мы не узнаем, как он умер, пока не проведут аутопсию. А тем временем что нам-то здесь делать?

— Продолжать. Продолжать работать, — откликнулась Клаудиа.

— При условии, что мы сохраним штат сотрудников. Люди могут не захотеть остаться, если полиция заявит, что смерть Жерара не была естественной.

Смех Клаудии прозвучал громко и отрывисто, как рыдание:

— Естественной? Разумеется, она не была естественной! Его нашли мертвым, полуголым и со змеей вокруг шеи, а ее голова

---

* Маттерхорн — альпийский пик на границе между Швейцарией и Италией, его высота — 4477 м.

была засунута ему в рот! Даже самый доверчивый полицейский не смог бы назвать эту смерть естественной.

— Я просто хотел сказать — если наши сотрудники заподозрят, что это убийство. У всех у нас в головах крутится это слово. Пора бы уже кому-то произнести его вслух.

— Его убили? — спросила Франсес. — С какой стати кому-то понадобилось его убивать? И крови же нигде видно не было, правда? И оружия не нашли. И никто не мог его отравить. Каким ядом? И когда он мог его выпить?

— Есть и другие способы, — ответила ей Клаудиа.

— Вы хотите сказать, что его задушили? Шипучим Сидом? Но ведь Жерар был очень сильный. Чтобы его задушить, надо было сначала его одолеть. — Никто ей не ответил, и она продолжала: — Послушайте, я не понимаю, почему вы оба так держитесь за предположение, что Жерара убили.

Де Уитт подошел и сел рядом с ней. Он заговорил очень мягко:

— Франсес, никто не держится за это предположение. Мы просто пытаемся рассмотреть и такую возможность. Но вы, разумеется, правы, лучше всего подождать, пока мы не узнаем, как он на самом деле умер. Для меня загадка, как он вообще оказался в малом архивном кабинете. Не помню, чтобы он когда-нибудь поднимался на верхний этаж. А вы, Клаудиа?

— Нет. И не может быть, чтобы он там работал. Если бы он решил пойти наверх работать, он не оставил бы ключи в правом верхнем ящике стола. Вы же знаете, как он был пунктуален в вопросах безопасности. Ключи лежали в этом ящике, только когда он работал у себя за столом. Если он уходил из кабинета, не важно, надолго или нет, он надевал пиджак и клал связку ключей обратно в карман. Нам всем не раз приходилось это видеть.

— То, что его нашли в малом архивном, — заметил Де Уитт, — вовсе не обязательно значит, что он умер именно там.

Клаудиа подошла и села напротив, перегнувшись к нему через стол:

— Вы хотите сказать, что он умер у себя в кабинете?

— Умер или был убит в кабинете, а затем перенесен в малый архивный кабинет. Он мог умереть естественной смертью у себя за столом — от инфаркта или от инсульта, как предположила Франсес, а затем его тело перенесли наверх.

— Но это потребовало бы недюжинной силы.

— Нет, если воспользоваться тележкой для перевозки книг и поднять тело на лифте. Около лифта почти все время стоит такая тележка.

— Но ведь полиция всегда может сказать, переносили тело после смерти или нет, разве не так?

— Так, если труп находят не в доме. Тогда остаются следы почвы, веточки, примятая трава, признаки того, что тело тащили... Не уверен, что это так же легко определить, если труп обнаруживают в здании. Но это — одна из возможностей, которую полицейские, видимо, примут во внимание. Думаю, рано или поздно они снизойдут до того, чтобы хоть что-то нам сообщить. Они там, наверху, не очень-то торопятся.

Эти двое разговаривали друг с другом так, будто в зале больше никого не было. Неожиданно Франсес сказала:

— Вам непременно надо обсуждать это так, словно смерть Жерара — просто головоломка или детективная история, что-то такое, что мы прочли или видели по телевизору? Мы же говорим о Жераре, не о ком-то чужом, не о персонаже какой-то пьесы! Жерар умер. Он лежит наверху с этой кошмарной змеей вокруг шеи, а мы сидим тут, как будто нам это безразлично.

Клаудиа обратила на нее задумчивый, чуть презрительный взгляд:

— А чего вы, собственно, от нас ждете? Чтобы мы сидели тут молча? Или читали хорошую книгу? Узнали у Джорджа, не пришли ли свежие газеты? По-моему, разговор помогает. Жерар — мой брат. Если я способна — в разумных пределах — хранить спокойствие, то и вы можете. Вы, хоть и не так уж долго, делили с ним постель, но вы никогда не были частью его жизни.

— А вы, Клаудиа? Или кто-то из нас? — тихо спросил Де Уитт.

— Нет. Но когда до меня дойдет, что он и правда умер, когда я до конца поверю, что это действительно произошло, я стану горевать о нем, можете не сомневаться. А пока — нет. Не сейчас и не здесь.

Все это время Габриел Донтси сидел молча, не поворачивая головы, смотрел за окно — на Темзу. Сейчас он впервые заговорил, и все они повернулись и посмотрели на него, как бы вдруг вспомнив, что он тоже здесь. Он спокойно сказал:

— Я думаю, он мог умереть от отравления угарным газом. Цвет кожи ярко-розовый — это один из явных признаков, к тому же в комнате было необычайно тепло. Вы не заметили, Клаудиа, что в комнате необычайно тепло?

Какое-то мгновение все молчали. Потом Клаудиа ответила:

— Я очень мало что заметила, кроме Жерара и этой змеи. Вы хотите сказать, что он отравился газом?

— Да, я хочу сказать, что он отравился газом.

Два последних слова будто прошипели в воздухе.

— Но разве новый газ со дна Северного моря не безвреден? — спросила Франсес. — Я думала, теперь уже невозможно покончить с собой, засунув голову в духовку.

Объяснять принялся Де Уитт:

— Этот газ не отравляет дыхание. Он абсолютно безопасен при условии, что им правильно пользуются. Но если Жерар включил газовый камин, а комната не проветривалась, как надо, камин мог гореть неправильно и вырабатывать угарный газ. Жерар мог утратить ориентацию и потерять сознание, прежде чем понял, что происходит.

— А потом кто-то нашел его мертвым, выключил газ и обернул змею вокруг шеи, — сказала Франсес. — Значит, произошел несчастный случай, как я и говорила.

Снова тихо и спокойно заговорил Донтси:

— Все совсем не так просто. Зачем ему понадобилось зажигать камин? Вчера вечером было не особенно холодно. А если он зажег камин, зачем закрывать окно? Оно было закрыто, когда я увидел Жерара мертвым, а я оставил окно открытым, когда уходил в понедельник. В понедельник я последний раз там работал.

— А если он планировал работать в архиве так долго, что ему понадобилось зажечь камин, почему он оставил пиджак и ключи у себя в кабинете? — спросил Де Уитт. — Все это абсолютная бессмыслица.

В наступившей тишине Франсес вдруг воскликнула:

— Мы забыли о Люсинде! Кто-то должен ей сообщить.

— Господи, ну конечно же, — сказала Клаудиа. — О леди Люсинде мы вечно склонны забывать. Почему-то я не думаю, что она может с горя броситься в Темзу. Эта помолвка мне всегда казалась несколько странной.

— Все равно мы не можем допустить, чтобы она узнала об этом из утренних газет или из программы «Новости юго-восточного Лондона», — заметил Де Уитт. — Надо, чтобы кто-то из нас позвонил леди Норрингтон. Она сама сообщит дочери неприятную новость. Лучше, чтобы она услышала это от вас, Клаудиа.

— Думаю, вы правы. Лишь бы не пришлось ехать туда с утешениями. Пожалуй, стоит позвонить прямо сейчас. Сделаю это из своего кабинета, то есть если полиция его еще не оккупировала. Полицейские у нас в издательстве — все равно что мыши в доме. Слышишь, как они скребутся, даже когда их на самом деле не видно и не слышно, и раз уж они тут завелись, чувство такое, что от них никогда не избавишься.

Она поднялась на ноги и неверными шагами направилась к двери, неестественно высоко держа голову. Донтси попытался было встать, но одеревеневшие суставы, казалось, не желали слушаться хозяина, так что ей на помощь быстро двинулся Де Уитт. Однако Клаудиа отрицательно тряхнула головой, мягко отвела поддержавшую ее руку и вышла.

Не прошло и пяти минут, как она вернулась со словами:

— Ее нет дома. Вряд ли такое сообщение следует оставлять на автоответчике. Попробую позвонить позже.

— А как быть с вашим отцом? — спросила Франсес. — Ведь ему сообщить еще важнее.

— Конечно, ему сообщить важнее. Я сегодня вечером поеду к нему.

Тут дверь отворилась без предваряющего стука, и в зал заглянул сержант-детектив Роббинс:

— Мистер Дэлглиш просит извинить его за то, что заставил вас ждать дольше, чем рассчитывал. Он будет признателен, если мистер Донтси сможет сейчас подняться в малый архивный кабинет.

Донтси встал, но одеревеневшие от долгого сидения члены сделали его неловким. Он сбил со спинки стула висевшую там трость, и она с грохотом покатилась по полу. Габриел и Франсес одновременно опустились на колени, чтобы ее поднять. После некоторой заминки или, как остальным показалось, небольшой потасовки и обмена несколькими едва слышными, прямо-таки заговорщическими репликами, Франсес завладела тростью и, выбравшись из-под стола с раскрасневшимся лицом, вручила ее Донтси. Он постоял несколько мгновений, тяжело опираясь на трость, потом снова повесил ее на спинку стула и направился к двери без ее помощи, медленным, но твердым шагом.

Когда он вышел, Клаудиа Этьенн проговорила:

— Интересно, за что Габриелу такая привилегия? Почему его вызвали первым?

Джеймс Де Уитт ответил:

— Вероятно, потому, что он пользуется малым архивным кабинетом чаще, чем большинство из нас.

— Не помню, чтобы я вообще когда-нибудь им пользовалась, — сказала Франсес. — В первый раз я попала туда, когда выносили диван. Вы ведь туда тоже не ходите, да, Джеймс?

— Я там, наверху, никогда не работал, во всяком случае, не дольше чем полчаса. Последний раз был там примерно месяца три назад. Ходил искать наш первый контракт с Эсме Карлинг. Не нашел.

— Вы хотите сказать, что не нашли старой папки с ее документами?

— Нет. Папку-то я нашел. Отнес ее в малый архивный, чтобы там внимательно просмотреть. Первого контракта в папке не было.

Не проявляя особого интереса, Клаудиа заметила:

— Ничего удивительного. Эсме Карлинг не сходит со страниц нашего каталога вот уже тридцать лет. Этот контракт могли двадцать лет назад куда-то не туда положить. — Вдруг, с неожиданной силой, она воскликнула: — Послушайте, с какой стати я должна попусту тратить время только потому, что Адам Дэлглиш желает поболтать с коллегой-поэтом?! Нам вовсе не обязательно всем оставаться здесь, в зале.

— Но он говорил, что хочет видеть нас всех вместе, — неуверенным тоном возразила Франсес.

— Ну так он уже видел нас всех вместе. Теперь он вызывает нас по отдельности. Когда я ему понадоблюсь, он найдет меня в кабинете. Будьте добры сказать ему, что я у себя.

Когда она ушла, Джеймс сказал:

— Знаете, она права. Может, у нас и нет настроения работать, но ведь еще хуже сидеть здесь, ждать и смотреть на это пустое кресло.

— Но ведь мы на него вовсе не смотрим. Мы очень старательно на него не смотрим, все время отводим глаза в сторону, как будто Жерар — предмет, вызывающий стыд или смущение. Я не могу работать, но мне хотелось бы выпить еще кофе.

— Тогда пойдем за ним. Миссис Демери должна быть где-то здесь. По правде говоря, мне хотелось бы услышать ее собственный рассказ об интервью с Дэлглишем. Если это не скрасит ситуацию, то ее уже ничто не сможет скрасить.

Они вместе пошли к двери. Уже на пороге Франсес сказала:

— Джеймс, мне так страшно! Я должна бы испытывать горе, потрясение, ужас от происшедшего. Мы же были любовниками! Я когда-то любила его, а теперь он умер. Я должна бы думать о нем, об ужасной необратимости его смерти. Должна бы молиться о нем. Я пыталась, но у меня получалась не молитва, а пустые, ничего не значащие слова. То, что я сейчас испытываю, абсолютно эгоистично, подло, постыдно. Это просто страх.

— Страх перед полицией? Дэлглиша в грубости не обвинишь.

— Нет, не перед полицией. Гораздо хуже. Я напугана тем, что здесь у нас происходит. Эта змея... Тот, кто это сделал с Жераром, — воплощенное зло! Разве вы не чувствуете этого? Не чувствуете присутствия зла в Инносент-Хаусе? Мне кажется, я чувствую это уже много месяцев подряд. То, с чем мы сегодня столкнулись, кажется мне неминуемым концом, к которому и вели все эти мелкие неприятности. Мои мысли должны быть о Жераре, я должна горевать о нем. Но это не так! Я испытываю только ужас, ужас и страшное предчувствие, что это еще не конец.

— Не бывает чувств правильных и неправильных, — мягко сказал Джеймс. — Мы чувствуем то, что чувствуем. Сомневаюсь, что хотя бы один из нас по-настоящему горюет о Жераре, даже Клаудиа. Жерар был человек выдающийся. Но его трудно было полюбить. Я пытаюсь убедить себя, что то, что я сейчас испытываю — это горе. Но это не более чем та, всем свойственная и бессильная, печаль, какую испытываешь, когда умирает молодой, талантливый, здоровый человек. И даже эта печаль окрашена любопытством, приперченным смутным чувством страха. — Он взглянул ей в глаза и продолжал: — Я здесь, с вами, Франсес. Когда я буду вам нужен — если я буду вам нужен, — помните: я здесь. Я не стану вам надоедать. Не стану навязывать себя, пользуясь тем, что потрясение и страх сделали нас обоих беззащитными. Я просто предлагаю вам все, что может вам быть нужно, и тогда, когда это будет вам нужно.

— Я знаю, Джеймс. Спасибо.

Она протянула руку и на миг прижала ладонь к щеке Де Уитта. Впервые Франсес коснулась его по собственной воле. Она шагнула к двери и, отвернувшись от него, не заметила, какой радостью и торжеством озарилось его лицо.

25

Двадцать лет назад Дэлглиш слушал, как Габриел Донтси читает свои стихи в зале Перселла*, на южном берегу Темзы. Он не намеревался говорить Донтси об этом, но, пока он ждал старика, тот вечер вспомнился ему так ярко, что он прислушивался к шагам, приближавшимся к нему через помещение архива, с нетерпеливым, почти юношеским волнением. Именно первая из двух мировых войн породила гораздо более великую поэзию, и Адам порой задумывался над тем, почему же так случилось. Не потому ли, что 1914 год знаменовал смерть простодушия и невинности, что в этом катаклизме погибло нечто большее, чем унесенное войной блистательное поколение? Но несколько лет — неужели только три года? — казалось, что Габриел Донтси может стать Уилфридом Оуэном своего времени, своей — совсем другой — войны. Однако обещание тех первых двух томиков так и не было выполнено: Донтси больше ничего не опубликовал. Дэлглиш говорил себе, что слово «обещание», предполагающее пока еще не реализовавшийся талант, здесь вряд ли применимо. Одно или два из тех ранних стихотворений достигали такого уровня, до которого мало кто из послевоенных поэтов смог дотянуться.

После того поэтического вечера Дэлглиш разузнал о Донтси все, что тот хотел, чтобы о нем знали: как, живя во Франции, он уехал в Англию по делам, а тут как раз началась война. Жена и двое детей не смогли уехать, оказавшись из-за немецкого вторжения словно в ловушке. Они бесследно исчезли — никто ничего не знал об их судьбе, они не числились ни в каких официальных бумагах. Только после многих лет поисков, когда война уже окончилась, Донтси удалось выяснить, что все трое, жившие под чу-

---

* Перселл, Генри (1659—1695) — первый оперный композитор Англии. Его опера «Дидона и Эней» (1689) ушла от традиции масок и создала новую драматическую почву для оперных произведений, наделив оперную музыку эмоциональной выразительностью. В XX в. его влияние на творчество английских композиторов-вокалистов снова стало весьма заметным.

жой фамилией, чтобы избежать лагеря для интернированных, погибли во время британской бомбовой атаки на оккупированную Францию. Сам Донтси служил в ВВС Великобритании, в эскадрилье бомбардировщиков, но судьба уберегла его от предельной трагической иронии: в той бомбовой атаке он не участвовал. Его поэзия была поэзией современной войны, это были стихи об утратах, горе и страхе, о дружбе и мужестве, о трусости и поражении. Мощные, пластичные, жестокие, они сверкали лирическими строками необычайной красоты, звучали в мозгу, словно разрывы снарядов. Огромные «ланкастеры» тяжеловесными чудищами вздымались вверх, неся в брюхе смерть; темные безмолвные небеса взрывались какофонией страха; мальчишки его экипажа, за которых он, немногим старше их, был в ответе, неловкие в своем неуклюжем снаряжении, взбирались в хрупкую металлическую раковину... И так ночь за ночью, назубок выучив арифметику выживания, понимая, что эта ночь может быть последней, что — вполне вероятно — именно в эту ночь они будут пылающими факелами падать с неба на землю. И всегда — чувство вины, ощущение, что этот еженощный ужас, одновременно пугающий и желанный, есть искупление, что происходит предательство, которое может искупить лишь смерть, твое личное предательство, словно в зеркале отражающее великую всемирную опустошенность.

А теперь он был здесь, этот ничем не примечательный старый человек, — если вообще можно о старом человеке сказать, что он ничем не примечателен, — не согбенный, но волевым усилием держащийся прямо, как будто стойкость и мужество могут с успехом преодолевать разрушительные бесчинства времени. Старость порой порождает полноту, скрывающую характер в безличии морщин, либо, как в этом случае, обнажает лицо так, что лицевые кости выступают, словно у скелета, ненадолго одетого сухой и тонкой, как бумага, плотью. Однако волосы его, хотя и поседевшие, были по-прежнему густыми, а глаза такими же живыми и темными, какими Адам их помнил. Сейчас эти глаза смотрели на него пристальным, вопрошающе-ироничным взглядом.

Дэлглиш быстрым движением выдвинул из-за стола стул и поставил у двери. Донтси сел.

— Вы поднимались сюда с лордом Стилгоу и мистером Де Уиттом, — начал Дэлглиш, — что-нибудь поразило вас в этой комнате, если не говорить о находившемся здесь трупе?

— Не сразу, если не говорить о неприятном запахе. Труп, полуобнаженный, гротескно декорированный — каким был труп Жерара Этьенна, — резко воздействует на все чувства сразу. Через минуту, возможно, чуть раньше, я увидел и кое-что другое, да к тому же с необычайной ясностью. Комната показалась мне другой, какой-то непохожей на себя. Она выглядела пустой, хотя это было не так, необычайно чистой и гораздо более теплой, чем всегда. Труп, казалось, был в каком-то... в каком-то беспорядке, зато комната — в абсолютном порядке. Стул аккуратно стоял на своем месте, папки так же аккуратно лежали на столе. Я, разумеется, заметил, что магнитофона на столе нет.

— Папки лежали так же, как вы их оставили?

— Не так, как мне запомнилось. Корзинки для папок были переставлены. Та, в которой их меньше, должна бы стоять слева. У меня было две стопки папок, правая — выше, чем левая. Я работаю слева направо, с шестью — десятью папками в день, в зависимости от их толщины. Когда я заканчиваю обрабатывать папку, я перекладываю ее направо. Когда все шесть дел обработаны, я возвращаю папки в главный архив и закладываю линейку рядом с последней, чтобы видно было, сколько я уже сделал.

— Мы заметили линейку в промежутке между папками на нижней полке второго ряда, — сказал Дэлглиш. — Что же, значит, вы обработали только один ряд?

— Это очень медленный процесс. Меня начинают интересовать даже те старые письма, которые не стоит сохранять. Я нашел множество таких... писем от писателей XX века и некоторых других, переписывавшихся с Генри Певереллом и его отцом, даже если издательство никогда не публиковало их работы. Есть, например, письма Герберта Уэллса, Арнолда Беннета, членов Блумсберийской группы, и даже более ранние.

— Какой системы работы вы придерживаетесь?

— Я задиктовываю на магнитофон описание содержимого папки и свои рекомендации: «Уничтожить», «Не решено», «Сохранить», «Очень важно». Затем машинистка печатает список, и на совещании директоров его обсуждают. Покамест ничего еще не выбрасывали. До тех пор пока не решен вопрос о будущем издательства, представляется неразумным что-то уничтожать.

— Когда вы пользовались этой комнатой в последний раз?

— В понедельник. Я работал здесь целый день. Миссис Демери заглянула в дверь часов в десять, но сказала, что не станет меня беспокоить. Это помещение убирают раз в четыре недели, да и то поверхностно. Она предупредила меня, что оконный шнур растрепался, и я пообещал, что поговорю об этом с Джорджем, скажу, чтобы он привел его в порядок. С Джорджем я еще не говорил.

— А сами вы не заметили, что шнур не в порядке?

— Боюсь, что нет. Окно оставалось открытым много недель подряд. Я предпочитаю работать с открытым окном. Думаю, я заметил бы это, если бы стало холоднее.

— Как вы обогреваете комнату?

— Только электрокамином. Своим собственным. Я предпочитаю его газовому. Не хочу сказать, что считаю газовый камин небезопасным, просто я не курю и у меня вечно нет при себе спичек, даже когда они могут понадобиться. Легче было принести сюда из дома электрический рефлектор. Он очень легкий, и я либо забираю его с собой, когда ухожу, либо оставляю здесь, если собираюсь работать на следующий день. В понедельник я унес его домой.

— А дверь осталась незапертой, когда вы ушли отсюда?

— Да, конечно. Я никогда ее не запираю. Ключ всегда в замке с этой стороны. Но я никогда им не пользовался.

— Замок кажется довольно новым. Кто его поставил?

— Генри Певерелл. Ему нравилось здесь время от времени работать. Не знаю почему, но он был по натуре отшельником. Думаю, он полагал, что замок в двери даст ему ощущение большей уединенности. Однако на самом деле замок не такой уж новый — он, разумеется, гораздо новее двери, но мне кажется, ключ торчит здесь по меньшей мере уже лет пять.

— И все же им пользовались не лет пять назад, — возразил Дэлглиш. — Замок постоянно смазывали, и ключ поворачивается легко.

— Неужели? Я им не пользуюсь, так что не мог заметить. Но то, что его смазывали, меня удивляет. Это могла бы делать миссис Демери, только что-то не верится.

— Вам нравился Жерар Этьенн? — спросил Дэлглиш.

— Нет. Но я его уважал. Не за те качества, какие непременно вызывают уважение, а за то, что он был совсем иным, чем я. У его недостатков были свои достоинства. И он был молод. Конечно, рано было полностью ему доверяться или возлагать на него слишком большую ответственность, но молодость рождала в нем энтузиазм, который многим из нас уже несвойственен, а издательству это, по-моему, необходимо. Мы могли ворчать по поводу того, что он делал, нам могло не нравиться то, что он предлагал сделать, но он по крайней мере знал, к чему стремился. Думаю, без него мы окажемся, так сказать, без руля и без ветрил.

— А кто теперь заступит на место директора-распорядителя?

— О, разумеется, его сестра, Клаудиа Этьенн. Этот пост в издательстве полагается занимать тому, у кого больше всего акций компании. Насколько мне известно, она наследует его долю. Это даст ей абсолютное большинство.

— И что она сделает?

— Не знаю. Вам нужно спросить у нее. Сомневаюсь, что она сама это знает. Она ведь только что потеряла брата. Вряд ли ее сейчас очень занимают мысли о будущем «Певерелл пресс».

Дэлглиш стал расспрашивать Донтси о том, как он провел предыдущие день и ночь. Донтси опустил голову и с грустной иронией улыбнулся. Он был слишком умен, чтобы не понять, что его спрашивают, есть ли у него алиби. Он немного помолчал, как бы собираясь с мыслями. Потом сказал:

— С десяти до одиннадцати тридцати я был на совещании директоров. Жерар не любил, чтобы совещание затягивалось долее двух часов. Но вчера мы закончили раньше обычного. После заседания, когда мы с ним шли из конференц-зала вниз по лестнице, он говорил со мной о будущем каталоге издаваемых поэтов. Кроме того, мне кажется, он пытался заручиться моим согласием на продажу Инносент-Хауса и переезд издательства в Доклендс.

— Вы сочли это желательным?

— Я счел это необходимым. — Он помолчал, потом добавил: — К сожалению.

Он опять сделал паузу, затем снова заговорил, медленно и раздумчиво, почти без выражения и часто останавливаясь, как бы подбирая слова. Время от времени он хмурил брови, словно воспоминания причиняли ему боль или он не был уверен в их точности. Дэлглиш слушал его монолог, не перебивая.

— После того как я ушел из Инносент-Хауса, я отправился к себе домой — подготовиться к деловому ленчу. Когда я говорю «подготовиться», я всего-навсего имею в виду, что мне надо провести расческой по волосам и вымыть руки. Много времени это не заняло. Я пригласил молодого поэта Дэймиена Смита на ленч в ресторан «Айви»*. Жерар часто говорил, что Де Уитт и я тратим деньги на приемы для авторов в обратной пропорции к их значимости для издательства. А я подумал, что мальчику будет интересно в «Айви». Я должен был быть там в час дня и отправился катером до Лондонского моста, а оттуда на такси — до ресторана. Мы провели за ленчем около двух часов, и я возвратился домой примерно в половине четвертого. Вскипятил себе чай и к четырем вернулся в свой кабинет в Инносент-Хаусе. Работал здесь часа полтора.

В последний раз я видел Жерара, когда пошел в туалет на первом этаже. Это тот, что в дальней части дома, рядом с душевой. Женщины обычно пользуются туалетом на втором этаже. Жерар выходил оттуда, как раз когда я входил. Мы не разговаривали, но он то ли кивнул мне, то ли улыбнулся. Просто мимолетный знак, что тебя заметили, только и всего. Больше я его не видел. Пошел домой и часа два провел, перечитывая стихи, которые отобрал для вечера. Обдумывал их, варил кофе. Слушал шестичасовые новости по Би-би-си. Вскоре позвонила Франсес Певерелл — пожелать мне удачи. Предложила поехать со мной. Думаю, она считала, что кто-то там от издательства должен быть. Мы уже говорили об этом несколькими днями раньше, и мне удалось ее отговорить. Среди поэтов, которые должны были читать стихи на том вечере, была Мэриголд Райли. Она неплохой поэт, но многие ее стихи грубо порнографичны. Я понимал, что Франсес не понравятся ни стихи, ни публика, ни атмосфера вечера. Я сказал, что предпочел бы быть один, что ее присутствие заставит меня волноваться. И это было не совсем неправдой. Я не читал своих стихов публично более пятнадцати лет. Большинство присутствующих могли предположить, что меня и на свете-то нет. Я уже жалел, что вообще согласился пойти. Присутствие там Франсес заставило бы меня волноваться о ней, думать, хорошо ли ей там, нравится ли ей вечер? Все это только обострило бы травматичность происходящего. Я вызвал такси и уехал вскоре после половины восьмого.

— Как вскоре? — спросил Дэлглиш.

— Я просил, чтобы такси подъехало в переулок в восемь сорок пять. Полагаю, что заставил водителя ждать всего несколько ми-

---

* «Айви» — клуб-ресторан, где обедает главным образом интеллектуальная элита Лондона.

нут, не больше. — Он снова помолчал, потом продолжил: — То, что происходило в «Коннот армз», вас вряд ли заинтересует. Там было довольно много людей, которые могли бы подтвердить мое присутствие на вечере. Мне кажется, чтения прошли несколько лучше, чем я рассчитывал, но в зале было слишком много народу и слишком шумно. Я как-то не успел понять, что поэзия стала публичным спортом. Там много пили и много курили, а некоторые поэты считались только с собой. Вечер сильно затянулся. Я хотел попросить хозяина вызвать по телефону такси, но он был занят разговором с группой каких-то людей, и я вышел более или менее незаметно. Я надеялся взять такси на углу улицы, но не успел туда дойти — на меня напали какие-то трое. Кажется, двое черных и один белый, но опознать их я бы не смог. Я просто почувствовал, что кто-то подбегает сзади, потом — сильный толчок в спину, руки, лезущие ко мне в карманы. Им даже не надо было нападать на меня. Если бы попросили, я и так отдал бы им свой бумажник. А что еще я мог бы сделать?

— Они его забрали?

— Конечно, забрали. Во всяком случае, его не было, когда я проверил карман. Падение меня на миг оглушило. Когда я пришел в себя, надо мной наклонились мужчина и женщина. Они присутствовали на чтениях и пытались меня догнать. Когда я упал, я ударился головой. Шла кровь — не очень много. Я достал платок и зажал рану. Попросил их отвезти меня домой, но они сказали, что поедут мимо больницы Святого Фомы, и настойчиво уговаривали меня там остаться. Говорили, что надо сделать рентген. Я никак не мог убедить их отвезти меня домой или найти такси. Они были очень добры, но мне показалось — им не очень-то хотелось сворачивать со своего пути. В больнице мне пришлось довольно долго ждать. В травматологическом отделении были гораздо более срочные случаи. Через некоторое время сестра перевязала рану на голове и сказала, что надо сделать рентген. Это означало — снова ждать. Результат был удовлетворительный, однако меня хотели оставить на ночь, чтобы более детально обследовать. Но я заверил их, что за мной будут хорошо ухаживать дома, и объяснил, что не готов к госпитализации. Попросил, чтобы из больницы позвонили Франсес, рассказали, что случилось, и вызвали такси. Я подумал, что она, возможно, ждет моего возвращения, чтобы узнать, как прошел вечер, и будет волноваться, что я не вернулся к одиннадцати. Домой я попал примерно в половине второго и сразу же позвонил Франсес. Она хотела, чтобы я поднялся к ней домой, но я сказал, что чувствую себя нормально и что сейчас мне нужнее всего горячая ванна. Как только я принял ванну, я снова ей позвонил, и она тотчас же спустилась ко мне.

— А она не стала настаивать на том, чтобы спуститься к вам, как только вы вернулись? — спросил Дэлглиш.

— Нет. Франсес никогда не пытается навязать свое присутствие, если думает, что человек хочет побыть один. А мне хотелось побыть одному, хотя бы некоторое время. Я не был готов объясняться, выслушивать слова сочувствия. Больше всего мне хотелось выпить и принять ванну. Я сделал и то и другое и позвонил Франсес. Я понимал, что она волнуется, и не хотел заставлять ее ждать до утра, чтобы узнать, что случилось. Я думал, от виски мне станет лучше, но почувствовал себя больным и слабым. Думаю, наступило состояние отложенного шока. К тому времени, как она постучала в дверь, мне уже было очень нехорошо. Мы недолго посидели вдвоем, потом Франсес настояла, чтобы я лег в постель. Она сказала, что останется у меня на случай, если мне что-то вдруг понадобится. Я думаю, она боялась, что мне на самом деле гораздо хуже, чем я давал ей понять, и что ей следует быть под рукой, если что-нибудь со мной случится и понадобится вызвать врача. Я не пытался ее отговорить, хоть и знал: все, что мне нужно, — это хороший ночной сон. Я полагал, что она ляжет спать в свободной спальне, но она, кажется, завернулась в плед и просидела всю ночь в гостиной, рядом с моей комнатой. Утром, когда я проснулся, она была уже одета и принесла мне чашку чаю. Франсес уговаривала меня побыть этот день дома, но к тому времени, как я оделся, я уже чувствовал себя гораздо лучше и решил пойти в Инносент-Хаус. Мы вместе вошли в большой холл, как раз после того, как прибыл первый катер. Тут нам и сказали, что Жерара нигде нет.

— Тогда вы впервые узнали об этом? — спросил Дэлглиш.

— Да. У него вошло в привычку работать дольше, чем любой из нас, особенно по четвергам. Зато по утрам он обычно приходил позже, чем остальные, кроме тех дней, когда шли совещания директоров. Он любил начинать ровно в десять. Я, естественно, предполагал, что он ушел домой примерно тогда, когда я отправился на вечер.

— Но вы не видели его, когда уезжали в «Коннот армз»?

— Нет, я его не видел.

— И не видели, чтобы кто-то входил в Инносент-Хаус?

— Нет. Я никого не видел.

— А когда вам сообщили, что он мертв, вы втроем поднялись в малый архивный кабинет?

— Да, лорд Стилгоу, Де Уитт и я поднялись в малый архивный. Это была, я думаю, естественная реакция на сообщение: хотелось самим убедиться, так ли это. Джеймс первым туда добежал. Стилгоу и я не могли за ним угнаться. Когда мы пришли, Клаудиа все еще стояла на коленях у тела брата. Она встала, повернулась к нам и протянула к нам руку... Жест был какой-то странный. Она будто выставляла это чудовищное преступление на всеобщее обозрение.

— Как долго вы оставались в комнате?

— Это должно было занять меньше минуты. Но казалось гораздо дольше. Мы все сгрудились вместе в дверном проеме, смотрели, не отрывая глаз, не веря и ужасаясь. Кажется, никто не произнес ни слова. Знаю, что я молчал. Все в комнате виделось необычайно четко. Похоже, что шок придал моим глазам особую остроту восприятия. Я видел все до мелочей на теле Жерара и в самой комнате с необычайной ясностью. Тут заговорил Стилгоу. Он сказал: «Я позвоню в полицию. Здесь мы ничего сделать не сможем. Комната должна быть немедленно заперта, и я буду держать ключ у себя». Он взял дело в свои руки. Все вышли вместе. Клаудиа заперла за нами дверь. Стилгоу забрал ключ. Остальное вам известно.

26

В бесчисленных разговорах и спорах, занимавших сотрудников «Певерелл пресс» в течение многих недель и месяцев после трагедии, все согласились на том, что пережитое Марджори Спенлав было опытом совершенно уникальным. Мисс Спенлав, старший редактор, явилась в Инносент-Хаус точно в свое обычное время, а именно — в 09.15 утра. Она еле слышно сказала сидевшему у коммутатора Джорджу «Доброе утро», но тот, потрясенный происходящим, ее не заметил. Лорд Стилгоу, Донтси и Де Уитт находились наверху, у трупа, в малом архивном кабинете, миссис Демери в раздевалке нижнего этажа приводила Блэки в чувство, окруженная остальными сотрудниками издательства, и холл на какое-то время оставался совершенно пустым. Мисс Спенлав прошла прямо к себе в кабинет, сняла жакет и принялась за работу. Работая, она обычно не замечала вокруг ничего, кроме лежащего перед ней текста. Все в «Певерелл пресс» утверждали, что ни в одном из литературных текстов, отредактированных мисс Спенлав, невозможно было найти ни одной пропущенной ошибки или опечатки. Лучше всего ей удавалась работа с документальными и научными произведениями, хотя изредка ей бывало трудновато в текстах современных молодых авторов отличить грамматические ошибки от культивируемого ими и столь хваленого «непринужденного» стиля. Ее редактура касалась не только смысла слов, их употребления и формы: ни одна географическая или историческая неточность не ускользала от ее внимания, никакие несоответствия в погоде, топографии местности или одежде не оставались незамеченными. Авторы ее очень ценили, несмотря на то что их беседы с ней по поводу окончательного одобрения текста оставляли у них такое чувство, будто они только что пережили весьма травматическую встречу с наводящей ужас школьной директрисой.

Сержант Роббинс вместе с констеблем-детективом обыскивали Инносент-Хаус вскоре после своего прибытия туда. Обыск был довольно поверхностный: никто всерьез не мог и представить себе, что убийца все еще находится в здании, если только он не один из сотрудников издательства. Поэтому сержант Роббинс, возможно, вполне простительно, не стал заглядывать в небольшой туалет на третьем этаже. Когда он направлялся вниз, чтобы вызвать Донтси, его острый слух уловил легкое покашливание в соседнем с туалетом помещении. Открыв дверь, сержант неожиданно обнаружил перед собой пожилую даму, работающую за письменным столом. Сурово глядя на него поверх очков-полулун, дама спросила:

— Позвольте, кто вы такой?

— Сержант-детектив Роббинс из столичной полиции. Как вы сюда попали?

— Через дверь. Это мой кабинет. Я здесь работаю. Я старший литературный редактор издательства «Певерелл пресс». Как таковая, я имею полное право здесь находиться. И весьма сомневаюсь, что то же самое можно сказать о вас.

— Я здесь по долгу службы, мадам. Мистер Жерар Этьенн был обнаружен мертвым. Смерть при подозрительных обстоятельствах.

— Вы хотите сказать, что его кто-то убил?

— Мы пока не вполне уверены в этом.

— Когда же он умер?

— Мы узнаем об этом точнее, когда получим протокол от судебного патологоанатома.

— Как он умер?

— Нам пока еще не известна причина смерти.

— Мне кажется, молодой человек, что вам слишком мало известно. Возможно, вам лучше прийти сюда, когда вы будете владеть более полной информацией.

Сержант Роббинс открыл было рот, но тут же решительно закрыл его, едва удержавшись от ответа: «Да, мисс. Непременно, мисс». Он тотчас исчез, плотно затворив за собой дверь, и только на полпути вниз вспомнил, что так и не спросил фамилию этой женщины. Он, разумеется, сможет узнать ее со временем. Это было незначительное упущение во время очень короткой встречи, однако ему пришлось признать, что встреча эта прошла не очень-то удачно. А так как он был человеком честным и склонным к некоторой рефлексии, Роббинс признал также, что причиной отчасти было необычайное сходство голоса и внешности этой женщины с голосом и внешностью мисс Аддисон, которая была его первой учительницей, когда он пришел в школу из детского сада, и которая верила, что дети ведут себя лучше всего и более всего счастливы, если твердо знают, кто здесь хозяин.

Мисс Спенлав гораздо сильнее потрясло сообщение сержанта, чем она дала ему понять. Завершив работу над страницей текста, она позвонила на коммутатор.

— Джордж, не могли бы вы соединить меня с миссис Демери? — Желая получить информацию, она всегда обращалась только к экспертам. — Миссис Демери? Тут какой-то молодой человек разгуливает по издательству и утверждает, что он сержант-детектив из столичной полиции. Он сообщил мне, что мистер Этьенн мертв. Возможно — убит. Если вам что-нибудь по этому поводу известно, не могли бы вы подняться в мой кабинет и осведомить меня об этом? И я вполне готова выпить кофе.

Миссис Демери, оставив Блэки на попечении Мэнди, была только рада оказать такую услугу.

27

Вместе с Кейт Делглиш беседовал с оставшимися компаньонами в кабинете Жерара Этьенна. Дэниел находился в малом архивном, где газовщик уже начал демонтировать газовый камин, а когда эта работа будет завершена и образцы обломков и мусора из дымохода отправятся в лабораторию, он поедет в полицейский участок Уоппинга, чтобы оборудовать там приемную. Дэглиш уже успел поговорить с начальником полиции, и тот, философски признав необходимость такого вторжения, уступил коммандеру на некоторое время один из кабинетов. Дэглиш надеялся, что не надолго. Если это убийство, — а в душе он уже почти не сомневался, что это так, — то число подозреваемых не могло оказаться слишком большим.

Ему не хотелось сидеть за столом Жерара Этьенна, отчасти из-за нежелания ранить чувства компаньонов, но отчасти и из принципа: беседа с человеком, отделенным от тебя четырьмя футами светлого дуба, неминуемо становится более формальной, а это чаще всего мешает подозреваемому раскрыться или вызывает его антагонизм и не способствует получению полезной информации. Однако в кабинете был еще один небольшой стол для совещаний, такого же светлого дерева. Он стоял ближе к окнам, окруженный шестью стульями; там Кейт с Дэглишем и сели. Необходимость пройти довольно большое расстояние от двери к этому столу могла смутить любого, не обладающего особой выдержкой человека, но Дэглиш сомневался, что это хоть сколько-то обеспокоит Клаудиу или Де Уитта.

Эта комната когда-то явно служила столовой, но ее элегантность была осквернена перегородкой, установленной в торце и отсекавшей часть овальной лепнины потолка; кроме того, она разрезала одно из четырех окон, выходивших в проулок Инносент-Пэсидж. Великолепный мраморный камин с изящной резьбой остался в кабинетике мисс Блэкетт. А здесь, в кабинете Жерара Этьенна, вся мебель — письменный стол, стулья, стол для совещаний, картотечные шкафы — была прямо-таки агрессивно новой. Возможно, ее выбрали специально для контраста с мраморными пилястрами и порфирными антаблементами*, с двумя величественными канделябрами, один из которых почти упирался в перегородку, и с позолотой картинных

---

* Антаблемент (*архит.*) — фигурное завершение стены.

рам на блекло-зеленом фоне стен. Картины представляли традиционные пасторальные сцены и сельские пейзажи, почти несомненно викторианские, хорошо написанные, но чуть перегруженные цветом и, на вкус Дэлглиша, слишком сентиментальные. Он сомневался, что первоначально здесь висели именно эти картины, и на миг задумался о том, какие портреты кого из Певереллов украшали когда-то эти стены. И все же здесь оставался один предмет прежней обстановки — бронзово-мраморный винный сервант, явно эпохи Регентства. Так что хотя бы одна памятка былой славы здесь сохранилась и даже использовалась. «Интересно, как отнеслась Франсес Певерелл к осквернению этой комнаты? — думал он. — Уберут ли перегородку теперь, когда не стало Жерара Этьенна?» А еще его озадачивал вопрос — был ли Жерар Этьенн нечувствителен к архитектуре вообще или всего лишь безразличен к этому дому? Может быть, все эти перегородки, эта не соответствующая стилю мебель были заявлением Жерара Этьенна о несоответствии помещения поставленным им целям, об отрицании прошлого, в котором доминировали не Этьенны, а Певереллы?

Клаудиа Этьенн с уверенной грацией прошла тридцать футов, отделявших ее от Дэлглиша, и села на предложенный ей стул с таким видом, будто оказывала величайшее одолжение. Она была очень бледна, но держалась прекрасно, хотя Дэлглиш подозревал, что ее руки, спрятанные в карманах кардигана, более откровенно говорили бы о ее состоянии, чем мрачное, напряженное лицо. Он очень кратко выразил ей свои соболезнования, надеясь, что они звучат искренне. Но она резко его прервала:

— Вы здесь из-за лорда Стилгоу?

— Нет. Я здесь из-за смерти вашего брата. Лорд Стилгоу действительно связывался со мной некоторое время тому назад, но не прямо, а через общего друга. Он получил анонимное письмо, которое очень обеспокоило его жену: она сочла, что его жизнь в опасности. Он просил официально подтвердить, что полиция не нашла ничего подозрительного в трех смертях, так или иначе связанных с издательством: имелась в виду смерть Сони Клементс и двух ваших авторов.

— Вы, разумеется, смогли дать ему такое подтверждение?

— Полицейские подразделения, занимавшиеся этими делами, разумеется, смогли дать ему такое подтверждение. Он должен был получить его дня три назад.

— Надеюсь, оно его удовлетворило. Эгоцентризм лорда Стилгоу граничит с паранойей. И все же он вряд ли сможет предположить, что смерть Жерара — это преднамеренная попытка саботировать издание его драгоценных мемуаров. Но тем не менее я нахожу это странным, коммандер, что вы приехали сюда лично и со столь внушительными силами. Вы рассматриваете смерть моего брата как убийство?

— Как смерть при невыясненных и подозрительных обстоятельствах. Поэтому я и должен теперь вас побеспокоить просьбой. Я был бы признателен вам за сотрудничество, не только в том, что касается ваших личных показаний, но и в том, что касается ваших сотрудников. Я хотел бы, чтобы вы объяснили им, что наше вмешательство в их частную жизнь и в их работу необходимо и неизбежно.

— Думаю, они это поймут.

— Нам придется взять отпечатки пальцев, чтобы исключить непричастных. Все отпечатки, не являющиеся уликами, будут уничтожены, как только закончится следствие.

— Это будет совершенно новый для всех нас опыт. Если это необходимо, нам, естественно, придется на это согласиться. Я полагаю, вы потребуете, чтобы все мы, особенно компаньоны, представили вам свое алиби?

— Мне нужно знать, мисс Этьенн, что вы делали и с кем были вчера, начиная с шести часов вечера.

— У вас незавидная задача, коммандер, — сказала Клаудиа, — выражать мне сочувствие по поводу смерти моего брата, одновременно требуя, чтобы я представила алиби, доказывающее, что я его не убивала. Вы делаете это довольно изящно — поздравляю вас. Впрочем, у вас ведь обширная практика. Вчера вечером я была на реке с другом, Декланом Картрайтом. Когда вы станете проверять у него мое алиби, он, вероятно, скажет вам, что я — его невеста. Я предпочитаю иное слово — «любовница». Мы отправились на прогулку по Темзе вскоре после половины седьмого, когда вернулся катер, отвозивший сотрудников к пирсу на Черинг-Кросс. Мы плавали по реке примерно до половины одиннадцатого, возможно, чуть дольше, потом вернулись сюда, и я отвезла его к нему домой, в квартиру близ Уэстберн-Гроув. Он живет над антикварным магазином и работает у его владельца заведующим. Я, разумеется, дам вам адрес. Я пробыла с Декланом примерно до двух ночи, потом поехала к себе, в Барбикан. Там у меня квартира — этажом ниже квартиры брата.

— Вы довольно долго плавали по Темзе в октябрьский вечер.

— В погожий октябрьский вечер. Мы поплыли вниз по течению — посмотреть на дамбу, потом поднялись обратно и сделали остановку у Гринвичского пирса. Обедали в ресторане «Ле Папийон», что на Гринвич-Черч-стрит. Мы заказывали столик на восемь и, я думаю, пробыли там часа полтора. Потом снова пошли вверх по реке, за мост Баттерси, оттуда — назад и, как я сказала, вернулись сюда вскоре после половины одиннадцатого.

— Кто-нибудь видел вас, кроме других обедавших и обслуги ресторана?

— Движение на реке было не слишком интенсивным. Но даже в этих условиях, думаю, многие могли нас заметить. Только вряд ли они нас запомнили. Я находилась в рулевой рубке, а Деклан почти все время был рядом со мной. Мы видели на реке по меньшей мере два полицейских катера. Полагаю, они могли нас заметить. Ведь это их работа, не правда ли?

— А кто-нибудь видел, как вы входили на борт или как сходили с катера?

— Насколько я могу судить — нет. Мы никого не видели и не слышали.

— И вы не можете представить себе никого, кто желал бы смерти вашему брату?

— Вы уже задавали этот вопрос.

— Я задаю его снова сейчас, когда мы беседуем с глазу на глаз, конфиденциально.

— Разве? Разве хоть что-нибудь, сказанное офицеру полиции, может на самом деле быть конфиденциальным? Ответ — тот же самый. Я не знаю никого, кто ненавидел бы Жерара настолько, чтобы его убить. Возможно, есть такие, кто не станет жалеть о его смерти. Нет смерти, которая оплакивалась бы абсолютно всеми. Всякая смерть кому-то выгодна.

— А кому выгодна смерть вашего брата?

— Мне. Я наследница Жерара. Разумеется, это изменилось бы, если бы он женился. А так... я наследую его акции в компании, его квартиру в Барбикане и доход от его страховки. Я не очень хорошо его знала: нас не воспитывали так, чтобы мы выросли любящими сестрой и братом. Мы учились в разных школах, в разных университетах, жили каждый своей отдельной жизнью. Моя квартира в Барбикане всего этажом ниже, чем его, но у нас не было привычки заходить друг к другу на огонек. Это показалось бы посягательством на личную свободу. Но он мне нравился. Я относилась к нему с уважением. Была на его стороне. Если его убили, я хочу, чтобы убийце пришлось гнить в тюрьме всю оставшуюся жизнь. Но ему, конечно, не придется. Мы ведь так быстро забываем умерших и так легко прощаем живых. Возможно, мы так спешим проявить милосердие из-за того, что нам неловко сознавать, что когда-нибудь мы и сами будем нуждаться в нем. Кстати, вот его ключи. Вы просили связку ключей от издательства. Я сняла с нее ключи от машины Жерара и от его квартиры.

— Благодарю, — сказал Дэлглиш. — Нет необходимости заверять вас, что пользоваться ими буду только я или кто-то из моих помощников. Вашему отцу уже сообщили, что его сын умер?

— Пока нет. Я собираюсь поехать в Брадуэлл-он-Си сегодня, ближе к вечеру. Он живет отшельником и не любит, когда ему звонят. В любом случае я предпочитаю сообщить ему об этом сама. Вы хотите с ним увидеться?

— Мне очень важно его увидеть. Я был бы вам признателен, если бы вы спросили у него, не могу ли я встретиться с ним завтра, в любое удобное ему время.

— Я спрошу, но не уверена, что он согласится. Он сильно недолюбливает посетителей. Он живет в доме один, со старой француженкой, которая за ним присматривает. Ее сын работает у моего отца шофером. Он женат на местной девушке, и я думаю, они станут присматривать за отцом, когда Эстель умрет. Она ни за что не бросит эту работу: считает великим счастьем, что обслуживает героя Франции. А отец, как это ему всегда было свойственно, сумел прекрасно организовать свою жизнь. Я говорю вам все это, чтобы вы знали, чего ожидать. Не думаю, что вас ждет теплый прием. Это все?

— Мне будет необходимо увидеть ближайших родственников Сони Клементс.

— Сони Клементс? Каким образом самоубийство Сони Клементс может быть вообще связано со смертью Жерара?

— Никоим образом не связано, насколько я могу сейчас судить. У нее есть родственники или кто-то, с кем она вместе жила?

— Одна сестра, и последние три года вместе они не жили. Сестра — монахиня, член одной из общин Кемптауна, что под Брайтоном. Они там организовали хоспис для умирающих. Кажется, это монастырь Святой Анны. Я уверена, преподобная мать-настоятельница разрешит вам ее повидать. В конце концов, полиция ведь все равно что налоговики, правда? Как бы ни было неприятно их присутствие, когда они к вам являются, приходится их впускать. Вам еще что-нибудь от меня нужно?

— Малый архивный кабинет будет опечатан, но мне хотелось бы, чтобы было заперто и помещение самого архива.

— Надолго?

— На сколько это будет необходимо. Это будет очень неудобно?

— Разумеется, это будет неудобно. Габриел Донтси разбирает старые архивы. Он и так уже сильно отстал от графика.

— Я понимаю, что это неудобно. Я спросил, будет ли это *очень* неудобно? Работа издательства сможет продолжаться, если не будет доступа в эти два помещения?

— Вполне очевидно, что раз вам это так важно, мы постараемся как-то обойтись.

— Спасибо.

Под конец беседы Дэлглиш спросил ее о проделках зловредного шутника в Инносент-Хаусе и о том, какие меры принимались, чтобы обнаружить виновника. Расследование, предпринятое ими самостоятельно, было, по всей очевидности, столь же поверхностным, сколь и безуспешным.

— Жерар более или менее перепоручил все это дело мне. Но я не слишком далеко продвинулась. Все, что мне удалось сделать, — это составить список инцидентов в хронологическом порядке и сотрудников, которые находились в издательстве, когда каждый из инцидентов имел место, или могли быть, так или иначе, в них повинны. А повинны могли быть практически все сотрудники, кроме тех, кто был в отпуске — очередном или по болезни. Как будто этот шутник специально выбирал время, когда все компаньоны и почти все сотрудники находились в Инносент-Хаусе и могли в этом участвовать. У Габриела Донтси есть алиби на время последнего инцидента: когда из этого кабинета был отправлен факс в Кембридж, в магазин «Лучшие книги», он как раз ехал в ресторан «Айви» на ленч с одним из наших авторов. Но все другие компаньоны и старшие сотрудники находились здесь. Мы с Жераром отправились на катере в Гринвич, съели ленч в пабе «Трафальгарская таверна», но до двадцати минут второго мы оставались в издательстве. А факс был отправлен в двенадцать тридцать. Карлинг должна была начать подписывать книги в час дня. Но самый последний инцидент — это, конечно, кража ежедневника моего брата. Ежедневник могли взять из ящика стола в среду, в любое время дня или ночи. Он хватился его только вчера утром.

— Расскажите про змею, — попросил Дэлглиш.

— Про Шипучего Сида? Бог его знает, когда змея появилась в издательстве впервые. Думаю, лет пять назад. Кто-то ее оставил здесь после рождественской вечеринки для сотрудников. Обычно ее использовала мисс Блэкетт, чтобы дверь между ее комнатой и кабинетом Генри Певерелла оставалась приоткрытой. Шипучий Сид стал чем-то вроде издательского талисмана. Блэки почему-то к нему очень привязана.

— А вчера ваш брат велел ей от него избавиться.

— Полагаю, миссис Демери не преминула сообщить вам об этом. Да, он так ей и сказал. Жерар был не в очень-то добром расположении духа после совещания директоров, и вид этой игрушки почему-то вывел его из себя. Блэки убрала ее в ящик стола.

— Вы видели, как она это сделала?

— Да. Я, Габриел Донтси и наша временная машинистка-стенографистка Мэнди Прайс. Могу вообразить, с какой скоростью эта новость распространилась по всему издательству.

— Ваш брат ушел с совещания директоров раздраженным? — спросил Дэлглиш.

— Я этого не говорила. Я сказала, он был в не очень-то добром расположении духа. Как и все мы. Не секрет, что у «Певерелл пресс» сейчас трудные времена. Нам придется пойти на то, чтобы продать Инносент-Хаус, если мы хотим сохранить хотя бы надежду остаться на плаву.

— Такая перспектива должна быть особенно огорчительна для мисс Певерелл.

— Я не думаю, что кто-то из нас с радостью воспринимает такую перспективу. Абсурдно предполагать, что кто-то из нас мог попытаться предотвратить это, повредив Жерару.

— Я такого предположения не делал, — сказал Дэлглиш и разрешил ей уйти.

Клаудиа только успела дойти до двери, когда в кабинет заглянул Дэниел. Он распахнул для нее дверь и молча ждал, пока она уйдет.

— Газовщик уже уходит, сэр, — сказал он. — Все так, как мы и ожидали. Дымоход почти заблокирован. Похоже на осколки от внутренней облицовки трубы, но еще там полно сажи, скопившейся за много лет. Он представит официальный отчет, но вообще-то у него нет сомнений в том, что произошло. С дымоходом в таком состоянии этот камин был просто-напросто смертоносным.

— Только в помещении без соответствующей вентиляции, — возразил Дэлглиш. — Нам это повторяли достаточно часто. Смертоносным оказалось сочетание горящего камина с неоткрывающимся окном.

— Там был один особенно крупный кусок облицовки, упиравшийся в дымоход, — сказал Дэниел. — Он, конечно, мог сам отвалиться, но мог быть и специально смещен. На самом деле точно не определишь. Достаточно было бы потыкать в какое-то место, как осколки начали бы отваливаться. Не хотите сами взглянуть, сэр?

— Да. Иду.

— Вы хотите, чтобы этот камин, и осколки, и мусор — все отправилось в лабораторию?

— Да, Дэниел, буквально все.

Не было необходимости уточнять, что ему нужны отпечатки, фотографии — весь набор. Как уже было сказано, он работал с экспертами в том, что касалось насильственной смерти.

Когда они шли вверх по лестнице, Дэлглиш спросил:

— Есть какие-нибудь новости о пропавшем магнитофоне или о ежедневнике Этьенна?

— Пока нет, сэр. Мисс Этьенн подняла шум, когда речь зашла о том, чтобы проверить столы сотрудников, которых отослали домой или которые в отпуске. Мне подумалось, вы не захотите запрашивать ордер на обыск.

— Не сейчас. Сомневаюсь, что он вообще понадобится. Обыск можно будет провести в понедельник, когда все сотрудники будут на своих местах. Если убийца забрал магнитофон по какой-то особой причине, то магнитофон скорее всего уже лежит на дне Темзы. А если его забрал издательский шутник, то он может обнаружиться где угодно. То же самое относится и к ежедневнику.

— Магнитофон такого типа в издательстве, кажется, всего один, — сказал Дэниел. — Он принадлежал лично мистеру Донтси. Остальные гораздо крупнее — кассетники, работающие на батарейках АС. У них обычные кассеты, размером два с половиной на четыре дюйма. Мистер Де Уитт интересуется, не поговорите ли вы с ним поскорее, сэр? У него дома лежит тяжелобольной друг, он обещал ему вернуться пораньше.

— Хорошо. Я приглашу его следующим.

Газовщик, уже в пальто и вполне готовый уйти, весьма красноречиво выразил свое неодобрение. Его явно одолевали противоречивые чувства — почти собственнический интерес к прибору и возмущение по поводу его неаккуратного использования.

— Не встречал каминов этого типа вот уж по меньшей мере лет двадцать. Ему место в музее. Но функционирует он нормально. Он хорошо сделан, он очень прочный. Этот тип каминов делали для детских. Кран у него съемный — видите? Это чтоб дети не могли его случайно включить. Можно вполне ясно представить, что тут случилось, коммандер. Дымоход полностью заблокирован. Сажа в него валилась годами. Бог его знает, когда этот камин профессионально чистили в последний раз. Смерть тут просто у порога стояла. Мне такое и раньше видеть приходилось, да и вам тоже, не сомневаюсь. И еще не раз увидеть придется. И ведь никто не может сказать, что их не предупреждали! Газовым приборам нужен воздух. Без вентиляции мы что получаем? Неправильную работу и растущее содержание угарного газа. А газ сам по себе — совершенно безопасный вид топлива.

— С ним все было бы в порядке, если бы окно было открыто?

— Должно бы быть. Окно высоко, и оно довольно узкое. Но если бы было как следует открыто, с ним все было бы в порядке. А как вы его нашли? Думаю, заснул, сидя на стуле? Так это с ними обычно и бывает. Человек становится вроде как пьяный, засыпает и уже не просыпается.

— Бывают и похуже способы уйти из жизни, — сказал Дэниел.

— Нет уж. Ничего хуже быть не может, если ты — инженер-газовщик. Это — оскорбление делу твоих рук. Думаю, вам потребуется отчет, коммандер? Ладно, скоро вы его получите. Он, говорят, был молодой парень? Это ухудшает дело. Не пойму почему, но только всегда ухудшает. — Он открыл дверь и, обернувшись, оглядел комнату. — Интересно, чего это он сюда наверх работать забрался? Странное место выбрал. Если подумать, так в здании такого размера должно бы рабочих кабинетов хватать и без того, чтоб сюда наверх лезть.

28

Джеймс Де Уитт закрыл за собой дверь и с небрежным видом остановился на пороге, как бы решая — стоит ему заходить в кабинет или нет. Потом легким, свободным шагом пересек комнату и, подойдя к столу, передвинул пустой стул ближе к торцу.

— Не возражаете, если я сяду здесь? — спросил он. — Сидеть напротив друг друга как-то страшновато. Невольно вспоминаются не очень приятные беседы с научным руководителем.

Одет он был довольно небрежно: темно-синие джинсы, свободный свитер в резинку, с кожаными заплатами на локтях и плечах — похоже, купленный на распродаже армейских излишков. Однако на нем эта одежда выглядела почти элегантно.

Он был высок ростом, наверняка выше метра восьмидесяти, худощавый и гибкий, с чуть неловкими движениями крупных рук с длинными, узловатыми пальцами. Худое, умное лицо, с выступающими скулами и впалыми щеками, светилось меланхоличным юмором грустного клоуна. Густая прядь светло-каштановых волос падала на лоб. Узкие глаза под тяжелыми веками казались сонными, но мало что могло ускользнуть от их взгляда, и мало что можно было в них прочесть. Когда он заговорил, его мягкий, приятный голос и медлительная манера речи странно не соответствовали тому, что он сказал:

— Я только что видел Клаудиу. У нее отчаянно усталый вид. Вам что, так уж надо было допрашивать ее именно сейчас? Она ведь только что потеряла единственного брата, да к тому же при ужасающих обстоятельствах.

— Вряд ли это можно назвать допросом, — ответил Дэлглиш. — Если бы мисс Этьенн попросила нас прекратить беседу или если бы я думал, что она слишком расстроена, мы, несомненно, отложили бы интервью.

— А Франсес Певерелл? Для нее это не менее ужасно. Неужели нельзя отложить встречу с ней до завтра?

— Нет, если только она не слишком расстроена, чтобы встретиться со мной сейчас. В таких расследованиях, как это, нам необходимо получить как можно больше информации как можно скорее.

Кейт почти не сомневалась, что Де Уитт тревожится не столько о Клаудии Этьенн, сколько о Франсес Певерелл.

А он сказал:

— Боюсь, я явился не в свой черед, а занимаю место Франсес. Очень сожалею. Просто дело в том, что временно нарушилась одна предварительная договоренность, и мой друг, Руперт Фарлоу, останется один, если я не вернусь к половине пятого. Фактически Руперт Фарлоу и есть мое алиби. Я так полагаю, что главная цель этого интервью — выяснить, имеется ли у меня алиби. Вчера я уехал домой катером в пять тридцать и был в Хиллгейт-Виллидж около половины седьмого. Ехал по Кольцевой линии метро от Черинг-Кросс до Ноттинг-Хилл-Гейта. Руперт может подтвердить, что я пробыл с ним весь вечер. Никто не заходил к нам, и, как ни странно, никто не звонил. Очень помогло бы делу, если бы вы заранее договорились с ним о встрече. Он теперь серьезно болен, и бывают дни, когда ему получше, а бывают — когда похуже.

Дэлглиш задал ему обычный вопрос: знал ли он кого-либо, кто мог бы желать смерти Жерара Этьенна?

— Например, были ли у него политические противники, если использовать это выражение в самом широком смысле слова, — пояснил он.

— О Господи, у Жерара? Конечно, нет! Жерар был безупречно либерален — во всяком случае, на словах, если не на деле. А в конечном счете значение имеют именно слова. Он высказывал абсолютно корректные либеральные мнения. Прекрасно знал, чего сегодня в Англии нельзя говорить, чего нельзя публиковать. И не говорил. И не публиковал. Возможно, у него в голове бродили такие же мысли, как у всех у нас, но ведь это пока не считается преступлением. На самом деле я не думаю, что его особенно интересовали политические или социальные проблемы, даже если они прямо затрагивали издательские дела. Он притворился бы, что это его тревожит, случись такая необходимость, но сомневаюсь, что действительно встревожился бы.

— Что же его тревожило? Что глубоко интересовало?

— Слава. Успех. Он сам. «Певерелл пресс». Он хотел стоять во главе одного из самых крупных... самого крупного и преуспевающего издательства в Великобритании. Музыка: особенно Бетховен и Вагнер. Он играл на фортепьяно, совсем неплохо. Мягкое туше. Жаль, его общение с людьми было не столь мягким и чувствительным. В частности, с каждой из очередных его женщин, как мне кажется.

— Он был помолвлен?

— С сестрой графа Норрингтона. Клаудиа позвонила ее матери — вдовствующей графине. Думаю, она уже успела сообщить дочери неприятную новость.

— А проблем с помолвкой не было?

— Мне это неизвестно. Клаудиа могла бы что-то знать. Впрочем, я сомневаюсь. Жерар был очень сдержан во всем, что касалось леди Люсинды. Мы все, разумеется, успели с ней познакомиться. Жерар устроил совместное празднование помолвки и ее дня рождения десятого июля здесь, в Инносент-Хаусе, вместо нашей всегдашней летней издательской гулянки. Он встретился с ней впервые в прошлом году, в Байройте*, однако у меня создалось впечатление — впрочем, я могу быть не прав, — что она-то поехала туда не из-за Вагнера. Думается, они с матерью навещали кого-то из своих континентальных родственников. На самом деле мне мало что еще о ней известно. Конечно, эта помолвка всех удивила. Жерара никто не считал человеком, стремящимся к высокому положению в светском обществе — если все дело объяснять этим. И издательству леди Люсинда никаких денег не могла принести. Родословную — да, но никак не деньги. Разумеется, когда эти люди жалуются, что они бедны, они всего лишь имеют в виду незначительные временные затруднения с платой за обучение наследника в Итоне**. И тем не менее леди Люсинду, несомненно, следует включить в круг интересов Жерара Этьенна. Да, еще — альпинизм. Если бы вы спросили Жерара о круге его интересов, он скорее всего добавил бы альпинизм. Насколько мне известно, он за свою жизнь взобрался всего на одну гору.

---

* Байройт (Bayreuth) — город в Баварии, где Рихард Вагнер (1813—1883) жил с 1874 г. и где он похоронен. Город славится театром, специально построенным композитором (1872—1876) для постановки оперы «Кольцо Нибелунгов», где теперь регулярно проводятся фестивали вагнеровских опер.

** Итон (Eton) — одна из десяти старейших, частных, весьма престижных, привилегированных мужских средних школ; учащиеся — в основном выходцы из аристократических семейств. Основана в г. Итоне в 1440 г. Плата за обучение очень высокая. Почти все премьер-министры Великобритании — воспитанники Итона.

— На какую именно? — спросила вдруг Кейт.

Де Уитт повернулся к ней и улыбнулся. Улыбка была неожиданной и совершенно преобразила его лицо.

— На Маттерхорн. Это, должно быть, скажет вам все, что следует знать о Жераре Этьенне.

— По-видимому, он намеревался произвести здесь какие-то изменения, — сказал Дэлглиш. — Вряд ли они вызывали всеобщее одобрение.

— Это не значит, что они не были необходимы. Да и сейчас все еще необходимы, по-моему. Содержание Инносент-Хауса поглощает годовой доход издательства уже много десятков лет. Я думаю, мы могли бы остаться на плаву, если бы вполовину сократили список публикуемых изданий, уволили две трети сотрудников, уменьшили бы собственное жалованье на тридцать процентов и оставили бы в каталоге только старые, традиционные издания, избегая новинок. Если бы удовлетворились статусом маленького культового издательства. Это совершенно не устроило бы Жерара Этьенна.

— А всех остальных?

— О, мы порой ворчали и брыкались, но тем не менее, как мне кажется, сознавали, что Жерар прав. Вопрос стоял так: либо мы расширяемся, либо идем ко дну. В сегодняшних условиях издательство не может выжить, публикуя литературу, рассчитанную только на своего читателя. Жерар собирался присоединить к нам издательскую фирму с мощным юридическим каталогом — есть одна такая, вполне готовая, только руку протяни, и хотел заняться публикацией педагогической литературы. Все это должно было потребовать больших денежных затрат, не говоря уже о затратах энергии и об определённой коммерческой агрессии. Не уверен, что у кого-то из нас хватило бы духу на это. Бог знает, что теперь будет. Я представляю, как мы созываем совещание директоров, утверждаем Клаудиу в качестве президента и ДР — и откладываем решение всех неприятных вопросов по меньшей мере на полгода. Это позабавило бы Жерара. Он счел бы это весьма типичным.

Дэлглиш, не желавший слишком долго его задерживать, закончил беседу, попросив кратко рассказать о зловредном шутнике.

— Понятия не имею, кто это может быть. Мы потратили массу времени, обсуждая проблему на наших ежемесячных совещаниях, но так ни к чему и не пришли. Это и правда очень странно. Имея в штате всего тридцать сотрудников, полагаешь, что можно было бы давно найти ключ к разгадке, хотя бы путем исключения невозможного. Разумеется, огромное большинство сотрудников работают в «Певерелл пресс» многие годы, и я бы сказал, что все они — и старые и новые — вне подозрений. К тому же инциденты имели место, когда практически все находились в издательстве. Возможно, таков и был замысел шутника — затруднить исключение невозможного. Конечно, самыми серьезными из них следует считать исчезновение иллюстраций к книге о Гае Фоксе и порчу гранок лорда Стилгоу.

— Но ни то ни другое не привело к катастрофе?

— Как оказалось — нет. Последний инцидент — с Шипучим Сидом — представляется чем-то из совершенно иной категории. Все предыдущие были направлены против издательства. А это... Засунуть голову змеи в рот Жерара мог только тот, чья злоба была направлена непосредственно против него. Чтобы избавить вас от необходимости задавать следующий вопрос, могу сразу сказать, что знал, где находится змея. Думаю, все в издательстве это знали к тому времени, как миссис Демери закончила обход кабинетов.

Дэлглиш решил, что Де Уитта пора отпустить, и спросил:

— Как вы доберетесь до Хиллгейт-Виллидж?

— Заказал такси. Катер до пирса на Черинг-Кросс идет слишком долго. Завтра я буду здесь в половине десятого, если вам понадобится меня еще о чем-то спросить. Только не думаю, что смогу помочь. О, мне лучше сразу сказать — я не убивал Жерара, и это не я обернул змею ему вокруг шеи. Вряд ли я смог бы убедить его в достоинствах литературного произведения, отравив его газом.

— Вы полагаете, что он умер именно так? — спросил Дэлглиш.

— А разве нет? По правде говоря, такая мысль пришла в голову Донтси, не стану приписывать себе эту заслугу. Но чем больше я об этом думаю, тем более правдоподобно это выглядит.

Де Уитт направился к двери с той же неспешной небрежностью, с какой вошел.

Дэлглиш подумал, что интервью с подозреваемыми напоминает работу члена отборочной комиссии. Всегда существует соблазн оценить поведение претендента и вынести осторожное суждение до того, как вызовут следующего. Сегодня он ждал, храня молчание. Кейт, как всегда, почувствовав его настроение, держала свои суждения про себя, однако он подозревал, что ей очень хотелось бы высказать пару едких замечаний в адрес Клаудии Этьенн.

Франсес Певерелл была последней. Она вошла в кабинет спокойно, с видом послушной, хорошо воспитанной школьницы, но ее спокойствие рухнуло, когда она увидела пиджак Жерара Этьенна, все еще висевший на спинке его кресла.

— Я не думала, что он все еще висит здесь, — произнесла она и двинулась к нему, протянув вперед руку. Потом, опомнившись, повернулась к Дэлглишу, и он увидел, что глаза ее полны слез.

— Простите, — сказал Дэлглиш. — Наверное, нам надо было убрать его отсюда.

— Клаудиа могла бы забрать пиджак, но у нее и без того было о чем подумать. Бедная Клаудиа... Ей, видимо, придется распорядиться всеми его вещами, одеждой...

Она села напротив Дэлглиша, словно пациент, ожидающий заключения врача-консультанта. У нее было нежное лицо, светло-каштановые волосы, перемежавшиеся золотистыми прядями, челкой спускались на лоб, из-под прямых бровей на Адама смотрели голубовато-зеленые глаза. Дэлглиш догадался, что выражение мучительного беспокойства в этих глазах родилось гораздо раньше сегодняшней травмы, и подумал, что интересно было бы узнать, каков был Генри Певерелл в роли отца. В женщине, сидевшей перед ним, не видно было и капли капризной эгоцентричности, она вовсе не походила на избалованную единственную дочь. Казалась, она всю жизнь откликалась на нужды других, но привыкла скорее к скрытно-критическому отношению к себе, чем к похвалам. Франсес не отличалась ни самообладанием Клаудии Этьенн, ни элегантной небрежностью Де Уитта. На ней была юбка из мягкого, синего со светло-коричневым твида, светло-синий джемпер и того же цвета кардиган, но обычной для такого костюма нитки жемчуга она не надела. Дэлглиш подумал, что она могла бы носить такую же одежду и в 1930-е, и в 1950-е годы — непритязательный повседневный костюм интеллигентной англичанки: не вызывающий волнения, никого не оскорбляющий, традиционный дорогой костюм, свидетельство хорошего вкуса.

— Думаю, это самое неприятное из всех дел, когда кто-то умирает. Часы, драгоценности, картины, книги — их можно раздать друзьям, и представляется, что это правильно, так и должно быть.

Но одежда... эти вещи слишком интимны, чтобы можно было их дарить. Кажется парадоксальным, но нам бывает гораздо легче, когда их носят не те, кого мы знаем, а незнакомые люди.

Она откликнулась с готовностью, как бы благодаря его за то, что он понял.

— О да, так я и чувствовала после папиной смерти. В конце концов я отдала всю его обувь и все костюмы в Армию спасения*. Надеюсь, они нашли кого-то, кому это все пригодилось. Но я чувствовала, что я словно изгоняю его из нашего дома, изгоняю его из моей жизни.

— Вы были привязаны к Жерару Этьенну?

Она опустила глаза на свои сложенные на коленях руки, потом взглянула прямо на Дэлглиша.

— Я была влюблена в него. Я хотела сама вам рассказать, потому что рано или поздно вы все равно узнали бы об этом и лучше, чтобы вы услышали все от меня самой. Мы были близки, но все кончилось за неделю до его помолвки.

— По обоюдному согласию?

— Нет, не по обоюдному согласию.

Не было нужды спрашивать Франсес, что она испытала, когда узнала об этом предательстве. То, что она чувствовала тогда, все еще чувствовала и сейчас, было ясно написано на ее лице.

— Простите, — сказал он. — Говорить о его смерти вам, должно быть, очень нелегко.

— Легче, чем не говорить. Пожалуйста, скажите мне, мистер Дэлглиш, вы думаете, что Жерар был убит?

— Пока еще нельзя судить с уверенностью, но это более чем вероятно. Поэтому нам так необходимо опросить вас сейчас. Мне бы хотелось, чтобы вы точно описали, что случилось вчера вечером и ночью.

— Я полагаю, Габриел — мистер Донтси — уже вам все объяснил про то, как на него напали. Я не поехала с ним на поэтические чтения, потому что он твердо заявил, что хочет быть один. Думаю, он понимал, что мне там не понравится. Но кому-то из издательства надо было пойти с ним. Он согласился читать свои

---

* Армия спасения (Salvation Army) — невоенная религиозная организация евангелического направления, созданная с целью религиозного возрождения общества и помощи бедным. По структуре напоминает армию — имеет офицеров и рядовых, которые носят форму. Основана в Лондоне в 1865 г. проповедником Уильямом Бутом (William Booth, 1829—1912).

стихи впервые после перерыва лет в пятнадцать, и нехорошо было оставлять его одного. Если бы я поехала с ним, на него, возможно, и не напали бы. Мне позвонили из больницы Святого Фомы около половины двенадцатого, сообщили, что он там, ждет, пока сделают рентгеновские снимки, и спросили, смогу ли я побыть с ним, если они отправят его домой. Очевидно, он более или менее настойчиво требовал, чтобы ему разрешили уехать, им нужно было увериться, что он не останется один. Я следила из окна кухни, чтобы не пропустить, когда он подъедет, но не услышала такси. Его парадное выходит на Инносент-лейн, но водитель, должно быть, остановился у самого въезда в переулок и высадил его прямо там. Габриел, видимо, позвонил сразу же, как приехал. Сказал, что с ним все в порядке, трещины нет и что он собирается принять ванну. После этого он будет рад, если я спущусь к нему. Не думаю, что ему так уж хотелось меня видеть, но он знал, что я не смогу успокоиться, пока не буду убеждена, что с ним и правда все в порядке.

— Значит, у вас нет ключа от его квартиры? — спросил Дэлглиш. — Вы не могли подождать его там?

— У меня есть ключ, и у него тоже есть ключ от моей квартиры. На случай пожара или наводнения, когда может понадобиться доступ внутрь, а никого нет дома. Но я и подумать не могла бы о том, чтобы воспользоваться ключом, пока Габриел сам меня не попросит об этом.

— А сколько времени прошло до того момента, как вы к нему спустились?

Ответ на этот вопрос был, разумеется, чрезвычайно важен. Габриел Донтси имел возможность убить Жерара Этьенна до того, как в 7.45 отправился на поэтические чтения. Время, конечно, поджимало, но он мог успеть сделать это. Однако получалось, что единственный шанс вернуться на место убийства мог ему представиться лишь после часа ночи.

— Так сколько же времени прошло до тех пор, пока мистер Донтси позвонил, чтобы вы к нему спустились? — снова спросил Дэлглиш. — Можете точно сказать?

— Не очень много времени. Думаю, минут восемь — десять. Может, чуть меньше. Я сказала бы — около восьми минут, как раз столько, сколько нужно, чтобы принять ванну. Его ванная — под моей. Мне не слышно, как он наливает воду, но я слышу, как вода выливается. Вчера я специально прислушивалась к этому.

— И прошло около восьми минут, пока вы это услышали?

— Я не следила за временем. Зачем? Впрочем, я уверена, что это не было необычно долго. — Тут она спросила, словно мысль о некоей возможности неожиданно пришла ей в голову: — Но вы же не хотите сказать, что всерьез подозреваете Габриела? Что он вернулся в Инносент-Хаус и убил Жерара?

— Мистер Этьенн умер задолго до полуночи. Сейчас мы рассматриваем лишь вероятность того, что змея была обернута вокруг его шеи через несколько часов после смерти.

— Но это означало бы, что кто-то поднялся в малый кабинет специально, уже зная, что Жерар убит, зная, что он лежит там. Но единственным человеком, кто знал об этом, мог быть только убийца. Вы говорили, что предполагаете, что убийца позже вернулся в малый архивный кабинет.

— Если существовал убийца. В этом мы пока не можем быть уверены.

— Но ведь Габриел был болен! На него же напали! И он — старик. Ему больше семидесяти. И у него ревматизм. Обычно он ходит с палкой. Он никак не мог бы успеть все сделать за это время.

— Вы абсолютно в этом уверены, мисс Певерелл?

— Да, уверена. И кроме того, он и в самом деле принимал ванну. Я слышала, как вытекала вода.

— Но вы не могли бы с уверенностью сказать, что вода вытекала именно из ванны, — мягко возразил Дэлглиш.

— А откуда же еще она могла вытекать? Он же не мог просто оставить кран открытым, если вы это предполагаете. Если бы он его оставил, я сразу услышала бы. А вода начала вытекать примерно через восемь минут после того, как он позвонил и сказал, что готов меня принять. Когда я спустилась, он был в халате. И я могла видеть, что он принял ванну — у него и волосы и лицо еще были влажными.

— А потом?

— Он уже выпил немного виски и ничего больше не хотел, так что я настояла, чтобы он лег в постель. Я твердо решила, что останусь у него на ночь, и он объяснил, где взять чистые простыни для свободной кровати. Думаю, в той комнате много лет уже никто не спал. Я не стала стелить там постель. Он очень быстро заснул, а я устроилась в гостиной, в кресле перед электрокамином. Дверь оставила открытой, чтобы слышать Габриела. Но он не просыпался. Я проснулась до него, чуть позже семи, приготовила чай. Старалась двигаться по квартире как можно тише, но боюсь, он меня услышал. Он проснулся примерно в восемь. Мы не торопились, ни он, ни я — знали: Джордж откроет Инносент-Хаус. Мы оба съели по вареному яйцу на завтрак и вскоре после девяти отправились через дорогу, в издательство.

— И вы не пошли наверх — увидеть труп мистера Этьенна?

— Габриел пошел. Я — нет. Я осталась ждать внизу, у начала лестницы, вместе со всеми остальными. Но когда мы услышали этот ужасающий тоненький вой, мне кажется, я поняла, что Жерар умер.

Дэглиш не мог не видеть, что она снова вот-вот заплачет. Он выяснил все, что ему нужно было пока узнать. Мягко поблагодарив Франсес, он разрешил ей уйти.

Оставшись одни, они некоторое время молчали, потом Дэглиш сказал:

— Ну что же, Кейт, нам были представлены вполне убедительные алиби, подтверждаемые людьми, совершенно незаинтересованными: другом Клаудии Этьенн, тяжелобольным приятелем Де Уитта, гостящим у него в доме, и Франсес Певерелл, которая явно не способна поверить, что Габриела Донтси можно обвинить в совершении какого-то злостного деяния, не говоря уже об убийстве. Она старалась быть честной, когда говорила о времени, прошедшим между его возвращением домой и приглашением спуститься к нему. Она — человек честный, но боюсь, ее восемь минут на самом деле заняли значительно больше времени.

— Интересно, сама она сознавала, что он представляет ей алиби так же, как она — ему? — сказала Кейт. — Но это ведь не важно, правда? Она могла пойти в Инносент-Хаус в любое время и обмотать змею еще до того, как Донтси вернулся домой. И у нее была прекрасная возможность убить Этьенна. На эту часть вечера у нее нет алиби. И она очень быстро ухватилась за ту деталь насчет крана — что он не мог просто оставить кран открытым и дать воде течь в ванну.

— Да. Но есть ведь и другая возможность. Подумайте об этом, Кейт.

Подумав, Кейт сказала:

— Да, можно было сделать и так.

— А это означает, что нам следует выяснить вместимость его ванны. И проверить время. Не надо привлекать Донтси. Пусть Роббинс представит себе, что он — семидесятишестилетний ревматик. Посмотрите, сколько времени займет попасть от двери Донтси на Иннносент-лейн в малый архивный кабинет, сделать то, что следовало сделать, и вернуться.

— Пользуясь лестницей?

— Определите время, которое это займет, если пользоваться и лестницей, и лифтом. С таким лифтом по лестнице может оказаться гораздо быстрее.

Пока они складывали бумаги, Кейт думала о Франсес Певерелл. Дэлглиш был с ней очень мягок. Впрочем, когда и с кем он бывал жестким во время опроса? И в том замечании насчет одежды он был совершенно искренен. Но все равно это оказалось замечательно эффективным способом завоевать доверие Франсес Певерелл. Вероятно, ему было жаль молодую женщину, возможно, она ему даже нравилась, но никакие личные чувства никогда не могли повлиять на проводимое им расследование. «А как насчет меня? — спросила себя Кейт уже не в первый раз. — Разве он не проявит ту же отстраненность, ту же сравнительную безжалостность во всем, что касается самых разных сторон его профессиональной жизни? Он уважает меня, — думала она, — его радует, что я работаю в его группе, он мне доверяет. Иногда мне даже кажется — я ему нравлюсь. Но если я когда-нибудь провалю задание, надолго ли это останется без изменений?»

А Дэлглиш сказал:

— Мне надо теперь на пару часов вернуться в Ярд. Встретимся в морге, на аутопсии, все трое — вы, я и Дэниел, но может случиться, что мне придется уйти, не дождавшись ее конца. У меня в восемь часов встреча с комиссаром и министром в палате общин. Не знаю, когда смогу освободиться, но сразу приеду в Уоппинг и мы обсудим, как далеко нам удалось продвинуться.

Вечер обещал быть долгим.

29

Было без двух минут три. Блэки сидела за своим рабочим столом в полном одиночестве. Ее томило странное беспокойство — результат отчасти отложенного шока, отчасти — страха, отчего любое действие, казалось, требовало невыносимого напряжения сил. Она подумала, что может уйти домой, хотя никто ей этого не говорил. Нужно было разложить дела по папкам, расшифровать и отпечатать письма, которые накануне надиктовал Жерар Этьенн, однако представлялось неприличным, да и бессмысленным подшивать документы, которые никогда не будут им востребованы, и печатать письма, которые его рука никогда уже не подпишет. Мэнди ушла полчаса назад: ей, видимо, сказали, что она больше не нужна. Блэки смотрела, как она достает мотоциклетный шлем из нижнего ящика своего стола и застегивает молнию на плотно облегающей кожаной куртке. Увенчанная блестящим красным куполом, ее тоненькая фигурка с длинными, в черных рубчатых леггинсах ногами, немедленно — впрочем, как всегда, — преобразилась в карикатурное подобие какого-то экзотического насекомого. В ее прощальных, адресованных Блэки словах звучало неловкое сочувствие:

— Послушайте, не стоит из-за него сон терять. Я, например, не стану, хоть мне-то он нравился, на вид по крайней мере. Но с вами он вел себя как настоящий ублюдок. А вы как — с вами все в порядке? Я хочу сказать — домой нормально доберетесь?

Она тогда ответила:

— Спасибо, Мэнди. Со мной уже все в порядке. Это все шок. В конце концов, я ведь была его личным секретарем. А вы знали его всего неделю и то как временная машинистка.

Эти слова — неуклюжая попытка восстановить утерянное достоинство — даже в ее собственных ушах прозвучали унижающе и помпезно. Мэнди в ответ только пожала плечами и ушла, не промолвив больше ни слова; ее громкое прощание с миссис Демери эхом разнеслось по всему холлу.

Незадолго до этого интервью с полицейскими очень приободрило Мэнди, и она немедленно отправилась на кухню — обсудить все с миссис Демери, Джорджем и Эми. Блэки тоже очень хотелось бы принять участие в обсуждении, но она сочла, что было бы неподобающим ее статусу, если бы ее застали сплетничающей с сотрудниками нижнего звена. Кроме того, она понимала, что они вряд ли станут приветствовать ее вторжение в их откровенные разговоры и рассуждения. С другой стороны, ведь ее не пригласили на совещание директоров, когда они закрылись в конференц-зале, и их видела одна только миссис Демери, потому что ей позвонили, попросив принести еще кофе и сандвичей. Ей подумалось, что в Инносент-Хаусе больше нет места, где в ней нуждались бы или где она могла бы чувствовать себя в своей тарелке.

Она размышляла о прощальных словах Мэнди. Может, именно так Мэнди и сказала полицейским — что мистер Жерар обращался с Блэки как настоящий ублюдок? Да конечно же! С какой стати Мэнди молчать о чем-нибудь, что происходило в Инносент-Хаусе, — Мэнди, которая совсем здесь чужая, которая пришла сюда через некоторое время после того, как началась целая серия злобных шуток, которая могла смотреть на все отстраненным, незаинтересованным взглядом, даже получать удовольствие от всеобщего волнения, ощущая себя в полной безопасности, потому что уверена в собственной невиновности, не привязана ни к кому лично, никому лично не предана. Мэнди, чьи острые маленькие глазки ничего не могли упустить, конечно, была бы просто подарком для полицейских. И она просидела с ними очень долго, почти час, — разумеется, гораздо дольше, чем это могло быть оправдано ее ролью в издательстве. И снова, совершенно бесплодно, поскольку ничего уже нельзя было изменить, Блэки принялась продумывать свое собственное интервью с детективами. Ее вызвали не первой. У нее было время подготовиться, подумать над тем, что она скажет. И она все как следует продумала. Страх прояснил ее мысли.

Интервью проходило в кабинете мисс Клаудии, и проводили его всего двое полицейских: женщина — детектив-инспектор и сержант. Почему-то Блэки ожидала увидеть коммандера Дэлглиша, и его отсутствие так ее расстроило, что она ответила на первый вопрос, не вполне уверенная, началось уже интервью или нет, и все еще как бы ожидая, что коммандер вот-вот появится в дверях. Еще ее удивило, что интервью не записывается на магнитофонную пленку. Полицейские почти всегда так поступали в детективных сериалах, которые ее кузина больше всего любила смотреть по телевизору у них дома, но возможно, это делается позже, когда определился главный подозреваемый и его допрашивают после предупреждения, что его слова могут быть использованы против него. Но в таком случае, несомненно, присутствовал бы адвокат. А сейчас она была одна. Сейчас не было никакого предупреждения, никакого намека на то, что это что-либо иное, кроме предварительной неофициальной беседы. Бо́льшую часть вопросов задавала женщина — детектив-инспектор, а сержант вел записи, но иногда вмешивался в разговор, не спрашивая разрешения у старшей по чину, и с такой спокойной уверенностью, что Блэки догадалась — они давно вместе работают и привыкли друг к другу. Оба были предельно вежливы с ней, даже мягки, но ее ведь не проведешь. Они все равно оставались расследователями, и их формальное выражение сочувствия, их вежливость, их мягкость были всего лишь профессиональными приемами. Оглядываясь назад, она сама себе удивлялась: как же она сразу смогла понять это и распознать в них врагов, несмотря на свое смятение и страх?

Они начали с простых предварительных вопросов о том, как долго она проработала в издательстве, как обычно запираются на ночь кабинеты и само здание, кто из сотрудников имеет ключи и может управлять охранной системой, как в целом складывается ее рабочий день, даже — как устраивается ее обеденный перерыв? Отвечая на эти вопросы, она почувствовала себя гораздо спокойнее, хотя прекрасно знала, что именно на это они и рассчитаны.

Потом детектив-инспектор Мискин сказала:

— Вы проработали у мистера Генри Певерелла двадцать семь лет, до самой его смерти. Затем перешли к мистеру Этьенну, когда он стал президентом компании и директором-распорядителем в январе этого года. Такая перемена должна была показаться нелегкой и для вас, и для издательства.

Блэки этого ждала. У нее был уже заготовлен ответ:

— Конечно, все изменилось. Я работала со старым мистером Певереллом так долго, что он привык доверять мне, был со мной откровенен. Мистер Жерар был моложе и использовал другие методы работы. Мне пришлось приспосабливаться к совершенно иной личности. Любой личный секретарь должен пройти через это при смене начальства.

— Вам доставляло удовольствие работать с мистером Этьенном? Он вам нравился?

Это спросил сержант. Бескомпромиссный взгляд его темных глаз требовал от нее ответа.

— Я его уважала, — сказала она.

— Это не совсем то же самое.

— Не всегда бывает так, что тебе нравится твой начальник. Думаю, я уже начинала к нему привыкать.

— А он к вам? А остальные сотрудники издательства? Он ведь начал какие-то перемены, верно? Перемены всегда воспринимаются болезненно, особенно в давно устоявшихся организациях. Мы знаем это по работе в Скотланд-Ярде. Разве не было у вас увольнений, угрозы увольнений, планов переехать в другое помещение ниже по реке, разговоров о продаже Инносент-Хауса?

Она тогда ответила:

— Об этом вам придется спросить у мисс Клаудии. Со мной он политику издательства не обсуждал.

— В отличие от мистера Певерелла. Превращение из доверенного лица в простую секретаршу вряд ли могло быть вам приятно.

Она не ответила. Тогда инспектор Мискин перегнулась через стол, поближе к ней, и сказала доверительно, словно они просто болтали, как две молоденькие девчонки, собиравшиеся поделиться своими женскими секретами:

— Расскажите нам про змею. Расскажите про Шипучего Сида.

Так что она рассказала им, как змею принесла в издательство примерно пять лет назад, на Рождество, временно работавшая у них машинистка-стенографистка, чью фамилию и адрес теперь уже никто не помнил. Она не взяла ее с собой, когда уходила, и змею обнаружили лишь полгода спустя, в ящике ее рабочего стола, засунутой в дальний угол. Блэки оборачивала змею вокруг ручек двери, ведущей из ее комнаты в кабинет мистера Певерелла. Он любил, чтобы дверь оставалась приоткрытой — так он мог позвать Блэки, как только она оказывалась ему нужна. Мистер Певерелл не любил вызывать ее по телефону. Со временем Шипучий Сид стал чем-то вроде издательского талисмана. Его брали в летние поездки по реке, приносили на рождественские вечера. Однако теперь она уже не обматывала змею вокруг ручек двери — мистер Жерар предпочитал держать дверь плотно закрытой.

— А где обычно хранилась змея? — спросил сержант.

— Обычно она лежала свернутой на верху левого картотечного шкафа. Иногда просто висела на одной из ручек или была обернута вокруг нее.

— Расскажите нам, что случилось вчера. Мистер Жерар не хотел больше видеть эту змею в помещении издательства, не так ли?

Она ответила, стараясь, чтобы голос ее звучал спокойно:

— Он вышел из кабинета и увидел Шипучего Сида на ручке верхнего картотечного шкафа. Он решил, что змея выглядит неподобающе в помещении издательства, и велел мне от нее избавиться.

— И как вы поступили?

— Я спрятала змею в верхний правый ящик своего стола.

— Это очень важно, мисс Блэкетт, — сказала детектив-инспектор Мискин. — Уверена, вы достаточно сообразительны, чтобы понять — почему. Кто точно был в вашем кабинете, когда вы прятали змею в ящик стола?

— Только Мэнди Прайс — она работает вместе со мной в этой же комнате, — мистер Донтси и мисс Клаудиа. После этого она пошла вместе с братом в его кабинет. Мистер Донтси дал Мэнди перепечатать письмо и тоже ушел.

— И больше никого?

— В комнате — больше никого. Однако я думаю, кто-то из находившихся здесь мог упомянуть о том, что произошло. Не думаю, что Мэнди промолчала бы. И любой, кому понадобилась бы змея, прежде всего стал бы искать ее в моем правом верхнем ящике. Я хочу сказать — это самое подходящее место для ее хранения.

— И вы не подумали о том, чтобы ее просто выбросить?

Теперь, вспоминая об этом, она понимала, что слишком эмоционально прореагировала на такое предположение, что в ее голосе звучали ноты злого негодования:

— Выбросить Шипучего Сида? Как это? Ну уж нет! Мистеру Певереллу змея нравилась. Он находил ее забавной. Она никакого вреда в издательстве не приносила. И в конце-то концов мой кабинет вовсе не такое место, куда посетители обычно приходят. Так что я просто убрала ее в ящик. Думала, может, возьму домой.

Еще они спрашивали ее о последнем визите Эсме Карлинг и о ее настойчивом требовании видеть мистера Этьенна. Блэки поняла, что кто-то уже проболтался и все это не будет для них чем-то новым. Так что она решила сказать правду, то есть ровно столько правды, сколько она могла позволить себе высказать.

— Миссис Карлинг не самый покладистый из наших авторов, она была крайне рассержена. Кажется, ее литагент сообщила ей, что мистер Этьенн не желает издавать ее новую книгу. Она настаивала на немедленной встрече с ним, и мне пришлось объяснить ей, что он — на совещании директоров, а их ни в коем случае нельзя беспокоить. Она ответила в самом оскорбительном тоне, упомянув мистера Певерелла и наши с ним доверительные отношения. Думаю, она полагала, что я имела слишком большое влияние на дела издательства.

— А она не пригрозила вернуться попозже и все-таки увидеться с мистером Этьенном?

— Нет. Ничего подобного она не говорила. Конечно, она могла бы настоять на том, чтобы остаться и подождать, пока совещание окончится, но у нее была назначена встреча с читателями для подписания книг, в книжном магазине в Кембридже.

— Которая, как известно, была отменена факсом, посланным из вашего кабинета в 12.30. Это вы отправили факс, мисс Блэкетт?

Она посмотрела прямо в серые глаза инспектора Мискин:

— Нет. Я не отправляла.

— Вы знаете, кто его отправил?

— Не имею ни малейшего понятия. Это случилось во время нашего обычного обеденного перерыва. Я находилась на кухне, разогревала готовый ленч из магазина «Маркс и Спенсер» — спагетти по-болонски. Все время кто-нибудь входил или выходил. Я не могу помнить, где кто-то был или не был именно в 12.30. Я только знаю, что меня в кабинете в это время не было.

— А кабинет был не заперт?

— Конечно, нет. Мы никогда не запираем свои кабинеты во время рабочего дня.

Так оно и продолжалось, это интервью. Вопросы о прежних проделках зловредного шутника, о том, когда она ушла из своей комнаты вчера вечером, как ехала домой, в какое время вернулась в Уиверс-Коттедж, как провела вечер. Все это было совсем не трудно. Вскоре инспектор Мискин закончила опрос, но чувства, что все действительно закончилось, у Блэки не было. Уже простившись, Блэки обнаружила, что ноги у нее подкашиваются, и вынуждена была на несколько секунд крепко ухватиться за спинку стула, прежде чем обрести уверенность, что сможет, не шатаясь, дойти до двери.

Она дважды пыталась дозвониться домой, но никто не отвечал. Джоан, видимо, была где-то в деревне или поехала в город за покупками, но, может быть, так было даже лучше. Новости вроде этой лучше сообщать лично, а не по телефону. Она подумала, не стоит ли позвонить снова, чтобы сказать, что вернется сегодня пораньше, но даже попытка протянуть руку к трубке требовала, казалось, неимоверных усилий. Пока она пыталась заставить себя хоть что-то сделать, дверь отворилась, и в комнату заглянула мисс Клаудиа:

— О, вы все еще здесь? Полицейские рады отпустить всех сотрудников по домам. Все равно ведь издательство закрыто. Фред Баулинг готов отвезти вас на катере к Черинг-Кроссу. — Увидев лицо Блэки, она спросила: — С вами все в порядке? Я хочу сказать — может быть, нужно, чтобы кто-то проводил вас домой?

Самая мысль об этом привела Блэки в ужас. Да и кто мог бы это сделать? Она знала, что миссис Демери все еще здесь, готовит бесконечные кружки кофе для компаньонов и полицейских, но ее вовсе не обрадует поручение совершить полуторачасовую поездку в Кент. Блэки могла представить себе эту поездку, неумолчную болтовню, вопросы, совместное появление в Уиверс-Коттедже и то, как миссис Демери будет неохотно сопровождать ее, словно она малолетний преступник или арестант под конвоем. Джоан, вполне возможно, захочет угостить миссис Демери чаем. Блэки представила, как они втроем сидят в гостиной у них дома, и миссис Демери излагает свою ярко расцвеченную версию сегодняшних событий, — словоохотливая, вульгарная, порой даже заботливая, но от которой почти невозможно отделаться. Она ответила:

— Спасибо, мисс Клаудиа. Со мной абсолютно все в порядке. Простите, что я так глупо себя вела. Это просто был шок.

— Это был шок для всех нас.

Голос у мисс Клаудии был совершенно бесцветным. Наверное, сказанные ею слова не были упреком, просто констатацией факта, но прозвучали они как упрек. Она помолчала, словно ей хотелось еще что-то сказать или она чувствовала, что должна что-то сказать, и добавила:

— Вы можете не приходить в понедельник, если все еще будете чувствовать, что слишком расстроены. На самом деле нет такой необходимости. Если вы снова понадобитесь полицейским, они знают, где вас найти. — С этими словами она ушла.

Впервые с момента обнаружения трупа они оказались наедине, хотя и очень недолго, и Блэки пожалела, что у нее не нашлось слов, чтобы хоть что-то сказать, как-то выразить свое сочувствие. Но что она могла сказать такого, что было бы одновременно и правдивым, и искренним? «Он мне не нравился, а я не нравилась ему. Но мне жаль, что он умер». Но правда ли это на самом деле?

Она привыкла, что в час пик у Черинг-Кросс ее подхватывает поток пригородных жителей, работающих в Лондоне, целеустремленно и уверенно спешащих к своим поездам. Странно было очутиться там в середине дня, когда вокзал оказался необычайно, особенно для пятницы, пуст и погружен в атмосферу какой-то вневременной неопределенности. Пожилая пара, слишком нарядно одетая для поездки — женщина явно надела самое лучшее, что у нее было, — взволнованно изучала табло отправлений; муж тащил тяжело нагруженный и многократно перевязанный чемодан на колесах. Женщина что-то сказала, и он дернул ручку, чтобы подкатить чемодан поближе. Тот немедленно упал на бок. Блэки некоторое время смотрела, как они пытаются поставить чемодан прямо, потом направилась к ним — помочь. Но даже когда она сражалась с тяжеленным весом неуклюже упакованного багажа, она чувствовала на себе их взволнованные, подозрительные взгляды, словно они боялись, что она собирается похитить у них их нижнее белье. Когда чемодан снова был поставлен на колеса, они пробормотали «спасибо» и двинулись прочь, таща свой багаж теперь уже вдвоем и время от времени похлопывая его по бокам, словно успокаивая норовистую собаку.

Табло указывало, что у Блэки есть еще полчаса до поезда — как раз достаточно для того, чтобы спокойно выпить кофе. Потягивая горячий напиток, вдыхая такой знакомый аромат, приятно согревая ладони, охватившие чашку, она думала, что эта неожиданно ранняя поездка домой в нормальных условиях воспринималась бы как возможность слегка побаловать себя. Непривычная пустота вокзала напоминала ей не о толкотне и неудобствах часов пик, а о каникулах ее детства, о свободном времени, когда можешь медленно, с удовольствием выпить кофе, о спокойной уверенности, что доберешься домой засветло. Но сейчас все удовольствие было задавлено живущим в памяти ужасом, закрыто завесой непреодолимого страха и неизбывного чувства вины. Освободится ли она когда-нибудь от этого? Но Блэки наконец-то возвращалась домой. Она еще не решила, насколько сможет открыться кузине Джоан. Было кое-что такое, чего она не могла, да и не должна была говорить, но, во всяком случае, она надеялась, что кузина, с присущим ей здравым смыслом, сумеет ее утешить, а привычная упорядоченность и покой Уиверс-Коттеджа вернут ей уверенность.

Полупустой поезд отошел вовремя, но потом она ничего не могла вспомнить об этой поездке: ни как отпирала машину на стоянке в Ист-Марлинге, ни как ехала в Уэст-Марлинг, ни как вела машину к дому. Все, что ей вспоминалось потом, было — как она подъехала к воротам Уиверс-Коттеджа и что представилось ее взгляду. Не веря своим глазам она взирала на этот необъяснимый ужас. В лучах осеннего солнца сад лежал перед ней попранный, уничтоженный, буквально вырванный с корнями, взрытый и сваленный в кучу. Поначалу, сбитая с толку потрясением, вспоминая разрушительные бури прежних лет, она решила, что здесь промчался какой-то странный, локализованный смерч. Но эта мысль тотчас же исчезла. Нынешнее разрушение, более мелкое и явно выборочное, было делом человеческих рук.

Она вышла из машины, не чуя под собой земли, и на негнущихся ногах подойдя к воротам, ухватилась за них, чтобы не упасть. Теперь варварское опустошение предстало перед ней до малейших деталей. У цветковой вишни, справа от ворот, пятнавшей воздух над садом яркой осенней красно-желтой палитрой, были ободраны все нижние ветви, порезы на коре зияли, словно открытые раны. Тутовое дерево посреди лужайки — предмет особой гордости кузины Джоан — было также покалечено, а скамья, обнимавшая ствол и выложенная белой плиткой, расколота и выщерблена, будто по ней прыгали в тяжеленных ботинках. Розовые кусты остались целыми, возможно, из-за их колючих стеблей, но были вырваны из земли с корнем и свалены в кучу, а раннеосенние маргаритки и белые хризантемы — их была целая клумба, Джоан посадила их, чтобы оттенить темную зелень буковой изгороди, — были выворочены с землей и грудами валялись на дорожке. С вьющейся над крыльцом розой им справиться не удалось, но они вырвали и бросили наземь клематис и вистерию, отчего фасад дома казался странно голым и незащищенным.

Коттедж был пуст. Блэки переходила из комнаты в комнату, окликая кузину по имени, еще долго после того, как убедилась, что в доме ее нет. Ею уже начинало овладевать серьезное беспокойство, когда она услышала стук захлопнутых ворот и увидела, что кузина на велосипеде едет по дорожке. Выбежав из парадного ей навстречу, Блэки крикнула:

— Как ты? Нормально?

Кузина нисколько не удивилась, увидев Блэки дома на несколько часов раньше обычного. Она мрачно ответила:

— Ты же видишь, что тут произошло. Вандалы. Четверо на мотоциклах. Я чуть было не застала их на месте преступления. Они с грохотом мчались прочь, когда я возвращалась из деревни, но успели скрыться прежде, чем я разглядела их номера.

— Ты в полицию позвонила?

— Конечно. Они едут из Ист-Марлинга и не очень-то спешат. Этого бы не случилось, если бы у нас в деревне, как раньше, был свой полицейский. А им торопиться нет смысла. Они же никого не поймают! И никто не поймает. А если и поймают — что им сделают? Возьмут небольшой штраф или дадут условное освобождение от ответственности. Господи, если полиция не может защитить нас, пусть нам разрешат самим вооружиться. Если бы только у меня было ружье!

— Мы не можем убивать людей лишь за то, что они надругались над твоим садом, — возразила Блэки.

— Ты не можешь? А я смогла бы!

Пока они шли к коттеджу, Блэки успела разглядеть, что Джоан плакала. Ошибиться в этом было невозможно: глаза кузины неестественно сузились, потускнели и налились кровью, отекшее лицо стало серым, а на щеках пылали красные пятна. Против совершенного над садом насилия оказались бессильны и ее обычная невозмутимость, и ее стоицизм. Нападение на саму себя она перенесла бы гораздо легче. Однако теперь гнев пересилил ее горе, и гнев этот был страшен.

— Я снова поехала в деревню — посмотреть, что они еще там натворили. По-видимому, ничего особенного. Они заявились в «Герб простака» и потребовали ленч, но так шумели, что миссис Бейкер не стала больше их обслуживать, а мистер Бейкер вытолкал их прочь. Тогда они стали кругами носиться по деревенской площади, с таким ревом, что миссис Бейкер пришлось пойти туда и сказать им, что это не разрешается. Тогда они совсем распалились, оскорбительно выражались и насмехались, и стали ездить еще быстрее и реветь еще громче, так что она пригрозила вызвать полицию и пошла звонить в участок. Вскоре они уехали. Думаю, то, что они у нас сделали, — это их месть.

— А вдруг они вернутся?

— О нет, эти не вернутся! Зачем? Они поищут еще что-нибудь красивое и тоже уничтожат. Господи, что за поколение мы вырастили? Они лучше питаются, лучше образованны, о них лучше заботятся, чем обо всех предыдущих поколениях, а они ведут себя, как злобные хамы. Что с нами стало? И не говори мне про безработицу! Может, они и безработные, но могут же позволить себе покупать дорогие мотоциклы! А у некоторых сигареты изо рта висят!

— Ну, они же не все такие, Джоан! Нельзя судить обо всем поколении по горстке хулиганов.

— Ты, конечно, права. Я рада, что ты дома.

Впервые за девятнадцать лет их совместной жизни в Уиверс-Коттедже Джоан открыто высказала, что нуждается в том, чтобы Блэки ее поддержала и утешила.

— Как это хорошо со стороны мистера Этьенна разрешить тебе уйти сегодня пораньше. А что случилось? Кто-то из деревенских позвонил и рассказал обо всем? Но это вряд ли возможно. Ты должна была ехать домой как раз в то время, когда все тут происходило.

И тогда Блэки рассказала ей все — кратко, но красочно. Рассказ об этом непередаваемом ужасе имел хотя бы то достоинство, что отвлек Джоан от ее страданий из-за оскверненного сада. Она упала в ближнее кресло, словно у нее подкосились ноги, но слушала в полном молчании, не выражая вслух ни ужаса, ни изумления. Когда Блэки закончила, Джоан поднялась с кресла и долгую четверть минуты пристально вглядывалась в глаза кузины, будто желая убедиться, что та все еще в здравом рассудке. Затем она быстро произнесла:

— Тебе лучше пока посидеть. Я разожгу камин. Мы обе пережили страшное потрясение, и нам очень важно побыть в тепле. Сейчас принесу виски. Надо все обсудить.

Пока Джоан усаживала ее поудобнее в кресле перед камином, взбивала ей подушки и придвигала скамеечку для ног с редкой для нее заботливостью, Блэки не могла не обратить внимание на то, что и лицо, и голос кузины теперь выражали не столько возмущение и гнев, сколько мрачное удовлетворение, и подумала — ничто не может так действенно отвлечь от собственных, менее вопиющих несчастий, как вчуже переживаемый ужас убийства.

Сорок минут спустя, сидя перед потрескивающими в камине поленьями, умиротворенные теплом и обжигающим горло виски, которое они хранили для чрезвычайных случаев, Блэки впервые ощутила, что отдаляется от травм сегодняшнего дня. На коврике перед камином Арабелла, мурлыча в экстазе, то вытягивала, то подбирала под себя мягкие лапки, белоснежный мех ее казался красноватым в пляшущих отблесках пламени. Прежде чем усесться перед камином, Джоан включила духовку, и от кухонной двери до Блэки уже доносился пряный запах запекающейся в горшочке баранины. Она вдруг обнаружила, что по-настоящему голодна, и вполне вероятно, что еда сможет доставить ей истинное удовольствие. Она чувствовала легкость во всем теле, словно с ее плеч просто физически спало тяжкое бремя вины и страха. Вопреки ранее принятому решению она обнаружила, что рассказывает Джоан о Сидни Бартруме.

— Понимаешь, я знала, что его собираются выгнать. Я печатала письмо от мистера Жерара в ту фирму, «охотникам за головами». Конечно, я не могла прямо сказать Сидни, чтó планируется на его счет, — я всегда считала работу личного секретаря сугубо конфиденциальной, — но было бы несправедливо его не предупредить. Он чуть больше года как женился, а сейчас у них дочка родилась. А ему уже за пятьдесят, должно быть. Не так-то легко новую работу найти в этом возрасте. Ну и вот, когда я узнала, что ему назначено к мистеру Жерару прийти со сметами, я оставила экземпляр письма у себя на столе. Мистер Жерар всегда заставлял его ждать, вот я и вышла из комнаты, чтобы дать ему шанс. Уверена была — он прочтет письмо. Это же так по-человечески, просто инстинкт такой — заглянуть в письмо, если оно у тебя перед носом лежит.

Однако этот поступок, столь чуждый ее характеру и противоречащий обычному стилю ее поведения, был продиктован вовсе не жалостью. Теперь она это понимала и лишь удивлялась, почему не осознавала этого раньше. То, что она тогда чувствовала, было ощущением общности судьбы: оба они — и она, и Сидни Бартрум — оказались жертвами почти нескрываемого презрения мистера Жерара. Этот поступок был ее первой попыткой сопротивляться. Не он ли придал ей мужества для нового, повлекшего более страшные последствия бунта?

— А он его прочел? — спросила Джоан.

— Наверное, прочел. Но он меня не выдал. Во всяком случае, мистер Жерар никогда не упоминал о письме и не сделал мне выговора за небрежность. Но на следующий день Сидни Бартрум попросил, чтобы мистер Жерар его принял, и, видимо, поинтересовался, остается ли за ним его должность. Их голосов я не слышала, но Сидни пробыл у него в кабинете совсем недолго, а когда вышел, я увидела, что он плачет. Ты только представь себе, Джоан: взрослый мужчина плачет! — Помолчав, она добавила: — Потому я и не сказала про это полиции.

— Про что? Что он плакал?

— Про письмо. Я ничего им про него не сказала.

— Ты только про это им не сказала?

— Да, — солгала Блэки. — Только про это.

— Думаю, ты была права. — Миссис Уиллоуби удобно сидела в кресле, расставив мощные ноги и прочно уперев их в пол; она протянула руку за бутылкой виски и рассудительно заметила: — Зачем по собственной воле предлагать информацию, которая к делу не относится и даже может ввести в заблуждение? Конечно, если они прямо тебя спросят, придется сказать правду.

— Так я и подумала. Тем более что мы еще точно не знаем, убийство это или нет. Ну, я хочу сказать, он ведь мог умереть от естественных причин — от инфаркта, например, а потом кто-то обмотал ему змею вокруг шеи. Кажется, так большинство у нас и думает. Такое как раз мог бы сделать наш издательский шутник.

Однако миссис Уиллоуби тотчас же отвергла эту удобную теорию:

— О, я думаю, мы с полным основанием можем быть уверены, что это — убийство. Что бы ни произошло с трупом впоследствии, полиция не стала бы так надолго задерживаться у вас в издательстве, да еще на таком высоком уровне, если бы были какие-то сомнения на этот счет. А коммандер Дэлглиш... Я о нем слышала. Они не послали бы офицера такого высокого ранга, если бы считали, что это смерть из-за естественных причин. Ты, конечно, сказала, что сам лорд Стилгоу позвонил в Скотланд-Ярд. Возможно, это имело какое-то влияние на полицию. Титул все еще сохраняет у нас свою силу. Разумеется, нельзя исключить самоубийство или несчастный случай, но то, что ты рассказала, по-моему, не похоже ни на то, ни на другое. Нет, если хочешь знать мое мнение, это — убийство, и совершил его кто-то из своих.

— Но не Сидни. Сидни Бартрум мухи не обидит.

— Может быть. Но он мог бы прихлопнуть кого-то покрупнее и поопаснее мухи. Ну, все равно полиция проверит алиби всех ваших сотрудников. Жаль, что ты вчера пошла делать покупки в Уэст-Энде, а не приехала прямо домой. Я полагаю, никто — ни в «Либерти»*, ни у «Эйгера»** — не сможет замолвить за тебя словечко?

— Не думаю. Понимаешь, я же ничего так и не купила. Я просто зашла посмотреть, а народу в магазинах было полным-полно.

— Смешно, конечно, даже думать, что ты имеешь какое-то отношение ко всему этому, но полиция должна подходить ко всем с одной и той же точки зрения, по крайней мере поначалу. Впрочем, ладно, нет смысла волноваться, пока мы точно не узнаем время смерти. Кто видел его последним? Это уже установили?

— Мисс Клаудиа, кажется. Она обычно уходит одной из последних.

— Ну и, конечно, его убийца. Интересно, как ему удалось заманить свою жертву в малый архивный кабинет? Думаю, именно там он и умер. Если предположить, что он был удавлен или задушен при помощи Шипучего Сида, тогда, значит, убийце надо было сначала его одолеть. Молодой и сильный человек не ляжет послушно на пол, чтобы позволить себя задушить. Его, конечно, могли чем-то опоить или оглушить ударом, достаточно сильным, чтобы лишить его сознания, но не таким сильным, чтобы повредить кожу головы.

Миссис Уиллоуби, жадно поглощавшая детективные романы, хорошо знала вымышленных убийц, овладевших этим трудным приемом. Она продолжала рассуждать:

— Наркотик, конечно, могли подсыпать ему в вечерний чай. Порошок должен был быть безвкусным и очень медленно действующим. Очень трудная задача. Или опять же его могли задушить чем-то мягким, что не оставляет следов, чем-то вроде чулка или колготок. Убийца не мог воспользоваться шнуром или веревкой — под змеей след виднелся бы слишком явно. Надеюсь, полицейские приняли все это во внимание.

— Я не сомневаюсь, что они обо всем подумали, Джоан.

---

* «Либерти» (Liberty) — большой лондонский магазин одноименной компании, преимущественно торгующий женским бельем, одеждой и предметами женского туалета.

** «Эйгер» (Jaeger) — название фирменных магазинов компании «Эйгер холдингз», производящей мужские и женские трикотажные изделия, одежду и белье.

Потягивая виски, Блэки размышляла о том, какое успокаивающее действие оказывают на нее неприкрытый интерес и свободные рассуждения Джоан об этом преступлении. Нет, не зря целых пять полок в спальне кузины были заняты детективными романами в бумажных обложках: Агата Кристи, Дороти Л. Сэйерс, Марджери Эллингэм, Нгайо Марш, Джозефина Тей и несколько совсем новых авторов, которых Джоан сочла достойными соседствовать с этими знаменитыми практиками в области вымышленных убийств, представителями Золотого века детективной литературы. И в конце-то концов, почему Джоан должна испытывать личное горе? Она только один раз приезжала в Инносент-Хаус, три года назад, когда присутствовала на рождественском вечере для сотрудников издательства. Она знала не очень многих из них, да и то лишь по именам. И пока она так рассуждала, ужасные события в Инносент-Хаусе начинали казаться Блэки чем-то далеким, нереальным, нестрашным, каким-то остросюжетным литературным вымыслом, не несущим с собой ни горя, ни боли, ни утраты; чувство вины и страха словно дезинфицировалось, и все происшедшее съежилось до размеров изобретательной головоломки. Она смотрела, не отрываясь, на пляшущие в камине языки пламени, из которых, казалось, ей навстречу поднимается мисс Марпл* с сумочкой, бережно прижатой к груди; добрые, мудрые, старые глаза внимательно вглядываются в глаза Блэки, успокаивая ее, уверяя, что нечего бояться, что все будет хорошо.

Тепло камина и виски рождали сонное умиротворение. Голос кузины, казалось, доносился откуда-то издалека по телефону, а порой совсем затихал. Если они не примутся сейчас за обед, она заснет тут же, на месте. Стряхнув сонливость, она спросила:

— Не пора ли нам подумать о еде?

30

Они встретились в 6.15 на лестнице, спускающейся к реке у Гринвич-Стейшн, между глухой стеной и стапелем эллинга. Место было уединенное, очень удобное для такой встречи. Там был небольшой песчаный пляж, и даже теперь, по дороге домой, отъехав далеко от реки, он все еще слышал тихий плеск

---

* Мисс Марпл — «деревенский детектив», героиня многих криминальных произведений известной английской писательницы Агаты Кристи.

небольших, обессилевших волн, шорох и жестяной перестук гальки, уносимой от берега отливом. Габриел Донтси приехал первым к назначенному времени, но даже не повернул головы, когда Сидни Бартрум подошел к нему сзади и встал рядом. Когда он заговорил, тон его был мягким, почти извиняющимся:

— Я подумал, что нам надо поговорить, Сидни. Я видел, как вы входили в Инносент-Хаус вчера вечером. Окно моей ванной выходит на Инносент-лейн. Я случайно взглянул в окно и увидел вас. Было примерно без двадцати семь.

Сидни знал, о чем пойдет речь, и теперь, когда ожидаемые слова были произнесены, он выслушал их с чувством, очень похожим на облегчение.

Он ответил, всей душой желая, чтобы Донтси ему поверил:

— Но я ведь вышел оттуда почти тотчас же! Клянусь вам! Если бы вы немножко подождали, если бы последили чуть дольше, вы бы увидели меня. Я никуда дальше приемной не пошел. Не хватило духу. Сказал себе, что нет никакого смысла убеждать и упрашивать. Ничто не могло его тронуть, просьбы ни к чему хорошему не привели бы. Клянусь вам, мистер Донтси, я не видел его после того, как ушел из своего отдела вчера вечером.

— Да, это ни к чему хорошему не привело бы. Жерар был не слишком восприимчив к просьбам. — Помолчав, он добавил: — Или к угрозам.

— Как мог бы я угрожать ему? Я был совершенно бессилен. Он бы меня уволил на следующей неделе, а я не мог бы его остановить. А если бы я сделал что-то такое, что еще больше настроило бы его против меня, он мог дать мне рекомендацию, так хитро сформулированную, что ее нельзя оспорить, но с ней меня уже никто и никогда на работу не возьмет. Я был целиком и полностью в его власти. Я рад, что он умер. Если бы я был человеком религиозным, я упал бы на колени и благодарил бы Бога за то, что он умер. Но я его не убивал. Вы должны мне поверить. Если вы мне не поверите, мистер Донтси, то — Господи! — кто же мне поверит?

Высокий человек рядом с ним не двинулся, не промолвил ни слова. Он стоял, пристально глядя на темные воды реки, и молчал. Наконец Сидни осмелился спросить:

— Что вы намерены делать?

— Ничего. Мне нужно было поговорить с вами, чтобы выяснить, не сообщили ли вы об этом полицейским и не предполагаете ли им об этом говорить. Меня, разумеется, спрашивали, не видел ли я, чтобы кто-то входил в Инносент-Хаус. Нас всех об этом спрашивали. Я солгал. Солгал и предполагаю лгать в дальнейшем. Но это окажется бессмысленным, если вы сами им уже сказали или если утратите присутствие духа.

— Нет, я им не говорил. Я сказал, что приехал домой вовремя, как обычно — около семи. Я позвонил жене, как только услышал эту новость, еще до приезда полиции, и сказал, чтобы она подтвердила, что я был дома вовремя, если вдруг ей позвонят и спросят. Мне было неприятно просить ее солгать, но она сочла, что это не так уж важно. Она поняла, что я невиновен, что я не совершил ничего постыдного. Сегодня вечером я ей все как следует объясню. Она поймет.

— Вы позвонили жене еще до того, как узнали, что это может быть убийство?

— Я с самого начала подумал, что это — убийство. Эта змея, это полуобнаженное тело... Как это могло быть смертью от естественных причин? — Помолчав, он сказал просто: — Спасибо вам. Спасибо, что промолчали, мистер Донтси. Я этого не забуду.

— Вам не за что меня благодарить. Это было самое разумное, что я мог сделать. Я не оказываю вам никакой услуги. Так что вам незачем испытывать ко мне благодарность. Здесь всего-навсего сработал здравый смысл. Если полицейские станут тратить время, подозревая невиновных, у них останется гораздо меньше шансов схватить виновного. А у меня теперь нет былой уверенности в том, что они не совершают ошибок.

И тогда, собравшись с духом, Сидни спросил:

— А вас это действительно заботит? Вы правда хотите, чтобы виновного поймали?

— Я хочу, чтобы они выяснили, кто обмотал змею вокруг шеи Жерара и засунул ее голову ему в рот. Это — гнусность, профанация смерти. Я предпочитаю, чтобы виновных наказывали, а невиновные были оправданы. Думаю, большинство людей хотят того же. В конце концов, именно это мы и называем справедливостью. Но что до меня, то я не возмущен смертью Жерара, да и чьей-то еще смертью: смерть больше не задевает моих чувств. Сомневаюсь, что сохранил способность остро чувствовать что бы то ни было вообще. Я его не убивал: на мою долю и так выпало слишком много убийств. Не знаю, кто это сделал, но у меня с его убийцей есть одна общая черта. Нам не пришлось смотреть в глаза нашим жертвам. Есть что-то чрезвычайно недостойное в убийце, которому даже не приходится вглядываться в реальность того, что он совершил.

Сидни Бартрум заставил себя пойти на еще одно, последнее унижение:

— А моя работа, мистер Донтси? Как вы думаете, теперь она останется за мной? Мне это очень важно. Что, мисс Этьенн... Вы не знаете, что она планирует? Что планирует каждый из компаньонов? Я знаю, что нужны перемены. Я мог бы овладеть новыми методами, если вы сочтете, что это необходимо. И я не стал бы возражать, если кого-то нового поставят надо мной, если у него квалификация выше моей. Я могу лояльно работать и в качестве подчиненного. — Он горько усмехнулся. — Я знаю, мистер Жерар считал, что это единственное, на что я способен.

— Я пока не знаю, какие решения будут приняты, — ответил Донтси. — Но полагаю, что больших перемен в ближайшие месяцев шесть не случится. И если я смогу как-то повлиять на ход событий, ваше место останется за вами.

Тут они повернули прочь от реки и вместе направились к боковой дороге, где каждый оставил свою машину.

31

Дом, который выбрали для себя Сидни и Джули Бартрум и за который он выплачивал самую высокую ипотечную ставку, стоял недалеко от станции Бакхерст-Хилл, на покатой узкой улице, больше похожей на сельский проселок, чем на улицу лондонского пригорода. Это был дом в обычном для 1930-х годов стиле, с эркером и крытым крыльцом по фасаду, а позади дома шел небольшой узкий сад. Все, что здесь было, Сидни выбирал вместе с Джули. Ни он, ни она ничего не принесли сюда из прошлого, кроме воспоминаний. И этот домашний очаг, этот с трудом заработанный надежный кров Жерар Этьенн грозил отнять у него, как и многое другое. Если бы он в свои пятьдесят два года потерял работу, как мог бы он надеяться получить такую же зарплату где-то еще? Его единовременное пособие месяц за месяцем таяло бы так, что вскоре одни только выплаты по ипотеке оказались бы непосильным бременем.

Джули вышла из кухни ему навстречу, как только услышала, что ключ повернулся в замке. Как всегда, она протянула к нему обе руки и поцеловала в щеку, но сегодня она обняла его необычайно крепко и с каким-то отчаянием прильнула к его груди.

— Дорогой, в чем дело? Что случилось? Мне не хотелось звонить тебе на работу. Да ты и сам сказал, что не надо звонить.

— Да, это было бы неразумно. Милая, тебе, право, не о чем беспокоиться. Все должно скоро уладиться.

— Но ты сказал, что мистер Этьенн умер. Что он убит.

— Пойдем в гостиную, Джули, и я тебе все расскажу.

Она села к нему поближе и не произнесла ни слова, пока он говорил. Когда он закончил свой рассказ, она сказала:

— Они же не могут думать, что ты имеешь к этому какое-то отношение, дорогой. Я хочу сказать — это же смехотворно! Это просто глупо! Ты же не способен никому причинить вред. Ты добрый, хороший, мягкий. Никто никогда не поверит.

— Конечно, никто не поверит. Но совершенно невинные люди иногда попадают под подозрение, их беспокоят, вызывают на допросы. Иногда даже арестовывают и отдают под суд. Это бывает. А я уходил из издательства последним. Мне надо было закончить одну важную работу, и я немного задержался. Поэтому я и позвонил тебе сразу, как услышал эту новость. Мне показалось разумным сказать полицейским, что я пришел домой в обычное время.

— Да, дорогой. Ты прав. Я рада, что ты так сделал.

Его несколько удивило, что обращенная к ней просьба солгать не вызвала у нее ни неловкости, ни чувства вины. Возможно, женщины лгут гораздо легче, чем мужчины, если верят, что это необходимо ради справедливого дела. Он мог не беспокоиться, что вызовет у нее угрызения совести. Как и он сам, она хорошо знала, на чьей она стороне.

— Кто-нибудь звонил? — спросил он. — Кто-нибудь из полицейских?

— Кто-то звонил. Сказал — это сержант Роббинс. Просто спросил, когда ты вчера вернулся. Никакой информации не сообщил, даже не сказал, что мистер Жерар умер.

— А ты не проговорилась, что знаешь об этом?

— Разумеется, нет. Ты же меня предупредил. Я только спросила его, в чем дело, а он ответил, что ты мне все объяснишь, когда придешь домой, что с тобой все в порядке и чтобы я не волновалась.

Так что полиция времени не теряла. Что ж, этого и следовало ожидать. Они хотели все проверить, прежде чем он успеет сделать себе алиби.

— Ну вот, видишь, милая, что я и говорил. Разумно было подготовиться.

— Конечно, разумно. Только ты ведь не думаешь, что мистера Жерара и правда убили?

— Они, кажется, еще не знают, как он умер. Убийство — лишь одна из возможностей. Он мог умереть от инфаркта, а змею обмотали ему вокруг шеи уже после.

— Но, дорогой, это же ужасно! Как мог кто-то сделать такую гадость? Это жестоко!

— Не надо думать об этом, — сказал он. — К нам это отношения не имеет. Нас не касается. Если мы будем придерживаться нашей версии, никто ничего нам сделать не сможет.

Она ведь не представляла себе, насколько близко это их касалось. Эта смерть была его спасением. Он никогда не говорил ей о риске потерять работу, о своем страхе и ненависти к Жерару Этьенну. Отчасти потому, что не хотел ее волновать, но главным образом — он хорошо понимал это — из гордости. Ему необходимо было, чтобы она верила: ему сопутствует успех, его уважают, он — неоценимый в издательстве работник. Сейчас ей уже не придется узнать правду. Он к тому же решил ничего не говорить ей о беседе с Донтси. Зачем ее волновать? Все уладится.

Как всегда перед ужином, они вместе пошли взглянуть на спящую дочурку. Она спала в глубине дома, в детской, которую он сам — с помощью Джули — ремонтировал и декорировал. Девочку совсем недавно переселили из плетеной колыбельки в кровать с деревянной оградкой, и она лежала, как всегда, без подушки, на спине. Джули объясняла, что это — рекомендованное врачами положение. Она не произносила слов «внезапная смерть», которой таким образом было легче избежать, но оба понимали, что имеется в виду. Невыразимым ужасом для обоих — они об этом и правда никогда не говорили — была мысль, что с ребенком может что-нибудь случиться. Сидни протянул руку и коснулся ладонью покрытого нежным пухом темечка. Трудно было поверить, что у человека вообще могут быть такие мягкие волосы, такая беззащитная головка. В порыве любви он хотел поднять дочку из кроватки, прижаться щекой, заключить обеих — и мать, и дочь — в объятие, крепкое, вечное, нерушимое, защитить их от всех горестей и бед в настоящем, от всех несчастий в грядущем.

Этот дом был его миром, его царством. Он говорил себе, что завоевал этот мир любовью, но испытывал к дому какое-то яростное чувство, похожее на собственнический инстинкт завоевателя. Это был его дом, и он убил бы дюжину Жераров Этьеннов, только бы его не потерять. Никто, кроме Джули, никогда не находил Сидни привлекательным, достойным любви. Невзрачный, худой, скучный и застенчивый, он понимал, что недостоин любви: годы, проведенные в детском доме, убедили его в этом. Твой отец не умер бы, твоя мать не бросила бы тебя, если бы тебя можно было любить. Воспитатели в детском доме делали все, что могли — в соответствии с принятыми тогда правилами, но воспитанников там не любили. Забота о детях, так же, как и еда, была строго нормирована. Дети прекрасно знали, что они отверженные. Он впитал в себя это знание вместе с овсяной кашей. За детским домом последовала череда домохозяек, меблированных комнатушек, снятых задешево однокомнатных квартир, вечерних занятий, экзаменов, кружек водянистого кофе, одиноких обедов в дешевых ресторанах, завтраков, приготовленных в коммунальных кухнях, одиноких развлечений, одинокого, не дающего удовлетворения, рождающего чувство вины секса.

Теперь он чувствовал себя человеком, прожившим жизнь в подземелье, почти в полной темноте; с Джули он вышел из тьмы под солнечные лучи, его глаза слепил невообразимый мир света, звуков, красок и ощущений. Он был рад, что Джули была раньше замужем, однако, когда они занимались любовью, ей удавалось дать ему понять, что это она неопытна в любви, что это она впервые испытывает наслаждение. Он говорил себе, что, возможно, так и есть на самом деле. Для него близость с Джули явилась открытием. Он никогда раньше не думал, что это одновременно и так просто, и так чудесно. Он радовался, но радость эта была смешана с чувством какого-то полувиноватого облегчения еще и от того, что первый брак Джули оказался неудачным и что Терри ее бросил. Ему не нужно было опасаться, что она станет сравнивать его со своей первой любовью, романтизированной и увековеченной смертью. Они редко говорили о прошлом. Для них обоих люди, которые населяли это прошлое, ходили в нем и разговаривали, были совсем иными. Как-то, в самом начале их совместной жизни, Джули сказала ему:

— Я часто молилась о том, чтобы мне удалось найти человека, которого я смогу полюбить, смогу сделать счастливым и который сможет сделать счастливой меня. Кого-то, кто даст мне ребенка. Я почти уже оставила надежду. И тут нашла тебя. Это кажется мне чудом, дорогой. Ответом на мои молитвы.

Ее слова привели его в восторг. Он вдруг почувствовал себя чуть ли не посланцем самого Бога. Он — человек, привыкший считать себя бессильным, был неожиданно опьянен ощущением всесилия.

В издательстве «Певерелл пресс» он был счастлив до тех самых пор, пока Жерар Этьенн не вступил в должность. Сидни знал, что его ценят как добросовестного бухгалтера. Он много работал сверхурочно, не требуя платы за лишние часы. Он делал все, что требовали от него Жан-Филипп Этьенн и Генри Певерелл, и то, что они от него требовали, было вполне в его силах. Но потом один из них ушел на пенсию, а другой умер, и молодой Жерар Этьенн уселся в кресло директора-распорядителя. За несколько лет до этого Жерар не играл в компании сколько-нибудь значительной роли, но он наблюдал, изучал, выжидал время, получал магистерскую степень по административному управлению, строил планы, в которые никак не входил пятидесятидвухлетний бухгалтер самой низкой квалификации. Жерар Этьенн, молодой, успешный, красивый, богатый, который в течение всей своей привилегированной жизни хватал что хотел, без всяких угрызений совести, собирался отобрать у него, Сидни Бартрума, все, ради чего стоило жить. Но Жерар Этьенн был мертв; он лежал в полицейском морге со змеей, засунутой ему в рот.

Сидни крепче сжал плечи жены и сказал:

— Милая, давай-ка пойдем поужинаем. Я проголодался.

32

Вход с улицы в полицейский участок Уоппинга настолько не бросается в глаза, что непосвященному очень легко пройти мимо. Со стороны Темзы, куда выходит эркер, придающий зданию какой-то домашний вид, и сам приятно непритязательный кирпичный фасад наводят на мысль о стародавнем гостеприимном городском доме, обиталище какого-нибудь купца восемнадцатого века, предпочитающего жить над собственным торговым складом. Стоя у окна приемной, Дэниел смотрел на широкую пристань, на плавучий причал с тремя отсеками, на флотилию полицейских катеров и на поставленный в укромном месте роликовый приемник-ванну из нержавеющей стали — для приема и обмывания тел утонувших и думал, что лишь очень немногие из проезжающих по реке могут усомниться в истинном назначении этого дома.

С того момента, как вместе с сержантом Роббинсом он прибыл сюда, пройдя через стоянку машин и поднявшись по железной лестнице в негромкую деловую суету участка, Дэниел все время был занят. Он устанавливал компьютеры, очищал столы для Дэлглиша, для себя и для Кейт, беседовал с помощником коронера об организации post mortem, подготавливал все для дальнейшего расследования и налаживал связь с лабораторией судебной медэкспертизы. Фотографии, сделанные на месте преступления, уже были прикреплены на доске для объявлений, их холодная бестеневая четкость, казалось, лишала снимки ужасающего содержания, превращая их в очередное упражнение в технике съемки. Дэниел успел также поговорить с лордом Стилгоу в отдельной палате Лондонской клиники. К счастью, последствия общего наркоза, нежная забота медсестер и непрекращающийся поток посетителей несколько отвлекли внимание лорда Стилгоу от убийства: он принял доклад Дэниела с удивительной невозмутимостью и вопреки ожиданиям не потребовал, чтобы Дэлглиш немедленно появился у его больничной койки. А еще Дэниел ввел в курс дела пресс-бюро столичной полиции, обрисовав картину происшедшего. Когда этот материал будет опубликован, им придется организовывать пресс-конференции и осуществлять связь с масс-медиа. Были кое-какие подробности, которые полиция не считала нужным разглашать, но странное использование змеи станет очень скоро, самое позднее — к завтрашнему утру, известно всем в Иннносент-Хаусе, сразу же обойдет все лондонские издательства и в считанные часы окажется в газетах. Похоже, у пресс-бюро дел будет невпроворот.

Сзади к Дэниелу подошел Роббинс, явно приняв бездействие высшего по чину за сигнал к перерыву в работе.

— Интересно побывать здесь, верно? — сказал он. — Самый старый полицейский участок в Соединенном Королевстве.

— Если вам не терпится сообщить мне, что Речная полиция была создана в 1798 году, на тридцать один год раньше столпола, то я это знаю.

— Не знаю, видели ли вы их музей, сэр. Он устроен в плотницкой подсобке старой шлюпочной мастерской. Меня туда сводили, когда я учился на подготовительном в школе полиции. Интересные у них есть экспонаты. Ножные кандалы, например, полицейские абордажные сабли, старая полицейская форма, хирургический сундучок, старые протоколы — начала девятнадцатого века и отчеты о крушении «Принцессы Элис». Захватывающая коллекция.

— Может, именно это объясняет их не очень-то теплый прием. Может, они подозревают, что кураторы из столпола намерены прибрать к рукам эту коллекцию, или боятся, что мы стянем их бесценные экспонаты. Впрочем, мне нравятся их новые игрушки.

Внизу под ними река вдруг вспухла пенистым водоворотом. Два надувных, с жестким днищем, скоростных катера, ярко-оранжевых вперемежку с черным и серым, каждый с командой из двух человек на борту, одетых в флюоресцирующие зеленые куртки и защитные шлемы, заскользили по воде, словно опасные заводные игрушки для взрослых и, делая крутые виражи, чтобы обойти пришвартованные полицейские катера, с ревом помчались вниз по течению.

— Сидений у них нет, — проговорил Роббинс. — А эти цилиндры сзади... Ну, я бы сказал, все мышцы себе отсидишь. Как думаете, будет у нас время еще разок на музей взглянуть, сэр?

— Я бы на это не очень рассчитывал.

По мнению Дэниела, сержант Роббинс, пришедший в полицию прямо из «краснокирпичного» университета*, после того как защитил там диплом и получил степень второго класса по истории, был таким хорошим парнем, что в это верилось с трудом. Он был самым настоящим образчиком любимого маменькиного сыночка: свежее молодое лицо, честолюбие без жестокости, приверженец методистской церкви, по слухам, помолвлен с девушкой из

---

* Краснокирпичными университетами (red-brick universities) в Англии называют университеты, возникшие в самом конце XIX — начале XX в., часто субсидируемые местными властями. Интересно, что позднее созданные университеты в шутку называют «белокафельными» (white-tile universities).

его же прихода. Несомненно, после добродетельной помолвки они поженятся и произведут на свет очаровательных детишек, которые в свое время пойдут в какие нужно школы, сдадут какие нужно экзамены, не причиняя огорчений родителям, и все кончится тем, что они станут вмешиваться в дела других людей — ради их же блага! — в качестве учителей, соцработников и даже, возможно, полицейских. Исходя из опыта самого Дэниела, Роббинс давно уже должен был подать в отставку, разочаровавшись в поведении «настоящих мужчин», так часто сводящемся просто к применению насилия, пав духом из-за неизбежных компромиссов и подтасовок, разочаровавшись, в конце концов, в самой работе, ежедневно поставляющей все новые свидетельства гнусных преступлений и бесчеловечного отношения человека к человеку. Оказалось, что Роббинса ничем не проймешь, он явно оставался таким же идеалистом, каким пришел. Дэниел думал, что у него есть какая-то тайная жизнь — у большинства людей так и бывает. Иначе жить просто невозможно. Однако Роббинс очень умело скрывал свои тайны. Дэниел считал, что министерство внутренних дел очень выиграло бы, если бы повозило Роббинса по стране, убеждая идеалистически настроенных выпускников средних школ в преимуществах полицейской службы.

Они снова взялись за работу. Времени до отъезда в морг оставалось мало, но это никак не оправдывало его напрасной траты. Дэниел сел за стол и принялся просматривать бумаги Этьенна. Уже при первом взгляде на них он был поражен тем объемом работы, какой Жерар Этьенн взял на себя. Издательство публиковало примерно шестьдесят книг в год при штате в тридцать сотрудников. Издательское дело было Дэниелу совершенно чуждо. Он не знал, обычная ли это цифра, но сама административная структура фирмы казалась странной, а доля работы, выполняемой Этьенном, — непропорционально большой. Де Уитт был главным редактором, а Габриел Донтси помогал ему как редактор отдела поэзии, в остальном же он практически делал очень мало, если не считать его работы в архиве. Клаудиа Этьенн отвечала за продажу и рекламу, а также за кадры. Франсес Певерелл занималась контрактами и авторскими правами. Жерар Этьенн как президент компании и директор-распорядитель отвечал за производство, проверял счета и сметы, в его ведении находился склад готовой продукции — таким образом, на его плечах лежала самая тяжкая ноша.

Дэниела интересовало еще и то, как далеко удалось Жерару Этьенну продвинуть свой план продажи Инносент-Хауса. Переговоры с Гектором Сколлингом шли уже несколько месяцев, и ему удалось кое-чего достичь. Просматривая протоколы ежемесячных совещаний директоров, Дэниел не находил ссылок на многое из того, что происходило в реальности. Пока Дэлглиш и Кейт проводили официальные беседы, он узнал почти столько же, сколько они, слушая сплетни миссис Демери, разговаривая с Джорджем и теми немногими сотрудниками, кто тогда был в издательстве. Возможно, компаньоны и хотели представить дело так, будто они были во всем едины, вместе шли к единой цели, но рассказы сотрудников свидетельствовали о совсем иной реальности.

Зазвонил телефон. Послышался голос Кейт. Она отправлялась домой — переодеться. А.Д. отозвали в Скотланд-Ярд. Они оба будут ждать Дэниела в морге.

33

Морг районного полицейского управления был недавно модернизирован, но снаружи все осталось без изменений. К его одноэтажному зданию из серого лондонского кирпича машины подъезжали из недлинного тупика, передний двор огораживала восьмифутовая стена. Ничто не говорило о назначении этого дома — на нем не было ни номера, ни доски с названием: те, у кого были здесь дела, и так знали, как его найти. У любопытствующих создавалось впечатление, что здесь находится какое-то не весьма процветающее предприятие, чьи товары доставляются в простых, без надписей, фургонах и разгружаются с большой осторожностью. Справа от входной двери находился гараж, достаточно большой, чтобы вместить два катафалка, а оттуда двойные двери вели в небольшую приемную с комнатой отдыха по левую сторону. Здесь Дэлглиш, приехавший за минуту до 6.30, и нашел уже ожидавших его Кейт и Дэниела. Тут явно была предпринята попытка сделать комнату отдыха более приветливой: вокруг низкого овального стола разместились четыре удобных кресла, а большой телевизор, как заметил Дэлглиш, никогда не выключался. Возможно, его функция была не столько развлекательной, сколько лечебной: сотрудникам лаборатории в непредсказуемые периоды отдыха требовалось сменить, пусть ненадолго, беззвучное тление смерти на яркие эфемерные образы живого мира.

Он заметил, что Кейт переоделась, сменив свой обычный костюм — пиджак и брюки из твида — на хлопчатобумажные джинсы и куртку и упрятав густую золотистую косу под жокейскую шапочку. Он знал почему. Он и сам был одет очень просто. Сладковато-лимонный запах дезинфицирующих средств становился почти неощутимым через первые полчаса пребывания в лаборатории, но оставался на одежде на многие дни, пропитывая весь платяной шкаф запахом смерти. Он очень давно понял, что сюда не нужно надевать ничего такого, что нельзя бросить в стиральную машину в тот самый момент, как встаешь под душ. Сам он мылся долго и упорно, подставляя лицо под колющие струи воды, будто они могли смыть что-то большее, чем запах, что-то большее, чем все увиденное им в последние два с лишним часа. В восемь вечера Дэлглишу предстояла встреча с комиссаром в комнате министров в палате общин. Надо будет как-то найти время заехать домой на Куинхит, чтобы принять душ и переодеться.

Ему ярко помнился — да и как он мог бы забыть это? — первый post mortem, на котором он присутствовал еще молодым детективом-констеблем. Жертвой убийства была двадцатидвухлетняя проститутка, и, как он помнил, тогда возникла какая-то сложность с опознанием убитой, поскольку полицейским не удалось отыскать ни ее родственников, ни близких друзей. Белое истощенное тело, распростертое на поддоне, было покрыто рубцами от ударов плетью, багровыми, словно стигмы, и в своей застывшей белизне казалось немым свидетелем мужской бесчеловечности. Бросив взгляд на секционную комнату, заполненную полицейскими чинами, он тогда подумал, что после своей смерти Тереза Бёрнс получила значительно больше внимания от представителей государства, чем получала в жизни. Проводил аутопсию доктор Макгрегор, типичный последователь старой школы индивидуалистов, закоснелый пресвитерианин, требовавший, чтобы аутопсии проводились, если не физически, то хотя бы духовно, в атмосфере священнодействия. Дэлглиш помнил выговор, сделанный им лаборанту, ответившему коротким смешком на произнесенную шепотом остроту коллеги:

— Я не потерплю смеха у себя в морге. Я тут не лягушку препарирую.

Док Макгрегор не терпел светской музыки во время работы, предпочитая слушать метрические псалмы, чей похоронный темп не только замедлял ход аутопсии, но и угнетающе воздействовал на настроение. Но именно одна из аутопсий Макгрегора — post mortem убитого ребенка, во время которой звучал «Pie Jesu» Форе*, — дала Дэлглишу одно из его лучших стихотворений, и он считал, что уже за это должен быть благодарен Макгрегору. Уордлу же было безразлично, какую музыку включают во время работы, если это не попса, так что сегодня они собирались поставить знакомые всем утешительные мелодии «ФМ-Классик».

В морге было две секционных — одна с четырьмя секционными столами, другая — с одним. Именно это помещение Реджиналд Уордл предпочитал использовать в тех случаях, когда расследовались убийства, и там неизбежно возникала толкучка, поскольку экспертам по насильственной смерти не хватало свободного пространства: патологоанатом и его ассистент, два лаборанта из морга, четверо полицейских-оперативников, лабораторный офицер связи, фотограф с помощником, полицейский расследователь, специалисты по отпечаткам пальцев и стажер-патологоанатом, которого док Уордл представил как доктора Мэннинга — тот должен был вести записи. Уордл не любил работать с микрофоном над головой. Дэлглиш подумал, что в коричневатых хлопчатых комбинезонах все они могли показаться бригадой медлительных грузчиков мебели. Только виниловые бахилы на ногах заставляли предположить, что дело, ради которого они здесь собрались, более зловещего характера. Лаборанты уже надели маски, но прозрачные щитки еще не были опущены. Позже, когда они станут принимать органы в ведерки, чтобы их взвешивать, щитки будут опущены, защищая от СПИДа и от еще более распространенного риска получить гепатит В. Док Уордл, как обычно, надел поверх свободных брюк и рубашки с жилетом только светло-зеленый резиновый фартук. Как большинство судебных патологоанатомов, он относился к собственной безопасности с высокомерным пренебрежением.

Труп, запакованный в пластиковый саван, лежал на каталке в проходной комнате. По слову Дэлглиша лаборанты разрезали и сорвали пластиковый мешок, отбросив его края в сторону. По-

---

* Габриэль Форе (1845—1924) — французский композитор и органист, директор Парижской консерватории, автор изящных миниатюр, цикла песен, а также крупных форм, таких как «Месса-Реквием» (1887—1889) и опера «Пенелопа» (1913). «Pie Jesu» — псалом «Восплачем об Иисусе».

слышался звук, похожий на воздушный хлопо́к или громкий выдох, и пластик треснул, как электрический разряд. Труп предстал перед их глазами, словно содержимое огромной рождественской хлопушки. Глаза теперь потускнели, и только змея, заткнувшая ему рот и закрепленная пластырем на щеке, казалась живой и полной энергии. Дэлглиш вдруг почувствовал, что всей душой хочет, чтобы змею убрали, — лишь тогда это мертвое тело снова обретет хоть частичку достоинства, — и на миг задумался, что же заставило его настоять на том, чтобы змею оставили на месте до аутопсии? Только это помогло ему удержаться и не протянуть руку, чтобы вырвать змею прочь. Он начал процедуру официального опознания, устанавливая последовательность фактов.

— Это — тот самый труп, который я впервые увидел в девять часов сорок восемь минут утра, в пятницу, пятнадцатого октября, в Инносент-Хаусе, расположенном на Инносент-Уок, в Уоппинге.

Дэлглиш с большим уважением относился к лаборантам Маркусу и Лену, ценя в них человеческие качества не меньше, чем их работу в морге. Есть люди, а среди них попадаются и офицеры полиции, которым трудно поверить, что человек может добровольно согласиться работать в морге, если его на это не толкают какие-то эксцентричные или даже зловещие психологические побуждения. Однако Маркус и Лен, к счастью, казались, совершенно свободными даже от охоты к кладбищенскому юмору, который служил многим профессионалам защитой от ужаса и отвращения; они делали свое дело так прозаически спокойно, компетентно и с таким достоинством, что не могли не вызывать уважения. Кроме того, он видел, сколько труда они затрачивают на то, чтобы покойник выглядел прилично, прежде чем его родственники явятся для осмотра. Бо́льшая часть трупов, которые на их глазах вскрывали в медицинских целях, были трупы старых, больных людей или тех, чья смерть наступила в результате естественных причин: это было не так уж трагично даже для тех, кто их любил, а у людей, им чужих, вряд ли могло вызвать глубокие переживания. Но как, задавал себе вопрос Дэлглиш, как их психика справлялась с молодыми — убитыми, изнасилованными, искалеченными, — жертвами катастроф или прямого насилия? В наш век, когда никакое горе, даже вызванное естественными причинами, свойственными человеческой природе, невозможно перенести без мудрого совета, разве нашелся бы кто-нибудь, кто мог советовать Маркусу и Лену? Но они по крайней мере могли избежать соблазна обожествлять знаменитых, богатых, популярных. Здесь, в морге, наступало конечное равенство. Для Маркуса и Лена здесь имело значение не то, сколько выдающихся медиков собралось у смертного ложа, не роскошь планируемого погребального обряда, но степень разложения трупа и вопрос, не нужно ли поместить его в камеру для тучных. Поддон, где лежало теперь уже совершенно нагое тело, поставили на пол, чтобы фотографу легче было обойти его со всех сторон. Когда он кивнул, что удовлетворен первыми снимками, двое лаборантов осторожно перевернули труп, стараясь не сдвинуть змею. Потом, когда тело снова положили лицом вверх, поддон подняли и поместили на подставки у изножья секционного стола так, что круглое отверстие пришлось прямо над стоком. Док Уордл провел обычное общее обследование тела, затем устремил свое внимание на голову. Он отклеил пластырь, убрал змею — осторожно, словно это был чрезвычайно интересный биологический экземпляр, и принялся обследовать рот, сразу став похожим, подумал Дэлглиш, на преисполненного энтузиазма дантиста. Он вспомнил, что как-то, в момент откровенности, сказала ему Кейт Мискин — она только начинала у него работать и откровенность ей тогда давалась много легче: именно эта часть аутопсии, а не последующее вскрытие и систематическое извлечение и взвешивание главных органов заставляла все в ней сжиматься и вызывала тошноту, будто нервы мертвого человека всего лишь застыли в состоянии покоя и могли отреагировать на прикосновения ощупывающих, затянутых в резиновые перчатки пальцев так, как реагировали бы при жизни. Он ощущал присутствие Кейт, стоявшей чуть позади него, но не оглядывался. Он был уверен — она не упадет в обморок ни сейчас, ни потом, но догадывался, что она, как и он сам, чувствует сейчас нечто гораздо большее, чем профессиональный интерес, глядя, как вскрывают то, что совсем недавно было молодым и здоровым человеком, и опять почувствовал боль в душе от того, что работа в полиции отбирает немалую долю доброты и невинности.

Неожиданно док Уордл издал басистое ворчание, почти рык, тот характерный звук, какой он издавал, когда обнаруживал что-то, представляющее интерес.

— Взгляните-ка на это, Адам. На самом нёбе. Совершенно отчетливая царапина. Post mortem*, судя по виду.

На месте преступления он называл Дэлглиша «коммандер», но здесь, в своих владениях, как всегда воодушевленный успешной работой, обратился к нему просто по имени.

Дэлглиш наклонился пониже. Потом сказал:

— Выглядит так, будто предмет с острыми краями с силой всунули в рот или вытащили изо рта уже после смерти. Я бы сказал, скорее, вытащили, судя по виду царапины.

— Конечно, трудно быть на сто процентов уверенным, но и мне представляется, что это выглядит именно так. Направление царапины — от задней части нёба почти до верхних зубов. — Док Уордл отступил в сторону, чтобы дать возможность Кейт и Дэниелу тоже взглянуть на царапину, и добавил: — Конечно, невозможно точно определить время ее возникновения, ясно только, что после смерти. Этьенн, по-видимому, поместил эту штуку — что бы это ни было — к себе в рот, а кто-то другой ее вытащил.

— С некоторым усилием, — сказал Дэлглиш, — и, вероятно, в спешке. Если бы это случилось до наступления окоченения, вытащить этот предмет можно было бы легче и быстрее. Большое усилие надо было применить, чтобы открыть челюсть после наступления окоченения?

— Это не так уж трудно вообще, и еще легче, если рот приоткрыт и он мог ввести пальцы в рот и воспользоваться обеими руками. Ребенок не смог бы этого сделать, но вы ведь и не ребенка ищете.

— Если голову змеи всунули ему в рот сразу, как только вытащили этот предмет, и это случилось вскоре после смерти, — сказала Кейт, — нельзя ли ожидать, что на ткани мог остаться видимый след крови? Много крови могло сочиться из царапины после смерти?

— Сразу после смерти? Не очень много, — ответил Уордл. — Но он уже был мертв, когда появилась эта царапина.

Все вместе они принялись рассматривать голову змеи.

— С этой штукой в Инносент-Хаусе забавлялись целых пять лет, — заметил Дэлглиш. — Легче вообразить себе этот след, чем на самом деле увидеть. Явного пятна крови здесь нет. Лаборатория может нам что-то дать. Если змею всунули в рот сразу, как

---

* Post mortem (*лат.*) — *здесь букв.*: «после смерти».

только вытащили тот предмет, на ней должны остаться какие-нибудь биологические свидетельства.

— А что, док, какие-нибудь идеи о том, что это за предмет, у вас уже есть? — спросил Дэниел.

— Ну, на мягких тканях или с внутренней стороны зубов я никаких других следов не нахожу, а это заставляет предположить, что предмет достаточно легко мог уместиться у него во рту, хотя за каким чертом это ему понадобилось — выше моего понимания. Но это уже по вашей части.

— Если это было что-то такое, что он хотел спрятать, — сказал Дэниел, — почему он просто не положил это в карман брюк? Если спрятать что-то во рту, придется молчать. Вряд ли он смог бы нормально говорить, держа даже совсем маленький объект между языком и нёбом. Но предположим, он знал, что умрет. Предположим, он оказался в этом кабинете, как в ловушке, газ течет, кран от газовой горелки потерялся, окно он открыть не может...

Тут вмешалась Кейт:

— Но этот предмет нашли бы на его теле позже, если бы он просто положил его в карман.

— По-видимому, его убийца знал, что этот предмет там, и пришел специально, чтобы его забрать. Тогда имело смысл спрятать его во рту, даже если бы убийца не подозревал о его существовании. Спрятав этот предмет во рту, он мог быть уверен, что его обнаружат на аутопсии, если не раньше.

— Но он про это знал, — отозвалась Кейт. — Убийца, я хочу сказать. Он вернулся, чтобы его забрать. Он его искал. И думаю, нашел. Он с силой раскрыл убитому рот, сместив челюсть, достал этот предмет и воспользовался змеей, чтобы все подумали, что это работа зловредного шутника.

Кейт и Дэниел пристально смотрели друг на друга, словно в секционной никого, кроме них, не было. Дэниел сказал:

— Но неужели он мог подумать, что мы не обнаружим царапину?

— Да будет тебе, Дэниел! Он же не знал, что поцарапал нёбо. Единственное, что он знал, — это что ему пришлось нарушить окоченение и что этого мы никак не пропустим. Вот он и воспользовался змеей. И если бы не царапина, мы бы попались на эту удочку. Мы ищем убийцу, который немного разбирался в том, когда наступает окоченение, и понимал, что труп довольно скоро обнаружат. Если бы труп пролежал хотя бы один лишний день, в змее не было бы надобности.

Дэлглиш почуял опасность — сейчас они начнут строить теории, не собрав достаточно фактов. Аутопсия еще не завершена. Еще не установлена истинная причина смерти, но он чувствовал вполне обоснованную уверенность — и не сомневался, что док Уордл чувствует то же самое, — в том, какой именно окажется причина смерти.

А Кейт спрашивала:

— Что это за предмет? Что-то небольшое, с острыми краями? Ключ? Связка ключей? Маленькая металлическая коробочка?

— Или кассета от маленького магнитофона, — спокойно добавил Дэлглиш.

Дэлглиш ушел еще до завершения post mortem. Док Уордл объяснял своему ассистенту, почему образцы крови для лаборатории следует брать из бедренной вены, а не из сердца. Адам сомневался, что сможет узнать еще что-то новое из аутопсии, а если что-либо и обнаружится, ему очень скоро об этом сообщат. Ему нужно было просмотреть кое-какие документы к встрече в палате общин в восемь часов, время поджимало. Было бы бессмысленно заезжать в Скотланд-Ярд перед возвращением домой, и его водитель Уильям забрал портфель Дэлглиша из кабинета и ждал теперь во дворе перед подъездом. На его круглом добродушном лице отражалось тщательно сдерживаемое волнение.

Проливной дождь первой половины дня сменился нескончаемой моросью, и в открытое окно машины к Дэлглишу долетал солоноватый запах речной воды. Светофоры на набережной Темзы окрашивали воздух румянцем. Полицейская лошадь, ожидавшая, пока красный сменится зеленым, поблескивая мокрыми боками, изящно переступала с ноги на ногу, постукивая копытами по сверкающему асфальту. Тьма быстро окутала город, сотворив фантасмагорию света, в которой улицы и площади переливались живыми ожерельями красных, белых и зеленых движущихся огней. Адам раскрыл портфель и достал бумаги, чтобы бегло перечитать основные параграфы. Пора было переключить ход мыслей на более тесно связанные с его работой и, возможно, в конечном счете более важные дела. Обычно это не вызывало у него затруднений, но сейчас виденное в морге никак не желало оставить его в покое. Что-то небольшое, с острыми краями, было вынуто изо рта

Жерара Этьенна после того, как наступило окоченение верхней части тела. Вполне вероятно, этот предмет был магнитофонной кассетой: исчезновение магнитофона несомненно говорило о такой возможности. Напрашивалось предположение, что Этьенн надиктовал на пленку имя своего убийцы и тот позже вернулся, чтобы забрать улику. Однако ум его отвергал столь простую гипотезу. Убийца Этьенна позаботился о том, чтобы в кабинете не было ничего такого, что помогло бы жертве оставить какое-то сообщение. Пол и каминная полка были тщательно протерты, бумага убрана, ежедневник Этьенна с золотым карандашиком похищен накануне. Убийца и об этом не забыл. Этьенну нечем было даже нацарапать имя убийцы на голом деревянном полу. Почему же тогда он (или она) оказался настолько глупым, что оставил магнитофон на столе, в полном распоряжении своей жертвы?

Разумеется, могло существовать и другое объяснение. Магнитофон мог быть оставлен там с какой-то особой целью. А если так, то дело это обещало быть гораздо более запутанным и интригующим, чем представлялось на первый взгляд.

34

Когда Дэлглиш вернулся в приемную в Уоппинге, было позже половины одиннадцатого и Роббинс уже закончил свое дежурство. Кейт и Дэниел успели купить сандвичи по дороге из морга и в ожидании его приезда подкреплялись ими, запивая крепким кофе. Их рабочий день длился уже двенадцать часов, и конца ему пока не было видно. Дэлглишу предстояло определить, как далеко они продвинулись, и ясно представить себе дальнейшие шаги, прежде чем приступить к следующему этапу расследования.

Он посидел минут десять, просматривая бумаги, которые Дэниел привез с собой из кабинета Жерара Этьенна, затем, закрыв папку без каких-либо комментариев, сказал:

— Хорошо. Итак, к каким предварительным выводам вы пришли на основании известных нам в настоящее время фактов?

Как и ожидала Кейт, Дэниел откликнулся немедленно. Это ее не задевало. Они были равны по званию, но за ее плечами был более долгий срок службы, и ей не было нужды это подчеркивать.

Конечно, первое выступление давало то преимущество, что никто не отнимал у тебя твоих идей, не мешал тебе продемонстрировать свою сообразительность. С другой стороны, в выжидательной позиции была определенная мудрость. Дэниел тщательно выбирал выражения: видимо, он репетировал в уме изложение своей версии, пока они ждали Дэлглиша после возвращения из морга.

— Естественная смерть, самоубийство, несчастный случай или убийство? — начал он. — Первые два — исключаются. Нам нет необходимости ждать лабораторного подтверждения, чтобы быть уверенными в том, что это — отравление угарным газом: аутопсия четко это показала. Она говорит нам также, что, помимо отравления, он умер совершенно здоровым. Нет абсолютно никаких доказательств, что это могло быть самоубийство, так что нам не нужно тратить время на разработку этой версии.

Таким образом, мы подходим к вопросу о несчастном случае. Если это несчастный случай, чему нам следует верить? Что Этьенн, в силу каких-то причин, решил поработать в малом архивном кабинете, оставил пиджак на спинке кресла внизу, а ключи в ящике стола; что ему стало холодно и он зажег камин спичками, которых мы и следа не смогли отыскать, а затем так погрузился в работу, что не заметил, как камин начал функционировать плохо, а когда понял это, было слишком поздно. Не говоря уже об имеющихся явных несоответствиях, если бы все происходило именно так, я предполагаю, что его обнаружили бы упавшим головой на стол, а не лежащим полуголым на спине, головой к камину. На данном этапе я не принимаю во внимание змею. Я думаю, нам следует разграничить то, что случилось в момент смерти, и то, что случилось с трупом потом. Вполне очевидно, что кто-то обнаружил его после того, как наступило окоченение верхней части тела, но мы не можем утверждать, что человек, засунувший ему в рот змею, снял с него рубашку или оттащил от стола туда, где его нашли.

— Должно быть, он сам снял с себя рубашку, — сказала Кейт. — Она была зажата у него в правой руке. Похоже, что он снял рубашку, надеясь как-то использовать ее, чтобы погасить камин. Я хочу сказать — взгляните на фотографию. Правая рука все еще сжимает край рубашки, остальная ее часть тянется поперек тела. Мне представляется, что он, когда умер, лежал лицом вниз, а убийца перевернул труп, возможно — ногой, а потом раскрыл ему рот. Взгляните на колени. Они слегка согнуты. Это не то положение, в котором он умер. Мое заключение совпадает с результатами post mortem, свиде-тельствующими. что он умер лицом вниз. Он полз на ту сторону комнаты, к камину.

— Хорошо, я согласен. Но он не мог погасить камин с помо-щью рубашки. Она бы загорелась.

— Я знаю, что не мог. Но это так выглядит. Должно быть, загасить камин представлялось ему вполне возможным, ведь мыс-ли его путались.

Дэглиш не вмешивался в обсуждение, внимательно слушая их доводы.

— Это заставляет нас предположить, что он понимал, что про-исходит. Но если это так, самым разумным было бы открыть дверь, дать доступ воздуху, а затем выключить газ.

— Но предположим, что дверь заперли с наружной стороны, а кран с газового камина был снят. Когда он попытался открыть высоко расположенное окно, шнур оборвался, потому что кто-то заранее перетер его, чтобы он наверняка лопнул, как только за него дернут посильнее. А убийца, вероятно, сначала убрал стул и стол из комнаты, чтобы Этьенн не мог на них взобраться, дотя-нуться до окна и разбить стекло. Окно плотно заклинило, так что он не мог бы его открыть, разве только у него было бы, чем его выбить.

— Может, магнитофоном? — предположил Дэниел.

— Магнитофон слишком маленький, слишком хрупкий. Но все равно я согласна — он мог бы попытаться. Попробовать стук-нуть по стеклу кулаком. Но нет никаких повреждений на костяш-ках пальцев. Я думаю, мебель вынесли до того, как он зашел в комнату. По следам на стене мы знаем, что раньше стол стоял на несколько дюймов левее.

— Это не доказательство. Его могла подвинуть уборщица.

— А я и не говорю, что это — доказательство. Но это важно. И Габриел Донтси, и миссис Демери утверждали, что стол стоит не так, как обычно.

— Это не снимает с них подозрений.

— А я и не говорю, что снимает. Донтси — очевидный подо-зреваемый. Ни у кого другого не было таких возможностей, как у него. Но если бы Донтси убрал из комнаты стул и стол, он навер-няка позаботился бы поставить стол точно так, как он стоял рань-ше. Если только ему не надо было спешить. — Она вдруг замолчала и взволнованно повернулась к Дэлглишу: — Но ведь ему надо было очень спешить, сэр, верно? Ему надо было вернуться домой за то время, какое требуется, чтобы принять ванну.

— Мы слишком торопимся, — сказал Дэниел. — Это все домыслы.

— А я бы назвала это логическими умозаключениями.

Тут впервые заговорил Дэлглиш:

— Предположения Кейт вполне резонны и соответствуют фактам, насколько они нам известны. Но у нас нет убедительных доказательств, нет твердых улик. И давайте не будем забывать о змее. Как далеко вы продвинулись, выясняя, кто знал, что она находится в ящике стола мисс Блэкетт, кроме, разумеется, самой мисс Блэкетт, Мэнди Прайс, Донтси и брата и сестры Этьенн?

Ответила ему Кейт:

— Новость разошлась по всему издательству сразу после полудня, сэр. Мэнди рассказала миссис Демери, когда — чуть позже одиннадцати тридцати — они вместе готовили на кухне кофе, что Жерар Этьенн велел мисс Блэкетт избавиться от змеи. Миссис Демери допускает, что могла сказать об этом одному-двум сотрудникам, когда развозила на тележке послеполуденный чай. «Одному или двум», вероятнее всего, означает практически всем сотрудникам в каждом кабинете издательства. Миссис Демери не очень четко говорила о том, что именно она сообщала по пути, но Мэгги Фицджеральд из рекламного уверенно утверждала, что им сказали, что мистер Жерар велел мисс Блэкетт избавиться от змеи и что она убрала ее в ящик своего стола. Мистер Сидни Бартрум, из бухгалтерии, заявил, что ничего не знал. Он сказал, что ни у него, ни у его сотрудников нет времени сплетничать с обслуживающим персоналом издательства, да и вообще у них нет такой возможности. Их отдел помещается в десятом доме, и они сами готовят себе чай. Де Уитт и мисс Певерелл признали, что им это было известно. Совершенно естественно, что ящик в столе мисс Блэкетт — единственное место, где змею следовало бы искать. У Блэки сентиментальная привязанность к Шипучему Сиду, и она его ни за что не выбросила бы.

— А с чего это миссис Демери взялась разносить новость по всему издательству? — спросил Дэниел. — Вряд ли это могло считаться у них таким уж большим скандалом?

— Нет, конечно. Но это вызвало шум. Большинство сотрудников знали или подозревали, что Жерар Этьенн не прочь как можно скорее распроститься с мисс Блэкетт. Вероятно, им всем было интересно, сколько времени она продержится, не бросит ли работу сама, раньше, чем ее уволят. Любая новая стычка между ними двумя становилась известна всем и каждому.

— Вы сами видите, как важна в этом деле змея, — сказал Дэлглиш. — Либо ее обмотал вокруг шеи Этьенна и засунул ее голову к нему в рот сам убийца, возможно, для того, чтобы как-то оправдать нарушение окоченения нижней части лица, либо зловредный шутник наткнулся на труп и увидел здесь возможность сыграть свою наиболее отвратительную злую шутку. Если же это сделал сам убийца, не является ли он (или она) одновременно и этим зловредным шутником? Не были ли все эти шутки звеньями одного, тщательно подготовленного плана, осуществление которого началось с самого первого инцидента? Это хорошо увязалось бы с перетертым оконным шнуром. Если он перетерт намеренно, это должно было быть сделано заблаговременно. Или же убийца понял значение подвижной челюсти и воспользовался змеей по необходимости, желая скрыть тот факт, что на самом деле он вытащил изо рта Этьенна какой-то предмет?

— Есть еще одна возможность, сэр, — сказал Дэниел. — Предположим, шутник находит труп, думает, что смерть наступила от естественных причин или в результате несчастного случая, и решает наделать побольше шума, устроив все так, чтобы было похоже на убийство. И это мог быть именно он (или она), кто сдвинул стол с места и обмотал змею вокруг шеи Этьенна.

— Но он не мог бы перетереть оконный шнур, — возразила ему Кейт. — Это должно было быть сделано раньше. И с какой стати он стал бы двигать стол? Запутать всех и сделать эту смерть похожей на убийство можно было бы только в том случае, если бы шутник знал, что Этьенн умер от отравления угарным газом.

— Наверняка знал. Он же выключил камин.

— Так он в любом случае сделал бы это, — опять не согласилась Кейт. — В этой маленькой комнате было жарко, как в печке. — Она обратилась к Дэлглишу: — Сэр, я считаю, что только одно предположение соответствует имеющимся фактам. Происшедшее спланировано так, чтобы все могло выглядеть как случайная смерть от отравления угарным газом. Убийца собирался обнаружить труп сам, без свидетелей. Тогда ему надо было бы всего лишь вернуть кран на место и выключить газ — в любом случае это естественная реакция, — потом поставить на место стол и стул, забрать пленку и поднять тревогу. Но он не мог найти пленку, а когда нашел, не мог забрать ее, не нарушив окоченения нижней части лица. Он знал, что такого ни компетентный детектив, ни судебный патологоанатом не пропустят, и использовал змею, чтобы подумали, что это смерть от несчастного случая, усложненная злобой издательского шутника.

— А зачем было забирать магнитофон? — спросил Дэниел. — Я сейчас про убийцу говорю.

— А зачем оставлять? Раз ему надо было забрать пленку, можно было заодно взять и магнитофон. Слушайте, ведь естественнее всего — бросить его в Темзу. — Она посмотрела на Дэлглиша. — Как вы думаете, сэр, есть возможность его найти, если организовать подводный поиск?

— Почти исключено, — ответил Дэлглиш. — Если и найдут, пленка не окажется нетронутой. Убийца наверняка стер все записи. Сомневаюсь, что затраты на подводный поиск оправдаются, но вам лучше поговорить с полицейскими-речниками. Узнайте, каково дно Темзы у Инносент-Хауса.

Снова заговорил Дэниел:

— Еще одно, сэр. Если убийца хотел оставить жертве какое-то сообщение, зачем нужна была магнитофонная пленка? Почему просто не написать? Раз ему все равно надо было потом это забрать? Забрать листок бумаги было бы не труднее, может, даже легче.

— Но не так безопасно, — ответил Дэлглиш. — Если у Этьенна было достаточно времени перед тем, как он потерял сознание, он мог бы разорвать записку и спрятать куски отдельно друг от друга. Но если бы он ее и не разорвал, все равно бумагу легче спрятать, чем кассету. Убийца понимал, что у него может оказаться очень мало времени. Ему необходимо было взять обратно свое послание, отыскать его как можно быстрее. Есть еще один момент: сказанное вслух нельзя проигнорировать, написанное — можно. Очень интересно в этом деле то, зачем вообще убийце понадобилось оставлять сообщение.

— Позлорадствовать, — сказал Дэниел. — Чтоб последнее слово за ним осталось. Чтоб показать, какой он умный.

— Или чтобы объяснить кому-то, почему он должен умереть, — предположил Дэлглиш. — Если такова причина, то мотив убийства окажется не так уж очевиден. Он может крыться в прошлом, даже в далеком прошлом.

— Но если так, зачем было ждать до сегодняшнего дня? Если убийца здесь, в Инносент-Хаусе, Этьенн мог быть убит в любой момент за последние лет двадцать с лишком. Он стал компаньоном фирмы с тех пор, как окончил Кембридж. Что такое могло случиться в последнее время, чтобы сделать необходимой эту смерть?

— Этьенн стал президентом компании и директором-распорядителем, он планировал навязать компаньонам продажу Инносент-Хауса и недавно был помолвлен, — ответил Дэлглиш.

— Вы думаете, помолвка имеет к этому отношение, сэр?

— Все может иметь к этому отношение, Кейт. Я собираюсь побеседовать с отцом Этьенна завтра утром. Клаудиа Этьенн отправилась сегодня перед вечером в Брадуэлл-он-Си, чтобы сообщить отцу печальную новость и спросить, согласится ли он встретиться со мной. Ночевать она там не останется. Я попросил ее встретить вас завтра утром в квартире Жерара Этьенна в Барбикане. Но самое главное — проверить все алиби, начиная с компаньонов и всех сотрудников издательства. Дэниел, вам с Роббинсом лучше взять на себя Эсме Карлинг. Выясните, куда она отправилась из магазина «Лучшие книги» в Кембридже. Десятого июля в Инносент-Хаусе был прием по поводу помолвки Жерара Этьенна. Нам нужно проверить список гостей и опросить присутствовавших. Вам понадобится бездна такта. Разумеется, основная линия опроса будет — не ходили ли они по зданию и не заметили ли чего-нибудь странного или подозрительного? Но главное внимание должно быть сконцентрировано на компаньонах. Видел ли кто-нибудь Клаудиу Этьенн и ее приятеля на реке и в какое время? Проверьте в больнице Святого Фомы, в какое время привезли Габриела Донтси и когда он уехал. Проверьте его алиби. Я завтра рано уеду в Брадуэлл-он-Си, но вернусь днем, еще до вечера. А сейчас, я думаю, мы закончили.

35

Вечер пятницы компаньоны провели каждый по отдельности. Стоя у кухонного стола, пытаясь собраться с силами и решить, чего бы поесть, Франсес раздумывала над тем, насколько это естественно. Вне стен Инносент-Хауса каждый из них жил своей, отдельной жизнью, и ей иногда казалось, что за пределами служебных кабинетов они сознательно старались отдалиться друг от друга, как бы стремясь подчеркнуть, что общего между ними мало — только работа. Они редко обсуждали свои общественные дела и встречи, и бывало, что на званом вечере у какого-нибудь издателя Франсес вдруг замечала гладко причесанную головку Клаудии, на миг мелькнувшую среди разгоряченных лиц других гостей, или, отправившись в театр со школьной подругой, неожиданно видела, как Габриел Донтси с трудом пробирается к своему креслу в предыдущем ряду. В таких случаях они обменивались вежливыми приветствиями, как подобает знакомым. Но сегодня она чувствовала, что держаться поодаль друг от друга их заставляет нечто более сильное, чем привычка, что на протяжении дня им становилось все более неприятно говорить о смерти Жерара, что искренность первых часов, проведенных вместе в закрытом конференц-зале, сменилась настороженным недоверием к вдруг возникшей близости.

У Джеймса, насколько она знала, выбора не было. Он должен был вернуться домой, к Руперту, и Франсес завидовала непреложности его обязательств. Она никогда не встречалась с его другом, он не приглашал ее к себе в дом с тех пор, как Руперт к нему переехал, и она часто задавалась вопросом, как же они там уживаются. Но по крайней мере у Джеймса было с кем разделить горечь этого дня, который, как теперь казалось, тянулся невероятно долго. По общему молчаливому согласию они рано ушли из Инносент-Хауса, и Франсес ждала, пока Клаудиа запирала парадное и включала охранную систему. Она тогда спросила: «Вы в порядке, Клаудиа? Вам не понадобится помощь?» — и сама поразилась бесполезности и банальности этого вопроса. Она спрашивала себя, не следует ли ей поехать к Клаудии домой, но боялась, что это будет воспринято как проявление слабости, как ее собственное желание не быть одной. И в конце концов у Клаудии ведь есть жених — если он и правда ее жених. Она скорее обратится за помощью к нему, а не к Франсес.

Клаудиа тогда ответила: «Все, чего я хочу в данный момент, это добраться домой и побыть в одиночестве». Потом спросила: «А вы как, Франсес? С вами все в порядке?»

Те же самые, ничего не значащие слова, тот же вопрос, на который невозможно ответить. Интересно, что бы сказала Клаудиа, если бы Франсес ответила: «Нет, со мной не все в порядке. И я не хочу быть одна. Побудьте со мной сегодня, Клаудиа. Я уложу вас в спальне для гостей».

Разумеется, она могла бы позвонить Габриелу. Как хотелось бы знать, что он сейчас делает, о чем думает там, в своей неуютной, скудно обставленной квартире ниже этажом. Он тоже спросил: «С вами все в порядке, Франсес? Позвоните мне, если вам не захочется быть наедине с собой». Жаль, что он не сказал: «Не возражаете, если я поднимусь к вам, Франсес? Не хочу быть один». А он возложил это бремя на нее. Позвонить ему значило бы признать свою слабость, потребность в его обществе, которая могла быть ему не так уж приятна. Что же такое таит в себе Инносент-Хаус, думала она, что мешает людям выразить свою человеческую потребность друг в друге или просто ответить добротой на доброту?

В конце концов Франсес открыла пачку грибного супа и сварила яйцо. Она чувствовала себя невероятно усталой. Предыдущая ночь, которую она провела, съежившись в кресле Габриела Донтси, то засыпая, то просыпаясь, оказалась не самой лучшей подготовкой к сегодняшнему дню, принесшему нескончаемую эмоциональную травму. Но она понимала, что не готова ко сну. Вместо того чтобы лечь, она вымыла за собой посуду, пошла в ту комнату, что раньше была комнатой ее отца, а теперь была переделана в небольшую гостиную, и уселась в кресло перед телевизором. Перед глазами замелькали яркие картинки: новости, документальные кадры, комедия, какой-то старый фильм, современная пьеса... Она нажимала кнопки, переходя с канала на канал, менялись лица — ухмыляющиеся, смеющиеся, серьезные, поучающие, их рты не переставая открывались и закрывались, бессодержательно, не пробуждая эмоций, но хотя бы создавая эффект визуального наркотика, иллюзорного общения, преходящего и иррационального успокоения.

В час ночи она легла в постель, взяв с собой стакан горячего молока и добавив в него немного виски. Питье оказалось весьма действенным, и Франсес провалилась в забвение, успев лишь подумать, что ей наконец дано будет насладиться благодатным сном.

Кошмар вернулся к ней в предутренние часы — старый, знакомый кошмар, но в новом обличье, более страшном, более выразительно реальном. Она шла по Гринвичскому туннелю между отцом и миссис Ролингс. Они держали ее за руки, но их ладони не давали ей успокоения, они лишали ее свободы. Она не могла убежать, впрочем, бежать было некуда. Позади она слышала треск рушащейся крыши туннеля, но не смела обернуться, потому что знала — один взгляд назад грозит бедой. Впереди туннель тянулся и тянулся, гораздо длиннее, чем в жизни, в конце его кружком сиял солнечный свет. Они шли вперед, а туннель все удлинялся, и кружок света постепенно становился все меньше, пока не превратился в небольшое сияющее блюдечко, и она поняла, что скоро от него останется лишь светящаяся булавочная головка, которая тоже быстро угаснет. Ее отец шел рядом, держась очень прямо, не глядя на нее, не произнося ни слова. На нем были пиджак из твида и короткий плащ, какой он всегда носил зимой и который она отдала в Армию спасения. Он рассердился, что она отдала плащ, не спросив разрешения, но теперь он его отыскал и забрал обратно. Ее не удивило, что вокруг шеи у отца — змея. Змея была настоящая, огромная, как кобра; она раздувалась и опадала, обвивала плечи отца, шипя от переполнявшей ее злобы, готовая вот-вот перекрыть ему дыхание. А над ними потолочные плиты уже сочились влагой, и первые тяжелые капли стали падать вокруг. Но Франсес увидела, что капли эти не вода, а кровь. И тут она вдруг высвободилась и, крича, бросилась бежать к недостижимой булавочной головке света, а крыша впереди нее, треснув, рухнула, и ей навстречу покатилась, затмевая последнюю световую точку, сметая все на своем пути, черная волна смерти.

Проснувшись, она обнаружила, что сидит, скорчившись, у окна и бьет ладонями по стеклу. С возвращением сознания пришло облегчение, но кошмар остался пятном на душе. И все же наяву она твердо знала, что это всего лишь ночной кошмар. Франсес вернулась к кровати и зажгла лампу. Было почти пять часов. Нет смысла пытаться снова заснуть. Она надела халат, раздвинула шторы и открыла окно. Комната за ее спиной была темна, и она могла теперь видеть мерцающую бликами воду реки и несколько высоких звезд. Ужас ночного кошмара отступал, сменяясь другим кошмаром, от которого у нее не было надежды проснуться.

Тут она вдруг подумала об Адаме Дэлглише. Его квартира ведь тоже на реке, в Куинхите. Она сама подивилась, откуда ей известно, где он живет, но тут же вспомнила, что прочла об этом в статье, посвященной выходу его самой последней и весьма успешной книги стихов. Дэлглиш был человеком очень замкнутым, но эта информация о нем как-то просочилась в прессу. Странно было думать, что этот темный поток истории связывает ее жизнь с его жизнью. Хотелось верить, что он сейчас тоже не спит, что в одной-двух милях вверх по реке высокий человек в темной одежде стоит у окна, глядя на ту же, что и она, грозную реку.

КНИГА ТРЕТЬЯ
РАБОТА ДВИЖЕТСЯ

36

В субботу, 16 октября, в девять часов утра Жан-Филипп Этьенн, как всегда, совершал утреннюю прогулку. Время прогулки и ее маршрут никогда не менялись, какой бы ни был сезон, какая бы ни стояла погода. Он обычно шел мимо невысокого скалистого гребня, отделявшего болота от пахотной земли, — по слухам, на этом гребне когда-то стоял римский форт Отона, — мимо англо-кельтского храма Святого Петравне-стен, затем огибал мыс и выходил к пойме реки Блэкуотер. Редко кто попадался ему по пути, разве что летом, когда какой-нибудь прихожанин или любитель птиц мог рано выйти из дома, но если такое случалось, он вежливо здоровался, желая встречному доброго утра: на этом общение заканчивалось. Все местные знали, что он приехал в Отона-Хаус, чтобы жить в одиночестве, и не испытывали желания это одиночество нарушать. Он не отвечал на телефонные звонки, не принимал посетителей. Но в это утро, в половине одиннадцатого, к нему должен был явиться такой посетитель, которому нельзя отказать в приеме.

Сейчас, в нарастающем свете утра, Жан-Филипп Этьенн смотрел вдаль, через спокойные проливы поймы, на огни острова Мерси, и думал об этом неизвестном ему человеке — коммандере Дэлглише. Сообщение, которое Клаудиа передала от его имени в полицию, было недвусмысленным: он не может сообщить никаких сведений о смерти сына, не может высказать никаких предположений, не может дать правдоподобных объяснений этой загадке и не может никого заподозрить. С его точки зрения, Жерар умер в результате несчастного случая, какими бы странными или подозрительными ни казались обстоятельства его смерти. Смерть от несчастного случая представляется гораздо более правдоподобной, чем любое другое объяснение, и, разумеется, гораздо более правдоподобной, чем убийство. Убийство! Тяжелые звуки, составлявшие это слово, неприятно отдавались в мозгу, не вызывая никаких чувств, кроме отвращения и недоверия.

И вот теперь, стоя совершенно неподвижно, словно окаменев, на узкой полосе галечного пляжа, где крохотные волны, иссякая, оставляли тонкую пленку грязной пены, он смотрел, как с приходом ясного дня один за другим гаснут вдали, за водной гладью, фонари, и думал о сыне, не очень охотно отдавая ему дань памяти. Бо́льшая часть воспоминаний причиняла беспокойство, но поскольку они осаждали его ум и их нельзя было отринуть, лучше всего было их допустить к себе, найти в них смысл и систематизировать. Жерар рос до подросткового возраста со всеопределяющей уверенностью, что он — сын героя. Для мальчика — для любого мальчика — это очень важно, особенно для такого гордого, как он. Он мог негодовать на отца, мог чувствовать, что его недостаточно любят, недостаточно ценят, мог считать, что им пренебрегают, но он мог обойтись и без отцовской любви, раз у него была эта гордость, раз он мог гордиться своим именем и тем, что за этим именем стояло. Жерару всегда было важно знать, что человек, чьи гены он несет в себе, прошел такую проверку, какой мало кто на свете подвергался, и прошел ее с честью. Проходили десятки лет, воспоминания угасали, но о человеке по-прежнему судили по тому, что он делал в бурные годы войны. Репутация Жана-Филиппа была безупречна, непоколебима. Репутации многих других героев Сопротивления были подмочены разоблачениями более поздних лет, но это не касалось Этьенна. Медали, которые теперь он никогда не надевал, были заработаны честно.

Жан-Филипп видел, как влияет знание об этом на его сына, как растет в мальчике непреоборимое стремление завоевать одобрение и уважение отца, потребность соревноваться, оправдать его надежды. Не из-за этого ли он взобрался на Маттерхорн, когда ему исполнился двадцать один год? До той поры он никогда не проявлял интереса к альпинизму. Подвиг потребовал массу времени и денег. Он нанял самого лучшего проводника из Зерматта*,

---

* Зерматт — альпийский горнолыжный курорт и альпинистский центр в южной Швейцарии, близ пика Маттерхорн.

который — совершенно естественно — назначил период в несколько месяцев для необходимых тяжелых тренировок перед тем, как совершить попытку взойти на пик, и поставил целый ряд жестких условий. Группа повернет назад перед последней атакой на вершину, если он рассудит, что Жерар представляет опасность для себя самого или для других членов группы. Но назад они не повернули. Пик был побежден. Самому Жану-Филиппу такого добиться не удалось.

А еще — «Певерелл пресс». В последние годы Жан-Филипп Этьенн понял, что он был в издательстве не многим более чем пассажиром, которого терпели, не беспокоили, да он и сам не доставлял никому беспокойства. Жерар, если бы власть перешла в его руки, сделал бы все, чтобы реформировать «Певерелл пресс». И Жан-Филипп отдал ему эту власть. Он передал двадцать принадлежавших ему акций компании Жерару и пятнадцать — Клаудии. Жерару надо было только заручиться поддержкой сестры, чтобы обеспечить себе контроль над делами компании. А почему бы и нет? Время Певереллов прошло, пора Этьеннам занять их место.

И все же из месяца в месяц Жерар приезжал к нему с отчетом, словно управляющий имением к хозяину. Он не просил совета, не ждал одобрения. Не за советом он приезжал и не за одобрением. Иногда Жану-Филиппу казалось, что его приезды были некоей формой компенсации, епитимьи, добровольно наложенной им на себя, выполнением сыновнего долга — теперь, когда старику стало уже все равно, когда тонкие нити, связывавшие его с семьей, с фирмой, с жизнью, почти выскользнули из негнущихся от старости пальцев. Он слушал эти отчеты, порой даже делал замечания, но так и не решился сказать: «Не хочу слушать. Меня это больше не интересует. Можешь продать Инносент-Хаус, можешь переехать в Доклендс, продать фирму, сжечь архивы. Последние крохи моего интереса к этим делам я стряхнул с себя, когда бросил в Темзу те крупинки костей и праха, что были когда-то Генри Певереллом. Я так же мертв для дел твоей фирмы, как он. Нас обоих уже ничто не заботит. Не думай, что я все еще жив, раз могу говорить с тобой и способен выполнять какие-то человеческие функции». Во время таких приездов он обычно сидел неподвижно, лишь время от времени протягивал трясущуюся руку к стакану с вином: дно у этого стакана было утолщенное, тяжелое, с ним было легче управляться, чем с тонким бокалом. Голос сына доносился как бы издалека:

— Трудно решить, покупать или арендовать. В принципе я за то, чтобы купить. Арендная плата сейчас до смешного низкая, но она резко возрастет, когда сдавать будет нечего. С другой стороны, имеет смысл взять краткосрочную аренду, лет на пять, и тем самым сохранить капитал на приобретения и развитие. Издательское дело — книги, а не недвижимость. За последние сто лет издательство «Певерелл пресс» растрачивало ресурсы на содержание Инносент-Хауса так, будто сам дом и есть фирма. Потеряем дом, потеряем и фирму. Кирпич и известь возведены в статус символа, даже на писчей бумаге.

Жан-Филипп тогда ответил:

— Камень и мрамор. — Увидев недоуменно наморщенный лоб Жерара, он добавил: — Камень и мрамор. Не кирпич и известь.

— Задний фасад — кирпичный. Здание вообще какой-то архитектурный монстр. Много говорят о том, как блистательно Чарлз Фаулер сочетал позднегеоргианскую элегантность с венецианской готикой пятнадцатого века. Уж лучше бы и не пытался! Всей душой готов приветствовать Гектора Сколлинга в Инносент-Хаусе.

— Франсес будет несчастлива.

Он сказал это, просто чтобы что-то сказать. Его не трогали чувства Франсес. Во рту ощущался терпкий вкус вина. Прекрасно, что он может еще чувствовать вкус выдержанных красных вин.

— Она это переживет, — ответил Жерар. — Все Певереллы всегда считали своим долгом любить Инносент-Хаус. Однако я сомневаюсь, что это ее и в самом деле сильно заботит. — Следуя естественной ассоциации, он спросил: — А ты читал в прошлый понедельник сообщение «Таймс» о моей помолвке?

— Нет. Я больше не беру на себя труд читать газеты. «Спектейтор» помещает резюме всех главных новостей недели. Этой половины страницы достаточно, чтобы убедить меня, что мир продолжает существовать примерно так же, как прежде. Надеюсь, ты будешь счастлив в браке. Я был.

— Да, мне всегда казалось, что вы с матерью это неплохо изображали.

Жан-Филипп просто нюхом учуял смущение сына. Неожиданная грубость ответа едким дымком повисла между ними. Он спокойно сказал:

— Я вспомнил не о твоей матери.

Сейчас, стоя на берегу, он смотрел на спокойную водную гладь и думал, что только в те бурные дни войны, когда все на свете смешалось, он жил по-настоящему. Он был молод, без памяти влюблен, возбужден постоянной опасностью; рвение лидерства побуждало его к действию, его окрылял безыскусный, не знающий сомнений патриотизм, ставший для него поистине религией.

В вишистской Франции, где смешались представления о верности, его верность оставалась четкой и абсолютной. С тех пор ничто не могло сравниться с чудом, волнением, блеском тех лет. Никогда более он не проживал каждый день своей жизни столь полнокровно. Даже после гибели Шанталь его решимость не была поколеблена, несмотря на то что он в смущении обнаружил, что винит в ее смерти не только немцев, но и маки́. Он никогда не верил, что наиболее эффективной формой сопротивления является вооруженная борьба или убийство немецких солдат. А потом, в 1944-м, пришли освобождение и триумф, а с ними реакция, настолько неожиданная и сильная, что она деморализовала его, повергла в апатию. И лишь тогда, в дни триумфа, у него нашлось место и время по-настоящему оплакать Шанталь. Он почувствовал, что не способен ни на какие эмоции, кроме всепоглощающего горя, которое в своей печальной тщете было сравнимо с гораздо бо́льшим, всемирным горем.

Он не очень-то одобрял акты возмездия и испытывал чувство тошнотворного омерзения, видя, как бреют головы женщинам, обвиненным в «сентиментальных связях с врагом», как вершится вендетта, как осуществляют свои «чистки» маки́, как творится скорое «правосудие», позволившее казнить тридцать человек в Пюи-де-Доме* без настоящего суда и следствия. Он обрадовался, как и большинство французов, когда восстановилось должное исполнение законов, но не был удовлетворен ни тем, как велись судебные разбирательства, ни приговорами. Он не испытывал сочувствия к тем коллаборационистам, которые предали движение Сопротивления, или к тем, кто пытал и убивал людей. Но в те двусмысленные годы многие коллаборационисты, сотрудничавшие с правительством Виши, искренне верили, что действуют на благо Фран-

---

* Пюи-де-Дом — город в центральной Франции, чуть южнее Виши.

ции, и если бы державы оси* победили, возможно, эта их деятельность и оказалась бы полезной Франции. Некоторые из них были вполне приличными людьми и выбрали неверный путь по причинам не таким уж недостойным, другие оказались просто слабыми, третьими двигала ненависть к коммунизму. Были и такие, кого соблазнила коварная привлекательность фашизма. Он не мог ненавидеть ни тех ни других. Даже его собственная слава, собственный героизм, собственная безупречность стали ему отвратительны.

Ему необходимо было уехать из Франции, и он выбрал Лондон. Бабушка его была англичанкой, он безупречно владел английским и был знаком с особенностями английских обычаев: все это облегчало ему жизнь в добровольном изгнании. Но он выбрал Англию не из особой любви к стране или ее жителям. Сельская Англия была прекрасна, но ведь у него когда-то была Франция! Уехать оттуда было необходимо, и вполне очевидно, что следовало выбрать Англию. В Лондоне, на каком-то вечере, он уже не помнил, что за вечер и где это было, он познакомился с кузиной Генри Певерелла — Маргарет. Она была миловидна, чутка и привлекательно, по-детски непосредственна. Она романтически в него влюбилась, влюбилась в его героизм, в его национальность, даже в его акцент. Ее безоговорочное обожание льстило ему, и трудно было не ответить ей хотя бы искренним расположением и теплотой, желанием оберечь в ней то, что казалось ему беззащитностью и ранимостью. Но он ее не любил. Он любил только одного человека во всем мире. С Шанталь умерла его способность испытывать какое-либо чувство, кроме простой привязанности. Но он женился на Маргарет и взял ее с собой на четыре года в Торонто. Когда это добровольное изгнание им наскучило, они вернулись в Лондон, теперь уже с двумя детьми. Согласившись на предложение Генри Певерелла, он стал членом компании «Певерелл пресс», вложив в фирму значительный капитал, получил свои акции и провел последние рабочие годы в этом причудливом строении, таком нелепом на берегу чуждой ему северной реки. Жан-Филипп полагал, что все это его в разумной степени удовлетворяет. Он

---

* Ось — ось Берлин — Рим: гитлеровская Германия и ее союзники. Первоначально была образована как политический союз Германии и Италии в 1936 г., затем превратилась в военный союз, к которому присоединились Япония и другие страны, участвовавшие в войне на стороне Германии. Ось лопнула с падением Муссолини и капитуляцией Италии в 1943 г.

понимал, что его считают скучным, и не удивлялся этому: он сам себе наскучил. Его брак выдержал проверку временем. Он смог сделать свою жену, Маргарет Певерелл, счастливой — насколько она была способна чувствовать себя счастливой. Он подозревал, что женщины из рода Певереллов не очень-то умеют быть счастливыми. Маргарет безумно хотела детей, и он, сознавая свой долг, дал ей сына и дочь, которых она так надеялась иметь. Вот так он и думал — и тогда, и теперь — об отцовстве, как об обязанности дать жене что-то, необходимое для ее счастья, хотя и не для своего собственного. И раз уж он подарил ей это, как мог бы подарить кольцо, ожерелье или новый автомобиль, в дальнейшем он снял с себя всякую ответственность, поскольку передал эту ответственность ей вместе с даром.

А теперь Жерар мертв, и незнакомый полицейский едет сюда, чтобы сообщить ему, что его сына убили.

37

В десять утра у Кейт и Дэниела была назначена встреча с Рупертом Фарлоу. Они знали, что припарковаться в Хиллгейт-Виллидж практически невозможно, поэтому оставили машину в полицейском участке района Ноттинг-Хилл-Гейт и пошли пешком вверх по пологому холму, под высокими вязами Холланд-Парк-авеню. Кейт думала о том, как странно так скоро снова оказаться в этой хорошо ей знакомой части Лондона. Она выехала из старой квартиры всего три дня назад, однако казалось, что покинула она этот район не только фактически, но и в своем воображении, и теперь, приехав в Ноттинг-Хилл-Гейт, смотрела на эту невзрачную городскую мешанину глазами иностранца. Конечно, здесь ничего не изменилось. Разностильная, ничем не примечательная архитектура 1930-х годов, множество дорожных знаков и указателей, перила, заставлявшие ее чувствовать себя как скотина в загоне, длинные бетонные цветники с чахлыми, пыльными вечнозелеными растениями, витрины магазинов, выплескивающих свои названия ливнем крикливых светло-красных, зеленых и желтых огней, безостановочный монотонный шум уличного движения. Даже тот же самый нищий стоял у супермаркета, а у его ног, свернувшись на драном коврике, лежала та же огромная овчарка, и он, все так же бормоча, просил прохожих дать ему мелочь, чтобы он мог купить сандвич. А за всей этой деловой суетой, в многоцветье оштукатуренных домов, покоилась в тишине Хиллгейт-Вилллидж.

Они прошли мимо нищего и остановились у перехода, ожидая, когда зажжется зеленый свет.

— Там, где я живу, тоже есть такие, — сказал Дэниел. — Я бы мог поддаться искушению и зайти в супермаркет — купить ему сандвич, если бы не боялся нарушить мирный договор и если бы оба они — и нищий, и собака — не выглядели малость перекормленными. А вы когда-нибудь подаете?

— Не таким, как этот, и не очень часто. Иногда. Сама себя за это ругаю, но подаю. Не больше фунта.

— Чтобы он был истрачен на выпивку или наркотики?

— Дар должен быть безусловным. Даже если даришь только один фунт. Даже если нищему. Ладно, я и сама знаю, что потворствую правонарушениям.

Они уже перешли дорогу у светофора, когда он вдруг снова заговорил:

— В следующую субботу я должен пойти на бар-митцву двоюродного брата.

— Так пойдите, если это вам важно.

— А.Д. не понравится, если я снова подам заявление об отгуле. Вы же знаете, какой он, когда мы ведем расследование.

— Это ведь не на весь день, правда? Попросите. Он повел себя очень пристойно, когда Роббинс просил отгул на один день после смерти своего дяди.

— Речь ведь шла о христианских похоронах, а не о еврейской бар-митцве.

— А какая еще бывает бар-митцва? И надо быть справедливым. Он вовсе не такой, вы и сами это знаете. Ну, я уже сказала: если это важно — попросите. Если нет — не надо.

— Важно для кого?

— Ну, я не знаю. Для мальчика, по всей вероятности.

— Да я его почти не знаю. Думаю, его не очень заботит, буду я там или нет. Но семья у нас небольшая, у него всего-навсего два двоюродных брата. Думаю, ему-то хотелось бы, чтобы я там был. А вот тетушке моей — вряд ли. Если я не явлюсь, у нее появится лишний повод для недовольства моей матерью.

— Вряд ли А.Д. возьмется решать, что важнее — доставить удовольствие вашему брату или дать вашей тетушке повод для досады. Если это вам важно, так поезжайте. Зачем делать из этого такую большую проблему?

Дэниел не ответил, и, пока они шли вверх по Хиллгейт-стрит, она думала: а может, все потому, что для него это и правда большая проблема? Повторяя в уме их короткий разговор, она вдруг удивилась — ведь это в первый раз он приоткрыл ей дверь в свою личную жизнь. А раньше ей казалось, что Дэниел, как и сама она, охраняет этот неприступный портал с прямо-таки всепоглощающей бдительностью. За все три месяца с тех пор, как он пришел в их группу, они ни разу не говорили о его еврействе, впрочем, как и о чем-либо другом, кроме работы. Ищет ли он на самом деле совета, или использует разговор с ней, чтобы прояснить собственные мысли? Если он и правда искал совета, удивительно, что он обратился к ней. С самого начала она почувствовала в нем настороженность, которая — если не повести себя тактично — могла осложнить дело, а ее несколько раздражала необходимость проявлять особый такт в отношениях с товарищами по работе. Служба в полиции и так изобилует стрессами, не надо осложнять ее необходимостью умиротворять коллегу или приспосабливаться к нему. Но Дэниел ей нравился, или, что более соответствовало действительности, начинал нравиться, хотя она и не могла бы с уверенностью сказать почему. Он был крепко сбит, ростом чуть выше ее, со светлыми волосами и серо-синими глазами, блестящими, словно отполированные камешки. Когда он сердился, глаза у него темнели, становились почти черными. Она распознала в нем живой ум и честолюбие, сродни ее собственному. И во всяком случае, у него не было комплексов из-за необходимости работать под началом у женщины, а если и были, он умел скрывать их гораздо лучше, чем многие другие ее коллеги. Еще она призналась себе, что он стал казаться ей сексуально привлекательным, будто такое формальное признание объективного факта могло уберечь ее от глупостей, порождаемых постоянным тесным общением. Ей пришлось видеть слишком много примеров того, как сослуживцы ломали себе жизнь и карьеру, так что она не могла пойти на риск впутаться в историю, которую гораздо легче начать, чем закончить.

Она сказала, стремясь ответить доверием на доверие и опасаясь, что была слишком категорична:

— У нас в анкрофтской школе были ребята самых разных религий. Мы то и дело отмечали какие-то праздники или торжества. Это обычно означало, что надо наряжаться и много шуметь. Школа официально придерживалась принципа, что все религии одинаково важны. Должна признаться, что в результате я оттуда вышла с твердым убеждением, что все они одинаково не важны. Мне кажется, что учить вере можно, только когда сам искренне веришь, иначе вера превращается просто в еще один скучный предмет. А может, я по природе — язычница. Мне не по душе все эти вопли о грехе, страдании и Божьей каре. Если бы у меня был Бог, я хотела бы, чтобы он был умный, веселый и занятный.

Дэниел ответил:

— Сомневаюсь, чтобы такой Бог мог дать утешение, когда вас гонят в газовые камеры. Тогда, возможно, вы предпочли бы Бога-отмстителя. Это ведь наша улица, да?

То ли он просто устал обсуждать эту тему, то ли предупреждал, чтобы она не лезла в его личные дела. Кейт ответила:

— Да, похоже на то.

Слева от двери был домофон. Кейт нажала кнопку и, когда на звонок ответил мужской голос, сказала:

— Это инспектор Мискин и инспектор Аарон. Мы пришли повидать мистера Фарлоу. Он нас ждет.

Она прислушивалась, ожидая щелчка, означающего, что замок открылся, но тот же голос сказал:

— Сейчас спущусь.

Полторы минуты ожидания, казалось, тянутся бесконечно. Кейт успела уже второй раз взглянуть на часы, когда дверь отворилась и перед ними предстал коренастый молодой человек, босой, в туго обтягивающих брюках в синюю и белую клетку и в белой футболке. Его волосы были подстрижены в виде отдельно стоящих пучков коротких волосков, что делало его круглую голову похожей на щетку из жесткой щетины. Нос у него был широкий и толстый, а округлые руки, покрытые патиной коричневатых волос, казались мягкими и пухлыми, как у ребенка. Кейт подумала, что в нем есть какая-то уютная компактность, как у плюшевого медвежонка, и что не хватает только ценника, который свисал бы с серьги в его левом ухе, чтобы довершить иллюзию. Но взгляд бледно-голубых глаз, встретившийся с ее взглядом, был поначалу настороженным, а затем, пока они стояли вместе у входа, настороженность сменилась откровенным антагонизмом, и когда он заговорил, в его тоне не было доброжелательности. Не обратив внимания на протянутый ему ордер, он сказал:

— Вам надо будет пройти наверх.

В узком холле было очень тепло и стоял странный аромат, полуцветочный, полупряный; Кейт сочла бы его приятным, если бы он не был так резок. Вслед за своим гидом они поднялись по узкой лестнице и очутились в гостиной, тянувшейся во всю длину дома. Высокий арочный проем указывал, по-видимому, место, где комнату когда-то разделяла стена. В дальнем конце была устроена небольшая оранжерея с видом на сад. Кейт, полагавшая, что в совершенстве овладела искусством схватывать детали окружающей обстановки, ничем не выдавая своего любопытства, сейчас не замечала ничего, кроме человека, с которым они пришли увидеться. Он лежал, высоко поднятый на подушках на узкой кровати, справа от оранжереи, и явно был при смерти. Ей приходилось видеть крайнюю степень истощения довольно часто на экране телевизора, приходилось смотреть, сидя, как обычно, в своей гостиной, на лишенные выражения, словно мертвые глаза и иссохшие члены умирающих от голода людей. Но сейчас, впервые встретившись с этим в жизни, она не понимала, как человек мог так иссохнуть и все же дышать, как эти огромные глаза, словно свободно плавающие в орбитах, могут пристально, не отпуская, вглядываться в ее глаза с такой невероятной, чуть ироничной веселостью. Он был завернут в халат алого шелка, но и этот халат не мог оживить болезненно-желтый цвет его лица и рук. У изголовья кровати стоял ломберный столик, а с другой стороны столика — кресло. На зеленом сукне стола — две уже распечатанные колоды карт. Похоже, Руперт Фарлоу и его друг собирались сыграть в канасту.

Голос у него был не сильный, но и не дрожал. Самая сущность, самое «я» этого человека не умерли, это ясно слышалось в его тоне.

— Простите, что не встаю. Дух повелевает, но плоть слаба. Я берегу силы, чтобы Рэй потом не смог заглянуть ко мне в карты. Пожалуйста, садитесь, если найдете, на чем сидеть. Выпить хотите? Я знаю, вам не полагается пить на работе, но я настаиваю, чтобы вы считали это выполнением своего долга перед обществом. Рэй, ты куда спрятал бутылку?

Юноша, теперь сидевший у ломберного столика, не шевельнулся. Кейт сказала:

— Мы не будем пить, спасибо. Все это вряд ли займет много времени. Мы пришли поговорить о вечере четверга.

— Я так и думал.

— Мистер Де Уитт говорит, что пришел с работы домой вовремя и весь вечер был с вами. Вы могли бы это подтвердить?

— Если Джеймс вам так сказал, значит, это правда. Джеймс никогда не врет. Из всех его черт именно эта особенно раздражает его друзей.

— Но это правда?

— Естественно. Разве он так не сказал?

— В котором часу он вернулся домой?

— В обычное время. Около шести тридцати, правильно? Он вам сам скажет. Да вроде бы уже сказал.

Перед началом разговора Кейт, сдвинув в сторону кипу журналов, села на кушетку эпохи королевы Виктории, прямо напротив кровати. Она спросила:

— Как давно вы живете здесь, с мистером Де Уиттом?

Руперт Фарлоу обратил на нее огромные, полные боли глаза, повернув голову так медленно и осторожно, будто тяжесть его оголившегося черепа стала слишком велика для шеи, и сказал:

— Вы хотите спросить о том, как давно я делю с ним этот кров, но не спрашиваете, скажем, не делю ли я с ним жизнь и не делю ли постель? Я верно вас понял?

— Да, вы верно меня поняли.

— Четыре месяца, две недели и три дня. Он забрал меня сюда из хосписа. Не могу с уверенностью сказать почему. Может, пребывание рядом с умирающим его возбуждает. Некоторые от этого торчат. Визитеров у меня в хосписе хватало, могу вас заверить. Мы ведь такой вид благотворительности, что добровольцы всегда найдутся. Секс и смерть — это людей здорово заводит. Между прочим, мы с Джеймсом не были любовниками. Он влюблен в эту вялую, консервативную женщину — Франсес Певерелл. Джеймс просто удручающе гетеросексуален. Так что вам нечего бояться пожимать ему руку или даже пойти на более интимный контакт, если захочется попытать счастья.

В разговор вступил Дэниел:

— Он приехал домой в шесть тридцать. А потом он куда-нибудь выходил?

— Насколько я знаю — нет. Он отправился наверх спать примерно в одиннадцать и был дома, когда я просыпался в три тридцать, в четыре пятнадцать и в пять сорок пять. Я очень тщательно замечал время. О-о, а еще он помогал мне со всякими неприятными делами где-то около семи часов утра. Он, разумеется, не успел бы в промежутках смотаться в Инносент-Хаус и убрать Жерара Этьенна. Но я, пожалуй, должен предупредить вас, что на меня нельзя особенно полагаться. Я бы в любом случае говорил именно так. Не в моих интересах, чтобы Джеймса взяли и отвезли в тюрьму, верно ведь?

— Но ведь и не в ваших интересах оказаться соучастником убийства? — спросил Дэниел.

— Это меня не беспокоит. Если возьмете Джеймса, можете взять и меня. Я причиню гораздо больше неудобства системе уголовного правосудия, чем вы — мне. В этом — колоссальное преимущество умирания. Не очень много можно сказать в его пользу, но оно уводит нас из-под власти полиции. И все же я должен постараться быть полезным, не правда ли? У нас есть одно свидетельство в подтверждение. Ты звонил и разговаривал с Джеймсом в семь тридцать, правда, Рэй?

Рэй тем временем взял вторую колоду карт и очень умело ее тасовал.

— Ага, верно, в семь тридцать, — подтвердил он. — Я звонил справиться. Он тогда тут был.

— Ну вот, видите? Правда, как умно, что я вспомнил?

Поддавшись порыву, Кейт спросила:

— Скажите, ведь вы... Ну конечно же! Вы ведь тот самый Руперт Фарлоу, который написал «Фруктовую тюрьму»?

— А вы что, читали?

— Мне один приятель подарил на прошлое Рождество. Ему удалось ее найти в твердой обложке. За ней вроде бы даже гонялись. Он мне сказал, что первое издание уже распродано и книгу не переиздают.

— Подумать только — начитанный коп! А я полагал, такие только в детективных романах бывают. Вам понравилось?

— Да. Мне понравилось. — Помолчав, она добавила: — Книга показалась мне просто замечательной.

Он приподнял голову и взглянул на Кейт. Голос у него вдруг изменился, и он сказал так тихо, что она едва расслышала его слова:

— Я и сам был ею очень доволен.

Глядя ему в глаза, она в ужасе заметила, что в них блестят слезы. Иссохшее тело дрожало в своем алом саване, и Кейт пришлось сделать почти физическое усилие, чтобы побороть порыв тотчас же броситься к нему и обнять. Она отвела глаза и сказала, стараясь, чтобы ее голос звучал нормально:

— Мы не станем больше вас утомлять, но может случиться, что мы снова зайдем к вам, чтобы вы подписали свои показания.

— Я буду дома. А если не буду, то получить мои показания вам уже не удастся. Рэй вас проводит.

Втроем они спустились по лестнице в полном молчании. У двери Дэниел обернулся и сказал:

— Мистер Де Уитт говорил нам, что в четверг вечером никто сюда не звонил. Так что один из вас либо солгал, либо ошибся. Кто — вы?

Юноша пожал плечами:

— Ладно, может, я и ошибся. Подумаешь, большое дело! Это могло быть в какой-нибудь другой вечер.

— Или ни в какой вечер. Опасно лгать, когда расследуется убийство. Опасно и для вас, и для невиновных. Если вы имеете хоть какое-то влияние на мистера Фарлоу, скажите ему: раз он хочет помочь своему другу, самое лучшее для него — говорить правду.

Рэй уже взялся рукой за дверь.

— Не вешайте мне лапшу на уши, — сказал он. — С какой стати? Полицейские вечно твердят — вы поможете себе и невиновным, если будете говорить правду. Говорить правду легавым — на руку только легавым. И не пытайтесь нам вбить в голову, что это в наших интересах. А захотите еще прийти, так лучше сначала позвоните. Он слишком слаб, чтобы к нему приставали.

Дэниел открыл было рот, но сдержался и ничего не сказал. Дверь за ними резко захлопнулась. Они молча вышли на Хилл-Гейт-стрит. Немного погодя Кейт произнесла:

— Напрасно я сказала ему про книгу.

— Почему — напрасно? Что тут плохого? То есть если вы говорили честно?

— Плохое тут как раз то, что я говорила честно. Я его расстроила. — Помолчав, она спросила: — Как вы думаете, чего стоит такое алиби?

— Не больно много. Но если он решил его держаться, а я догадываюсь, что так оно и есть, нам грозит куча неприятностей, даже если мы много чего другого накопаем про Де Уитта.

— Не обязательно. Все зависит от убедительности других улик. И если мы находим это алиби неубедительным, то и присяжные увидят то же самое.

— Ну да, если только этот парень когда-нибудь предстанет перед присяжными.

— Впрочем, — сказала Кейт, — есть одна зацепка. Может, просто случайность, только я подумала... Этот его дружок — Рэй — явно лгал. Но откуда сам Фарлоу знает, что алиби нужно примерно на семь тридцать? Или это просто удачная догадка?

38

Сообщение Дэлглишу о том, что он согласен встретиться с ним, Жан-Филипп Этьенн передал с Клаудией. Встречу он назначил на 10.30. Это означало, что надо отправиться в путь довольно рано, чтобы ехать спокойно. Время встречи удивило Дэлглиша — ведь назначивший его человек имел в своем распоряжении весь день целиком: по-видимому, здесь была какая-то особая цель. Не в том ли дело, раздумывал Дэлглиш, что, даже если беседа затянется дольше, чем ожидалось, Этьенн не будет обязан пригласить его остаться на ленч? Это устраивало и его самого. Поесть в полном одиночестве, в незнакомом месте, где его никто не знает, не может узнать в лицо, даже если еда окажется не вполне по вкусу; поесть в таком месте, где он может быть уверен, что никто на свете не знает, где он работает, где его не достанет ни один телефонный звонок, — редкое удовольствие, и он собирался после интервью насладиться им сполна. В четыре часа у него назначено совещание в Скотланд-Ярде, а затем он прямиком отправится в Уоппинг — выслушать, что доложит ему Кейт. У него не останется времени на прогулку и на осмотр, по всей видимости, интересного храма, но в конце концов надо же человеку поесть!

ПЕРВОРОДНЫЙ ГРЕХ

Когда он отправился в путь, было еще темно и, светлея, ночь сменялась сухим, но бессолнечным утром. Однако как только он стряхнул с себя последние восточные предместья Лондона и его окружили приглушенные краски сельских пейзажей Эссекса, серый полог над ним сменился перламутровой дымкой, обещавшей, что солнце, возможно, все-таки проглянет. За низко подстриженной живой изгородью, время от времени пронзаемой одинокими, встрепанными ветром деревьями, простирались к далекому горизонту вспаханные осенние поля с кое-где проклюнувшимися зелеными ростками озимой пшеницы. Под широким небом восточной Англии Адама охватило чувство освобожденности, словно тяжесть давнего, привычного бремени на какое-то время спала с его плеч.

Дэлглиш задумался о человеке, с которым должен был встретиться. Он ехал в Отона-Хаус, не слишком многого ожидая от этой встречи, но тем не менее подготовившись к ней. Для детального исследования биографии Этьенна времени у него не было. Он провел минут сорок в Лондонской библиотеке и поговорил по телефону с бывшим участником Сопротивления, живущим теперь в Париже, чью фамилию ему назвал сотрудник французского посольства, с которым у Дэлглиша были деловые контакты. Теперь он кое-что знал о Жане-Филиппе Этьенне, герое Сопротивления в вишистской Франции.

Отец Этьенна был владельцем процветающей газеты и типографии в Клермон-Ферране и являлся одним из самых первых участников движения Сопротивления. Он скончался от рака в 1941 году, и его единственный, только что женившийся, сын унаследовал и его дело, и отцовскую роль в борьбе против вишистского правительства и немецких оккупантов. Подобно отцу, он был ярым голлистом и антикоммунистом, не доверял Национальному фронту из-за того, что это движение было организовано коммунистами, невзирая даже на то, что многие его друзья — христиане, социалисты, интеллектуалы — стали участниками этого движения. Но он был одиночкой по натуре и лучше всего работал со своей собственной группой, очень небольшой и формировавшейся тайно, из хорошо законспирированных людей. Не вступая в открытые конфликты с основными организациями, он сосредоточил свою деятельность в большей степени на пропаганде, чем на вооруженной борьбе, распространяя собственную подпольную газету и союзнические листовки, сбрасывавшиеся с самолета, регулярно снабжая Лондон* неоценимой информацией. Он даже пытался подкупом и пропагандой деморализовать немецких солдат, засылая в их среду агитаторов-антифашистов. Издание его семейной газеты шло своим чередом, однако она теперь стала не столько хроникой событий, сколько литературным журналом: ее осторожная, неполитическая позиция давала Этьенну возможность получать больше бумаги и печатной краски, чем было положено, а ведь на них были установлены строгие нормы, за соблюдением которых тщательно следили. Благодаря осмотрительному ведению дел и всяческим ухищрениям ему удавалось выделять ресурсы на подпольную прессу.

Целых четыре года он жил этой двойной жизнью настолько успешно, что фашисты так ничего и не заподозрили. Даже его соратники по движению Сопротивления не пытались обвинить его в коллаборационизме. Его глубочайшее недоверие к маки́ еще усилилось после того, как в 1943 году погибла его жена, ехавшая в поезде, взорванном одной из наиболее активных партизанских групп. Он закончил войну героем, правда, не столь широко известным, как Альфонс Розье, Серж Фишер или Анри Мартен, но его имя можно было найти в индексах книг о движении Сопротивления в Виши. Он заработал свои медали и свой покой.

Меньше чем через два часа после того, как он выехал из Лондона, Дэлглиш свернул с шоссе А-12 на юго-восток, в сторону Молдона, а затем на восток, через плоскую, неинтересную сельскую местность, и наконец доехал до Брадуэлл-он-Си — весьма привлекательной деревушки с прямоугольной башней небольшого храма и обшитыми вагонкой розовыми, белыми и красновато-желтыми домами, у дверей которых висели корзины поздних хризантем. Он отметил в уме паб «Королевская голова» как место, куда он мог бы заехать поесть. У поворота на узкую проселочную дорогу был знак, указывавший, что она ведет к храму Святого Петра-вне-стен, и вскоре храм возник вдалеке — высокое прямоугольное здание, стоящее на фоне неба. Храм и сейчас выглядел точно таким же, каким Адам впервые увидел его десятилетним мальчишкой, когда приезжал сюда с отцом: очень простой, незамысловатых пропорций, он походил на детский кукольный домик. К часовне вела немощеная дорожка, отделенная от проезжей дороги

---

* С июня 1940 г. по июнь 1943 г. в Лондоне находился Шарль де Голль (1890—1970), основавший сначала движение «Свободная Франция», а затем, в сентябре 1941 г., — Французский национальный комитет, фактически являвшийся французским правительством в изгнании.

деревянным барьером, однако проезд к Отона-Хаусу, на несколь-ко сотен ярдов правее, был открыт. На дорожном указателе — де-ревянный столбик его уже пошел трещинами, а буквы выцвели так, что почти не читались, — виднелось название дома: этот факт и то, что вдали уже вырисовывалась крыша с печными трубами, убедили Дэлглиша, что этот проселок — единственный доступ к Отона-Хаусу. Дэлглишу пришло в голову, что Жан-Филипп Эть-енн не мог придумать лучшего средства, чтобы отпугивать посети-телей, и на миг заколебался — не пройти ли полмили пешком, чтобы не было риска застрять в грязи? Адам взглянул на часы — 10.25. Он приедет точно в назначенное время.

Дорога к Отона-Хаусу была изрыта глубокими колеями, в рыт-винах, после вчерашнего ночного дождя, все еще стояла вода. По одну сторону дороги без конца и края тянулись распаханные поля, ничем не огороженные и без малейшего признака жизни. Слева шла широкая канава, обрамленная зарослями ежевичных кустов, отяжелевших от ягод, а за ними виднелся неровный ряд искрив-ленных сучковатых деревьев, чьи стволы густо оплетал плющ. По обеим сторонам дороги качалась под порывами несильного ветра высокая сухая трава с полными семян стручками. Дэлглиш вел свой «ягуар» очень осторожно, но машину мотало из стороны в сторону, она вздрагивала и подпрыгивала на ухабах, и он уже жа-лел, что не оставил ее у въезда, когда луж на дороге вдруг стало меньше, рытвины — мельче, и последнюю сотню ярдов он смог проехать, увеличив скорость.

Сам дом, окруженный высокой стеной из узорного кирпича, казавшейся сравнительно новой и современной, все еще не был виден, по-прежнему можно было разглядеть только крышу и трубы, но было очевидно, что вход в него — со стороны моря. Дэлглиш объехал дом справа и впервые смог разглядеть его как следует.

Это было небольшое, приятных пропорций строение из тем-но-красного кирпича, с фасадом почти наверняка эпохи королевы Анны. Центральный эркер венчал голландский парапет, чьи плав-ные линии повторяли линии изящного портика парадной двери. По обе стороны шли два одинаковых крыла с восьмистекольными рамами в окнах, над которыми располагались карнизы из камня, украшенного морскими раковинами. Только они и указывали на то, что дом построен на морском берегу, и все же он казался здесь странно неуместным, его полная достоинства гармоничность и сдержанное спокойствие больше подошли бы соборной площади, чем окраине этого мрачного уединенного мыса. Прямого подхода к морю от дома не было. Между бьющимися о берег волнами и Отона-Хаусом примерно на сотню ярдов тянулась соленая топь, иссеченная бесчисленными ручейками, — этакий пропитанный влагой предательский ковер нежно-голубых, зеленых и серых тонов, с ядовито-зелеными заплатами, посреди которых поблескивали лужицы морской воды, словно болото было усеяно драгоценными камнями. Отсюда Адам мог слышать море, но в этот тихий день, когда лишь слабый ветерок шуршал в камышах, шум волн доносился до него едва слышно, словно осторожный выдох.

Дэлглиш позвонил у двери и услышал приглушенный звон в глубине дома, но прошло более минуты, прежде чем его слух уловил шарканье приближающихся шагов. Заскрежетал отодвигаемый засов, в замке повернулся ключ, затем дверь медленно отворилась.

На пороге стояла женщина, взиравшая на него без малейшего любопытства; она была стара — ей скорее под восемьдесят, чем около семидесяти, подумалось ему, — но в ее полной и крепкой фигуре не было и признака немощности. Одета она была в черное платье с высоким, застегнутым у самого горла воротом, скрепленным еще и брошью из оникса, обрамленного тусклым мелким жемчугом. Полные икры выпирали над шнурованными черными ботинками, а грудь, которую она несла высоко поднятой, бесформенным валиком налегала на обширный, туго накрахмаленный белый фартук. Лицо у нее было широкое, желтоватого цвета, скулы резко выдавались под утонувшими в морщинах недоверчивыми глазами. Прежде чем он успел произнести хоть слово, она спросила:

— Vous êtes le Commandant Dalgliesh?

— Oui, madame, je viens voir Monsieur Etienne, s'il vous plaît.

— Suivez-moi*.

Она произнесла его фамилию так необычно, что он поначалу сам ее не узнал, однако голос у женщины был глубокий и силь-

---

* — Вы — коммандер Дэлглиш?
  — Да, мадам, я приехал повидать месье Этьенна, с вашего позволения.
  — Следуйте за мной (фр.).

ный, в нем звучали нотки уверенной властности. Пусть она и являлась прислугой в Отона-Хаусе, прислужничества в ней не чувствовалось совершенно. Она отступила в сторону, чтобы дать ему пройти, и он подождал, пока она запрет дверь и задвинет засов. Засов помещался наверху — над ее головой, ключ был тяжелый, и ей трудновато было его поворачивать. Вены на ее обесцветившихся, в старческой гречке руках вздулись и побагровели, сильные, узловатые, изувеченные работой пальцы напряглись.

Через обшитый панелями холл она провела его в комнату в глубине дома. Плотно прижавшись спиной к открытой двери, словно Дэлглиш мог ее чем-то заразить, она объявила: «Le Commandant Dalgliesh» — и сразу же плотно закрыла за его спиной дверь, словно желая всячески отмежеваться от незваного гостя.

После темного холла комната оказалась неожиданно светлой. Два высоких восьмистекольных окна, с жалюзи над ними, смотрели в сад, где повсюду бежали выстланные камнем дорожки и не было ни единого дерева; он, по всей вероятности, был отдан под овощи и душистые травы. Единственным пятном цвета были здесь поздние герани в больших терракотовых горшках, обрамлявшие главную дорожку. Комната явно служила и библиотекой, и гостиной. Три стены были заняты книжными полками, поднимавшимися не очень высоко, чтобы удобно было дотянуться до самого верха; над ними висели карты и гравюры. Посреди комнаты стоял круглый журнальный стол, заваленный книгами. По левую руку располагался простой, облицованный камнем камин с изящным резным навершием. В камине, на решетчатом поддоне, невысокое пламя, потрескивая, лизало поленья.

Жан-Филипп Этьенн сидел справа от камина в высоком кресле, обитом темно-зеленой стеганой кожей, и не двинулся, пока Дэлглиш не подошел к его креслу почти вплотную. Тогда он поднялся на ноги и протянул ему руку. Две секунды, не более, Адам ощущал пожатие этой холодной руки. Время, думал он, стирает индивидуальные черты, сводя личность к стереотипу. Оно может смягчить их, придав лицу бездумную детскую пухлость, но способно и высушить лицо, выявив все лицевые кости и мускулы, так что готовность к смерти станет смотреть из окруженных морщинами глаз. Ему казалось, что он видит очертание каждой кости, дрожание каждого мускула на лице Этьенна. Старик был худ, но держался очень прямо, и, хотя движения его были несколько скованны, в щеголеватой элегантности его одежды не было и намека на дряхлость. Седые поредевшие волосы были тщательно зачесаны назад над высоким лбом, длинный крючковатый нос нависал над большим, почти безгубым ртом, крупные уши тесно прижимались к черепу, а венозная сетка под скулами была такой яркой, что казалось, вот-вот начнет кровить. На нем была бархатная куртка с петлями из шнура, в стиле викторианских курительных курток, и плотно сидящие черные брюки. Так в девятнадцатом веке мог бы приветствовать гостя владелец поместья, только сегодняшнему гостю — Дэлглиш сразу это почувствовал — оказывали в этой элегантной библиотеке столь же холодный прием, как и при входе в дом.

Жестом предложив Дэлглишу кресло напротив своего, Этьенн снова сел и сказал:

— Клаудиа вручила мне ваше письмо, но будьте добры, избавьте меня от повторных соболезнований. Они вряд ли могут быть искренними. Вы не знали моего сына.

— Нет необходимости знать человека, чтобы испытывать сожаление из-за того, что он умер таким молодым и так нелепо, — ответил Дэлглиш.

— Вы, разумеется, правы. Смерть молодых всегда особенно горька своей несправедливостью: молодые уходят, старики остаются жить. Вы что-нибудь выпьете? Вино? Кофе?

— Кофе, пожалуйста, сэр.

Этьенн вышел в коридор, закрыв за собой дверь. Дэлглиш услышал, как он крикнул что-то, кажется, по-французски. Справа от камина висел вышитый шнур звонка, однако Этьенн явно предпочитал не пользоваться им в своих отношениях с домочадцами. Вернувшись и сев в кресло, он сказал:

— Вам необходимо было приехать, я это понимаю. Однако мне нечего сказать, я не могу вам ничем помочь. Я не знаю, отчего умер мой сын, если только — а по-моему, такое объяснение правдоподобнее всего — это не было несчастной случайностью.

— Есть целый ряд странностей в его смерти, которые заставляют предположить здесь намеренность. Я знаю, вам должно быть тяжело слушать все это, и очень сожалею.

— Какие же это странности?

— Тот факт, что он умер от отравления угарным газом в кабинете, где бывал очень редко. Оборванный оконный шнур, который лопнул, когда за него потянули, так что открыть окно оказалось невозможно. Исчезнувший магнитофон. Съемный кран на газовом камине, который мог быть снят после того, как камин зажгли. Положение тела.

— В том, что вы сообщили, для меня нет ничего нового, — сказал Этьенн. — Вчера приезжала моя дочь. Все это — лишь косвенные улики. Отпечатки пальцев на газовом кране были?

— Только смазанное пятно. Кран слишком мал для сколько-нибудь полезной информации.

— Даже если собрать все эти предположения воедино, — сказал Этьенн, — они все же выглядят менее... странно, — вы ведь это слово употребили? — чем предположение, что Жерар был убит. Странности — не улики. Я опускаю вопрос о змее. Мне известно, что в Инносент-Хаусе завелся какой-то зловредный шутник. Его — или ее — деяния вряд ли требуют внимания коммандера Скотланд-Ярда.

— Требуют, сэр. Если они осложняют, запутывают или каким-то образом связаны с расследованием убийства.

В коридоре послышались шаги. Этьенн тотчас же встал, прошел к двери и открыл ее для экономки. Она вошла с подносом, на котором стояли фарфоровый кофейник, керамический кувшин, сахарница и одна большая чашка. Она поставила поднос на стол и, взглянув на Этьенна, немедленно вышла из комнаты. Этьенн налил кофе в чашку и принес ее Дэлглишу. Ясно было, что сам он пить кофе не будет, и Дэлглиш задался вопросом, не есть ли это тактический ход, к тому же не очень тонкий, цель которого — поставить его в невыгодное положение? Маленького столика рядом с его креслом не было, так что ему пришлось поставить чашку на каминную доску.

Снова сев в кресло, Этьенн сказал:

— Если моего сына убили, я хочу, чтобы его убийца предстал перед справедливым судом, каким бы не соответствующим понятию справедливости этот суд ни был. Возможно, нет необходимости говорить об этом, но мне важно это сказать, и важно, чтобы вы поверили: если вам покажется, что я вам не помогаю, это лишь потому, что мне нечем помочь.

— У вашего сына не было врагов?

— Мне о таких ничего не известно. У него, несомненно, были соперники и конкуренты в профессиональной области, были недовольные им авторы, коллеги, которым он не нравился или был неприятен, которые ему завидовали. Это обычно для любого человека, которому сопутствует успех. Но я не знаю никого, кто стремился бы его уничтожить.

— Не было ли чего-нибудь в его прошлом... или в вашем? Нанесенная кому-то давняя или воображаемая обида или несправедливость, которые могли породить стойкую неприязнь?

Этьенн помолчал, прежде чем ответить, и Дэлглиш впервые осознал, как тихо в этой комнате. Вдруг в камине негромким взрывом треснуло полено и искры дождем посыпались на каминную плиту. Этьенн смотрел на огонь. Он сказал:

— Неприязнь? Когда-то моими врагами были враги Франции, и я боролся с ними единственно возможным для меня способом. У тех, кто от этого пострадал, могут быть сыновья и внуки. Нелепо было бы вообразить, что кто-то из них пытается осуществить искупительную месть. Кроме того, есть ведь и мои соотечественники — французы, чьи близкие были расстреляны как заложники из-за действий участников Сопротивления. Кое-кто мог бы сказать, что у них есть вполне законные основания испытывать недовольство, но ведь не против моего сына. Я советую вам сконцентрировать свое внимание на настоящем, а не на прошлом, и именно на тех людях, кто имел доступ в Инносент-Хаус. Это представляется мне самоочевидной линией расследования.

Дэлглиш взял с каминной плиты свою чашку. Кофе — черный, как он любил, был все еще слишком горячим. Он поставил чашку обратно и сказал:

— Мисс Этьенн говорила нам, что ваш сын регулярно навещал вас. Вы обсуждали дела фирмы?

— Мы ничего не обсуждали. Сын, очевидно, испытывал потребность держать меня в курсе происходящего, но он не спрашивал моего совета, а я ему советов не давал. Меня больше не интересуют дела компании, они уже мало интересовали меня в последние пять лет работы в фирме. Жерар хотел продать Инносент-Хаус и переехать в Доклендс. Думаю, никакой тайны в этом нет. Он считал, что это необходимость, и несомненно, что так оно и было. Несомненно, так оно есть и сейчас. Я не очень ясно помню наши беседы: говорили о деньгах, о приобретениях, об изменениях в штате сотрудников, об арендных ценах, о возможных покупателях Инносент-Хауса. Сожалею, но моя память теперь не отличается точностью.

— Однако те годы, что вы работали в издательстве, не были для вас несчастливыми?

Дэлглиш заметил, что этот вопрос показался его собеседнику неуместным. Он дерзнул ступить на запретную территорию.

— Ни счастливыми, ни несчастливыми, — ответил Этьенн. — Я вносил свою лепту, хотя, как я уже сказал, в последние пять лет она становилась все менее значительной. Сомневаюсь, что какое-нибудь другое дело устраивало бы меня больше, чем это. Генри Певерелл и я — мы оба слишком надолго задержались. В последний раз я побывал в Инносент-Хаусе, когда нужно было помочь развеять прах Певерелла над Темзой. Больше моей ноги там не будет.

— Ваш сын, — сказал Дэлглиш, — планировал целый ряд перемен, некоторые из его планов, вне всякого сомнения, были восприняты с неудовольствием.

— Любые перемены вызывают неудовольствие. Я рад, что теперь могу быть для них недосягаем. Некоторым из нас — из тех, кому не по душе кое-какие стороны современного общества, — очень повезло. Нам больше не приходится жить в нем.

Взглянув на сидевшего напротив Этьенна, Дэлглиш, принявшийся наконец за кофе, увидел, что тот так напряжен в своем кресле, будто готов вот-вот вскочить на ноги. Он живо представил себе, что Этьенн — истинный отшельник: ему тяжко переносить чье-то общество, кроме общества самых близких, живущих вместе с ним людей, дольше определенного времени, и что терпение его на пределе. Пора было уезжать, он больше ничего не узнает.

Несколькими минутами позже, когда Этьенн провожал гостя к выходу из дома, оказывая ему любезность, которой тот не ожидал, Дэлглиш сказал что-то об архитектуре и возрасте дома. Из всего сказанного им только это и вызвало сколько-нибудь заинтересованный отклик хозяина:

— Фасад — эпоха королевы Анны, как, впрочем, вы и сами знаете, а интерьер дома — в основном эпохи Тюдоров*. Первоначально на этом месте стоял другой, более раннего времени дом.

---

* Эпоха королевы Анны — начало XVIII в. Эпоха Тюдоров — XV—XVI вв.

Как и храм, он построен на стенах древнеримского поселения Отона, отсюда и название дома.

— Я подумал, что мог бы зайти в церковь, если бы вы разрешили мне ненадолго оставить здесь машину...

— Разумеется.

Однако разрешение прозвучало не очень любезно, будто даже присутствие «ягуара» во дворе было нарушающим покой вторжением. Не успел Дэлглиш выйти за дверь, как она плотно захлопнулась за ним, и он услышал скрежет засова.

39

Дэлглиш опасался, что найдет дверь церкви запертой, но она подалась под его рукой, и он вошел в тишину и простоту храма. Воздух здесь был очень холодный, пахло землей и известкой — совсем не церковный запах, домашний и вполне современный. Храм был обставлен очень скудно. Каменный алтарь, над ним — греческое распятие, несколько скамей, две большие глиняные вазы с засушенными цветами по обе стороны алтаря и стойка с брошюрами и путеводителями. Он сложил банкноту и опустил ее в прорезь ящика, затем взял один из путеводителей и сел на скамью — внимательно его просмотреть, поражаясь тому, что его вдруг охватило чувство какой-то пустоты и угнетенности. Ведь эта церковь — одно из самых древних храмовых строений в северной Англии, может быть, даже самое древнее, единственный сохранившийся памятник англо-кельтской церкви в этой части страны. Эта церковь была основана святым Седдом, сошедшим на берег у древнеримского форта Отона давным-давно, еще в 653 году. Храм простоял здесь, лицом к холодному, негостеприимному Северному морю, тринадцать веков. Именно в этом храме, а не где-нибудь еще, ему должны были бы слышаться замирающее эхо григорианских хоралов и тихий шепот молящихся, вот уже 1300 лет звучавшие в этих стенах.

Кажется ли здание священным или лишенным святости — это проблема личного восприятия, и то, что ему не удалось ощутить ничего, кроме охватившего его чувства внутреннего разлада, какое он часто испытывал, оставаясь наедине с собой, было вызвано недостатком собственного воображения, а не самим храмом. Он

жалел, что, сидя здесь в полной тишине, он не может слышать
море: это была не просто потребность — почти тоска по неумолч-
ному шуму приливов и отливов, который более, чем любой другой
природный звук, трогал ум и сердце ощущением неумолимого хода
времени, целых веков неизвестных и непознаваемых человеческих
жизней, наполненных кратковременными бедами и еще более кратковременными радостями. Однако он пришел сюда не философ-
ствовать, а поразмышлять над убийством и над его прямым разла-
гающим влиянием. Дэлглиш отложил путеводитель и принялся
анализировать в уме только что состоявшуюся беседу.

Встреча его не удовлетворила. Эта поездка была необходима,
но оказалась еще менее продуктивной, чем он опасался. И все же
он не мог избавиться от настойчивого ощущения, что в Отона-
Хаусе он должен был узнать что-то очень важное, о чем Жан-
Филипп Этьенн предпочел умолчать. Разумеется, вполне возможно, что Этьенн не умолчал, а просто забыл об этом или счел это
«что-то» несущественным, а может быть, и не подозревал, что знает.
Дэлглиш снова подумал о главном факте тайны убийства — о пропавшем магнитофоне, о царапинах во рту Жерара Этьенна. Убийце необходимо было поговорить со своей жертвой перед смертью,
говорить с Жераром Этьенном даже тогда, когда тот умирал. Преступник (или преступница) хотел, чтобы Этьенн знал, почему он
умирает. Что это было — всепоглощающее тщеславие убийцы или
какая-то другая причина, кроющаяся в прошлой жизни жертвы? А
если так, то часть этой жизни была здесь, в Отона-Хаусе, и он,
Дэлглиш, не сумел ее отыскать.

Он и раньше задумывался над тем, что заставило Жана-Филиппа Этьенна в конце жизни поселиться на этом болотистом кли-
нышке чужой страны, на мрачном, продуваемом всеми ветрами
морском берегу, где топь лежит промокшей ветхой губкой, вбира-
ющей в себя влагу с самого края холодного Северного моря. Тос-
ковал ли он когда-нибудь по горам своей родной страны, той области, где жил когда-то, по перекличке веселых французских голосов на улицах и в кафе, по звукам, запахам, краскам сельской
Франции? Зачем он приехал в это безлюдное место — забыть о
прошлом или снова его пережить? Какое отношение могли иметь
те несчастливые и такие далекие события к смерти — почти через
полвека! — его сына, рожденного матерью-англичанкой, появив-
шегося на свет в Канаде и убитого в Лондоне? Какие щупальца —

если только они и в самом деле существовали — протянулись из тех знаменательных лет, чтобы обвиться вокруг шеи Жерара Этьенна?

Дэлглиш взглянул на часы. Оставалась еще целая минута до половины двенадцатого. Он успеет посмотреть памятники в храме Святого Георгия в Брадуэлле, но после этого краткого посещения у него уже не будет благовидного предлога не поехать назад, в Лондон, на ленч в Скотланд-Ярде.

Он все еще сидел на скамье, держа в опущенной руке путеводитель, когда дверь церкви отворилась и вошли две пожилые женщины. Они были одеты и обуты для долгой ходьбы, а за плечами у каждой был небольшой рюкзак. Женщины казались расстроенными и немного напуганными тем, что застали его в церкви, и Дэлглиш, подумав, что им может быть неприятно присутствие одинокого мужчины, поспешно пробормотал «Доброе утро» и вышел. На мгновение обернувшись в дверях, он увидел, что они уже опустились на колени, и задался вопросом, что же такое они находят здесь, в этом тихом месте, и не смог ли бы он найти то же самое, если бы пришел сюда с бо́льшим смирением?

40

Квартира Жерара Этьенна в Барбикане была на восьмом этаже. Клаудиа Этьенн обещала, что будет ждать их там в четыре часа, и когда Кейт позвонила, дверь тотчас же открылась и Клаудиа отступила в сторону, чтобы дать им пройти.

День уже начинал меркнуть, но большая прямоугольная комната все еще была полна света, как это бывает с комнатами, хранящими тепло лучей даже после захода солнца. Длинные, кремового цвета занавеси — похоже, из тонкого полотна, — не были задернуты, и за парапетом балкона открывался прекрасный вид на озеро и на изящный шпиль одной из церквей лондонского Сити. Первой реакцией Дэниела было желание, чтобы эта квартира оказалась его собственной; второй — что никогда ни одна из посещенных им квартир, принадлежавших жертвам убийства, не выглядела такой безличной, такой упорядоченной, не захламленной обломками ушедшей жизни. Это помещение походило на выставочную квартиру, тщательно обставленную, чтобы привлечь покупателя. И это был бы богатый покупатель: в квартире не было ничего недорогого. Однако Дэниел был не прав, решив, что она безлична: она так же много говорила о своем владельце, как большинство перегруженных мебелью гостиных в пригородных домах или спальня проститутки. Здесь он смог бы легко сыграть в известную телеигру «Опишите хозяина этой квартиры». Мужчина, молодой, богатый, с изысканным вкусом, организованный, неженатый — в комнате не было ничего женственного. Явно музыкален: дорогой стереофонический музыкальный центр можно увидеть в квартире любого достаточно обеспеченного холостяка, а вот рояль... Вся мебель здесь была современной: светлое неполированное дерево, элегантного дизайна шкафчики, книжные шкафы, секретер. В дальнем конце комнаты, близ двери, очевидно, ведущей в кухню, — круглый обеденный стол с шестью соответствующими по стилю стульями. Камина не было. Центром внимания в комнате было окно, и лицом к нему, у низкого журнального столика, полукругом располагались длинный диван и два кресла мягкой черной кожи. Фотография здесь была только одна. На низком книжном шкафу, в серебряной рамке, стоял кабинетный портрет девушки, очевидно, невесты Жерара Этьенна. Прекрасные светлые волосы, спускаясь от центрального пробора, обрамляли продолговатое, с тонкими чертами и большими глазами лицо; рот, пожалуй, маловат, но верхняя губа полная и красиво очерченная. Дэниел подумал: интересно, это тоже приобретенный им предмет роскоши? Понимая, что слишком пристальное внимание к портрету может показаться оскорбительным, он повернулся к единственной в этой комнате картине, большому полотну маслом — портрету Жерара Этьенна с сестрой, висевшему на стене против окна. Зимой, когда задергивались шторы, яркая картина, очевидно, становилась центром внимания, ее краски, форма, работа кисти выразительно, чуть ли не агрессивно говорили о мастерстве художника. Наверное, на этой неделе или на следующей диван и кресла были бы повернуты лицом к картине, что для Этьенна официально обозначило бы начало зимы. Такое проникновение в повседневную жизнь погибшего человека показалось Дэниелу иррациональным и нарушающим душевное равновесие. В конце концов, здесь не было ни малейшего признака присутствия Этьенна, никаких незначительных, но трагических остатков неожиданно прервавшейся жизни: недоеденной еды, раскрытой книги, лежащей корешком вверх, полной пепельницы — обычного небольшо- го беспорядка и неразберихи повседневного существования.

Он увидел, что Кейт стоит, рассматривая картину. Это было довольно естественно. Все знали, что она любит современную живопись. Кейт повернулась к Клаудии Этьенн:

— Это ведь Фрейд*, не правда ли? Замечательно!

— Да. Наш отец заказал ее, чтобы подарить Жерару в день рождения, когда ему исполнился двадцать один год.

Здесь есть все, думал Дэниел, придвигаясь поближе к Кейт, — красивое надменное лицо, интеллект, самоуверенность, убежден- ность в том, что жизнь в твоей власти, стоит только руку протя- нуть. Рядом с этой центральной фигурой сестра Жерара выглядела более юной, хрупкой, ранимой; она смотрела на художника насто- роженными глазами, словно говоря: «Попробуй только написать это плохо!»

— Может быть, выпьете кофе? — спросила Клаудиа. — Это не займет много времени. Надеяться найти здесь какую-то еду обыч- но нельзя — Жерар редко ел дома, но у него всегда было вино и кофе. Вы можете зайти на кухню, если хотите, но там не на что смотреть. Все бумаги Жерара — вон в том бюро. Оно открывается сбоку — там потайная защелка. Пожалуйста, смотрите, только это рытье в ящиках никакой радости вам не доставит. Все важные документы всегда хранились в банке, а деловые бумаги — в Инно- сент-Хаусе. Их вы уже изъяли. Жерар всегда жил так, будто думал, что умрет завтра. Впрочем, есть кое-что новое. Я нашла вот это на коврике у двери, нераспечатанным. Датировано тринадцатым ок- тября, так что, видимо, пришло в четверг, второй доставкой. Я решила, что могу его прочесть.

Она протянула им простой белый конверт. Бумага, лежавшая в нем, была высокого качества, наверху вытиснен адрес. Почерк крупный, по-девчачьи небрежный. Дэниел прочел письмо из-за плеча Кейт:

«Дорогой Жерар.

Этим письмом я сообщаю тебе, что хочу разорвать нашу по- молвку. Полагаю, надо было бы сказать, что мне жаль причинять тебе страдания, но думаю, ты не будешь так уж страдать, постра-

---

* Фрейд, Люсиан (род. 1922) — современный английский художник; впер- вые стал известен картиной «Девочка с котенком» в 1947 г.

дает только твоя гордость. Мне будет хуже, чем тебе, но не намного и не надолго. Мама считает, что надо дать сообщение об этом в «Таймс», поскольку мы объявляли о помолвке, но мне кажется, что сейчас это не так уж важно. Береги себя. Было хорошо, пока это продолжалось, но не так хорошо, как могло бы быть.

Люсинда».

В конце письма шел постскриптум: «Дай мне знать, если хочешь, чтобы я вернула кольцо».

Дэниел подумал: это хорошо, что письмо оказалось нераспечатанным. Если бы оно было открыто, защита использовала бы его как мотив для самоубийства. А так оно не имело особого значения для расследования.

— У вашего брата было хотя бы подозрение о том, что леди Люсинда собирается разорвать помолвку? — спросила Кейт у Клаудии.

— Насколько мне известно — нет. Она, вероятно, уже жалеет, что написала это письмо. Теперь ей вряд ли удастся играть роль безутешной невесты с разбитым сердцем, — ответила та.

Секретер, который Клаудиа называла «бюро», был в современном стиле. Простой и на первый взгляд без претензий, внутри он был искусно спланирован, со множеством ящиков, полочек и гнезд для бумаг. Все здесь находилось в безупречном порядке: большинство счетов оплачены, некоторые еще ждут оплаты, чековые книжки за прошлые годы сложены вместе и перехвачены резинкой, в отдельном ящике — портфель ценных бумаг. Было очевидно, что Жерар Этьенн держал дома только то, что совершенно необходимо, очищая свою жизнь от напластований, отбрасывая несущественное, предпочитая письмам общение по телефону. Кейт и Дэниел занимались осмотром бюро всего несколько минут, когда из кухни возвратилась Клаудиа с подносом, на котором стояли фарфоровый кофейник и три кружки. Она поставила поднос на низкий стол, и они подошли, чтобы взять кружки. Кейт и Дэниел не успели еще сесть, Клаудиа стояла с кружкой в руке, когда вдруг все они услышали, как в замке поворачивается ключ.

Из горла Клаудии вырвался странный звук — какой-то полувздох-полустон, и Дэниел увидел, что ее лицо превратилось в застывшую маску ужаса. Кружка с кофе выпала из ее рук, и коричневое пятно расползлось по ковру. Она присела — поднять кружку, но ее пальцы беспомощно скребли по ковру, а руки дрожали так сильно, что она никак не могла поставить кружку обратно на поднос. Дэниелу показалось, что страх Клаудии заразил и его с Кейт, так что они оба не сводили полных ужаса глаз с закрытой двери.

Дверь медленно отворилась, и в комнату вошла девушка — оригинал фотографии. Она сказала:

— Я — Люсинда Норрингтон. А вы кто такие?

Голос у нее был высокий и звонкий, как у ребенка.

За миг до этого Кейт инстинктивно придвинулась к Клаудии, чтобы помочь ей прийти в себя, так что на вопрос ответил Дэниел:

— Полиция. Это — инспектор-детектив Мискин, а я — инспектор-детектив Аарон.

Клаудиа сумела быстро взять себя в руки. Отказавшись от помощи Кейт, она поднялась на ноги. Письмо Люсинды лежало на журнальном столике рядом с подносом. Дэниелу показалось, что все глаза устремлены на это письмо.

Голос Клаудии звучал резко и хрипло:

— Зачем вы явились сюда?

Леди Люсинда шагнула ближе к столику.

— Я пришла за своим письмом. Не хотела, чтобы кто-то подумал, что Жерар покончил с собой из-за меня. Но ведь он и не сделал этого, верно? То есть я хочу сказать — он ведь не покончил с собой.

— Как вы можете быть уверены в этом? — тихо спросила Кейт.

Леди Люсинда подняла на нее огромные синие глаза:

— Потому что он слишком сильно любил себя. Люди, которые так любят себя, не кончают жизнь самоубийством. В любом случае он не убил бы себя из-за того, что я его бросила. Он ведь любил не меня, он любил свое представление обо мне.

К Клаудии Этьенн вернулся голос. Она сказала:

— Я говорила ему, что эта помолвка — глупость, что вы — эгоистичная, слишком голубокровная, неумная девица, но, полагаю, я была несправедлива. Вы не так глупы, как мне представлялось. На самом деле Жерар так и не получил вашего письма. Я нашла его здесь нераспечатанным.

— Тогда зачем вы его распечатали? Оно ведь не вам адресовано.

— Кто-то же должен был его открыть. Я бы отослала его вам обратно, но я не знала, кто его послал. До этих пор я никогда не видела вашего почерка.

— Я могу забрать письмо? — спросила леди Люсинда.

— Нам хотелось бы оставить его на некоторое время, если позволите, — ответила Кейт.

Леди Люсинда, видимо, восприняла это скорее как утверждение, а не как просьбу. Она ответила:

— Но оно ведь принадлежит мне. Я его написала.

— Оно может понадобиться нам не очень надолго, и мы не собираемся предавать его огласке.

Дэниел, не очень хорошо знавший, что говорит закон о праве владения письмами, забеспокоился, имеют ли они на самом деле право задержать это письмо у себя, и что Кейт станет делать, если леди Люсинда будет настаивать. А еще он задавался вопросом, почему это Кейт так не хочет отдавать письмо. Ведь Этьенн его не получил. Но было ли тому хоть какое-то доказательство? Они располагали только заявлением сестры убитого, что она нашла письмо на коврике нераспечатанным. Однако леди Люсинда больше не возражала. Она пожала плечами и обратилась к Клаудии:

— Мне жаль Жерара. Это был несчастный случай, правда? Такое впечатление создалось у мамы вчера, когда вы позвонили. Но некоторые утренние газеты намекают, что все может оказаться гораздо сложнее. Его ведь не убили, правда?

Ей ответила Кейт:

— Возможно, что он был убит.

— Как странно. По-моему, я никогда не знала никого такого, кто был убит. То есть лично не знала.

Она прошла к книжному шкафу, где стояла ее фотография, и взяла портрет в руки, пристально вглядываясь в него, словно увидела впервые и не очень одобряет то, как фотограф передал ее черты.

— Я заберу ее, — сказала она. — В конце концов, вам-то она ни к чему, Клаудиа.

— Строго говоря, все его личные вещи никто не должен трогать, кроме его душеприказчиков или полицейских, — ответила Клаудиа.

— Ну, полиции она тоже ни к чему. А я не хочу, чтобы она оставалась здесь, в пустой квартире, тем более если Жерар был убит.

Так что и ей свойственны суеверия. Эта мысль озадачила Дэниела. Она странным образом не соотносилась с холодным самообладанием леди Люсинды. Он наблюдал, как она вглядывается в фотографию, как любовно проводит длинным пальцем с бледно-розовым ногтем по стеклу, словно проверяет, нет ли на нем пыли. Потом она повернулась к Клаудии:

— Надеюсь, здесь найдется, во что ее завернуть?

— Вам лучше посмотреть на кухне, в ящике. Там может найтись пластиковый пакет. И если здесь есть еще что-то, что принадлежит вам, сейчас как раз подходящий момент, чтобы это забрать.

Леди Люсинда не потрудилась даже окинуть комнату взглядом. Она ответила:

— Здесь больше ничего нет.

— Если хотите кофе, принесите себе кружку. Он только что сварен.

— Я не хочу кофе, спасибо.

Все ждали в молчании, пока, меньше чем через минуту, она не вернулась с фотографией в пакете из «Харродса»*.

Она уже направилась к двери, когда Кейт сказала:

— Леди Люсинда, не могли бы мы задать вам несколько вопросов? Мы в любом случае просили бы вас о встрече, но раз вы уже здесь, это сэкономило бы время и вам, и нам.

— Сколько времени? В смысле — сколько времени это займет?

— Не очень много. — Кейт взглянула на Клаудиу: — Вы не возражаете, если мы воспользуемся этой квартирой, чтобы провести опрос?

— Не вижу, как я могла бы вам помешать. Полагаю, вы не ждете, что я уйду на кухню?

— В этом нет необходимости.

— Или в спальню? Там, должно быть, значительно удобнее. — Она пристально смотрела на леди Люсинду.

— Не могу вам сказать, — спокойно ответила та. — Я никогда не была в спальне Жерара.

Она опустилась в ближайшее к ней кресло, а Кейт села напротив. Дэниел и Клаудиа сели на диван между ними.

— Когда вы в последний раз виделись со своим женихом? — спросила Кейт.

---

* «Харродс» — один из крупнейших и самых дорогих универсальных магазинов Лондона.

— Он мне не жених. Впрочем, тогда он еще им был. Я виделась с ним в прошлую субботу.

— В субботу, девятого октября?

— По-видимому, да, если суббота была девятого. Мы собирались в Брадуэлл-он-Си, навестить его отца, но день был дождливый, и Жерар сказал, что дом отца мрачен и без того, чтобы являться туда в дождь, и что мы съездим туда в другой раз. Вместо этого мы пошли днем в Национальную галерею, в Сейнсберийское крыло, еще раз посмотреть на Уилтонский диптих*, а потом в «Ритц» — выпить чаю. А вечером мы не виделись, потому что мама хотела, чтобы я отвезла ее в Уилтшир, к брату, и мы собирались переночевать там и провести с ним воскресенье. Она хотела поговорить о брачном контракте перед тем, как встретиться с юристами.

— А как себя чувствовал мистер Этьенн, когда вы встретились с ним в субботу, если не говорить о том, что он расстроился из-за погоды?

— Он вовсе не расстроился из-за погоды. Никакой спешки с визитом к его отцу ведь не было. Жерар никогда не расстраивался из-за того, чего не мог изменить.

— А то, что он мог изменить, он изменял? — спросил Дэниел.

Она повернула к нему голову, посмотрела внимательно и вдруг улыбнулась:

— Именно так. — Потом продолжала: — Это был последний раз, когда я его видела, но не последний раз, когда с ним говорила. Мы разговаривали по телефону в четверг вечером.

Кейт изо всех сил старалась, чтобы голос не выдал ее волнения:

— Вы разговаривали с ним два дня назад, в тот самый вечер, когда он умер?

— Я не знаю, когда он умер. Его нашли мертвым вчера утром, не правда ли? Я говорила с ним по его прямому телефону накануне вечером.

— В какое время, леди Люсинда?

— Примерно в двадцать минут восьмого, я думаю. Возможно, чуть позже. Но совершенно точно, что до половины восьмого, потому что мы с мамой должны были выехать из дома в половине

---

* Уилтонский диптих — парный тканый ковер. Уилтонские ковры из шерсти, с разрезным ворсом и восточным узором, первоначально изготавливались в Уилтоне, в графстве Уилтшир.

восьмого к моей крестной, мы собирались у нее обедать, и я была уже одета. Мне нужен был предлог для того, чтобы разговор не затянулся, вот я и подумала, что как раз успею позвонить Жерару. Поэтому я так уверена насчет времени.

— О чем? Вы уже написали ему, что разрываете помолвку.

— Я знаю. Я думала, что он уже получил письмо утром. Хотела спросить, согласен ли он с мамой, что следует дать объявление в «Таймс», или предпочитает, чтобы мы сами написали близким друзьям и подождали бы, пока новость распространится. Конечно, теперь мама хочет, чтобы я уничтожила письмо и никому ничего не говорила. А я этого делать не стану. Да и все равно не смогла бы, раз вы его видели. Во всяком случае, теперь ей нечего беспокоиться об объявлении в «Таймс». Это позволит ей сэкономить несколько фунтов.

Крохотный выплеск яда был таким внезапным и таким кратким, что Дэниел чуть было не пропустил его мимо ушей. Кейт как ни в чем не бывало спросила:

— Так что он сказал о разорванной помолвке, об объявлении? Вы не спросили, получил ли он письмо?

— Я ничего у него не спросила. Мы вообще ни о чем не разговаривали. Он сказал, что не может говорить, потому что у него посетитель.

— Вы в этом уверены?

Высокий, словно колокольчик, голос ответил почти без выражения:

— Я не уверена, что у него был посетитель. То есть я хочу сказать — как я могу быть уверена в этом? Я никого не слышала и ни с кем, кроме Жерара, не разговаривала. Возможно, это был просто предлог, чтобы не говорить со мной, но я уверена в том, что он именно это мне сказал.

— И именно этими словами? Мне нужно знать это совершенно точно, леди Люсинда. Он не сказал, что он не один или что он сейчас с кем-то занят? Он употребил слово «посетитель»?

— Я же вам уже говорила. Он сказал, что у него посетитель.

— И это было где-то между семью двадцатью и семью тридцатью?

— Ближе к семи тридцати. В половине восьмого за мной и мамой пришла машина.

Посетитель. Дэниел усилием воли не позволил себе переглянуться с Кейт, но он знал, что они оба думают об одном и том же. Если Этьенн действительно употребил именно такое слово, — а девушка вроде бы не сомневалась в этом, — это наверняка подразумевало, что с ним был кто-то не из издательства. Он вряд ли сказал бы так о ком-то из компаньонов или из штата сотрудников. Ведь в таком случае гораздо естественнее было бы сказать «мне некогда», или «у меня совещание», или «я беседую с коллегой». А если кто-то к нему приходил, званый или незваный, почему он (или она) до сих пор не объявился? Почему, если визит был вполне невинным и человек, уходя, видел Этьенна живым и здоровым? В настольном ежедневнике Этьенна не было никакой записи о намеченной встрече, но это ведь ни о чем не говорит. Посетитель мог позвонить ему по прямому телефону в любое время дня или накануне вечером, мог прийти без приглашения, неожиданно. Но новая улика, какой бы важной она ни была, все же была косвенной, как и множество других улик в этом все более загадочном деле.

Однако Кейт по-прежнему энергично продолжала опрос:

— Скажите, леди Люсинда, когда вы в последний раз приходили в Инносент-Хаус?

— После вечера десятого июля я там больше не была. Это был вечер в честь моего дня рождения — мне исполнилось двадцать, а отчасти и в честь нашей помолвки.

— У нас есть список гостей, — сказала Кейт. — Полагаю, они могли свободно ходить по всему зданию, если им того хотелось?

— Думаю, некоторые ходили. Вы же знаете, как парочки ведут себя на таких вечерах, им всегда хочется уединиться. Мне кажется, не все кабинеты были заперты, хотя Жерар говорил мне, что каждого из сотрудников обязали убрать все бумаги в надежное место.

— Вы, случайно, не видели, чтобы кто-нибудь шел наверх, в сторону архива?

— Ну, вообще-то видела. Это было довольно странно. Мне надо было пойти в женскую комнату, а внизу было занято, и я тогда вспомнила, что есть маленький туалет на верхнем этаже, и решила пойти туда. Я пошла вверх по лестнице и увидела двоих людей, спускавшихся мне навстречу. Никогда не ожидала бы увидеть их вместе. Да к тому же вид у них был такой виноватый. Это на самом деле было очень странно.

— И кто же они были, леди Люсинда?

— Джордж — тот старик, который внизу на коммутаторе в приемной работает, и эта бестолковая маленькая женщина, которая вышла замуж за бухгалтера, не помню его фамилии, Сидни Бернард или как-то еще. Жерар познакомил меня со всеми сотрудниками и их женами. Такая скучища была!

— Сидни Бартрум?

— Да, точно, его жена. На ней такое платье было чудно́е, из голубой тафты с розовым поясом. — Она повернулась к Клаудиа: — Вы ведь помните, Клаудиа? Очень пышная юбка с розовой сеточкой поверху и рукава буфами. Чудовищно!

Клаудиа коротко ответила:

— Я помню.

— Кто-нибудь из них сказал вам, зачем они ходили на последний этаж?

— Думаю, затем же, зачем и я. Она покраснела и промямлила что-то про то, что воспользовалась туалетом. Они были так похожи друг на друга — одинаково круглые физиономии, одинаковое смущение. Джордж выглядел так, будто я застала их за кражей мелких денег. Но это так странно выглядело, правда? То есть я хочу сказать — эти двое вместе. Джордж ведь не был в числе приглашенных. Он просто должен был позаботиться о мужских пальто и не впускать незваных гостей. А если миссис Бартрум надо было в туалет, почему она не попросила Клаудиу или кого-то из сотрудниц?

— Вы кому-нибудь говорили потом об этом? — спросила Кейт. — Мистеру Этьенну, например?

— Да нет. Это было не так уж важно. Просто странно. Я почти забыла об этом, сейчас только вспомнила. Послушайте, вы еще о чем-то собираетесь меня спрашивать? Я и так уже довольно долго тут просидела. Если хотите еще поговорить, напишите мне, и я попробую устроить встречу с вами.

— Нам понадобятся ваши показания, леди Люсинда, — сказала Кейт. — Может быть, вы зашли бы в полицейский участок Уоппинга, когда вам будет удобно?

— С моим поверенным?

— Если захотите или сочтете необходимым.

— Не думаю, что это необходимо. Мама говорила, что мне может понадобиться поверенный во время следствия — смотреть, чтобы не пострадали мои интересы, если узнают о разрыве помолвки. Но я не думаю, что тут остались какие-то мои интересы, раз Жерар умер, так и не получив письмо.

Она поднялась с кресла и вежливо попрощалась за руку с Кейт и Дэниелом, не сделав, однако, ни малейшего движения в сторону Клаудии Этьенн. Уже в дверях она вдруг обернулась и заговорила, обращаясь именно к Клаудии:

— Он никогда не занимался со мной любовью, так что я не думаю, что наш брак доставил бы нам обоим удовольствие. А вы как считаете?

Дэниел подумал, что, если бы полицейских в комнате не было, она употребила бы другое, гораздо более грубое выражение. А она добавила:

— О, возьмите-ка это себе. — Она положила на журнальный столик ключ от квартиры. — Думаю, ноги моей здесь больше не будет.

Она вышла из комнаты, решительно захлопнув за собой дверь, и через секунду они услышали, как столь же решительно захлопнулась дверь входная.

— Жерар был романтиком, — сказала Клаудиа. — Он делил женщин на тех, с кем можно завести интрижку, и тех, на ком следует жениться. Большинство мужчин успевают перерасти эту сексуальную иллюзию до двадцати одного года. Возможно, это была его реакция на слишком большое количество сексуальных побед, довольно легко доставшихся. Интересно, как долго продлился бы этот брак? Что ж, от одного разочарования он оказался избавлен. Вам еще много нужно времени?

— Теперь уже не очень много, — ответила Кейт.

Несколько минут спустя они были готовы уйти. Последнее, что запомнилось Дэниелу о Клаудии, была ее высокая, застывшая у окна фигура. Клаудиа не отрываясь смотрела в окно, за парапет балкона, на темнеющие на фоне неба шпили Сити. Она ответила на прощальные слова полицейских, не повернув головы, и они вышли, оставив ее одну в тишине и пустоте квартиры и бесшумно закрыв за собой дверь.

41

Уйдя с Хиллгейт-стрит, Кейт и Дэниел забрали свою машину со стоянки полицейского участка Ноттинг-Хилл-Гейта и проехали коротким путем до магазина Деклана Картрайта. Магазин был открыт, и в переднем помещении бородатый старик в ермолке и длинном черном сюртуке, пожелтевший от старости, показывал покупателю викторианское бюро; его костлявые желтые пальцы любовно поглаживали инкрустацию на крышке. Он был явно слишком занят, чтобы заметить их приход, несмотря даже на бряцание дверного колокольчика, но покупатель обернулся, а вслед за ним обернулся и старик.

— Мистер Саймон? — спросила Кейт. — У нас договоренность о встрече с мистером Картрайтом.

Прежде чем она успела вынуть и показать ему служебное удостоверение, старик ответил:

— Там, в задней комнате. Прямо за этой. Проходите. Он в задней комнате.

Он сразу же снова повернулся к бюро. Руки у него дрожали так сильно, что пальцы стучали по крышке. Что же произошло у него в прошлом, думала Кейт, что могло породить такой страх перед властью, такой ужас перед полицейскими?

Они прошли через магазин, спустились на три ступеньки вниз и оказались в помещении, похожем на оранжерею в задней части дома. Посреди беспорядочных куч самых разнообразных предметов Деклан Картрайт беседовал с покупателем. Покупатель был человек очень крупный и очень смуглый, в пальто с каракулевым воротником, а голову его венчала лихо заломленная шляпа из мягкого фетра; он через специальную линзу внимательно рассматривал брошь с камеей. Кейт могла лишь сделать вывод, что человек, являвший собой столь яркую карикатуру на мошенника, вряд ли мог отважиться быть им на самом деле. Как только они вошли, Картрайт сказал:

— Чарли, почему бы тебе не пойти купить себе чего-нибудь выпить и все обдумать? Вернешься примерно через полчаса. Это легавые пришли. Я оказался замешан в убийстве. Не смотри так испуганно, я никого не убивал. Просто мне надо подтвердить алиби человека, который мог это сделать.

Покупатель, бросив быстрый взгляд на Кейт и Дэниела, вышел небрежной походкой.

Кейт снова достала было свое удостоверение, но Деклан махнул рукой:

— Все в порядке, не беспокойтесь. Я полицейских с одного взгляда узнаю.

Вероятно, он был необычайно миловидным ребенком, подумала Кейт. И до сих пор что-то детское сохранялось в его мальчишеском лице, с копной непослушных кудрей над высоким лбом и огромными глазами, с красивой формы, но капризным ртом. Однако в его оценивающем взгляде, брошенном на Кейт и Дэниела, можно было различить зрелую чувственность взрослого мужчины. Кейт заметила, как напрягся рядом с ней Дэниел, и подумала: «Герой не его романа и, уж конечно, не моего».

Так же, как Фарлоу, он отвечал на их вопросы с полунасмешливой беззаботностью, но между этими двумя людьми была весьма существенная разница. У Фарлоу они не могли не ощутить присутствия интеллекта и внутренней силы, все еще живущей в его трагически иссохшем теле. Деклан Картрайт был слаб и напуган, так же напуган, как старый Саймон, но по иной причине. Голос у него срывался, руки беспокойно двигались, а попытки шутить были столь же неубедительны, как его тон. Он говорил:

— Моя невеста предупредила, что вы придете. Полагаю, вы здесь не для того, чтобы посмотреть на антиквариат, но я как раз получил несколько очень милых предметов стаффордширского фарфора. Все приобретено совершенно законно. Я мог бы уступить их вам по сходной цене, если вы не сочтете это подкупом полицейских при исполнении ими служебных обязанностей.

— Вы с мисс Клаудией Этьенн помолвлены и собираетесь пожениться? — спросила Кейт.

— Я помолвлен с мисс Этьенн, но не уверен, что она помолвлена со мной. Вам придется у нее спросить. Помолвка с Клаудией — состояние весьма неустойчивое. Все зависит от того, как она к этому относится в каждый данный момент. Но мы были помолвлены — во всяком случае, я думаю, что были, — когда отправились на прогулку по реке вечером в четверг.

— Когда вы договорились об этой прогулке?

— О, сто лет назад. Вечером, после похорон Сони Клементс. Вы, конечно, слышали про Соню Клементс?

— Несколько странно, не правда ли, — сказала Кейт, — договариваться о прогулке по реке так задолго до нее?

— Клаудиа любит планировать все примерно за неделю вперед. Она очень хорошо организованный человек. На самом-то деле этому была причина. Утром в четверг, четырнадцатого октября, должно было состояться совещание директоров фирмы. Она собиралась мне все подробно о нем рассказать.

— И подробно рассказала?

— Ну, она рассказала, что компаньоны намереваются продать Инносент-Хаус и переехать ниже по реке, в Доклендс, и что они предполагают кого-то уволить, кажется, бухгалтера. Не помню деталей. Все это было довольно скучно.

— Вряд ли стоило из-за этого отправляться на прогулку по реке, — заметил Дэниел.

— Но ведь есть и кое-что другое, чем можно заняться на реке, не только дела обсуждать, даже если каюта тесная. Эти огромные стальные конусы дамбы очень эротичны. Вам стоило бы одолжить полицейский катер и съездить туда вдвоем. Сами бы себя удивили.

— Когда началась ваша прогулка и когда закончилась? — спросила Кейт.

— Она началась в шесть тридцать, когда катер вернулся с Черинг-Кросс и мы взошли на борт, и закончилась примерно в десять тридцать, когда мы вернулись к Инносент-Хаусу и Клаудиа отвезла меня домой. Думаю, мы сюда добрались около одиннадцати. И я полагаю, она вам сама сказала о том, что оставалась здесь примерно до двух часов.

— Надеюсь, мистер Саймон сможет это подтвердить? Или он здесь не живет? — спросил Дэниел.

— Боюсь, что не сможет. Мне очень жаль. Бедный старикашечка ужасно плохо слышит. Мы всегда тихонько крадемся по лестнице, чтобы его не беспокоить, но это совершенно излишняя осторожность. Вообще-то он, пожалуй, и смог бы подтвердить, когда мы приехали. Он мог оставить свою дверь открытой. Ему спокойнее спится, если он знает, что мальчик дома и лежит в своей кроватке наверху. Но сомнительно, чтобы после этого он что-нибудь слышал.

— Значит, вы не на своей машине приехали в Инносент-Хаус? — спросила Кейт.

— Я не вожу машину, инспектор. Я оплакиваю загрязнение окружающей среды посредством машин и не хочу вносить в него свою лепту. Правда ведь, это очень гражданственно с моей стороны? К этому следует добавить, что, когда я попытался научиться, этот опыт оказался таким устрашающим, что мне приходилось все время держать глаза плотно закрытыми, и ни один инструктор не желал иметь со мной дела. Я поехал в Инносент-Хаус на метро. Очень утомительно. Ехал по Кольцевой от станции Ноттинг-Хилл-Гейт до Тауэр-Хилла, а оттуда взял такси. Проще ехать по Центральной линии до Ливерпуль-стрит и там взять такси, но я так не сделал, и это факт... если это имеет хоть какое-то значение.

Кейт попросила его подробно рассказать о вечере четверга и совсем не была удивлена, когда он подтвердил все сказанное Клаудией Этьенн.

— Так что вы провели вместе весь вечер, начиная с шести тридцати и до поздней ночи? — спросил Дэниел.

— Правильно, сержант. Вы ведь сержант, верно? Если нет, пожалуйста, простите меня. Просто вы так похожи на сержанта. Мы пробыли вместе с шести тридцати до примерно двух часов ночи. Полагаю, вам не очень интересно знать, чем мы занимались, скажем, с одиннадцати до двух. А если интересно, лучше спросите мисс Этьенн. Она сможет отчитаться в выражениях, более подходящих для ваших целомудренных ушей. Думаю, вам все это надо иметь в форме письменных показаний?

Кейт с огромным удовольствием сказала ему, что им это действительно надо иметь, и пригласила его зайти в полицейский участок Уоппинга, чтобы эти показания оформить.

На вопросы Кейт, задаваемые таким мягким тоном и так терпеливо, что, казалось, это еще больше его перепугало, мистер Саймон ответил, что он действительно слышал, как они вернулись в одиннадцать часов. Он всегда прислушивается, вернулся ли Деклан. Ему спится спокойнее, когда он знает, что кто-то есть дома. Отчасти именно поэтому он и предложил мистеру Картрайту жить здесь же, в доме. Но раз уж он расслышал, как хлопнула дверь, он устроился поудобнее и заснул. Он не мог бы услышать, как потом кто-то из них вышел.

Отпирая машину, Кейт сказала:

— Перепугался до смерти, вы заметили? Я Картрайта имею в виду. Кто он, по-вашему, — жулик, дурак или и то и другое? Или просто смазливый парнишка, охочий до побрякушек? Интересно, что такая интеллектуальная женщина, как Клаудиа Этьенн, в нем находит?

— Да ладно вам, Кейт! Когда это интеллект имел хоть какое-то отношение к сексу? Я вообще не уверен, что они совместимы — секс и интеллект.

— Для меня вполне совместимы. Интеллект меня возбуждает.

— Да, я знаю.

— Что вы хотите этим сказать? — резко спросила она.

— Ничего. Мне больше нравится иметь дело с хорошенькими, добродушными, покладистыми женщинами, которые не так уж блещут умом.

— Ну да, как большинству представителей вашего пола. Вам следовало бы отучиться от этого. Как вам кажется, чего стоят эти показания?

— Примерно того же, что и показания Руперта Фарлоу. Картрайт и Клаудиа Этьенн могли убить Жерара Этьенна, сесть на катер, отправиться прямо к Гринвичскому пирсу и как раз успеть в ресторан к восьми. В сумерки на реке движение не такое уж большое, шансов, что кто-то мог их увидеть, очень мало. Вот и еще одно скучное дело — проверять все это.

— У него есть мотив, — сказала Кейт. — У них обоих он есть. Если Клаудиа Этьенн будет такой идиоткой, что выйдет за него замуж, он получит очень богатую жену.

— А вы считаете, у него хватит пороху, чтоб кого-то прикончить? — спросил Дэниел.

— А тут много пороху и не потребовалось. Всего-то и надо было, что заманить Этьенна в эту душегубку. Ему не надо было вонзать в него нож, бить дубиной или душить. Ему не надо было даже в лицо своей жертве смотреть.

— Но кому-то из них надо было потом вернуться и проделать эту штуку со змеей. Такого не сделаешь, если кишка тонка. Не представляю, чтобы Клаудиа Этьенн могла сделать такое, да еще с собственным братом.

— Ох, не знаю. Если она готова была его убить, что могло помешать ей осквернить труп? Вы хотите вести машину или я поведу?

Кейт села за руль, а Дэниел позвонил в Уоппинг. Выяснилось, что там имеются новости. Поговорив несколько минут, он положил трубку и сказал:

— Отчет пришел из лаборатории. Только что выслушал от Роббинса результаты анализа крови в скучнейших подробностях. Насыщенность крови семьдесят три процента. Он, видимо, умер довольно быстро. Семь тридцать — довольно точное время смерти. При тридцатипроцентной насыщенности начинаются головокружение и головная боль, нарушение координации и помутнение рассудка — при сорока, при пятидесяти — изнеможение, а потеря сознания — при шестидесяти. Слабость может наступить внезапно из-за кислородной недостаточности в мышечных тканях.

— А на осколках из дымохода что-нибудь обнаружили? — спросила Кейт.

— Они из трубы. Тот же состав. Но ведь мы этого и ожидали.

— Нам уже известно, что газовый камин исправен и что не удалось получить сколько-нибудь значительных отпечатков. А как с оконным шнуром? — спросила Кейт.

— Тут трудностей побольше. Похоже, он был специально истерт каким-то туповатым предметом, и делалось это на протяжении довольно длительного времени. Но стопроцентной уверенности в этом у них нет. Волокна были повреждены и порваны, не обрезаны. Остальная часть шнура — старая и местами непрочная, но он не должен был бы оборваться именно в этом месте, если бы не был кем-то поврежден. Да, и еще одна находка: на голове у змеи обнаружена небольшая капля слизи, а это означает, что голова была засунута в рот сразу же или очень скоро после того, как изо рта вынули остроконечный предмет.

42

В воскресенье, 17 октября, Дэглиш решил взять Кейт с собой в Брайтонский монастырь, чтобы опросить родственницу Сони Клемен┼с — монахиню, сестру Агнес. Он предпочел бы поехать один, но женский монастырь, пусть и англиканский, даже для сына приходского священника, тяготевшего к Высокой церкви*, был почвой совершенно незнакомой, ступать на которую следовало с осмотрительностью. Без женщины в качестве ответственной сопровождающей ему могли не разрешить повидаться с сестрой Агнес, иначе как в присутствии матери-настоятельницы или другой монахини. Он толком не знал, чего ожидал от этой встречи, однако инстинкт, которому он не всегда доверял, но давно научился им не пренебрегать, подсказывал ему, что здесь можно что-то выяснить. Эти две смерти, хотя и такие разные, объединяло нечто гораздо большее, чем та пустая комната на самом верху, где один человек предпочел смерть, а другой боролся за жизнь.

---

* Высокая церковь (в Англии) — направление в англиканской церкви, тяготеющее к католицизму.

Соня Клементс проработала в издательстве «Певерелл пресс» двадцать четыре года, и уволил ее именно Жерар Этьенн. Явилось ли это безжалостное решение достаточным основанием для самоубийства? А если нет, почему она выбрала смерть? Кого — если и в самом деле был такой человек — могла соблазнить возможность отомстить за ее смерть?

Погода стояла хорошая. Ранний туман рассеялся, обещая еще один теплый солнечный день, пусть и с набегающими время от времени облаками. Даже в лондонском воздухе ощущалась летняя сладость, а легкий ветерок тихо нес по лазурному небу тонкие лоскутки облаков. Когда вместе с сидевшей рядом с ним Кейт Дэлглиш проезжал утомительно кружным путем по окраинам южного Лондона, он вдруг ощутил приступ былой мальчишеской тоски по морю — по его виду и запаху — и понял, что надеется найти монастырь на морском берегу. Они мало говорили во время поездки: Дэлглиш любил водить машину молча, а Кейт легко переносила его неразговорчивость, не испытывая потребности поболтать. По мнению Дэлглиша, это было не самое малое из ее достоинств. Он заехал за ней по новому адресу, но не стал подниматься на лифте, не желая звонить в дверь ее квартиры, чтобы она не чувствовала себя обязанной пригласить его зайти, а ждал в «ягуаре», пока она спустится. Он слишком ценил свое собственное уединение, чтобы рискнуть нарушить уединение Кейт. Она появилась точно в назначенное время, как он и ожидал. Выглядела Кейт както иначе, и он понял, что просто очень редко видел ее не в брюках, а в юбке. Он улыбнулся про себя, представив, как она колеблется, выбирая, что надеть, и в конце концов решив, что ее всегдашние брюки могут счесть одеждой, не подобающей для посещения монастыря. И он подумал, что — несмотря на его пол — он будет чувствовать себя в этом монастыре гораздо более в своей тарелке, чем Кейт.

Его надежда, как всегда нереалистичная, что удастся выкроить минут пять для прогулки у самой кромки моря, была обречена на неудачу. Монастырь стоял на возвышенности над оживленной магистралью, отгородясь от нее восьмифутовой кирпичной стеной. Главные ворота оказались открытыми, и, въезжая во двор, они увидели вычурное здание из ярко-красного кирпича, явно викторианского периода и явно построенное для какого-то института: возможно, как обитель самых первых сестер этого ордена.

Четыре этажа совершенно одинаковых окон, расположенных в тесной близости друг к другу точно рассчитанными рядами, напомнили Дэлглишу тюрьму; эта неприятная мысль, видимо, пришла в голову и архитектору, потому что нелепая надстройка в виде остроконечного шпиля на одном конце здания и башенка — на другом выглядели как плод его запоздалых соображений. Широкая полоса гравия вилась вверх, по направлению к парадной двери из почти черного дуба, окаймленной железными полосами, — она скорее подошла бы входу в башню норманнского замка. По правую руку видна была кирпичная церковь с неуклюжим шпилем и узкими сводчатыми окнами, такая большая, что могла бы вместить целый приход. А слева, резким контрастом — низкое современное здание с крытой террасой и английским садом перед ней. Дэлглиш догадался, что это хоспис для умирающих.

У монастыря стояла только одна машина — «форд», и Дэлглиш припарковался точно рядом с ней. Задержавшись на минуту у своего «ягуара», он бросил взгляд за террасированные лужайки сада и наконец смог увидеть воды Английского канала*. Короткие улицы с небольшими разноцветными домами — голубыми, розовыми, зелеными, с хрупким геометрическим рисунком телеантенн на крышах, параллельными линиями сбегали к многослойной синеве моря. Их строго упорядоченная домашность резко контрастировала с тяжелой викторианской громадой за его спиной.

В главном здании не было ни малейшего признака жизни, однако, когда он снова повернулся к машине, чтобы запереть дверь, он заметил монахиню, выходящую из-за угла хосписа с пациентом в инвалидном кресле. На голове у пациента была шапочка в синюю и белую полоску, с красным помпоном, и его до самого подбородка укрывал плед. Монахиня наклонилась и прошептала что-то ему на ухо, пациент засмеялся, и слабый, прерывистый ручеек веселых ноток пролился в тихий воздух двора.

Дэлглиш потянул за железную цепь слева от входа и даже через толстый дуб окаймленной железом двери услышал за ней отдающийся эхом звон. Отодвинулась железная решетка на квадратном окошке, и в него выглянуло кроткое лицо монахини. Дэлглиш назвал свое имя и протянул ей служебное удостоверение. Дверь тотчас же отворилась, и монахиня, не произнося ни слова, но по-прежнему улыбаясь, жестом пригласила их войти. Они очутились

---

* Английский канал — принятое в Англии название Ла-Манша.

в просторном холле, где довольно приятно пахло каким-то мягким дезинфицирующим средством. Пол из черных и белых квадратных плиток выглядел так, будто его только что тщательно отчистили, а на стенах не было ничего, кроме явно викторианского портрета сепией величественной мрачнолицей монахини, которая, как заключил Дэлглиш, и основала этот орден, и репродукции картины Милле* «Христос в плотницкой мастерской» в вычурной раме резного дерева. Монахиня, по-прежнему бессловесная и улыбающаяся, провела их в небольшую комнату справа от холла и несколько театральным жестом, молча, пригласила их сесть. Дэлглиш подумал, что она, по всей вероятности, глухонемая.

Комната была скупо обставлена, но не казалась неприветливой. На отполированном до блеска столе в центре комнаты стояла ваза с поздними розами, а перед двойными окнами разместились два глубоких кресла, обитых выцветшим кретоном. Стены были голыми, только справа от камина висело деревянное с серебром распятие, выполненное с ужасающим реализмом. Похоже, оно было сделано в Испании и, должно быть, когда-то висело в храме, подумал Дэлглиш. Над камином помещалась копия маслом картины, где Божья Матерь предлагает Младенцу Христу кисть винограда. Дэлглишу понадобилось некоторое время, чтобы распознать в ней «Мадонну с виноградом» Миньяра**. На медной пластинке было указано имя дарителя. Четыре обеденных стула с прямыми спинками непривлекательно выстроились рядком у правой стены, но Дэлглиш и Кейт так и не сели.

Их не заставили долго ждать. Дверь открылась. Быстрым, уверенным шагом в комнату вошла монахиня и протянула каждому руку.

— Вы — коммандер Дэлглиш и инспектор Мискин? Добро пожаловать в монастырь Святой Анны. Я — мать Мэри Клер. Мы с вами разговаривали по телефону, коммандер. Не хотите ли вы и инспектор выпить кофе?

---

* Милле, Джон Эверетт (J.E. Millais, 1829—1896) — английский художник, один из основателей (вместе с Д.Г. Россетти, 1828—1882) «Братства прерафаэлитов» — сообщества художников, поэтов и писателей, выступавших против сентиментальности и жеманства викторианского искусства, за «чистоту и правду» в искусстве, характерные для раннего периода Ренессанса (отсюда и название «прерафаэлиты»).

** Миньяр, Никола (N. Mignard, 1606—1668) — французский художник, главным образом портретист. Писал портреты Людовика XIV, а также многих аристократов того времени.

Рука, поданная ему для короткого рукопожатия, была мягкой и прохладной.

— Нет, благодарю вас, матушка, — ответил он. — Очень любезно с вашей стороны, но мы надеемся не слишком долго причинять вам неудобство.

В ней не было ничего пугающего, ее невысокую плотную фигуру облагораживала длинная голубовато-серая сутана, подпоясанная кожаным поясом, но казалось, она чувствует себя в этой официальной одежде вполне удобно, как в привычном каждодневном платье. Тяжелый деревянный крест свисал на длинном шнуре с ее шеи, а лицо ее было отечным и бледным, словно тесто, пухлые, как у ребенка, щеки выступали из-под тугого апостольника. Но глаза за стеклами очков в стальной оправе смотрели проницательно, а небольшой рот, несмотря на приятную мягкость очертаний, предвещал бескомпромиссную твердость. Дэглиш сознавал, что его и Кейт весьма пристально, хотя и ненавязчиво изучают. Но вот, слегка кивнув, она сказала:

— Я пришлю к вам сестру Агнес. День стоит чудесный, может быть, вы захотите погулять все вместе в розарии.

Это было, как заметил Дэглиш, приказание, а не предложение, но он понял, что во время этой краткой встречи оба — и он, и Кейт — благополучно прошли какой-то личный экзамен. Он не сомневался, что если бы мать-настоятельница оказалась не вполне удовлетворена, интервью проходило бы в этой самой комнате и под ее присмотром. Она дернула шнур звонка, и маленькая улыбчивая сестра, которая их впустила, появилась снова.

— Спросите сестру Агнес, не будет ли она любезна присоединиться к нам?

И снова они ждали, по-прежнему стоя, в полном молчании. Не прошло и двух минут, как дверь снова открылась и в комнату вошла высокого роста монахиня.

— Это сестра Агнес, — сказала мать-настоятельница. — Сестра, это коммандер Дэглиш и инспектор Мискин. Я предположила, что вам может захотеться пройтись по розарию.

Величественно кивнув, она вышла, не произнеся формальных слов прощания.

Монахиня, которая теперь смотрела на них настороженными глазами, не могла бы сильнее отличаться от матери-настоятельницы, даже если бы хотела. Сутана на ней была точно такая же, правда, крест чуть поменьше, но этой женщине она придавала какое-то жреческое достоинство, отчужденность и таинственность. Мать-настоятельница как бы надела рабочее платье для выполнения своих обязанностей на кухне, а сестру Агнес трудно было представить иначе как пред алтарем. Она была очень худа, длиннонога и длиннорука, с резкими чертами лица: апостольник подчеркивал высокие скулы, суровую линию бровей и бескомпромиссную складку крупного рта.

— Что ж, давайте посмотрим на розы, коммандер? — сказала она.

Дэлглиш отворил дверь, и они с Кейт вышли вслед за монахиней прочь из приемной и, чуть ли не на цыпочках, бесшумно прошли через холл. Она повела их вниз по широкой дорожке к расположенному террасами розарию. Гряды с розами шли тремя длинными рядами, с параллельными, усыпанными гравием дорожками между ними: каждая дорожка на четыре каменных ступени ниже предыдущей. Они трое, идя рядом, занимали всю ширину дорожки и должны были сначала пройти по первой, затем спуститься по ступеням и идти в обратном направлении по второй, потом снова вниз по короткой лестнице, и опять пройти сорок ярдов, теперь по самой нижней дорожке, прежде чем повернуть назад: унылая прогулка, совершаемая на виду у всех монастырских окон. Может быть, за монастырем есть более укромный сад, подумал Дэлглиш. Но даже если и есть, явно не предполагалось, что они будут прогуливаться там.

Сестра Агнес шагала между ними с высоко поднятой головой, почти того же роста — метр восемьдесят пять, — что и Дэлглиш. Поверх сутаны она надела длинный серый кардиган, кисти рук засунула в рукава, как в муфту, чтобы не мерзли. С этими словно связанными и плотно прижатыми к телу руками она вызывала у Дэлглиша неприятные воспоминания о старых, когда-то виденных им картинах, изображавших пациентов психиатрических лечебниц в смирительных рубашках. Она шла между ними, словно арестант под конвоем, и он подозревал, что они такими и представляются какому-нибудь наблюдателю, тайно следящему за ними из высоких окон. Та же неприятная мысль, видимо, пришла на ум и Кейт, потому что она, пробормотав извинение, чуть отстала от них и опустилась на колено, притворяясь, что завязывает шнурок на одном из башмаков. Догнав их, она пошла рядом с Дэлглишем.

Молчание нарушил Дэлглиш.

— Очень любезно с вашей стороны было согласиться на встречу с нами, — сказал он. — Простите, что приходится беспокоить вас, тем более что это может показаться вторжением в ваше личное горе. Я должен задать вам несколько вопросов о смерти вашей сестры.

— «Вторжение в личное горе». Именно такое сообщение передала мне по телефону мать-настоятельница. Я полагаю, вам часто приходится произносить эти слова, коммандер.

— Вторжение порой оказывается непременной частью моей работы.

— У вас есть какие-то особые вопросы, на которые, как вы предполагаете, я могла бы ответить, или это вторжение более общего характера?

— Немного и того, и другого.

— Но вам ведь известно, как умерла моя сестра. Соня покончила с собой, в этом невозможно усомниться. Она оставила записку рядом с собой. Кроме того, она отправила мне письмо утром того дня, когда умерла. Она не считала, что ее сообщение стоит марки первого класса, так что я получила письмо только три дня спустя.

— Вы не могли бы рассказать мне, что было в письме? — спросил Дэлглиш. — Мне, конечно, известно содержание записки для коронера.

Несколько секунд — а казалось, гораздо дольше — она молчала, потом заговорила без всякого выражения, словно читала заученный наизусть прозаический текст: «То, что я собираюсь сделать, в твоих глазах будет выглядеть грехом. Пожалуйста, пойми, что то, что ты считаешь греховным, для меня естественно и правильно. Мы с тобой выбрали разные дороги, но и та и другая ведут к одинаковому концу. После нескольких лет колебаний я, во всяком случае, безусловно, выбираю смерть. Постарайся не слишком долго горевать обо мне. Горе — всего лишь потакание себе. Лучшей сестры, чем ты, я бы и пожелать не могла».

— Вы это хотели услышать, коммандер? — спросила она. — Вряд ли это может иметь отношение к вашему теперешнему расследованию.

— Нам приходится рассматривать все, что происходило в Инносент-Хаусе в течение нескольких месяцев до смерти Жерара Этьенна, поскольку это может иметь какое-то — пусть самое отдаленное — отношение к его смерти. Самоубийство вашей сестры в том числе. Судя по слухам, ходящим в лондонских литературных кругах, да и в самом Инносент-Хаусе, именно Жерар Этьенн довел ее до этого. Если это так, то ее друг, особенно близкий друг, мог пожелать ему зла.

— Я была самым близким другом Сони, — ответила она. — У нее не было близких друзей, кроме меня. А у меня не было причин желать зла Жерару Этьенну. Я находилась здесь весь тот день или вечер, когда он умер. Это факт, который вы можете легко проверить.

— Я вовсе не хотел сказать, что предполагаю, что вы сами, сестра, имеете какое-то касательство к смерти Жерара Этьенна, — возразил Дэлглиш. — Я спрашиваю, не знали ли вы какого-то другого человека, близкого вашей сестре, которого могло возмутить то, как она умерла?

— Никого, кроме себя самой. Но меня возмутило то, как она умерла, коммандер. Самоубийство — это предельное отчаяние, предельное отвержение Божьего милосердия, абсолютный грех.

— Тогда, быть может, он получит абсолютное прощение, сестра, — тихо произнес Дэлглиш.

Они дошли до конца первой дорожки, вместе спустились по ступеням и повернули налево. Неожиданно она сказала:

— Не люблю розы осенью. Они по самой сути своей — летние цветы. Особенно угнетают декабрьские розы, с коричневыми пожухлыми бутонами посреди путаницы колючих стеблей. Не выношу ходить здесь в декабре: розы, как и мы, не знают, когда надо умереть.

— Однако сегодня мы можем поверить, что все еще стоит лето, — возразил Дэлглиш. Он помолчал, потом продолжил: — Я полагаю, вам известно, что Жерар Этьенн умер от отравления угарным газом, в той же комнате, что и ваша сестра. Не похоже, что в его случае это было самоубийство. Смерть могла наступить в результате несчастного случая, от засорения дымохода, вызвавшего неправильную работу газового камина. Но нам приходится рассматривать и третью возможность — что камин был специально кем-то испорчен.

— Вы хотите сказать, что Жерар Этьенн был убит? — спросила она.

— Этого нельзя исключить. Я хотел бы теперь спросить вас, не считаете ли вы возможным, что ваша сестра могла что-то сделать с камином? Я не хочу сказать, что она замышляла убить Этьенна. Но не могла ли она сначала задумать так убить себя, чтобы это выглядело как естественная смерть от угара, а потом решила сделать иначе?

— Как вы можете ждать от меня ответа на этот вопрос, коммандер?

— Вопрос не очень по адресу, но я не мог его не задать. Если кого-то будут судить за убийство, защита скорее всего такой вопрос задаст.

— Если бы Соня побеспокоилась о том, чтобы ее смерть выглядела как несчастный случай, это избавило бы многих других от тяжких переживаний. Но самоубийство редко так выглядит, — сказала она. — В конечном счете ведь это — акт агрессии, а какой смысл в агрессии, если она никому, кроме тебя, не приносит вреда? Не так уж трудно сделать так, чтобы самоубийство выглядело как смерть от несчастного случая. Я могла бы придумать множество способов, но в них не входит порча газового камина и засорение дымохода. Не думаю, что Соня вообще знала, как это делается. Всю жизнь она не очень разбиралась в технике, зачем ей было делать это перед смертью?

— А письмо, которое она вам послала? В нем не говорилось о причине, не было объяснений?

— Нет, — ответила она. — Ни причины, ни объяснений.

Но Дэлглиш продолжал спрашивать:

— Предполагается, что ваша сестра покончила с собой из-за того, что Жерар Этьенн сказал ей, что ей придется уйти. Вы считаете, это похоже на правду? — Сестра Агнес не ответила, и, подождав с минуту, он спросил мягко, но настойчиво:

— Вы ведь ее сестра, вы хорошо ее знали. Вас такое объяснение может удовлетворить?

Монахиня повернулась к нему и впервые взглянула ему прямо в глаза.

— Этот вопрос имеет отношение к вашему расследованию?

— Может иметь. Если мисс Клементс стало известно что-то такое об Инносент-Хаусе или о ком-то, кто там работает, что-то настолько ее огорчившее, что способствовало ее уходу из жизни, это «что-то» может также иметь отношение к смерти Жерара Этьенна.

Она снова взглянула ему в лицо.

— Ставится вопрос о возобновлении дела о том, как умерла моя сестра? — спросила она.

— Официально? Ни в коем случае. Нам известно, как умерла мисс Клементс. Мне бы хотелось знать — почему. Но заключение коронера было правильным. В соответствии с законом дело считается законченным.

Они молча шли по дорожке. Казалось, сестра Агнес раздумывает, как вести себя дальше. Он ощутил, а может быть, вообразил, как напряжены все мышцы — от плеча до кисти — на ее руке, на миг коснувшейся его собственной. Когда она заговорила, голос ее был хриплым:

— Я могу удовлетворить ваше любопытство, коммандер. Моя сестра покончила с собой потому, что два человека, которые были ей дороги больше всех на свете, может быть, единственные, на самом деле ей дорогие, покинули ее. Покинули ее навсегда. Я ушла в монастырь за неделю до ее смерти. Генри Певерелл ушел из жизни на восемь месяцев раньше.

До этого момента Кейт не произнесла ни слова. Теперь она спросила:

— Вы хотите сказать, что ваша сестра была влюблена в Генри Певерелла?

Сестра Агнес взглянула на нее так, будто только что обнаружила ее присутствие. Затем она снова отвернулась, еще плотнее прижала руки к груди и сказала с едва заметным содроганием:

— Соня была его любовницей последние восемь лет его жизни. Она называла это любовью. Я называла это наваждением. Не знаю, как это называл он. Они никогда вместе не бывали на людях. По его настоянию их связь держалась в глубочайшем секрете. Комната, где они занимались любовью, — та самая, где она умерла. Я всегда знала, когда они бывали вместе. В те вечера, когда она задерживалась в издательстве. Когда она возвращалась домой, я чувствовала на ней его запах.

— Но зачем такая таинственность? — возразила Кейт. — Чего он боялся? Он не был женат, она — не замужем. Оба — взрослые люди. Кому какое дело до этого, кроме них самих?

— Когда я задала ей этот вопрос, у нее уже был готов свой собственный ответ. Скорее — его собственный. Она сказала, что он не собирается снова вступать в брак, что он хочет остаться верным памяти жены, что ему неприятна самая мысль о том, что его личные дела станут предметом издательских сплетен, что их отношения огорчат его дочь. Она принимала все его оправдания. Ей было довольно, что он вполне очевидно нуждается в том, что она может ему дать. Разумеется, все могло быть гораздо проще: она удовлетворяла его чисто физическую нужду в ней, но была недостаточно молода, недостаточно красива, недостаточно богата, чтобы вызвать у него желание на ней жениться. И я думаю, что для него таинственность добавляла остроты их отношениям. Может быть, ему нравилось унижать ее, проверять, где предел ее преданности, красться наверх, в эту убогую комнатенку, словно какой-нибудь викторианский хозяин, услаждающий горничную. Меня больше всего расстраивала не греховность этих отношений, а их вульгарность.

Дэлглиш не ожидал такой искренности, такой открытости. Но возможно, это было не так уж удивительно. Должно быть, она многие месяцы вынуждена была выдерживать взятый на себя обет молчания, но теперь, перед двумя незнакомыми людьми, с которыми ей скорее всего никогда больше не придется встречаться, дала волю накопившейся горечи.

— Я всего на полтора года старше Сони, мы всегда были очень близки. Он все разрушил. Она не могла сочетать и то и другое — свою веру и свою любовь к нему. Так что она предпочла его. Он разрушил наше доверие друг к другу. Какое могло быть между нами доверие, если я презирала ее бога, а она — моего?

— Так она не сочувствовала вашему призванию? — спросил Дэлглиш.

— Она не могла этого понять. Он тоже. Он смотрел на это, как на уход от мира и от ответственности, от сексуальных отношений, от участия, а она верила в то, во что верил он. Она, конечно, довольно давно знала, что́ я задумала. Подозреваю, она надеялась, что никакой монастырь меня не примет. Не очень многие общины приветствуют пожилых послушниц. Монастырь ведь не предназначен для разочарованных и неудачников. И Соня, конечно, знала, что я не могу предложить им никаких практических умений, никаких талантов. Я была — я и сейчас остаюсь — реставратором книг. Мать-настоятельница время от времени отпускает меня поработать в библиотеках Лондона, Оксфорда, Кембриджа, при условии, что там найдется подходящий дом, я хочу сказать — монастырь, где я могла бы пожить какое-то время. Но такая работа выпадает мне все реже и реже. Очень много времени требуется, чтобы отреставрировать и заново переплести ценную книгу или рукопись, гораздо больше, чем то, на которое меня могут отпустить.

Дэглиш вспомнил, как три года назад ему довелось посетить библиотеку в Колледже Тела Христова, в Кембридже, где ему показали Иерусалимскую библию, которую под целым эскортом охраны возили в Вестминстерское аббатство то на одну, то на другую коронацию, вместе с одним из самых ранних иллюстрированных экземпляров Нового Завета. Только что заново переплетенное сокровище, любовно вынутое из особого ящика, было осторожно уложено на пюпитр в форме буквы «V», с мягкой обивкой, и страницы переворачивались специальной лопаточкой, чтобы избежать прикосновения рук. Он с восхищением смотрел — сквозь призму пяти веков — на тщательно проработанные рисунки, чьи краски были такими же яркими, как тогда, когда с такой удивительной точностью стекали с пера художника. Эти рисунки своей поразительной красотой и истинной человечностью чуть было не вызвали у него слезы.

— Ваши занятия здесь считаются более важными? — спросил он.

— О них судят по иным критериям. Кроме того, здесь отсутствие у меня более практических навыков и умений не считается недостатком. Ведь всякий, после недолгого обучения, может управлять стиральной машиной или отвозить пациента в инвалидном кресле в ванную, а то и подкладывать судно. Я не уверена, что даже этой работы хватит надолго. Священник, который служит у нас капелланом, переходит в католичество из-за решения англиканской церкви посвящать в духовный сан женщин. Половина сестер следуют его примеру. Будущее ордена Святой Анны как англиканского монастыря — под сомнением.

Они прошли уже все три дорожки и теперь тем же путем возвращались назад. Сестра Агнес продолжала говорить:

— Генри Певерелл не единственный, кто встал между нами в последние годы жизни моей сестры. Была еще Элайза Брейди. О, вам не придется разыскивать ее, коммандер. Она умерла в 1871 году. Я прочла о ней в отчете о коронерском расследовании, помещенном в газете викторианских времен, которая попалась мне в букинистической лавке на Черинг-Кросс-роуд и которую, к несчастью, я передала Соне. Элайзе Брейди было от роду тринадцать лет. Ее отец работал у торговца углем, а мать умерла при родах. Элайзе пришлось стать матерью четверым младшим братьям и сестрам и новорожденному младенцу. В своих свидетельских показаниях ее отец заявил, что девочка была матерью им всем. Она трудилась по четырнадцать часов в сутки. Она мыла, стирала, разжигала камин, готовила, делала покупки, заботилась обо всем семействе. Однажды утром, когда она сушила пеленки малыша на защитной сетке перед камином, она неудачно оперлась о сетку, и та свалилась в огонь. Девочка тяжко обгорела и через три дня умерла в страшных муках. Ее история сильно подействовала на мою сестру. Она сказала: «Вот какова справедливость твоего Бога, который, как ты утверждаешь, полон любви. Вот как он вознаграждает невинных и добрых. Ему недостаточно было убить ее. Надо было, чтобы она умирала долго и в страшных муках». Элайза Брейди стала для Сони прямо-таки наваждением. Она эту девочку просто в культ возвела. Если бы у сестры был ее портрет, она стала бы молиться перед ним, только я не знаю кому.

— Но если ей нужен был повод, чтобы разувериться в Боге, зачем было обращаться к девятнадцатому веку? — возразила Кейт. — Трагедий и в наше время хватает. Ей всего-то и нужно было, что телевизор посмотреть или газеты почитать. Или подумать о Югославии. Элайза Брейди уже больше ста лет как умерла.

— Я ей так и говорила, — сказала сестра Агнес. — Но Соня отвечала, что справедливость не зависит от времени. Мы не должны позволить времени подчинить нас себе. Если Бог вечен, то и Его справедливость вечна. И Его несправедливость — тоже.

— Скажите, до вашего с сестрой отчуждения вы часто приходили в Инносент-Хаус? — спросила Кейт.

— Не очень часто. Но время от времени я там бывала. По правде говоря, за много месяцев до того, как я решила принять обет, у меня была возможность поступить в издательство на работу, на полставки. Жан-Филипп Этьенн очень беспокоился об архивах. Он хотел, чтобы они были разобраны и каталогизированы, и, по-видимому, он считал, что я могла бы подойти для такой работы. У Этьеннов просто нюх на выгодные сделки, и он, вероятно, понимал, что я стану работать из интереса не меньше, чем за деньги. Но Генри Певерелл не согласился на это, и мне, разумеется, было ясно почему.

— Так вы знали Жана-Филиппа Этьенна? — спросил Дэлглиш.

— Я довольно хорошо знала всех компаньонов фирмы. Оба старика — Жан-Филипп и Генри — упрямо держались за власть, которую у них уже не было ни сил, ни воли осуществлять. Жерар Этьенн — этакий юный деспот, несомненно — наследный принц. Отношения с Клаудией Этьенн у меня так никогда и не сложились, но мне нравился Джеймс Де Уитт. Джеймс Де Уитт живет праведной жизнью, не нуждаясь для этого в помощи веры в Бога. Бывают такие люди — они рождаются без сознания первородного греха. Их праведность вряд ли может считаться заслугой.

— Но ведь вера в Бога вовсе не обязательное условие праведной жизни, — возразил Дэлглиш.

— Пожалуй, нет. Сама по себе вера в Бога не определяет поведение человека. К этому должна вести практика веры.

— Вы, конечно, не могли присутствовать на последнем приеме в Инносент-Хаусе, — сказала Кейт. — А на более ранних вечерах там вы бывали? Могли ли гости свободно ходить по зданию, куда им заблагорассудится?

— Я побывала всего на двух вечерах. Один они устраивали летом, другой — зимой. Совершенно определенно, ничто не мешало гостям бродить по всему дому. Однако не думаю, что многие пользовались этой возможностью. Не очень вежливо злоупотреблять приглашением на вечер и заходить в комнаты, куда в обычных условиях чужим входить не полагается. Конечно, Инносент-Хаус теперь занят в основном рабочими кабинетами, это все-таки разница. Но вечера в издательстве всегда были достаточно официальными мероприятиями. Список приглашенных всегда тщательно проверялся, а Генри Певерелл не любил, чтобы в доме находилось одновременно более восьмидесяти человек. В издательстве «Певерелл пресс» никогда не устраивали обычных литературных вечеров, когда приглашается слишком много народа, чтобы кто-то из писателей не обиделся, что его не включили в список, когда перегретые, душные помещения переполнены людьми, гости пытаются удержать на весу тарелки с холодной едой и пьют теплое, не очень высокого сорта белое вино, что-то крича друг другу. Приглашенные прибывали в Инносент-Хаус главным образом по реке, так что, я думаю, отваживать незваных гостей было не особенно трудно.

Мало что еще можно было бы от нее узнать. По общему согласию, у конца следующей дорожки они повернули и пошли назад. В молчании все трое подошли к входной двери, но Кейт и Дэлглиш попрощались с сестрой Агнес, не заходя в монастырское здание. Она смотрела на них пристально и напряженно, вглядываясь в глаза то одной, то другого, заставляя их на миг сосредоточить на ней все свое внимание, словно усилием воли могла побудить их с уважением отнестись к тому, что она им доверила.

Они едва успели выехать с подъездной дорожки и остановиться перед первым светофором, как долго сдерживаемое возмущение Кейт вырвалось наружу:

— Так вот почему в малом архивном кабинете стоял диван-кровать, вот почему на двери был не только замок, но и задвижка. Господи, что за подонок! Сестра Агнес права, он действительно крался наверх, в эту комнатенку, как какой-нибудь ничтожный викторианский деспот. Он ее унижал, он ее использовал. Могу себе представить, что у них там происходило. Он был просто садист.

— У вас нет доказательств этого, Кейт — спокойно возразил ей Дэлглиш.

— Какого черта она с этим мирилась? Она была опытным, всеми уважаемым редактором. Она могла бы уйти.

— Но она его любила.

— А ее сестра любит Бога. Она ищет душевного мира. А у меня не создалось впечатления, что она его обрела. Ведь даже будущее монастыря под угрозой.

— Основатель ее религии не обещал мира. «Я принес вам не мир, но меч». — Бросив на нее взгляд, он понял, что этот текст ничего ей не говорит. Он сказал: — Визит оказался полезным. Мы теперь знаем, почему умерла Соня Клементс, знаем, что ее смерть не имеет ничего или очень мало общего с тем, как поступил с ней Жерар Этьенн. Очевидно также, что ни у кого из ныне живущих нет мотива отомстить за ее смерть. Нам уже было известно, что гости издательства могли свободно ходить по Инносент-Хаусу, куда им заблагорассудится, но очень полезно, что мы получили подтверждение от сестры Агнес. Кроме того, интересна информация об архивах. По словам сестры Агнес, именно Генри Певерелл был решительно против того, чтобы она получила работу по разбору архивов. И только после его смерти Жан-Филипп Этьенн согласился, чтобы Габриел Донтси взялся за это дело.

— Было бы гораздо интереснее, — ответила Кейт, — если бы это Этьенны настаивали на том, чтобы не трогать архивы. Ясно ведь, почему Генри Певерелл не хотел, чтобы сестра Сони Клементс работала в издательстве. Это помешало бы осуществлению его небольшого соглашения с любовницей.

— Это объяснение напрашивается само собой и, как все такие объяснения, может быть верно, — сказал Дэлглиш. — Но в архивах могло быть что-то такое, чего Генри Певерелл не хотел трогать, зная или подозревая, что оно там находится. Даже если так, трудно понять, каким образом это может иметь отношение к смерти Жерара Этьенна. Однако, как вы говорите, было бы гораздо интереснее, если бы это Этьенны не желали трогать архивы. И все равно, я думаю, нам придется взглянуть на эти бумаги.

— На все, сэр?

— Если будет необходимо, Кейт, на все.

43

В воскресный вечер, в половине десятого, Дэниел и Роббинс все еще работали на верхнем этаже Инносент-Хауса, просматривая папки с бумагами. Метод, предложенный Дэниелом, заключался в том, что каждый из них шел вдоль стеллажей с документами, отбирая те папки, которые могли представлять интерес, а затем относил их в малый архивный для дальнейшего исследования. Задание не внушало особых надежд исполнителям, поскольку ни тот ни другой не знали, что ищут. Дэниел рассчитал, что, если работать будут только они двое, на выполнение задания уйдет много недель, однако дело двигалось быстрее, чем он ожидал. Если предположение А.Д. окажется верным и в архиве есть документы, проливающие свет на убийство Жерара Этьенна, кто-то, несомненно, должен был заглядывать в них не так уж давно. Это означало, что самые старые папки с делами девятнадцатого века, которых последние сто лет явно не касалась ничья рука, вполне могли быть исключены, хотя бы на данный момент. С освещением проблем не было — яркие лампы без абажуров свисали с потолка на небольшом расстоянии друг от друга. Но сама работа была пыльной, утомительной и скучной, и он выполнял ее, ни на что не надеясь.

Вскоре после половины десятого он сказал себе — хорошенького понемножку, они достаточно потрудились в этот вечер, и вдруг почувствовал, что ему совсем не хочется возвращаться домой, в квартиру на Бейзуотер-роуд. Нежелание ехать туда было таким острым, что любая альтернатива казалась ему более подходящей. Он старался проводить там как можно меньше времени с тех пор, как Фенелла уехала в Штаты. Они купили эту квартиру вместе всего полтора года назад, и уже через несколько недель совместной жизни Дэниел понял, что и решение жить вместе, и покупка квартиры пополам были ошибкой.

Она тогда сказала: «У нас будут отдельные комнаты, дорогой. Ведь каждый из нас нуждается в уединении».

Потом он часто задавал себе вопрос, действительно ли слышал от нее эти слова. Фенелла не только не нуждалась в уединении, она не имела ни малейшего намерения предоставить ему эту возможность, и не по злой воле, а, как он полагал, просто потому, что совершенно не понимала смысла этого слова. Он слишком поздно вспомнил эпизод из детства, который должен был бы послужить ему спасительным уроком: приятельница его матери уверенным тоном говорила: «В нашем доме с большим уважением относятся к знаниям и к книгам», — в то время как ее шестилетний сынишка с упоением рвал в клочки «Остров сокровищ» Дэниела. Это должно было бы навсегда научить его понимать, что представления людей о себе редко совпадают с тем, как они поступают в реальной жизни. Но и тут Фенелла побила все рекорды несовпадения представлений с действиями. Квартира вечно была переполнена людьми: забегали друзья, их кормили у него на кухне, они ссорились, а потом мирились у него на диване, звонили по всему миру с его телефона, принимали ванну, совершали набеги на его холодильник и пили его пиво. В квартире никогда не бывало тихо, они двое никогда не оставались вдвоем. Спальня Дэниела стала их общей спальней, главным образом потому, что в спальне Фенеллы обычно поселялся кто-то из временно бездомных друзей. Людей влекло к ней, как к освещенной открытой двери. Ее главной привлекательной чертой было неизменное добродушие. Она вполне могла бы завоевать расположение его матери, немедленно пообещав ей обратиться в иудаизм, если бы Дэниел когда-нибудь допустил, чтобы они встретились. Без такой услужливости Фенелла не была бы Фенеллой.

Ее непреодолимая общительность сочеталась с неряшливостью, которая не переставала вызывать его удивление все полтора года, что они прожили вместе, и которая вовсе не мешала ее стремлению украсить квартиру всякими мелочами. Ему запомнилось, как она стояла в гостиной у стены, подняв в руке три небольших гравюры, вертикально прикрепленных к ленте и увенчанных бантом. «Вот здесь, дорогой, или на два дюйма левее? Как ты думаешь?»

Казалось, это вряд ли может иметь значение, когда раковина на кухне полна немытой посуды, дверь в ванную приходится открывать с усилием, потому что за ней валяется куча грязных, дурно пахнущих полотенец, постели не застелены и по всей спальне разбросана одежда. При такой неопрятности во всем, что касалось домашнего быта, она была одержима стремлением часто принимать душ и стирать свое белье. В квартире вечно раздавались шум стиральной машины и шипение водяных струй.

Тот разговор, когда она объявила ему о конце их отношений, четко всплыл в памяти...

— Дорогой, Терри хочет, чтобы я приехала к нему в Нью-Йорк. Прямо в следующий четверг. Он послал мне билет в салон первого класса. Я подумала, ты не станешь возражать. В последнее время нам не очень хорошо было вместе, правда ведь? Тебе не кажется, что что-то очень важное ушло из наших отношений? Что-то очень для нас драгоценное оказалось утрачено. Ты не чувствуешь, что что-то просто как-то утекло?

— Что-то еще, кроме моих сбережений?

— О, дорогой, не надо быть таким мелочным! Это на тебя не похоже.

— А как будет с твоей работой? Как ты сможешь работать в Соединенных Штатах? Грин-карту не очень легко получить, — сказал он.

— О, работа меня не беспокоит. Во всяком случае, пока. У Терри денег навалом. Он говорит, я смогу занять себя, развлекаясь украшением его квартиры.

Их расставание прошло без взаимных обвинений. Он обнаружил, что поссориться с Фенеллой практически невозможно. Его не очень огорчило, даже как-то, с примесью печальной иронии, позабавило то, что ее дружелюбие шло рука об руку с гораздо более четким пониманием коммерческой выгоды, чем он мог ожидать. «Дорогой, я думаю, лучше тебе выкупить мою половину квартиры за половину той цены, что мы за нее платили, а не той, что она стоит сейчас. Цены на квартиры безобразно упали, да и на все вообще. И если ты мне заплатишь половину тогдашней цены за мебель, я всю ее оставлю тебе. Ведь надо же тебе на чем-то сидеть, милый».

Вряд ли стоило напоминать ей, что почти всю мебель оплатил он сам, хотя выбирала ее Фенелла, и выбор ее не пришелся ему по вкусу. Он заметил также, что наиболее ценные из купленных ими мелочей исчезли и, по-видимому, теперь обретались в Нью-Йорке. Осталось какое-то барахло, но у него не было ни времени, ни охоты куда-то его девать. Она оставила ему долги по ипотеке, квартиру, заполненную мебелью, которая ему активно не нравилась, баснословный счет за международные переговоры, главным образом с Нью-Йорком, и счет от адвоката, который, как он надеялся, можно будет оплачивать в рассрочку. И тем более раздражало его то, что он вдруг обнаружил, как сильно ему порой ее недостает.

За помещением архива, рядом с лестничной площадкой, находились небольшая умывальная и туалет. Пока Роббинс смывал там пыль десятилетий, Дэниел, поддавшись порыву, позвонил в полицейский участок Уоппинга. Кейт там не было. Тогда, меньше секунды поразмыслив, он набрал номер ее новой квартиры.

Она взяла трубку, и он спросил:

— Чем вы заняты?

— Привожу в порядок бумаги. А вы?

— Привожу в беспорядок бумаги. Я все еще в Инносент-Хаусе. Хотите выпить?

Чуть поколебавшись, она ответила:

— Почему бы и нет? Что вы предлагаете?

— «Город Рамсгейт». Удобно и вам, и мне. Встречу вас там через двадцать минут.

44

Кейт поставила машину в конце Уоппинг-Хай-стрит и прошла оставшиеся ярдов пятьдесят до паба «Город Рамсгейт» пешком. Когда она уже подходила к пабу, навстречу ей из проулка, ведущего к Старой лестнице, вышел Дэниел. Он сказал:

— Как по-вашему, пираты оставались живы после того, как их привязывали к сваям при низкой воде и оставляли так до тех пор, пока над ними не пройдут три прилива?

— Вряд ли. Я думаю, их все-таки сначала вешали. Пенитенциарная система в восемнадцатом веке была, несомненно, варварской, но не настолько же!

Они толчком открыли дверь и очутились в многоцветном сверкании и воскресном веселье лондонского паба. Узкое помещение таверны семнадцатого века было набито людьми, и Дэниелу пришлось протискиваться и проталкиваться к стойке, чтобы взять себе пинту, а Кейт — полпинты чаррингтонского эля. В конце зала, у самой двери в сад, мужчина и женщина поднялись со своих мест, и Кейт успела их занять. Если Дэниел хотел поговорить, а не только выпить, этот паб был не менее подходящим местом, чем любое другое. Здесь было чисто и опрятно, но стоял страшный шум. На фоне несмолкаемых разговоров и неожиданных взрывов смеха они могли поговорить так же спокойно, как если бы остались в пустом пабе вдвоем. Настроение у Дэниела было необычное, она это сразу почувствовала и подумала, что, может быть, он звонил ей потому, что ему больше нужен спарринг-партнер, собеседник, с которым можно хорошо поспорить, чем сотоварищ по выпивке. Но его звонок пришелся весьма кстати. Элан так и не позвонил, и теперь, когда квартира была почти в полном порядке, соблазн позвонить ему, увидеться с ним еще раз до его отъезда был слишком велик, чтобы чувствовать себя спокойно. Она обрадовалась возможности уйти из дома, подальше от соблазна.

Вполне вероятно, что настроение Дэниела испортилось из-за бесполезной работы в издательском архиве. Ей предстояло заняться тем же самым назавтра, и скорее всего со столь же малой надеждой на успех. Но если то, что вытащили у Этьенна изо рта, действительно было кассетой, если убийце и правда было необходимо объяснить своей жертве, почему его завлекли в смертельную ловушку, тогда мотив убийства мог действительно крыться в прошлом, даже в далеком прошлом: давний грех, воображаемая несправедливость, тайная опасность. Решение проверить старые записи хоть и было продиктовано интуицией А.Д., но, как и все его интуитивные решения, оно опиралось на здравый смысл.

Уставившись в кружку с пивом, Дэниел сказал:

— Вы ведь работали вместе с Джоном Мэссингемом по делу Берроуна, да? Он вам понравился?

— Он хороший детектив, хотя и не такой хороший, как сам о себе думает. Нет, он мне не понравился. А что?

Дэниел на вопрос не ответил, но продолжал:

— Мне тоже. Мы оба были сержантами в убойном отделе. Он звал меня «еврейчик». Предполагалось, что я этого не услышу: он, видимо, считал, что не слишком прилично оскорблять человека в лицо. Точные его слова вроде были «наш умный маленький еврейчик», только я почему-то не думаю, что это звучало как комплимент.

Она ничего не сказала, и он заговорил снова:

— Если Мэссингем употребляет выражение «когда я продвинусь», понимаешь, что он не имеет в виду «когда стану главным суперинтендентом*». Он говорит о том, что унаследует папочкин титул. Главный констебль**, лорд Дангэннон. Невредно. Он своего добьется раньше любого из нас.

«Уж точно раньше меня», — подумала Кейт. С ее точки зрения, честолюбие должно руководствоваться реальностью. Кто-нибудь когда-нибудь обязательно станет женщиной — главным констеблем. Возможно даже, что она. Но глупо на это рассчитывать. Похоже, она пришла в полицию лет на десять раньше, чем нужно.

— Вы добьетесь этого, если очень захотите, — сказала она.

— Не уверен. Не так легко быть евреем.

Она могла бы возразить, что и женщине не так-то легко приходится в махистском*** обществе полицейских, но на это жаловались все, и ей не хотелось хныкать при Дэниеле.

— Незаконнорожденной быть тоже нелегко.

— А вы незаконнорожденная? Мне казалось, это сейчас даже модно.

— Не для таких, как я. Но быть евреем тоже модно. Во всяком случае — престижно.

— Не для таких, как я.

— А почему это трудно?

---

* Главный суперинтендент — начальник отдела в полиции города или графства.

** Главный констебль — начальник полиции города или графства, назначаемый местными мировыми судьями или членами совета графства.

*** Махизм — направление в философии, основу которого составляет теория экономии мышления и чистого описания.

— Нельзя быть жизнерадостным атеистом, как другие. Постоянно чувствуешь, что должен объяснять Богу, почему ты в него не веришь. А еще у тебя есть еврейская мама. Это очень существенно. Входит в комплект. Если у тебя нет еврейской мамы, то ты не еврей. Еврейские мамы хотят, чтобы их сыновья женились на хороших еврейских девушках, рожали им еврейских внуков и ходили вместе с ними в синагогу.

— Ну, эту последнюю обязанность вы могли бы выполнять, не слишком насилуя свою совесть, если у атеистов она имеется.

— У еврейских атеистов — имеется. В том-то и беда. Давайте выйдем, посмотрим на реку.

За таверной был небольшой сад, откуда открывался вид на Темзу; в теплые летние вечера он бывал переполнен людьми. Но в этот октябрьский вечер не очень многим из завсегдатаев паба хотелось выбираться в сад со своими кружками, и Кейт с Дэниелом вышли в прохладную, полную речных запахов тишину. Единственный фонарь на стене таверны освещал перевернутые вверх ножками садовые стулья и большие горшки с геранями, чьи жесткие стебли переплелись друг с другом. Пройдя к низкой стене, отделявшей сад от берега, они оба поставили на нее свои кружки.

Помолчали. Вдруг Дэниел сказал:

— Не поймать нам этого парня.

Кейт спросила:

— Откуда такая уверенность? И почему — парня? Это могла быть женщина. К чему такое пораженчество? А.Д., наверное, самый умный детектив во всей стране.

— Да больше похоже, что мужчина. Разобрать и снова поставить на место газовый камин — это все-таки мужская работа. Ну, в любом случае предположим, что это мужчина. Нам его не поймать, потому что он так же умен, как А.Д., и у него есть одно огромное преимущество: вся наша система уголовного правосудия — на его стороне, а не на нашей.

Это была хорошо знакомая ей досада. Прямо-таки параноидальное недоверие Дэниела к юристам казалось одним из его навязчивых пунктиков, таким же, как и неприятие сокращенного имени «Дэн». Она уже привыкла к его жалобам о том, что система уголовного правосудия озабочена не столько осуждением виновных, сколько выстраиванием хитроумной и выгодной адвокатам полосы препятствий, на которой защитники могли бы продемонстрировать свои интеллектуальные достоинства.

— Тоже мне новость, — возразила она. — Система уголовного правосудия отдает предпочтение уголовникам вот уже сорок лет. Это факт, с которым нам приходится жить. Глупцы пытаются бороться с этим, подтасовывая улики, когда сами вполне уверены, что схваченный ими человек действительно виновен. А это лишь дискредитирует всю полицию вообще, ведет к освобождению виновных и провоцирует такое законотворчество, которое склоняет весы еще больше на сторону тех, кто против обвинительных приговоров. Тебе это известно, нам всем это известно. Так что единственный выход — добыть настоящие, честные улики и добиться, чтобы они выстояли в суде.

— Хорошие улики в по-настоящему серьезном деле добываются с помощью информаторов и «кротов». Господи, Кейт, вы же это и сами знаете. Но ведь теперь мы обязаны сообщать эту информацию защите заранее и не можем делать это, не подвергая риску жизнь людей. Вам известно, сколько крупных дел пришлось за последние полгода прекратить только в столполе?

— С нашим расследованием такого не случится, будьте уверены. Когда получим улики, мы их предъявим.

— Но мы их не получим, вот увидите. Только если кто-то из подозреваемых сломается. А они не сломаются. Все доказательства у нас косвенные. У нас нет ни единого факта, который можно прицепить к кому-то одному из этих людей. Каждый из них мог это сделать. И один — сделал. Мы могли бы сварганить дело против любого из них. Но оно даже до суда не дойдет. ДГО* отвергнет наши материалы с порога. А если и дойдет до суда, вы представляете, что сделает с нами защита? Этьенн мог пойти в этот кабинет по своим личным делам. Мы не сумеем доказать, что это не так. Он мог искать что-то в архиве. Хотел проверить какой-нибудь старый контракт. Не собирался там долго задерживаться, поэтому оставил пиджак и ключи у себя внизу. Затем он находит что-то интересное, чего найти не ожидал, и усаживается, чтобы это внимательно просмотреть. Чувствует, что ему холодно, захлопывает окно, оборвав при этом шнур, и зажигает камин. К тому времени, как он начинает понимать, что происходит, он уже настолько ут-

---

* ДГО (англ. DPP — Director of Public Prosecution) — директор государственного обвинения (главный прокурор); также — главная прокуратура.

рачивает способность ориентироваться, что не может добраться до камина, чтобы его выключить. И умирает. Потом, несколькими часами позже, зловредный шутник обнаруживает труп и решает добавить к тому, что является на самом деле обычным несчастным случаем, штришок патологически-отвратительной тайны.

— Мы все это уже обсуждали, — сказала Кейт. — Если смотреть реально, эта версия не выстоит, вы не думаете? Почему Этьенн упал рядом с камином? Почему не вышел в дверь? Он был достаточно умен, чтобы представлять себе, как рискованно жечь газовый камин в плохо вентилируемом помещении. Зачем ему было закрывать окно?

— Ладно, пусть он пытался его открыть, а не закрыть, когда оборвался шнур.

— Донтси говорит, окно было открыто, когда он в последний раз работал в этом кабинете.

— Донтси — главный подозреваемый. Его показания можно игнорировать.

— Его защитник не согласится с этим. Нельзя построить обвинение, игнорируя неудобные свидетельства.

— Ну хорошо, он пытался либо закрыть окно, либо его открыть. Оставим это.

— Но прежде всего — зачем зажигать камин? Было не так уж холодно. И где те бумаги, которые его так заинтересовали? Те, что лежали на столе, — всего лишь старые контракты пятидесятилетней давности с давно умершими и забытыми авторами. Зачем ему понадобилось их смотреть?

— А шутник их поменял. У нас практически нет способа выяснить, какие папки он на самом деле просматривал.

— Да зачем шутнику их менять? И если Этьенн пошел наверх работать, где его карандаш, ручка, шариковая хотя бы?

— Он пошел туда читать, а не писать.

— Так он же и не мог там писать! Не мог даже нацарапать имя своего убийцы. Нечем ему было писать. Кто-то стащил его ежедневник вместе с карандашом. Он не мог даже начертить имя на пыльной поверхности. Потому что там не было пыли! А что вы скажете о царапине у него на нёбе? Это-то неоспоримо, это факт.

— Только ни к кому не приложимый. Мы не сумеем доказать, как царапина там появилась, пока не предъявим предмет, которым она была сделана. А мы не знаем, чем она была сделана. Может, никогда и не узнаем. Все, что у нас есть, — это подозрения и косвенные доказательства. У нас нет даже достаточных оснований, чтобы установить слежку за одним из подозреваемых. Представляете, какой шум поднялся бы, если бы мы это сделали? Пятеро уважаемых граждан, ни один не привлекался к уголовной ответственности. А у двоих — алиби.

— Ни одно из них ни черта не стоит, — ответила Кейт. — Руперт Фарлоу открыто заявил, что поклялся бы, что Де Уитт был с ним, независимо от того, правда это или нет. А история про то, как Де Уитт нужен был ему ночью? Он очень старался указать точное время, вы заметили?

— Можно себе представить, что, когда умираешь, начинаешь точно отмечать время.

— А Клаудиа Этьенн утверждает, что была с женихом. Он собирается жениться на очень богатой женщине, в чертову уйму раз богаче, чем она была неделю назад. Думаете, он поколебался бы солгать ради нее, если бы она попросила?

— Ладно, — сказал Дэниел. — Очень легко не принимать эти алиби на веру, но сможем ли мы доказать, что это не так? А они, вполне вероятно, правду говорят, и Фарлоу, и Картрайт. И мы не должны делать вывод, что они лгут. А если это правда, то Клаудиа Этьенн и Де Уитт чистенькие. А это ведет нас снова к Габриелу Донтси. У него были и средства, и возможность сделать это, и у него нет алиби на целых полчаса перед отъездом в паб, на литературные чтения.

— Но то же самое относится к Франсес Певерелл, — сказала Кейт, — а у нее-то как раз есть мотив. Этьенн ее бросил ради другой женщины и предполагал продать Инносент-Хаус, с ней не согласовав. У нее больше причин желать его смерти, чем у кого другого. А попробуйте-ка убедить присяжных, что дряхлый семидесятишестилетний старик мог успеть за восемь минут подняться по лестнице или в этом скрипучем медленном лифте в малый архивный кабинет, совершить там то, что совершил, и вернуться к себе домой. Ну ладно, Роббинс сделал пробную пробежку и выяснил, что это возможно, только если не ходить на первый этаж за змеей.

— Но это только со слов Франсес Певерелл мы знаем, что прошло восемь минут. А они оба могут быть во всем этом замешаны. Мы с самого начала рассматривали такую возможность. И вода, вытекающая из ванны, вовсе ничего не значит. Я видел эту ванну, Кейт. Большая, тяжелая, из старомодных. В ней парочку взрослых утопить ничего не стоит. Все, что ему надо было сделать, — это оставить кран чуть-чуть открытым, чтобы ванна медленно наполнялась, пока он отсутствует. Потом он в нее влезает, чтобы выглядеть убедительно мокрым, и звонит Франсес Певерелл. Но я-то считаю, что они соучастники.

— Вы не очень логично рассуждаете, Дэниел, — сказала Кейт. — Именно история про воду из ванны и оправдывает Франсес Певерелл. Если они сообщники, зачем придумывать такую сложную байку про ванну, вытекающую воду и про восемь минут? Почему просто не сказать, что она выглядывала в окно, поджидая такси, беспокоилась, потому что он задерживался, а когда он приехал, отвела его к себе домой и оставила у себя на ночь. У нее же есть свободная спальня. Это же убийство, в конце концов! Она не стала бы беспокоиться о возможных пересудах.

— Мы смогли бы доказать, что он не спал в той постели. Если бы она такое нам рассказала, пришлось бы вызвать судмедэкспертов. Нельзя проспать ночь в постели, не оставив улик — волосков, следов пота...

— Ну, по-моему, она говорит правду. Ее алиби слишком сложно, чтобы не быть настоящим.

— Может, они и хотят, чтобы мы в это поверили. Господи, до чего же он умный, этот убийца! Умный и везучий. Задумаемся о Соне Клементс на минутку. Она покончила с собой в этом кабинете. Почему она не могла растрепать оконный шнур и испортить дымоход?

— Послушайте, Дэниел, — сказала Кейт, — мы с А.Д. все это проверили сегодня утром, во всяком случае, насколько возможно. Ее сестра говорит, Соня совершенно ничего не понимала в технике. И зачем ей было что-то делать с камином? В надежде, что кто-то спустя много недель захочет, непонятно почему, заманить Этьенна наверх, зажечь камин и запереть его в малом архивном, чтобы он отравился угарным газом?

— Конечно, нет. Но ведь она могла задумать самоубийство таким образом, чтобы оно выглядело как несчастный случай, надеясь не причинить вреда «Певерелл пресс». Может, она задумала это сразу, как старик Певерелл умер. Потом, когда Жерар Этьенн так зверски ее уволил...

— Если он ее уволил *зверски*.

— Ну, предположим, что зверски. После этого ей уже все равно, причинит она вред издательству или нет, может, даже хочет этого или по крайней мере хочет причинить вред Этьенну. Так что она уже не заботится о том, чтобы ее смерть выглядела как несчастный случай, убивает себя более приятным способом — снотворным и вином и оставляет прощальную записку. Кейт, мне это нравится. В этом есть какая-то безумная логика.

— Безумства здесь побольше, чем логики. Откуда убийце знать, что Клементс что-то сделала с газом? Она вряд ли могла сообщить ему об этом. Вам просто удалось сделать версию смерти в результате несчастного случая более правдоподобной. Ваша теория — еще один подарочек защите. Прямо слышу, как защитник пускается во все тяжкие: «Леди и джентльмены, уважаемые присяжные, у Сони Клементс было столько же возможностей повредить газовый камин, как у моего подзащитного, а Соня Клементс мертва!»

— Ну ладно, давайте будем оптимистами, — сказал Дэниел. — Мы его поймаем, а что потом? Что с ним будет? Десять лет тюрьмы, если ему не повезет, или меньше, если он поведет себя правильно.

— Не хотите же вы, чтобы его приговорили к повешению?

— Нет. А вы?

— Нет. Я не хотела бы возвращения к казни через повешение. Впрочем, я не уверена, что моя позиция вполне рациональна. Я даже не уверена, что тут я вполне честна. Я все-таки верю, что смертная казнь — сдерживающий фактор, так что то, что я вам сказала, как бы означает, что я предоставляю невинным людям больше возможностей быть убитыми ради того, чтобы успокоить свою совесть — ведь мы больше не убиваем виновных.

— Вы на прошлой неделе ту программу по телику смотрели? — спросил Дэниел.

— Про исправительное заведение в США?

— Исправительное! Чудесное слово. Здорово там заключенных исправляют. Убивают смертельным уколом после черт знает скольких лет ожидания, пока очередь на казнь подойдет.

— Да, видела. Можно было бы — в качестве аргумента — сказать, что их смерть в чертову уйму раз легче, чем смерть их жертв. Да и вообще их конец оказывается гораздо легче, чем у большинства обычных людей.

— Выходит, вы одобряете убийство из мести?

— Дэниел, я этого не говорила. Просто дело в том, что я не могу их так уж жалеть. Они совершают убийства в стране, где есть смертная казнь, а потом обижаются, что государство стремится выполнять принятые им законы. Ни один из них не вспомнил о своей жертве. Ни один не произнес слова «раскаяние».

— Один произнес.

— Значит, я это пропустила.

— Вы не только это пропустили.

— Вы пытаетесь со мной поссориться?

— Я пытаюсь выяснить ваши взгляды.

— Мои взгляды — это мое дело.

— Даже если это касается работы?

— Особенно если это касается работы. Во всяком случае, то, о чем мы говорим, касается работы лишь косвенно. Цель этой программы — заставить меня почувствовать возмущение. Ладно, она была искусно построена. Режиссер не пережимал с главной темой. Нельзя сказать, что трактовка несправедлива. Но в конце передачи они указали свой телефонный номер, чтобы телезрители могли выразить свое отвращение. Я только хочу сказать, что я не почувствовала такого отвращения, на которое они явно рассчитывали. И как бы там ни было, я не люблю программы, которые говорят мне, что я должна чувствовать.

— Тогда вам надо перестать смотреть документалки.

На реке появился полицейский катер, изящный и быстрый; он мчался против течения, его носовой прожектор разрывал ночную тьму, а за кормой рыбьим хвостом тянулся белый пенистый след. Но вот катер исчез из виду, и взлохмаченная река, постепенно успокаиваясь, снова обрела покой; на ее чуть колеблемую течением гладь сверкающими серебряными пятнами ложились отблески огней прибрежных пабов. Крохотные бусинки пены выплыли из тьмы и оросили стену, у которой стояли Кейт и Дэниел. Воцарилась тишина. Они стояли футах в двух друг от друга, устремив глаза на воды реки. Вдруг одновременно оба повернули головы, и их взгляды встретились. Кейт не смогла разглядеть выражение его глаз при свете единственного настенного фонаря, но почувствовала его напряженность, услышала, как участилось его дыхание. Неожиданно ее охватило страстное физическое желание такой силы, что пришлось опереться рукой о стену, чтобы удержаться и не шагнуть вперед — в объятия Дэниела.

Он произнес: «Кейт!» — и сделал быстрое движение ей навстречу, но она уже осознала, что сейчас произойдет, и отвернулась. Движение было едва заметным, но многозначительным. Он мягко спросил:

— Что-то не так, Кейт? — А потом ироническим тоном добавил: — Это может не понравиться А.Д.?

— Я не приспосабливаю свою личную жизнь к желаниям А.Д.

Он не прикоснулся к ней. Она подумала, что было бы легче, если бы прикоснулся, и сказала:

— Послушайте, я только что бросила человека, которого любила. Ради работы. Зачем же мне портить все дело ради человека, в которого не влюблена?

— А что, это могло бы помешать работе — вашей или моей?

— Ох, Дэниел, ведь это всегда так и бывает.

Дэниел сказал, слегка поддразнивая ее:

— Вы же сами говорили, что мне следует научиться влюбляться в интеллектуальных женщин.

— Но я не предлагала себя в качестве учебного пособия.

Он негромко рассмеялся, и этот смех сломал напряженность. Дэниел очень нравился Кейт, в не меньшей мере потому, что в отличие от большинства мужчин мог принять отказ без озлобления. «Так почему бы и нет?» — думала она. Ни он, ни она не притворяются, что любят друг друга. Оба ранимы и одиноки. Только ведь и это не решение проблем.

Когда они пошли назад, к пабу, Дэниел спросил:

— А если бы здесь с вами был А.Д. и если бы он попросил вас поехать к нему, вы бы согласились?

Кейт на несколько секунд задумалась, потом решила, что он заслуживает честного ответа:

— Пожалуй... Да, поехала бы.

— И что это было бы — любовь, секс?

— Ни то, ни другое, — ответила она. — Назовем это любопытством.

45

В понедельник утром Дэниел позвонил на коммутатор Инносент-Хауса и попросил Джорджа Коупленда в обеденный перерыв зайти в полицию Уоппинга. Джордж явился почти ровно в час тридцать; он был так напуган и напряжен, что самый воздух приемной, казалось, отяжелел, пропитанный его страхом. Когда Кейт, сказав, что в комнате очень тепло, предложила ему снять пальто, он незамедлительно его снял, будто это было не предложение, а приказ, но стал встревоженно следить за тем, как Дэниел берет у него и вешает пальто, словно боялся, что эта процедура — начальный этап заранее запланированного разоблачения. Вглядываясь в его такое детское лицо, Дэниел подумал, что оно вряд ли сильно изменилось с того времени, когда Джордж был мальчишкой. Полные щеки с четко очерченными, круглыми, словно луны, пятнами румянца были гладкими, как резиновый мячик, отсутствие морщин резко контрастировало с седой копной сухих и тонких волос. Глаза светились какой-то неуверенной надеждой, а в приятном голосе слышались робость и готовность скорее искать расположения, чем настаивать на чем-то. Вероятно, в школе его травили, да и потом тоже не так уж хорошо с ним обходились, думал Дэниел. В Инносент-Хаусе он явно обрел свою нишу, выполняя работу, которая, очевидно, была ему по душе и с которой он вполне справлялся. Оставалось вопросом, долго ли это продлилось бы при новом руководстве.

Кейт усадила Джорджа напротив себя с гораздо большей обходительностью, чем она выказывала Клаудии Этьенн или другим подозреваемым мужчинам. И все же он, отделенный от нее пространством письменного стола, сидел напряженный и прямой, словно доска, глядя ей в лицо и держа на коленях тяжелые руки со сжатыми в кулаки пальцами.

— Мистер Коупленд, — начала Кейт, — в тот вечер, когда праздновали помолвку мистера Этьенна, десятого июля, вас видели спускавшимся с архивного этажа Инносент-Хауса вместе с миссис Бартрум. Что вы там делали?

Вопрос был задан очень мягким тоном, но произведенный им эффект оказался столь же поразительным, как если бы Кейт физически прижала старика к стене и проорала это ему в лицо. Пятна румянца на его щеках разрослись и вспыхнули еще ярче, а затем вдруг исчезли, оставив после себя такую бледность, что Дэниел инстинктивно пододвинулся поближе, испугавшись, что Джордж вот-вот потеряет сознание.

А Кейт продолжала:

— Вы признаете, что поднимались на верхний этаж?

Старик наконец обрел голос:

— Но не в архив, нет, нет. Миссис Бартрум понадобилось воспользоваться туалетом, я отвел ее в туалет на верхнем этаже и подождал, пока она выйдет.

— Почему же она не воспользовалась туалетом на втором этаже, в женской раздевалке?

— Она попыталась, но обе кабинки были заняты. И там стояла очередь. А она... Она очень спешила.

— Поэтому вы отвели ее наверх. Но почему же она обратилась к вам, а не к кому-нибудь из сотрудниц?

Этот вопрос, подумал Дэниел, следовало бы скорее задать миссис Бартрум. Несомненно, со временем он и будет ей задан.

Теперь Коупленд молчал. Кейт настаивала:

— Разве не естественнее было бы, если бы она обратилась к кому-то из женщин?

— Может, и естественнее. Только она постеснялась. Она ни с кем из них не была знакома, а я сидел на своем месте, за конторкой.

— А с вами, значит, она знакома?

Он не ответил на это, лишь чуть заметно кивнул. Кейт спросила:

— Хорошо знакома?

Но тут, подняв голову и взглянув ей прямо в глаза, он ответил:

— Она — моя дочь.

— Мистер Бартрум женат на вашей дочери? Так это же все объясняет. Все совершенно естественно и понятно. Она обратилась к вам, потому что вы — ее отец. Но об этом мало кому известно, правда? Зачем делать из этого секрет?

— Если я расскажу вам, это обязательно выплывет наружу? Вы должны будете сообщить о том, что я сказал?

— Мы не должны будем сообщать об этом никому, кроме коммандера Дэлглиша, и дальше это никуда не пойдет, если не имеет отношения к нашему расследованию. Мы ничего не можем решить, пока вы нам не объясните, в чем дело.

— Это мистер Бартрум... Сидни... хотел, чтобы мы молчали. Хотел, чтобы мы держали это в секрете, во всяком случае — поначалу. Он хороший муж, любит ее, им хорошо вместе. Ее первый муж был скотина. Она очень старалась сохранить семью, только я думаю, она почувствовала облегчение, когда он ушел. У него всегда были другие женщины, вот он и ушел с одной из них. Они развелись, но все это очень тяжело на ней сказалось. Она всякое доверие к людям потеряла. К счастью, детей они не завели.

— А как ваша дочь познакомилась с мистером Бартрумом?

— Она как-то заехала забрать меня с работы. Я обычно последним ухожу, так что никто ее не видел, кроме мистера Бартрума. У него машина не заводилась, так что мы с Джули предложили его подвезти. Когда мы подъехали к его дому, он пригласил нас выпить кофе. Думаю, он считал, что должен так сделать. Вот так все и началось. Они стали писать друг другу. А по выходным он ездил в Бэйзингсток, где она жила и работала, — повидаться с ней.

— Но ведь в Инносент-Хаусе наверняка знали, что у вас есть дочь?

— Не уверен. Знали, что я вдовец, но никто не спрашивал про мою семью. Так ведь Джули со мной и не жила. Она работала в налоговой инспекции в Бэйзингстоке и домой редко приезжала. Думаю, про нее все же знали, только никто о ней не спрашивал. Поэтому и в секрете все держать было не трудно, когда они поженились.

— Почему же надо было, чтобы никто не знал?

— Мистер Бартрум... Сидни... сказал, что его личная жизнь никого не касается, что издательству нет никакого дела до его женитьбы, и он не хочет, чтобы служащие низшего звена о них сплетни сводили. Он никого из них не пригласил на свадьбу, но директорам сообщил, что женился. Ну, конечно, без этого не обойтись было, ведь у него налоговый код поменялся. А потом он всем про дочку свою рассказывал и ее фотографию показывал. Он очень малышкой гордится. Я-то думаю, он поначалу не хотел, чтоб люди знали, что его жена... ну, что он на дочери диспетчера женился. Может, боялся, что это будет вроде как потеря лица перед служащими у нас в издательстве. Он ведь в сиротском доме воспитывался, а сорок лет назад детские учреждения тут у нас совсем не такие были, как теперь. В школе его презирали, давали понять, что он неполноценный, хуже всех. Не думаю, что он когда-нибудь мог об этом забыть. И он всегда был очень озабочен, какой у него в издательстве статус.

— А как ваша дочь ко всему этому относится? К тому, что надо все держать в секрете, скрывать, что вы — тесть мистера Бартрума?

— Не думаю, что это ее сильно беспокоит. Сейчас она, видно, об этом и не вспоминает. С тех пор как они поженились, она только раз была в Инносент-Хаусе, когда помолвку мистера Жерара праздновали. Ей хотелось посмотреть, какой Инносент-Хаус внутри, побывать в десятом доме и на кабинет посмотреть, где Сидни работает. Она его любит. А теперь у них малышка, им хорошо вместе. Он изменил ее жизнь. И я же ведь вижусь с ними, когда не в издательстве. Почти каждые выходные их навещаю. И Рози — малышку — могу видеть, когда хочу.

Он умоляюще смотрел то на Кейт, то на Дэниела, молча прося их понять, потом сказал:

— Я знаю, это выглядит странно, и мне кажется, Сидни теперь жалеет об этом. Он даже более-менее ясно об этом сказал. Но я понимаю, как это случилось. Он попросил нас держать все в секрете, не подумав как следует, и чем дольше мы так поступали, тем трудней становилось правду сказать. Да ведь никто и не спрашивал. Никого не интересовало, на ком он женился. Никто никогда не спрашивал меня о моей дочери. Люди задают вопросы о твоей семье, только когда о них самих разговор идет, и то просто из вежливости. А на самом деле им безразлично. А мистеру Бартруму... Сидни... очень больно было бы, если б это вышло теперь наружу. И мне не хотелось бы, чтоб он думал, что я вам все рассказал. Это ведь не должно будет пойти никуда дальше?

— Нет, — сказала Кейт. — Думаю, не должно.

Джордж, казалось, успокоился. Дэниел помог ему надеть пальто. Когда, проводив его до выхода из участка, Дэниел вернулся в приемную, он увидел, что Кейт в ярости ходит взад и вперед по комнате.

— Ох уж эти мне напыщенные идиоты, снобы проклятые! Этот человек стоит десяти таких, как Бартрум. О, конечно, я понимаю, как это происходит: я имею в виду социальную незащищенность. Бартрум ведь единственный из старших сотрудников, не учившийся в Оксбридже*, не так ли? А такие вещи кажутся ужасно важными

---

* Оксбридж — широко принятое ироническое название двух старейших и самых престижных университетов Великобритании — Оксфорда и Кембриджа.

представителям вашего пола. Бог знает почему. И это кое-что говорит нам о «Певерелл пресс», верно? Этот человек проработал у них... Как долго? Более двадцати лет, а они ни разу даже не позаботились спросить у него о его дочери.

— Ну, если бы у него и спросили, — сказал Дэниел, — он ответил бы, что, мол, она теперь замужем и очень счастлива, спасибо. Да и с чего бы им спрашивать? А.Д. ведь не задает вам вопросов о вашей личной жизни. А вы хотели бы, чтобы задавал? Я вижу, как это случилось, этот первый снобистский импульс — сохранить все в тайне, и пришедшее затем понимание, что придется эту тайну хранить и дальше, если не хочешь выглядеть как последний идиот. Интересно, чем Бартрум готов расплатиться за то, чтобы все оставалось шито-крыто? Ну, во всяком случае, мы выяснили, почему Коупленд и миссис Бартрум оказались на верхнем этаже вместе. Ему-то вообще никаких предлогов не надо, он по всем этажам может ходить свободно. Так что от одной маленькой проблемки мы избавились.

Но Кейт возразила:

— Вовсе нет. Все они там, в Инносент-Хаусе, говорили очень сдержанно и осторожно, особенно компаньоны, но мы ведь достаточно услышали от миссис Демери и младшего персонала, чтобы составить себе ясное представление о том, что там происходило. При Жераре Этьенне в роли босса долго ли Бартрум и Коупленд продержались бы на своих местах, как вы думаете? Коупленд любит свою дочь, а дочь Коупленда любит своего мужа. Бог знает почему, но, очевидно, любит. Они счастливы вместе, у них ребенок. Ставка очень велика для обоих — и для Бартрума, и для Коупленда, вам не кажется? И не надо кое-что забывать о Коупленде. Он ведь мастер на все руки. Это он все там чинит. Он — один из тех людей в Инносент-Хаусе, для кого не составило бы труда отсоединить тот газовый камин. И он мог сделать это в любое удобное ему время. Единственный человек, регулярно работающий в малом архивном кабинете — Габриел Донтси, — никогда не зажигает газ. Он приносит свой собственный электрокамин, если надо. Так что это вовсе не избавление от одной маленькой проблемки. Это просто еще одна чертова трудность.

КНИГА ЧЕТВЕРТАЯ

ПИСЬМЕННЫЕ СВИДЕТЕЛЬСТВА

46

Вечером в четверг, 21 октября, Мэнди вышла из издательства на час позже, чем обычно. Она собиралась встретиться с Морин, своей соседкой по квартире, в пабе «Белая лошадь», что на Уонстед-роуд, где должно было быть подано кое-какое угощение, а затем — танцы. Поводов для такого выхода в свет было два: Морин праздновала свой девятнадцатый день рождения, а ее теперешний друг был ударником в игравшей в пабе группе «Дьяволы-наездники». Танцы начинались в восемь, но участникам вечеринки предлагалось собраться в пабе на час раньше, чтобы сначала поесть. В контейнере «ямахи» Мэнди привезла с собой на работу то, во что хотела переодеться, так как намеревалась отправиться в «Белую лошадь» прямо из издательства. Предвкушение этого вечера и особенно встречи с Роем — лидером группы, который, как она решила, ей, пожалуй, нравился или мог понравиться, если бы вечер удался, озаряло день таким светом радостного ожидания, что даже молчаливая и прямо-таки маниакальная сосредоточенность мисс Блэкетт на работе была не в силах его погасить.

Мисс Блэкетт была теперь в подчинении у мисс Клаудии, которая переместилась в кабинет умершего брата. Через три дня после его смерти Мэнди случайно услышала, как мистер Де Уитт уговаривает ее занять этот кабинет: «Он сам хотел бы этого. Ведь теперь вы президент компании и директор-распорядитель или станете, когда мы соберемся принять соответствующее решение. Кабинет не должен пустовать. Жерар не захотел бы, чтобы эту комнату превратили в мавзолей».

Некоторые сотрудники издательства сразу же уволились, но те, кто остался — по собственному выбору или по необходимости, — обнаружили, что их сплотило какое-то не вполне осознанное товарищество, объединил пережитый опыт. Они вместе ждали, задавались вопросами, а в отсутствие директоров рассуждали о происшедшем вслух и сплетничали. Ясные глаза Мэнди и ее чуткие уши ничего не пропускали. Теперь ей казалось, что Инносент-Хаус держит ее в каком-то мистическом рабстве. Она каждое утро являлась на работу, подстегиваемая возбуждением и неясным ожиданием чего-то, приперченным чувством страха. Небольшая, почти пустая комната, где в свой первый день она стояла, глядя на труп Сони Клементс, завладела ее воображением настолько, что весь верхний этаж, теперь надежно запертый и опечатанный полицией, вдруг обрел пугающую силу детской сказки, превратился в логово Синей Бороды, в запретную зону ужаса. Она не видела Жерара Этьенна мертвым, но в ее воображении его труп высвечивался с яркой образностью ночного кошмара. Порой перед тем, как забыться сном, она рисовала себе эти два трупа в комнате одновременно: мисс Клементс на диване в печальной, почти старческой немощи, и распростертое на полу рядом с ней тело полуобнаженного молодого мужчины; она смотрела в самонавязанном ужасе на то, как тусклые, безжизненные глаза змеи, помаргивая, оживают, как она, надуваясь и опадая, полнится отвратительно скользкой жизнью, и ее красный язык высовывается, нащупывая онемевшие губы, а длинное мускулистое тело напрягается, перекрывая дыхание. Однако Мэнди знала, что способна контролировать свое воображение. Знала, что ей ничто не грозит, потому что она ни в чем не замешана и что в этой спокойной уверенности она может позволить себе наслаждаться полустыдным, но приятным чувством придуманного страха. Однако она понимала, что Инносент-Хаус заражен страхом, далеко выходящим за пределы ее капризного воображения. Казалось, она чует этот страх по утрам, успев лишь слезть с мотоцикла, как чуют запах речного тумана, и чувство это усиливалось, пока она шла, и охватывало ее целиком, когда она переступала порог Инносент-Хауса. Она видела страх в тревожном взгляде Джорджа, когда здоровалась с ним, в напряженном лице и беспокойных глазах мисс Блэкетт, в походке мистера Донтси, который, внезапно одряхлев, утратив былую бодрость, с трудом тащился вверх по лестнице. Она слышала этот страх в голосах всех компаньонов — директоров издательства.

Утром в среду, незадолго до десяти, мисс Клаудиа созвала всех сотрудников на собрание в конференц-зале. Все были в сборе, даже Джордж пришел, оставив коммутатор на автоответчике, а с катера явился и Фред Баулинг. В зал принесли стулья и поставили амфитеатром напротив стола, за которым уже сидели все компаньоны — мисс Клаудиа с мисс Франсес Певерелл по правую руку и мистер Донтси с мистером Де Уиттом — по левую. Когда позвонили, чтобы пригласить на собрание, мисс Блэкетт, положив трубку, сказала: «Вы тоже идите, Мэнди. Вы же теперь одна из нас». И Мэнди, неожиданно для себя самой, почувствовала, как ее щеки вспыхнули от удовольствия. Усаживались, испытывая некоторую неловкость, заполняя сначала второй ряд стульев, и Мэнди въяве ощутила, как тяжело бремя всеобщего возбуждения, предчувствий и беспокойства.

Когда последняя из запоздавших сконфуженно просеменила к свободному стулу в первом ряду, мисс Клаудиа спросила:

— А где же миссис Демери?

Ответила ей мисс Блэкетт:

— Наверное, она подумала, что это к ней не относится.

— Это ко всем относится. Будьте добры, разыщите ее, Блэки.

Блэки поспешно вышла, и, пока через пару минут она не вернулась с миссис Демери, так и не снявшей фартук, все собравшиеся ждали в полном молчании. Миссис Демери открыла было рот, готовясь произнести какое-то едкое замечание, но, по здравом размышлении, тут же его закрыла и уселась на единственный свободный стул в середине первого ряда.

Мисс Клаудиа обратилась к собравшимся: «Прежде всего мне хотелось бы поблагодарить вас всех за преданность. Смерть моего брата и то, как он умер, — страшное потрясение для всех нас. «Певерелл пресс» сейчас переживает трудное время, но я надеюсь и верю, что вместе мы выберемся из трудностей. На нас лежит ответственность перед нашими авторами, ответственность за те книги, которые мы выпускаем и которые, как наши авторы надеются, мы продолжим издавать в соответствии с теми же высокими стандартами, какие свойственны «Певерелл пресс» вот уже более двухсот лет. Меня только что проинформировали о результатах расследования. Мой брат умер, отравившись угарным газом, вероятнее всего — от газового камина в малом архивном кабинете. Полиция пока не может точно сказать, как эта смерть произошла. Я знаю, что коммандер Дэлглиш или кто-то из его офицеров уже разговаривали с вами. Собеседования, очевидно, будут продолжаться, и я уверена, что каждый из вас сделает все возможное, чтобы помочь следствию. Мы — компаньоны — со своей стороны сделаем то же самое.

Теперь несколько слов о будущем. Вероятно, до вас доходили слухи о том, что мы собираемся продать Инносент-Хаус и переехать ниже по реке. Все эти планы сейчас заморожены. Будем продолжать так, как есть, во всяком случае, до окончания финансового года в апреле. Многое зависит от успеха нашего осеннего каталога и от рождественских продаж. В этом году наш каталог особенно представителен, и мы настроены оптимистически. Но я должна предупредить вас, что никого не ожидает повышение зарплаты до конца финансового года, а мы — директора компании — договорились срезать свои доходы на десять процентов каждый. Я не предвижу никаких изменений в штатном расписании, во всяком случае, до апреля следующего года, но избежать некоторой реорганизации нам не удастся. Теперь я стану президентом компании и директором-распорядителем — пока в качестве временно исполняющей эти обязанности. Это означает, что я стану отвечать за производство, счета и склад, как это делал мой брат. Мисс Певерелл возьмет на себя мои теперешние обязанности директора по продаже и рекламе, а мистер Донтси и мистер Де Уитт добавят к своим редакторским обязанностям ответственность за контракты и авторские права. Мы пригласили Вирджинию Скотт-Хедли из фирмы «Герн и Иллингуорт» помогать Мэгги с рекламой. Она высококвалифицированный и опытный работник и сможет справиться с потоком публикаций в прессе, а также с вопросами газетчиков и прочих сторонних любопытствующих по поводу смерти моего брата. Джорджу удавалось отделываться от них совершенно великолепно, но когда прибудет мисс Скотт-Хедли, все звонки пойдут в отдел рекламы. Кажется, мне больше нечего сказать вам, кроме того, что «Певерелл пресс» — старейшее независимое издательство в нашей стране, и все мы — директора фирмы — уверены, что оно будет жить и процветать. Вот и все, что я хотела сообщить. Может быть, есть вопросы?»

Воцарилось смущенное молчание: казалось, присутствующие собираются с духом, чтобы что-то сказать. Мисс Клаудиа воспользовалась этим замешательством, поднялась из-за стола и быстрым шагом направилась прочь из зала. Остальные последовали за ней.

После собрания, на кухне, готовя кофе для мисс Блэкетт, миссис Демери стала более разговорчивой: «У них у всех и мыслишки-то ни одной нет про то, что дальше делать. Это ясно как день. Мистер Жерар, может, и полный подонок был, а только по крайней мере он знал, чего хочет и как этого добиться. Они не станут Инносент-Хаус продавать, тут уж, я думаю, мисс Певерелл постаралась, а мистер Де Уитт ее поддержал. А если Инносент-Хаус не продадут, как, интересно, они его содержать смогут, объясните мне, пожалуйста? Если наши люди хоть какие-то мозги в головах имеют, они сразу начнут себе новые места работы нащупывать».

И вот теперь, оставшись в комнате одна и приводя в порядок свой рабочий стол, Мэнди думала о том, как все изменилось за эти лишние шестьдесят минут. Инносент-Хаус казался неожиданно и странно опустевшим. Когда она поднималась по лестнице на второй этаж, в женскую раздевалку, где собиралась переодеться, ее шаги по мраморным ступеням отдавались громким эхом, будто кто-то невидимый шел за ней по пятам. Задержавшись на площадке, чтобы взглянуть вниз, за балюстраду, она увидела два светящихся шара — фонари у подножия лестницы сияли, словно две луны, плывущие над глубокой и таинственной темнотой холла. Мэнди поспешно переоделась, засунув рабочий костюм в хозяйственную сумку, и, натянув через голову короткую многослойную хлопчатобумажную юбку лоскутной работы и соответствующий топ, надела высокие, сверкающие лаком сапоги. Пожалуй, ехать в них на мотоцикле жалко, но они все-таки довольно прочные, и так гораздо проще, чем везти их в боковом контейнере «ямахи».

Как тихо кругом! Даже спускаемая в туалете вода грохочет, словно горная лавина. Какое облегчение увидеть Джорджа, уже в пальто и в старой твидовой шляпе, но все еще за конторкой — он убирает в сейф три пакета, которые кто-то должен завтра забрать. После убийства зловредный шутник не нанес ни одного удара, но предосторожности по-прежнему оставались в силе.

— Правда, странно, как затихает дом, когда все уходят? — сказала Мэнди. — Я что, последняя?

— Только я и мисс Клаудиа остались. Я уже ухожу. Мисс Клаудиа сама включит охрану.

Они вышли вместе, и Джордж плотно закрыл за ними дверь. Целый день, не переставая, лил дождь, крупные капли плясали на мраморных плитах дворика, струи воды заливали окна так, что почти невозможно было видеть серую вздувшуюся реку. А теперь дождь перестал, и в свете задних огней машины Джорджа булыжники мостовой в проулке Инносент-Пэсидж блестели, как только что очищенные от оболочки и уложенные рядами каштаны. В воздухе чувствовалась промозглая сырость — первое напоминание о зиме. У Мэнди потекло из носа, и она принялась рыться в сумке — искала шарф и носовой платок. Пришлось ждать, когда можно будет оседлать «ямаху»: Джордж с доводящей до исступления медлительностью задом выводил свой дряхлый «метро» из проулка. Моментально сообразив, она побежала подать ему сигнал, что выезд свободен. Впрочем, Инносент-Уок всегда был свободен, но Джордж неизменно выезжал задом, словно этот маневр помогал ему одержать победу в каждодневной игре в кости со смертью. Наконец он развернулся и, помахав ей на прощание рукой, прибавил скорость и уехал, а Мэнди сказала себе, что по крайней мере с работой у него теперь все в порядке, и порадовалась этому. Миссис Демери еще когда говорила ей, что ходят слухи, будто мистер Жерар планирует избавиться от старика.

Мэнди лавировала между спешившими за город поздними машинами с обычной для нее ловкостью и веселым пренебрежением к раздающимся ей вслед гудкам оскорбленных водителей. Прошло чуть больше получаса, когда она увидела перед собой ложно-тюдоровский фасад паба «Белая лошадь», украшенный разноцветными огнями. Паб стоял поодаль от дороги, примерно в сотне ярдов от нее, там, где ряды загородных домов разомкнулись, уступив место опушке Эппингского леса, поросшей кустарником и травой. Двор перед подъездом был уже тесно уставлен машинами; среди них она заметила и фургон музыкантов, и «фиесту» Морин. Она медленно проехала к малой стоянке позади паба и, вытащив из контейнера сумку, протолкалась к дамской раздевалке, в сутолоку и шум, в толпу девушек, вешающих свои пальто, надевающих туфли прямо под объявлением, что администрация за оставленные вещи ответственности не несет, стоящих в очереди в ту или иную из четырех туалетных кабинок и беспорядочно вываливающих коробочки, тюбики и флакончики с косметикой на узкую полку перед длинным, во всю стену, зеркалом. И в тот самый момент, когда она отвоевала себе местечко и рылась в сумке, отыскивая пластиковую косметичку, Мэнди сделала открытие, от которого у нее дрогнуло сердце: в сумке не было кошелька. Этот черный кожаный кошелек, фактически — бумажник, содержал в себе не только деньги, но и кредитную карточку, и чековую книжку — высоко ценимые символы ее финансового статуса, и плоский ключ от входной двери. Ее громкий возглас отчаяния привлек внимание Морин: она взглянула на подругу, на миг прекратив старательно подкрашивать глаза.

— Выкини все из сумки. Я всегда так делаю, — посоветовала она и, ничуть не встревоженная, вернулась к своему занятию, осторожно подводя глаза черным карандашом.

— Да ее это не волнует ни фига, — пробормотала себе под нос Мэнди и, решительно отодвинув коробочки и тюбики с косметикой Морин в сторону, высыпала на полку содержимое сумки. Но кошелька не было. И тут она вспомнила. Как видно, она зацепила и выкинула его из сумки, когда, выйдя из издательства, доставала шарф и носовой платок. Вполне возможно, он так и лежит там, на мостовой. Придется ей вернуться. Утешительно то, что вряд ли какой-нибудь прохожий мог его подобрать. Инносент-Уок и особенно Инносент-лейн, как стемнеет, бывали совершенно пусты. Угощение она, конечно, пропустит, но если повезет, на танцы опоздает всего на полчаса.

И вдруг она подумала, что ведь можно позвонить мистеру Донтси или мисс Певерелл. Так она, во всяком случае, узнает, там ли еще кошелек. Они, конечно, могут подумать, что ее звонок — ужасная дерзость, однако Мэнди была уверена, что ни тот, ни другая ничего особенного в этом не увидят. Она не очень много работы выполняла для мистера Донтси или для мисс Певерелл, но когда ей приходилось это делать, оба, казалось, были ей благодарны и вели себя с ней очень вежливо. Им всего-то и понадобится что минута — посмотреть да несколько ярдов пройти. И ведь дождь больше не идет. Неприятность только с ключом. Если кошелек найдется, после танцев заезжать за ним будет слишком поздно. Надо будет возвращаться домой с Морин, а если у нее на эту ночь другие планы, то придется будить Шерл или Пита. Впрочем, им нечего жаловаться: ей самой не раз доводилось просыпаться посреди ночи, чтобы их впустить.

Она задержалась, уговаривая Морин дать ей монетки, чтобы позвонить по телефону, потом снова задержалась, ожидая, пока освободится одна из телефонных будок, и потратила еще минуту, обнаружив, что телефонный справочник — в другой будке. Сначала она позвонила мисс Певерелл, но услышала обычный текст, записанный на автоответчик тихим и спокойным, почти извиняющимся голосом мисс Франсес. Места, чтобы управляться со справочником, в будке было слишком мало, и он шлепнулся на пол. Снаружи двое мужчин раздраженно жестикулировали. Что ж, придется им подождать. Если мистер Донтси дома, она не повесит трубку, пока он не сходит посмотреть. Она отыскала нужный номер и застучала по кнопкам. Ответа не последовало. Она дала телефону звонить гораздо дольше, чем могла сохранять надежду, что кто-то все же поднимет трубку. Теперь у нее выбора не было. Невозможно провести весь вечер и всю ночь в неизвестности. Необходимо вернуться к Инносент-Хаусу. Сейчас она мчалась в сторону, противоположную общему движению машин, но почти не замечала, что происходит вокруг: ее переполняли нетерпение, беспокойство и раздражение. Что, Морин развалилась бы, если бы подбросила ее в Уоппинг на своей «фиесте»? Но нечего и надеяться, что Морин упустит шанс вкусно поесть. Мэнди и сама начинала чувствовать первые признаки голода, но решила, что — если повезет — успеет по-быстрому схватить в баре сандвич по пути на танцы.

Инносент-Уок, как всегда, была пуста. Задний фасад Инносент-Хауса темным бастионом возвышался на фоне ночного неба, но вдруг, когда она, закинув голову, взглянула вверх, лишился плотности и устойчивости, словно вырезанный из картона, и поплыл против низко несущихся туч, розовато окрашенных заревом городских огней. Лужицы в темном ущелье проулка уже высохли, а в конце Инносент-лейн посвежевший ветерок бросил Мэнди в лицо терпкий запах реки. Единственным признаком жизни были освещенные окна наверху, в доме № 12, в квартире мисс Певерелл. Похоже, теперь хотя бы мисс Певерелл была дома. Мэнди слезла с «ямахи» прямо в конце Инносент-лейн, чтобы треск мотоцикла никого не потревожил и не желая задерживаться из-за необходимости отвечать на вопросы и давать объяснения. Она тихо, словно вор, пошла дальше по переулку к поблескивающей реке, к тому месту, где оставляла «ямаху». Света, падавшего от двух фонарей дворика, вполне хватало, чтобы начать поиски, да только и искать ничего не пришлось: кошелек лежал именно там, где она и надеялась его найти. Она издала негромкий, почти неслышный возглас восторга, засунула кошелек поглубже в карман куртки и задернула молнию.

Гораздо труднее было разглядеть циферблат часов, и Мэнди пошла через проулок поближе к реке. В обоих концах дворика сияли огромные шары, поддерживаемые бронзовыми дельфинами. Они отбрасывали яркие пятна света на колеблющуюся поверхность реки. Мэнди смотрела на воду, и ей казалось, что чья-то невидимая рука встряхивает, разглаживает и осторожно приподнимает огромный поблескивающий плащ из черного шелка. Она взглянула на часы — 8.20. Позже, чем она рассчитывала. И тут она почувствовала, что весь ее энтузиазм по поводу танцев вдруг испарился. Облегчение, которое она испытала, найдя кошелек, породило нежелание делать какие-то новые усилия, и в охватившей ее летаргии довольства мысль об уютно замкнутом пространстве ее комнаты, перспектива хоть раз побыть в общей кухне наедине с собой и посидеть остаток вечера перед телевизором с каждой секундой становились все привлекательнее. У нее ведь есть видеопленка с фильмом Скорсезе «Мыс Страха», завтра ее уже надо вернуть: целых два фунта пропадут зря, если она его сегодня не посмотрит. И, больше никуда не торопясь, она, почти не думая, повернулась — посмотреть на фасад Инносент-Хауса.

Два нижних этажа были слабо освещены фонарями дворика, изящные мраморные колонны чуть поблескивали на фоне мертвых окон — глубоких черных пещер, уходящих внутрь здания, которое она теперь так хорошо знала не только снаружи и которое сейчас выглядело таким таинственным и грозным. Как странно, думала Мэнди, что все внутри осталось таким же, как было, когда она уходила: два компьютера под чехлами, аккуратный рабочий стол мисс Блэкетт с набором корзинок для папок и дискет, с ежедневником, лежащим точно у правой руки; запертый картотечный шкаф, доска объявлений справа от двери... Все эти обычные вещи оставались на своих местах, даже когда их никто не видел. И ведь там никого нет — совершенно никого. Она подумала о небольшой, почти пустой комнате на самом верху дома, о той комнате, где умерли два человека. Стул и стол должны быть на месте, но дивана там нет, нет и мертвой женщины, и полуобнаженного мужчины, вцепившегося застывшими пальцами в голые доски пола. Вдруг она снова увидела труп Сони Клементс, только более реальный, более пугающий, чем когда она видела его во плоти. И тут она вспомнила, что́ упаковщик Кен рассказывал ей, когда ее послали с сообщением в № 10, а она задержалась там посплетничать. Он рассказывал, как леди Сара Певерелл, жена того Певерелла, который построил Инносент-Хаус, бросилась вниз с верхнего балкона и разбилась насмерть о мраморные плиты дворика.

«Кровавый след все еще можно там видеть, — говорил Кен, передвигая ящик с книгами с полки на тележку. — Только смотри, чтоб мисс Франсес не заметила, что ты его ищешь. Члены семьи не больно любят, чтобы эту историю рассказывали. Но при всем при том отчистить его они не могут, и в доме не будет счастья, пока пятно не сотрут. И она все еще тут бродит, эта леди Сара. Можешь у любого речника спросить».

Кен, конечно, хотел ее попугать, но рассказывал он это в конце сентября, в мягкий солнечный день, и легенда доставила ей огромное удовольствие. Она не могла полностью поверить в правдивость этой истории, но чувствовала приятные мурашки по телу от добровольного страха. Однако Мэнди все же спросила про это у Фреда Баулинга и хорошо помнила его ответ: «Призраков на нашей реке хватает, только ни один из них не бродит по Инносент-Хаусу».

Так было до смерти мистера Жерара. Теперь, пожалуй, они там и правда бродят.

Сейчас страх Мэнди становился все более реальным. Она смотрела на балкон верхнего этажа и представляла себе весь ужас того падения, болтающиеся в воздухе руки и ноги, короткий вскрик — ведь она, конечно же, должна была вскрикнуть, — отвратительный хруст, когда тело ударилось о мрамор. Вдруг она услышала дикий крик... Но это была всего лишь чайка. Птица пролетела над ее головой, на миг села на ограду и, снова взмахнув крыльями, умчалась вниз по реке.

Мэнди почувствовала, что продрогла. Холод был какой-то неестественный, он пронизывал ее, поднимаясь от мраморных плит, будто она стояла на льду. И ветер с реки стал теперь холоднее, вея в лицо зимой. Она в последний раз взглянула на реку, туда, где стоял тихий и пустой катер, и вдруг ее взгляд упал на какой-то белый лоскут на самом верху ограды, справа от каменных ступеней, идущих вниз, к Темзе. Сначала ей показалось, что кто-то привязал там носовой платок. Охваченная любопытством, Мэнди прошла через дворик к ограде и разглядела, что это лист бумаги, наколотый на один из ее изящных зубцов. Но там было и еще что-то — в самом низу ограды поблескивал золотистый металл. Мэнди присела на корточки и, немного растерявшаяся от придуманного страха, не сразу распознала, что там такое. Это была пряжка узкого кожаного ремня от коричневой наплечной сумки. Туго натянутый ремень уходил под морщинистую поверхность воды, а под водой едва просматривалось что-то гротескно нереальное, похожее на куполообразную голову огромного насекомого, миллионы его лапок тихонько шевелились в приливной волне. Но тут Мэнди осознала, что то, что она видит — человеческая голова, самая макушка. На конце ремня — человек. И пока она, помертвев от ужаса, смотрела, приливная волна качнула тело и из воды приподнялась бледная рука с поникшей, словно увядающий цветок, кистью.

Несколько мгновений ее неспособность поверить своим глазам сопротивлялась страшной реальности, а потом, почти теряя сознание от потрясения и ужаса, Мэнди упала на колени и ухватилась за чугунную ограду. Она ощутила, как шершав холодный металл в ее ладонях, почувствовала, с какой тяжкой силой он прижимается ко лбу... Она так и стояла на коленях, не в силах пошевелиться, желудок у нее свело от ужаса, все ее члены словно окаменели. В этом холодном небытии живым оставалось только сердце: оно превратилось в огромный шар раскаленного чугуна, бьющего в ребра с такой силой, будто вот-вот, проломив ограду, этот огненный шар увлечет ее в реку. Она не решалась открыть глаза; открыть их значило увидеть то, во что она все еще не могла полностью поверить: двойной кожаный ремень, тянущийся вниз, к скрытому под водой ужасу.

Мэнди не знала, сколько времени простояла на коленях, прежде чем обрела способность чувствовать и двигаться, но постепенно ее нос снова ощутил терпкий запах реки, а колени — холод мрамора, на котором она стояла; сердце затихало и уже не так сильно билось о ребра. Руки на ограде так занемели, что понадобилось несколько долгих секунд, чтобы разжать пальцы. Она с трудом поднялась на ноги и вдруг обрела и силы, и цель.

Не издавая ни звука, она промчалась через дворик и застучала в первую же дверь — дверь Донтси — и нажала кнопку звонка. Окна над дверью были темны, так что она не стала дожидаться ответа, понимая, что его не будет, но обогнула дом и выбежала на Инносент-Уок. Она надавила кнопку звонка Франсес Певерелл большим пальцем правой руки и, не отрывая его от кнопки, левой принялась колотить в дверь дверным молотком. Откликнулись ей почти сразу же. Шагов на лестнице Мэнди не услышала, но дверь резко распахнулась, и перед ней предстал Джеймс Де Уитт, из-за плеча которого выглядывала Франсес Певерелл. Заикаясь, путаясь в словах, Мэнди забормотала что-то, указывая рукой в сторону Темзы, и бросилась бежать, сознавая, что они оба бегут за ней по пятам. И вот они уже стоят все вместе на берегу и смотрят в воду. Мэнди обнаружила, что думает: «Нет, я не сошла с ума. Это не сон. *ЭТО* все еще там...»

Она услышала, как мисс Певерелл говорит:

— О нет! Господи Боже мой, нет! — Потом мисс Франсес отвернулась, почти теряя сознание, и Де Уитт подхватил ее и обнял, но Мэнди успела заметить, как она перекрестилась.

Джеймс Де Уитт произнес:

— Все в порядке, дорогая, все будет хорошо.

Мисс Певерелл ответила едва слышно, уткнувшись ему в плечо:

— Ничего не в порядке. Как это все может быть хорошо? — Потом высвободилась из его объятий и спросила неожиданно сильным и спокойным голосом: — Кто это?

Де Уитт даже не посмотрел на страшный предмет в реке. Вместо этого он осторожно снял с ограды лист бумаги и заглянул в него.

— Эсме Карлинг, — сказал он. — Похоже, самоубийство. Прощальное письмо.

— О Господи, неужели опять? — воскликнула Франсес. — Неужели еще одно? Что там написано?

— Разглядеть не так просто.

Де Уитт повернулся боком, чтобы свет от матового шара на конце ограды падал на лист бумаги. Письмо практически не имело полей, будто страницу специально обрезали, чтобы приспособить к его содержанию, а острый зубец ограды прорвал ее посередине.

— Похоже, написано ее рукой, — сказал Де Уитт. — Адресовано всем нам.

Он разгладил бумагу ладонью и прочел вслух:

— «Компаньонам издательства «Певерелл пресс». Будьте вы все прокляты! Тридцать лет вы эксплуатировали мой талант, наживались на мне, пренебрегали мной как писателем и как женщиной, третировали меня, будто мои книги недостойны носить ваш импринт на титульном листе. Что вы знаете о творчестве писателя? Лишь один из вас когда-то написал пару слов, но его талант, если он и вправду был, угас много лет назад. Это я и такие, как я, писатели помогали вашей фирме выжить. А теперь вы меня вышвырнули. После тридцати лет со мной покончили — без объяснений, без права на апелляцию, не дав мне возможности что-то исправить, переписать. Кончено. Я уволена. От меня избавились, как компаньоны «Певерелл пресс» всегда, поколение за поколением, избавлялись от неугодных им слуг. Неужели вам не ясно, что вы покончили со мной не только как с писателем, но и как с человеком? Вы что же, не знаете, что если писательница не может больше публиковать свои книги, ей лучше умереть? Но я по крайней мере могу сделать так, что скандальные слухи о вас разнесутся по всему Лондону, и можете мне поверить — я это сделаю. Это только начало».

— Бедная женщина, — сказала Франсес Певерелл. — Ах, бедная, бедная. Джеймс, почему же она к нам не пришла?

— Разве это могло исправить положение?

— Это то же самое, что с Соней. Если надо было так сделать, все можно было сделать иначе, проявив хоть немного сочувствия, доброты...

— Франсес, сейчас мы уже не можем ничего для нее сделать, — мягко сказал Джеймс Де Уитт. — Нужно вызвать полицию.

— Но не можем же мы так ее оставить! Это слишком страшно! Непристойно! Надо ее вытащить, попытаться сделать искусственное дыхание...

Он сказал мягко, но настойчиво:

— Франсес, она мертва.

— Но мы не можем ее так оставить. Пожалуйста, Джеймс, мы должны попытаться!

Мэнди казалось, что они забыли о ее присутствии. Теперь, когда она больше не была одна, кошмарный парализующий страх растаял. Мир обрел если не обычный, то хотя бы знакомый, управляемый характер. Она подумала: «Он просто не знает, что делать. Ему хочется сделать ей приятное, но не хочется трогать труп. Сам он его вытащить не может, а мысль, что она должна ему будет помогать, для него невыносима», — и сказала:

— Если вы собирались сделать ей искусственное дыхание изо рта в рот, то надо было бы вытащить ее сразу. Сейчас уже слишком поздно.

Он ответил, как показалось Мэнди, с глубокой печалью:

— Всегда бывает слишком поздно. Да и все равно полиция не позволяет вмешиваться и трогать тело.

Вмешиваться? Это слово поразило Мэнди своей неуместностью. Она с трудом подавила смех, понимая, что если рассмеется, это кончится рыданиями. О Господи, думала она, почему же он ничего не делает, черт бы его побрал? И тогда она сказала:

— Если вы вдвоем останетесь здесь, я могу вызвать полицию. Только дайте мне ключи и скажите, где телефон.

— В холле, — тусклым голосом ответила Франсес. — А дверь открыта... Во всяком случае, я думаю, что открыта. — Она вдруг в отчаянии взглянула на Де Уитта и воскликнула: — Боже мой, Джеймс, неужели я захлопнула дверь и мы остались на улице?

— Нет, — успокаивающим тоном ответил он, — ключ у меня. Он торчал в двери.

Он уже протянул ключ Мэнди, когда до их слуха донесся звук шагов, приближавшихся по Инносент-лейн, и появились Габриел Донтси и Сидни Бартрум. На обоих были непромокаемые плащи, и с ними вернулось успокоительное чувство нормального. Что-то в трех молчаливых фигурах, обративших к ним лица, заставило их убыстрить шаги, а затем перейти на бег.

— Мы услышали голоса, — сказал Донтси. — Что-нибудь случилось?

Мэнди успела взять ключ, но не двинулась с места. Все равно спешить было некуда, ведь полиция не могла спасти миссис Карлинг. Никто уже не мог ей помочь. А теперь еще два лица склонились над водой, еще два голоса шепотом произносили слова ужаса.

— Она оставила письмо, — сказал Де Уитт. — Вот здесь, на ограде. Яростное обвинение нам всем.

— Прошу вас, вытащите ее, — снова сказала Франсес.

Но теперь Донтси взял все в свои руки. Глядя на него, на его лицо, которое в свете матовых фонарей казалось болезненно-зеленоватым, как речные водоросли, на морщины, словно черные шрамы иссекшие щеки, Мэнди подумала: ведь он такой старый, очень старый человек, что он может сделать?

А он сказал Де Уитту:

— Вы с Сидни сумеете поднять ее, если воспользуетесь лестницей. У меня сил не хватит.

Его слова будто оживили Джеймса. Он больше не возражал и стал осторожно спускаться по скользким ступеням, держась за перила. Мэнди заметила, как он невольно вздрогнул, когда холодная вода обожгла ему ноги. Она подумала: лучше всего, если мистер Де Уитт станет поддерживать тело с лестницы, а мистер Донтси и мистер Бартрум потянут за ремень, но ведь они не захотят этого делать. И действительно, мысль о том, как медленно станет подниматься из воды лицо утопленницы, пока мужчины будут тянуть за ремень, словно намереваясь ее снова повесить, оказалась настолько страшной, что Мэнди подивилась, как только такое могло прийти ей в голову. И опять ей казалось, что о ее присутствии забыли. Франсес Певерелл теперь стояла немного поодаль от других, пальцы ее вцепились в ограду, глаза были устремлены на реку. Мэнди догадывалась, что́ она сейчас испытывает. Мисс Франсес хотела, чтобы мертвое тело достали из воды, чтобы сняли с шеи этот ужасный ремень, она должна была оставаться здесь до тех пор, пока ее просьба не будет выполнена, но ей невыносимо было видеть, как это происходит. Однако для самой Мэнди отвернуться казалось страшнее, чем смотреть на происходящее. Если надо остаться, то лучше видеть, чем дать волю воображению. А остаться, конечно, надо. Никто больше не вспоминал о ее предложении взять ключ и позвонить в полицию. Да и зачем торопиться? Какое значение имело, приедут полицейские раньше или позже? Что бы они ни привезли с собой, что бы они ни сделали, ничто не могло оживить миссис Карлинг.

Теперь Де Уитт, осторожно спустившись по ступеням, стоял уже по колено в воде. Правой рукой он крепко держался за низ перил, а левой нащупал пропитанную водой одежду миссис Карлинг и потянул тело к себе. Поверхность воды пошла рябью, ремень ослаб, потом натянулся снова. Де Уитт сказал:

— Если кто-то из вас расстегнет пряжку, думаю, я смогу втащить ее на ступени.

Послышался спокойный голос Донтси:

— Не дайте ей уплыть по течению, Джеймс. И не отпускайте перила. Нам не хочется, чтобы вы тоже оказались в реке.

Бартрум спустился по лестнице на две ступени и наклонился — отстегнуть пряжку. Руки его в свете матовых фонарей казались очень бледными, пальцы — толстыми, как сосиски. Он долго возился с пряжкой, видно, не знал, как она расстегивается.

Когда он наконец с ней справился, Де Уитт сказал:

— Мне понадобятся обе руки. Возьмитесь за мой пиджак покрепче, будьте добры.

Теперь Донтси тоже спустился на две ступени и встал рядом с Бартрумом; вместе они ухватились за пиджак Джеймса и крепко держали его, пока он подтягивал тело к себе и снимал с шеи ремень. Теперь оно лежало на нижней ступени лестницы лицом вниз. Де Уитт взял умершую за ноги, торчавшие из-под юбки, как две тонкие палки, а Донтси и Бартрум с двух сторон взяли ее под мышки. Словно узел промокшей насквозь одежды ее пронесли по лестнице и ничком опустили на мраморные плиты дворика. Де Уитт осторожно перевернул тело. Мэнди едва успела взглянуть на это ужасное в смерти лицо с открытым ртом, высунувшимся языком, с полуоткрытыми глазами под морщинистыми веками, на этот страшный багровый рубец на шее, как Донтси с поразительной быстротой сорвал с себя пиджак и накрыл им тело. Струйка воды вытекла из-под твида, сначала тонкая, потом все больше расширяющаяся, и расползлась по мрамору темным, словно кровь, пятном.

Франсес Певерелл подошла к телу и опустилась рядом с ним на колени.

— Бедная женщина, — произнесла она. — Ах, бедная, бедная женщина.

Мэнди заметила, что после этих слов губы ее продолжали молча шевелиться, и подумала, что она, наверное, молится.

Мужчины ждали в молчании, их хриплое дыхание казалось неестественно громким в застывшем воздухе. Видимо, те усилия, которые потребовались Де Уитту и Бартруму, чтобы вытащить тело из воды, лишили их обоих и сил, и воли. Донтси снова взял все в свои руки.

— Кому-то надо остаться у трупа, — сказал он. — Сидни и я подождем здесь. Джеймс, вы отведите женщин в дом и позвоните в полицию. И всем нам нужно будет выпить горячего кофе или чего-нибудь покрепче. И побольше.

47

Входная дверь дома № 12 открывалась в узкий прямоугольный холл; вслед за Джеймсом Де Уиттом и Франсес Певерелл Мэнди поднялась по крутой лестнице, устланной бледно-зеленой ковровой дорожкой, в другой холл. Он был побольше и пошире, чем нижний, почти квадратный, с дверью прямо напротив входа. Мэнди очутилась в гостиной, протянувшейся во всю длину фасада. Два высоких окна, выходящих на балкон, были закрыты шторами, не впускавшими в комнату ночь и реку. В корзине у камина лежали брикеты бездымного угля. Мистер Де Уитт убрал медный каминный экран и усадил Мэнди в одно из кресел с высокой спинкой. Они вдруг стали с ней очень заботливы, словно она гостья, видно, потому, думала она, что суета вокруг нее помогала им обоим хоть чем-то занять себя.

Стоя перед ее креслом и пристально на нее глядя, мисс Певерелл сказала:

— Мэнди, я так вам сочувствую. Два самоубийства, и обеих женщин обнаружили вы. Сначала мисс Клементс, а теперь вот этот случай. Что вам дать? Кофе? Бренди? Есть еще красное вино. Только я думаю, вы, может быть, поесть не успели. Вы голодны?

— Да, немного.

На самом деле она вдруг почувствовала страшный голод. В квартире пахло чем-то горячим и пряным, терпеть это было невыносимо. Мисс Певерелл взглянула на мистера Де Уитта и сказала:

— А вы, Джеймс? У нас на обед утка в апельсиновом соусе.

— Я не хочу есть, а вот Мэнди, уверен, очень хочет.

Мэнди подумала: у нее только на двоих рассчитано. Может, от «Маркса и Спенсера»* принесли. Везет же тем, кто может это себе

---

* «Маркс и Спенсер» — сеть магазинов одноименной фирмы, торгующих в основном одеждой и продовольственными товарами.

позволить! Мисс Певерелл хотела устроить уютный дружеский обед. Видно было, что она очень постаралась. Круглый стол в дальнем конце комнаты был накрыт белой крахмальной скатертью, у каждого прибора стояли три сверкающих бокала, на столе — два низких серебряных подсвечника с еще не зажженными свечами. Подойдя ближе, Мэнди увидела, что уже подан салат в небольших деревянных мисочках — нежные листочки разных оттенков красного и зеленого, поджаренные орешки, кубики сыра. Была здесь и уже открытая бутылка красного вина, и белое — в ведерке со льдом. Но Мэнди не хотелось салата. Она мечтала о какой-нибудь горячей и пряной пище.

А еще она заметила, что мисс Певерелл позаботилась не только о еде. Зеленовато-голубое платье с плиссированной юбкой и надетая поверх него блуза, завязанная на боку бантом, были из натурального узорного шелка, удачно оттенявшего цвет ее лица. Слишком старомодно для нее, банально и скучновато, а юбка слишком длинная. Это совсем не подчеркивает фигуру, а ведь такая фигура могла бы смотреться великолепно, если бы только мисс Франсес умела одеваться. Жемчужины ожерелья, поблескивающие на фоне шелка, скорее всего настоящие. Мэнди надеялась, что мистер Де Уитт оценил усилия, предпринятые ради него. Миссис Демери говорила ей, что он уже много лет влюблен в мисс Певерелл. Теперь, когда мистер Жерар уже не в силах ему помешать, он, похоже, может добиться успеха.

Подали утку с горошком и мелким картофелем. Мэнди, забыв в приступе голода о социальном неравенстве, жадно набросилась на еду. Джеймс Де Уитт и Франсес Певерелл тоже сели с ней за стол. Они ничего не ели, только выпили по стакану красного вина. Они ухаживали за ней с такой заботой и вниманием, будто чувствовали себя виноватыми в том, что произошло, и пытались как-то загладить вину. Мисс Франсес уговаривала взять еще овощей, а мистер Де Уитт наливал вино. Время от времени оба уходили в смежную комнату, она догадалась, что там — кухня, где окна выходят на Инносент-Пэсидж; оттуда доносились их тихие голоса. Мэнди понимала, что, прислушиваясь и поглядывая в окно в ожидании полиции, они обсуждают что-то, о чем не хотят говорить в ее присутствии.

Их временное отсутствие давало ей возможность, пока она ела, внимательнее оглядеть комнату. Элегантная простота гостиной была слишком формальной, слишком тривиальной на более эксцентричный и иконоборческий вкус Мэнди, но нельзя было не признать, что все тут выглядит не так уж плохо, если вам это нравится и вы в состоянии себе такое позволить. Цветовая гамма казалась ей вполне банальной — мягкие зеленовато-голубые тона с нечастыми розовато-красными вкраплениями. Драпированные атласные занавеси висели на простых круглых деревянных карнизах. По обе стороны камина находились две глубоких ниши с книжными шкафами, корешки книг поблескивали в свете огня. На верхних полках обоих шкафов она заметила две одинаковые фигуры — вроде бы мраморные девичьи головки, увенчанные розами и окутанные вуалью. По-видимому, головки эти должны были изображать невест, но вуали, замечательно тонко и реалистично выполненные, походили не столько на фату, сколько на саван. Слишком мрачно, подумала Мэнди, набивая рот уткой. Картина над каминной полкой — мамаша восемнадцатого века с двумя дочерьми — была, конечно, оригиналом, а не копией; то же, как видно, относилось и к любопытной картине, на которой женщина лежала на кровати в комнате, напомнившей Мэнди о ее школьной экскурсии в Венецию. Два глубоких кресла по обе стороны камина были в чехлах бледно-розового полотна, но только одним из них, судя по замятинам на сиденье и спинке, часто пользовались. Так вот где, подумала Мэнди, обычно сидит мисс Певерелл, глядя на пустое кресло напротив и через его спинку на реку. Она предположила, что картина на правой стене — это икона, но не могла представить себе, кому интересно смотреть на такую старую и почерневшую Деву Марию и на Младенца с ужасно взрослым лицом, который к тому же выглядит так, будто много недель не пробовал приличной еды.

Мэнди не завидовала ни этой комнате, ни тому, что в ней находилось, и с удовольствием подумала о просторном чердачном помещении, которое пришлось ей на долю в снимаемом в складчину доме в Стрэтфорд-Исте: напротив ее кровати — стена, где на специальной доске с колышками висят ее шляпки в буйном многоцветье лент, цветов и яркого фетра; кровать, застланная полосатым пледом, односпальная, но способная вместить двоих, если ее друг порой остается на ночь; чертежная доска, которой Мэнди пользуется, создавая свои эскизы; большие, жестко набитые подушки, разбросанные по полу; музыкальный центр и телевизор, и глубокий стенной шкаф, где она держит одежду. В мире существовала только одна комната, куда ее тянуло больше, чем к себе домой. Вдруг она замерла, не донеся вилку до рта, и прислушалась: по булыжнику явно прошуршали колеса. Через несколько секунд из кухни вернулись Джеймс и Франсес.

— Полицейские приехали, — сказал Джеймс Де Уитт, — две машины. Мы не разглядели, сколько там людей. — Он взглянул на Франсес Певерелл, и впервые голос его звучал неуверенно, он явно нуждался в одобрении. — Может, мне надо туда пойти?

— Разумеется, нет. Зачем им там лишние зрители? Габриел и Сидни сообщат им все, что необходимо. В любом случае, я думаю, они все равно поднимутся к нам, когда закончат. Им надо будет поговорить с Мэнди. Она — самый главный свидетель. Она ведь первая там оказалась. — Франсес снова села за стол и очень мягко сказала: — Думаю, вам очень хочется поскорее попасть домой, Мэнди. Мистер Де Уитт или я потом отвезем вас, но боюсь, вам следует дождаться полицейских.

Мэнди и в голову не приходило, что можно поступить как-то иначе. Она ответила:

— Да ладно, я не против. Только все подумают, что я несчастье приношу, правда ведь? Стоит мне где-то появиться, сразу самоубийство обнаруживаю.

Это было сказано лишь наполовину всерьез, но, к великому удивлению Мэнди, мисс Франсес воскликнула:

— Не говорите так, Мэнди! Даже думать так не надо. Это просто предрассудок. Никому и в голову не придет, что вы приносите несчастье! Послушайте, Мэнди, мне неприятно думать, что вы останетесь сегодня ночью одна. Может быть, вам нужно позвонить родителям, маме? Может быть, стоит поехать сегодня к ним? Ваша мама не могла бы заехать за вами?

Черта с два, подумала Мэнди и сказала:

— А я не знаю, где она. — И едва удержалась, чтобы не добавить: «Может, в «Красном кресте», на Хейлинг-Айленде где-нибудь».

Но слова мисс Франсес и доброта, их подсказавшая, пробудили прежде неосознанную потребность в женском сочувствии, в тепле и уюте той комнаты, что находилась на верхнем этаже, недалеко от Уайтчепел-роуд. Ей хотелось снова ощутить знакомый душный запах — смешанный запах вина и духов миссис Крили, хотелось свернуться калачиком перед газовым камином в низком кресле, замыкавшем ее в себе, словно материнское лоно, слышать убаюкивающий шум машин на Уайтчепел-роуд. Она не могла чувствовать себя как дома в этой элегантной квартире, а эти люди, при всей их доброте, были ей чужими. Ей нужна миссис Крили. И она сказала:

— Я лучше позвоню в агентство. Миссис Крили, может быть, еще там.

Франсес Певерелл посмотрела на нее с удивлением, но отвела ее наверх, в спальню, сказав:

— Вам отсюда будет удобнее позвонить, Мэнди, вы здесь будете одна. А рядом — ванная, если вы захотите ею воспользоваться.

Телефон стоял на прикроватном столике, над ним висело распятие. Мэнди и раньше приходилось видеть распятия, главным образом перед церквами, но это было совсем не такое. Христос, почти безбородый, выглядел очень молодым, и голова его не склонилась на грудь, как у мертвого, но была закинута назад, а рот открыт, словно он кричал что-то своему Богу, моля его о мести или о милосердии. Мэнди решила, что сама ни за что не согласилась бы повесить такую вещь у своей кровати, но она понимала, что в этом распятии заключена какая-то особая сила. Верующие люди молятся перед распятиями, и, если повезет, их молитвы не остаются без ответа. Стоило попробовать. Набирая номер служебного телефона миссис Крили, она заставила себя смотреть, не отрывая глаз, на серебряную фигуру с терновым венцом на голове и беззвучно произносила слова: «Прошу Тебя, пусть она будет там. Прошу Тебя, сделай, чтобы она взяла трубку. Прошу Тебя, пусть она будет там». Но телефонные гудки продолжали звучать, а ответа все не было.

Не прошло и пяти минут, как раздался звонок в дверь. Джеймс Де Уитт пошел вниз и вернулся с Донтси и Бартрумом.

— Что там происходит, Габриел? — спросила Франсес Певерелл. — Коммандер Дэлглиш приехал?

— Нет, только инспектор Мискин и инспектор Аарон. Ах да, еще с ними тот молодой сержант-детектив и фотограф. Сейчас они ждут полицейского хирурга, чтобы он удостоверил, что она мертва.

— Но конечно же, она мертва! — воскликнула Франсес. — Не нужно никакого полицейского хирурга, чтобы сообщить им это.

— Я знаю, Франсес, но такова, видимо, их обычная процедура. Нет, я не хочу вина, спасибо. Мы с Сидни пили в пабе «Возвращение моряка» начиная с половины восьмого.

— Тогда кофе. Как насчет кофе? Вы тоже, Сидни?

Сидни Бартрум выглядел смущенным. Он ответил:

— Нет, спасибо, мисс Певерелл. Мне на самом деле надо уйти. Я сказал жене, что встречаюсь с мистером Донтси, чтобы немного посидеть за выпивкой, и поэтому задержусь, но я обычно возвращаюсь домой до десяти.

— Тогда, конечно, вам надо идти. Она будет волноваться. Позвоните ей отсюда.

— Да, пожалуй, я так и сделаю.

И он вышел вслед за ней из комнаты.

— А как они все это восприняли? — спросил Де Уитт. — Я имею в виду полицейских.

— Профессионально. А как еще они могли бы это воспринять? Они не очень-то много говорят. У меня создалось впечатление, что они не слишком довольны, что мы вытащили тело — и даже что прочли письмо, кстати говоря.

Де Уитт налил себе еще вина.

— Да какого дьявола! Чего еще они могли от нас ожидать? А письмо было адресовано нам. Если бы мы его не прочли, интересно, они нам сказали бы, что в нем говорится? Они нас почти в полной тьме оставили во всем, что касается смерти Жерара.

— Они явятся сюда, как только прибудет фургон, чтобы ее забрать, — сказал Габриел и, помолчав, добавил: — Мне кажется, я видел, как она приехала. Мы с Сидни договорились встретиться в пабе «Возвращение моряка» в половине восьмого, и когда я вышел на Уоппинг-Уэй, я заметил такси, повернувшее на Инносент-Уок.

— А пассажира разглядели?

— Для этого я был недостаточно близко. Но водителя я разглядел. Он был крупный и чернокожий. Полицейские считают, что это поможет его разыскать. Чернокожих водителей пока не так уж много.

К этому моменту Бартрум закончил разговор по телефону и вернулся в гостиную. Как всегда нервно кашлянув, он сказал:

— Ну что ж, я, пожалуй, пойду. Спасибо, мисс Певерелл, я не останусь пить кофе. Мне надо возвращаться домой. Полицейские сказали, я могу их не ждать. Я сообщил им все, что знаю, сказал, что был с мистером Донтси в пабе с половины восьмого. Если я им понадоблюсь, я завтра с утра буду у себя в кабинете. Дела, как обычно.

Напускная оживленность его голоса вызвала общее замешательство. На какой-то момент подняв глаза от тарелки, Мэнди подумала, что он намерен обойти собравшихся и пожать всем руки. Но он просто повернулся и вышел. Франсес Певерелл вышла за ним — проводить до двери. Мэнди показалось, что все были рады от него избавиться.

Воцарилось неловкое молчание: вести обыденную беседу, застольный разговор ни о чем, обсуждение рабочих дел представлялось неуместным, почти непристойным. Инносент-Хаус и ужас смерти — вот и все, что было между ними общего. Мэнди понимала, что им было бы легче, если бы они остались одни, без нее, что узы объединившего их шока ослабевают и что эти люди вынуждены постоянно напоминать себе, что она всего лишь временная машинистка-стенографистка, товарка миссис Демери по сплетням, что завтра весь Инносент-Хаус будет знать подробности этой истории, и чем меньше они станут теперь говорить, тем лучше.

Время от времени кто-нибудь из них отправлялся звонить Клаудии Этьенн. Из следовавших за этим разговоров Мэнди могла понять, что Клаудии нет дома. Можно было попытаться позвонить по другому номеру, но Де Уитт сказал:

— Лучше оставим это. Дозвонимся ей позже. Она все равно ничего не смогла бы здесь сделать.

Наконец Франсес и Габриел ушли готовить кофе, а с Мэнди остался Джеймс. Он спросил, где она живет. Она объяснила. Он сказал, что, по его мнению, ей не следует сегодня возвращаться в пустой дом. Будет ли кто-нибудь там, когда она вернется? Мэнди, солгав, чтобы избежать объяснений и лишнего беспокойства, заверила его, что будет. После этого он уже не смог придумать, что бы такое еще спросить, и они сидели молча, прислушиваясь к негромким звукам, доносившимся из кухни. Мэнди подумала, что это напоминает ожидание неприятного сообщения в больнице, как это было, когда они с матерью ждали врача во время последней бабушкиной операции. Они сидели в скудно обставленной, безликой комнате, в недружелюбном молчании, каждая — на самом краешке стула, чувствуя себя так неловко, словно не имели права вообще там находиться. Они сидели так, зная, что где-то, невидимые им и неслышимые, специалисты по жизни и смерти занимаются своим таинственным делом, а сами они, бессильные что-либо сделать, способны лишь ждать. Однако на этот раз ожидание было недолгим. Едва они успели допить кофе, как услышали ожидаемый звонок в дверь. Не прошло и минуты, как к ним присоединились инспектор Мискин с инспектором Аароном. У обоих были в руках чемоданчики вроде дипломатов, только побольше. «Интересно, это у них для расследования убийств такие?» — подумала Мэнди.

— Мы поговорим подробнее, когда получим результаты ПМ, — сказала инспектор Мискин. — А сейчас — просто несколько вопросов. Кто ее обнаружил?

— Я, — ответила Мэнди и пожалела, что все еще сидит за обеденным столом, перед грязной пустой тарелкой. Такое свидетельство ее аппетита выглядело как-то неприлично. И чего спрашивает, подумала она с неприязнью, знает же прекрасно, кто ее обнаружил.

Теперь заговорил инспектор Аарон:

— А что вы там делали? Вряд ли вы работали в такое позднее время?

— Я не работала. — Мэнди почувствовала, что ее голос звучит раздраженно, и взяла себя в руки. Очень коротко она рассказала им о событиях этого злосчастного вечера.

— А когда вы нашли свой кошелек именно там, где рассчитывали, что заставило вас пойти к реке? — спросила инспектор Мискин.

— Откуда я знаю? Может, потому, что она рядом. — Подумав, она добавила: — Хотела на часы взглянуть. У реки светлее.

— И вы никого не видели и не слышали, ни в тот момент, ни когда приехали?

— Слушайте, если б кого видела или слышала, я бы уже об этом вам сказала. Никого я не видела и не слышала, только вот лист бумаги на ограде. Так что я подошла посмотреть — и тут увидела на земле сумку, у самого низа ограды, и ремешки, они вниз, в реку, уходили. Ну а когда в воду посмотрела, то и обнаружила то, что обнаружила. Вот и все.

— Это в человеческой природе заложено — стремление посмотреть на реку, — тихим голосом вступила в разговор Франсес

Певерелл. — Я всегда иду к реке, если оказываюсь поблизости. Вы считаете, что мисс Прайс должна ответить еще на какие-то вопросы? Она рассказала все, что знает. Ей пора домой. То, с чем ей пришлось столкнуться, просто ужасно.

Инспектор Аарон даже не взглянул на нее, а инспектор Мискин снова заговорила, но более мягким тоном:

— Вы помните, в какое время вернулись к Инносент-Хаусу?

— Двадцать минут девятого. Я посмотрела на часы, когда подошла к реке.

— Вам довольно далеко пришлось ехать обратно из «Белой лошади», — сказал инспектор Аарон. — Вы не подумали, что можете позвонить мисс Певерелл или мистеру Донтси и попросить их поискать кошелек?

— Я позвонила. У мистера Донтси никто не ответил, а у мисс Певерелл был включен автоответчик.

— Я иногда включаю его, когда у меня гости, — объяснила Франсес Певерелл. — Джеймс приехал сюда на такси чуть позже семи, а мистер Донтси, я полагаю, был в это время в пабе с Сидни Бартрумом.

— Он так нам и сказал. Может быть, кто-то из вас заметил или услышал что-нибудь необычное, например, какие-то звуки с Инносент-лейн?

Они переглянулись. Франсес Певерелл сказала:

— Не думаю, что мы смогли бы услышать что-либо, во всяком случае, из этой комнаты. Я была на кухне — зашла ненадолго, приготовить салат. Я всегда делаю это в последний момент. Окно там выходит на Инносент-лейн, и оттуда я могла бы услышать такси, если водитель высадил ее у входа в Инносент-Хаус. Но я ничего не слышала.

— Я не слышал такси, — сказал Джеймс Де Уитт, — и ни я, ни мисс Певерелл после моего приезда сюда не видели и не слышали ничего и никого на Инносент-лейн. С реки доносились привычные звуки, но и они были приглушены занавесями. Я думаю, чуть раньше вечером слышался какой-то шум, но не припомню, когда именно. Ничего настолько необычного, чтобы заставить нас выйти на балкон и посмотреть, что происходит, совершенно точно не было. К шумам на реке привыкаешь.

Снова заговорил инспектор Аарон:

— Как вы приехали сегодня сюда, сэр? На машине?

— На такси. Я не вожу машину в Лондоне. Мне следовало вам еще раньше сказать, что я приехал из дома. На работе я сегодня не был. Ходил к зубному врачу.

Неожиданно Франсес Певерелл спросила:

— А что было в ее сумке? Она казалась очень тяжелой.

— Сумка и в самом деле тяжелая. Вот почему.

Кейт Мискин взяла у инспектора Аарона прозрачный мешок и вытряхнула на стол содержимое наплечной сумки. Все молча следили, как она расстегивает застежки. Рукопись была переплетена в мягкую обложку из голубого картона с именем автора — Эсме Карлинг и названием «Смерть на Райском острове», а поперек обложки шла надпись красной тушью и с тремя восклицательными знаками: «Отвергнута — после тридцати лет!!!»

— Значит, она принесла рукопись с собой, вместе с прощальным письмом! — сказала Франсес Певерелл. — Каждый из нас по-своему виноват перед ней. Мы должны были проявить к ней больше доброты. Но убить себя... Да еще таким образом! Бедная женщина.

Она отвернулась. Джеймс Де Уитт шагнул поближе к ней, но остановился, не прикасаясь. Обернувшись к инспектору Мискин, он спросил:

— Послушайте, разве так уж необходимо продолжать этот разговор именно сегодня? Мы все потрясены, да вроде бы и сомнений никаких нет?

Инспектор Мискин уложила рукопись в сумку и спокойно сказала:

— Сомнения всегда есть, пока мы не знаем фактов. Когда мисс Карлинг узнала, что издательство отвергло ее роман?

— *Миссис* Карлинг, — поправил ее Де Уитт, — она вдова. Некоторое время тому назад она развелась, но ее муж вскоре умер. Она узнала об отказе утром, в тот день, когда умер Жерар Этьенн. Она пришла в издательство поговорить с ним, но мы все были на совещании, а ей надо было ехать в Кембридж, на встречу с читателями — книги подписывать. Но все это вы уже знаете.

— На встречу, которую отменили еще до ее приезда?

— Да, на ту самую встречу.

— А она связывалась с кем-либо из вас или из сотрудников издательства после смерти мистера Этьенна, вы не знаете?

Де Уитт и Франсес Певерелл снова переглянулись. Де Уитт ответил:

— Со мной — нет. А с вами она разговаривала, Франсес?

— Нет, я ничего ни о ней, ни от нее не слышала. Если подумать, это очень странно. Если бы только мы сумели поговорить с ней, объясниться, этого могло не произойти.

Наступившее молчание неожиданно прервал инспектор Аарон:

— А кто из вас решил вытащить ее из воды?

— Я, — ответила Франсес Певерелл, обратив на него добрый, но укоризненный взгляд.

— Надеюсь, вы не ожидали, что сможете ее оживить?

— Нет, кажется, не ожидала, но было так страшно видеть, что она там висит! Так... — Она помолчала, потом договорила: — Так бесчеловечно.

Тут вмешался Де Уитт:

— Здесь ведь не все офицеры полиции. У некоторых еще сохранились человеческие чувства.

Инспектор Аарон вспыхнул, бросил взгляд на инспектора Мискин и с трудом подавил гнев.

Инспектор Мискин спокойно ответила:

— Будем надеяться, вам удастся их сохранить. Думаю, мисс Прайс хотела бы теперь попасть домой. Мы с инспектором Аароном ее отвезем.

Мэнди с детским упрямством возразила:

— А я не хочу, чтобы меня отвозили. Хочу поехать сама, на своем мотоцикле.

— Но ваш мотоцикл будет здесь в полной безопасности, — мягко заметила Франсес Певерелл. — Мы можем поставить его в гараж десятого дома, если хотите.

— Не хочу я его в гараже оставлять, я на нем домой поехать хочу.

В конце концов она добилась своего, но инспектор Мискин настояла на том, чтобы полицейская машина ехала за ней следом. Мэнди позволила себе удовольствие мчаться, обгоняя машины и уворачиваясь от них, стремясь всячески затруднить полицейским задачу висеть у нее на хвосте.

Когда подъехали к ее дому на Стрэдфорд-Хай-стрит, инспектор Мискин, глядя на темные окна, сказала:

— Мне кажется, вы говорили, что кто-то будет дома.

— Кто-то и есть дома. Они все на кухне. Слушайте, я не ребенок. Я сама могу о себе позаботиться, ясно? Только отлипните от меня, пожалуйста.

Она слезла с седла, и инспектор Аарон помог ей завести «ямаху» в парадное, а затем и в прихожую. Ни слова не говоря, она решительно захлопнула за ним дверь.

48

— Могла бы и «спасибо» сказать, не развалилась бы, — заметил Дэниел. — Твердый орешек эта девчонка.

— У нее шок еще не прошел, — сказала Кейт.

— Однако шок не помешал ей как следует пообедать.

В полицейском участке Уоппинга было тихо и пусто, и, поднимаясь по лестнице в свою приемную, они видели только одного сотрудника. Прежде чем задернуть занавеси, они на минуту задержались у окна. Тучи к этому времени разошлись, и река текла широко и спокойно, неся на себе узоры огней и колеблющиеся отблески проколовших небо высоких звезд. Оба ощущали странное чувство покоя и обособленности, обычно овладевающее человеком в полицейском участке ночью. Даже когда ночь бывала неспокойной, когда тишина взрывалась громкими мужскими голосами и звуком тяжелых шагов, воздух здесь оставался странно невозмутимым, словно внешний мир, со всем его насилием, со всеми страхами, застыл за стенами в ожидании, не обладая силой сломать эту нерушимую безмятежность. В это время углублялось чувство товарищества, сотрудники говорили друг с другом, может быть, и не часто, но более свободно и открыто. Однако Кейт и Дэниел не могли ожидать этого по отношению к себе. Кейт понимала, что до какой-то степени они оба здесь нежеланные гости. Полицейский участок Уоппинга предложил им гостеприимство, обеспечил всем необходимым, но они все равно оставались в нем чужаками.

Дэлглиш отправился в городское управление полиции Дарема, выполняя какое-то загадочное поручение комиссара, и Кейт не знала, выехал ли он уже назад, в Лондон, или нет. Она позвонила в Дарем, и ей сказали, что он вроде бы еще там. Его постараются разыскать и попросят позвонить в Уоппинг.

Пока они ждали звонка, Кейт спросила:

— Вы ведь были уверены в ее алиби? Я имею в виду Эсме Карлинг. Она была дома в тот вечер, когда убили Этьенна?

Дэниел сел за свой рабочий стол и принялся перебирать клавиши компьютера. Он ответил, стараясь, чтобы его голос не звучал слишком раздраженно:

— Да, уверен. Вы же читали мою докладную. Она была дома с Дэйзи Рид, девочкой из соседней квартиры. Они весь вечер провели вместе, до полуночи или даже позже. Девочка все подтвердила. Вы не можете упрекнуть меня в некомпетентности, если вы этого добиваетесь.

— Я этого не добиваюсь. Остыньте, Дэниел. Но ведь ее никогда по-настоящему и не подозревали, верно? Забитый дымоход, растрепанный шнур — такие вещи планируются заранее. Мы никогда не считали, что она может быть убийцей.

— Так вы предполагаете, что я был слишком легко удовлетворен ее показаниями?

— Нет. Я просто хочу проверить, почему вы были удовлетворены.

— Послушайте, я ходил туда с сержантом Роббинсом и женщиной-констеблем из Бюро по делам несовершеннолетних. Я опрашивал Эсме Карлинг и девочку по отдельности. Тот вечер они провели вместе, как, впрочем, почти все вечера. Мать девочки по ночам работает — то ли стриптизом занимается, то ли чем-то в ночном клубе, а может, немного и проституцией или чем там еще. Девочка обычно дожидается, пока мать уйдет, потихоньку сбегает из дома и проводит вечер с Карлинг. Проводила. Очевидно, это устраивало обеих. Я проверил у них каждую деталь того вечера, и все в их рассказах совпало. Девочка сначала не хотела признаваться, что была у Карлинг, боялась, что мать запретит или что Бюро по делам несовершеннолетних вмешается, сообщит в социальную службу и ее передадут кому-то на воспитание. Они, конечно, так и сделали, то есть я хочу сказать — сообщили в социальную службу. Вряд ли они могли иначе поступить, учитывая все обстоятельства. Девочка говорила правду. Откуда вдруг сомнения?

— Но все это выглядит странно, вам не кажется? Вот перед нами женщина, чью книгу отвергли после тридцати лет сотрудничества. Она в неистовой ярости является в издательство, чтобы сказать Этьенну все, что она о нем думает, но ей не дают встретиться с ним, потому что он на заседании совета директоров. Затем она отправляется подписывать книги и по приезде в Кембридж обнаруживает, что кто-то из издательства позвонил и отменил встречу с читателями. Тут уж, могу себе представить, она от ярости просто речь потеряла. Так чего же теперь можно от нее ожидать? Что она спокойно вернется домой и примется писать письмо или что в тот же вечер ворвется в Инносент-Хаус, чтобы объясниться с Этьенном? Она вполне могла знать, что он поздно работает по четвергам. Кажется, практически все, кто так или иначе связан с Инносент-Хаусом, об этом знали. А ее поведение после всего случившегося тоже представляется странным. Она ведь знала, что именно Жерар Этьенн настоял на том, чтобы отвергли ее роман. Теперь он убит. Так почему же она не вернулась и не попыталась снова уговорить их принять книгу?

— Она скорее всего понимала, что это не имеет смысла. Вряд ли компаньоны согласились бы изменить решение Жерара Этьенна так скоро после его смерти. Да они все, наверное, были с ним согласны.

— А в сегодняшнем вечере тоже имеются какие-то странности, вы обратили внимание? — продолжала Кейт. — Франсес Певерелл и Де Уитт обязательно услышали бы такси, если бы оно подъехало по Инносент-лейн к обычному входу. Так где же точно она попросила водителя ее высадить?

— Возможно, где-то на Инносент-Уок. А потом пешком прошла к реке. Она же понимала, что на булыжнике Инносент-лейн машину обязательно услышат — либо Донтси, либо мисс Певерелл. А может, он ее высадил в конце Инносент-Пэсидж. Это ближе всего к тому месту, где ее нашли.

— Но ворота в конце проулка заперты. Если она прошла к реке той дорогой, кто открыл ей, а потом закрыл ворота? А как насчет письма? Разве оно выглядит как прощальная записка самоубийцы?

— Пожалуй, оно и правда не типично. Но что такое типичное письмо самоубийцы? Присяжные легко дадут убедить себя в том, что оно настоящее.

— А когда написано?

— Думаю, прямо перед тем, как она покончила с собой. Вряд ли такую вещь можно состряпать заранее и держать наготове — вдруг понадобится.

— Тогда почему в нем нет ни слова о смерти Жерара Этьенна? Она должна была знать, что это он настоял на том, чтобы ее роман был отвергнут. Да нет, разумеется, она знала. Мэнди Прайс и мисс Блэкетт чуть не дословно рассказывали нам, как она влетела в кабинет и потребовала встречи с ним. Наверняка его смерть изменила ее отношение к «Певерелл пресс». А если даже и не изменила, если она по-прежнему испытывала ту же горькую обиду, разве не удивительно, что она ни словом не упомянула эту смерть в своем письме?

В этот момент раздался телефонный звонок. Звонил Дэлглиш. Кейт ясно и кратко доложила ему о том, что произошло, объяснив, что они не смогли связаться с доктором Уордлом, которого вызвали на другое расследование, и не стали искать замены, потому что положение трупа все равно было изменено. Сейчас он уже в морге. Дэниелу казалось, что она ужасно долго слушает Дэлглиша, ни слова не произнося, кроме редкого «Да, сэр».

Наконец она положила трубку и сказала:

— Он сегодня же вылетает. Нам не следует опрашивать никого в Инносент-Хаусе, пока не будет результатов посмертного вскрытия. С этим опросом можно подождать. Вам придется завтра разыскать то такси и выяснить, может быть, кто-то на реке что-то слышал или видел, не исключая пассажиров прогулочных судов, проходивших по Темзе между семью часами и тем временем, когда Мэнди обнаружила труп. Из сумки миссис Карлинг мы взяли ключи от ее квартиры; близких родственников у нее, видимо, нет, так что мы отправимся туда завтра утром. Это в Саммерсмите. Комплекс «Горный орел». А.Д. хочет, чтобы литагент миссис Карлинг встретила нас там в одиннадцать тридцать. Но прежде всего он хочет сам, вместе со мной, передопросить Дэйзи Рид. Черт возьми, Дэниел, почему это нам самим в голову не пришло? А.Д. хочет, чтобы все наши оперативники с утра тщательно осмотрели катер. Издательству придется как-то иначе устроиться, чтобы доставить сотрудников от причала на Черинг-Кросс. Господи, я чувствую себя полнейшей идиоткой. А.Д. уж точно задается вопросом, умеем мы видеть дальше собственного носа или нет.

— Так он думает, она себя с катера привязала? Оттуда ей, конечно, было легче это сделать.

— Либо Карлинг сама себя привязала, либо кто-то еще.

— Но ведь катер был пришвартован на своем обычном месте — по другую сторону лестницы.

— Вот именно. Так что если им воспользовались, кто-то должен был сначала сдвинуть его с места, а потом, после ее смерти, вернуть обратно. Докажем, что так и было, — подойдем вплотную к доказательству того, что это — убийство.

49

В десять часов Габриел Донтси спустился вниз, в свою собственную квартиру, так что Джеймс Де Уитт и Франсес остались одни. Оба вдруг обнаружили, что очень голодны. Мэнди расправилась с обеими порциями утки, но и Джеймс, и Франсес все равно не могли даже подумать о такой жирной и пряной еде. Они оказались в том неприятном положении, когда есть хочется, а подумать о том, чтобы что-то съесть, невозможно. В конце концов Франсес приготовила огромный омлет с зеленью, и они съели его с гораздо бо́льшим удовольствием, чем каждый из них мог себе представить. Словно по молчаливому согласию, ни один из них не заговаривал о смерти Эсме Карлинг.

Когда Донтси был еще с ними, Франсес сказала:

— Мы все ответственны за то, что произошло. Никто из нас на самом деле не пытался противостоять Жерару. Нам надо было настоять на обсуждении вопроса о будущем Эсме Карлинг. Кто-то из нас должен был повидаться с ней, поговорить.

— Франсес, мы не могли опубликовать эту книгу, — мягко возразил ей Джеймс. — Я имею в виду не то, что книга коммерческая, а нам нужны популярные романы. Дело в том, что это плохая книга.

А Франсес тогда ответила:

— Плохая книга? Смертное преступление, хула на Дух Святой! Что ж, она высокую цену уплатила за этот грех.

Джеймса поразили горечь и ирония, звучавшие в ее голосе. Но Франсес в какой-то степени утратила присущую ей мягкость и пассивность после разрыва с Жераром. Он наблюдал эту перемену с некоторым сожалением, но не мог не признаться самому себе, что это сожаление — еще одно проявление его постоянной потребности отыскивать невинных и ранимых, обиженных и слабых и отдавать им свою любовь, — потребности скорее отдавать, чем получать. Он понимал, что это не помогает установить равные отношения, что постоянная нетребовательная доброта с ее подспудной снисходительностью может оказаться столь же гнетущей для любимого человека, как жестокость или пренебрежение. Неужели ему необходимо именно этим подкреплять свое эго, быть уверенным, что в нем нуждаются, от него зависят, восхищаются его сочувствием, которое, если взглянуть беспристрастно, есть лишь особо изощренная форма эмоционального превосходства и гордости духа? Чем же он лучше Жерара, для которого секс был частью азартной игры, где выигрыш — личная власть, которого возбуждала возможность соблазнить глубоко верующую девственницу, потому что он знал, что для нее уступить ему значило совершить смертный грех? Он всегда любил Франсес, он все еще ее любит. Она ему необходима — в жизни, в доме, в постели — нисколько не меньше, чем в его сердце. Может быть, теперь любовь, где оба равны, станет для них возможной.

Уходить от нее в этот вечер ему не хотелось, но выбора не было. Дружок Руперта, Рэй, должен уйти в 11.30, а Руперт так болен, что не может оставаться один даже на пару часов. Однако здесь было затруднение и иного рода. Он чувствовал, что вряд ли может предложить Франсес переночевать в ее комнате для гостей без того, чтобы не оскорбить ее излишней смелостью. В конце концов вполне возможно, что она предпочитает в одиночестве справляться с обуревающими ее тяжкими мыслями, и его присутствие будет ей неудобно. Но существовала еще и другая причина. Он жаждал ее близости, но это было для него так важно, что он не хотел, чтобы Франсес пришла к нему не из-за такого же желания, а лишь потому, что потрясение и горе слишком глубоко ее ранили и она нуждается в утешении. «Как все перепутано в нашей жизни, — думал он. — Как трудно нам познать себя, а познав — как трудно измениться!»

Однако проблема разрешилась сама собой, когда он спросил:

— Франсес, вы уверены, что с вами все будет в порядке, если вы останетесь дома одна?

— Разумеется, все будет в порядке, — жестко ответила она. — И все равно вы нужны Руперту дома. Габриел — у себя внизу, если вдруг мне понадобится общество. Но оно мне не понадобится. Я привыкла быть одна, Джеймс.

Она вызвала по телефону такси, и он выбрал самый короткий путь, отпустив такси у Банка* и поехав по Центральной линии метро до станции Ноттинг-Хилл-Гейт.

Машину «скорой помощи» он заметил, как только свернул с Хиллгейт-стрит. У него сжалось сердце. Бегом бросившись к дому, он увидел, что санитары уже несут Руперта вниз по лестнице в кресле-носилках. Только его лицо виднелось над одеялом — лицо, которое даже теперь, истощенное беспредельной слабостью и близостью смерти, не утратило для Джеймса своей необычайной красоты. Он наблюдал, как ловко опытные руки санитаров управляются с креслом, и ему казалось, что это его руки и плечи ощущают невыносимую легкость этой ноши.

— Я поеду с вами, — сказал он.

Но Руперт покачал головой:

— Лучше не надо. Они не разрешают, чтобы в машине было много народу. Рэй поедет.

— Эт'точно, — сказал Рэй. — Я с ним еду.

Санитары очень торопились. За ними уже выстроились две машины, ожидающие, когда освободится проезд. Джеймс забрался внутрь и молча смотрел на Руперта.

— Простите, что я в вашей гостиной такой беспорядок устроил, — сказал Руперт. — Я не собираюсь возвращаться. Так что вы сможете там как следует прибрать и пригласить Франсес. И вам обоим можно будет чувствовать себя спокойно: не придется стерилизовать всю посуду.

— А куда вас везут? — спросил Джеймс. — В хоспис?

— Нет. В Миддлсекс**.

— Я приеду к вам завтра.

— Лучше не надо.

Рэй уже сидел в машине, устроившись прочно и удобно, словно это было его место по праву. Но ведь это и было его место по праву. И тут Руперт заговорил снова. Джеймс наклонился, чтобы лучше расслышать.

— Та история про Жерара Этьенна, — сказал Руперт. — Про меня и Эрика. Вы ведь не поверили, правда?

— Нет, Руперт. Я поверил.

---

* Банк — *здесь сокр.*: Банксайд (Bankside — берег, береговая сторона) — район на южной стороне Темзы, между мостами Блэкфрайарз и Лондонским.
** Миддлсекс (Middlesex Hospital) — одна из старейших больниц Лондона; основана в 1745 г.

— Это было вранье. Как это могло быть правдой? Совершенная бессмыслица. Разве вы не знаете про инкубационный период? Вы поверили, потому что вам непременно надо было поверить. Бедный Джеймс! Как же вы его, должно быть, ненавидели! Не смотрите на меня так. Не надо смотреть с таким ужасом!

Джеймсу показалось, что у него пропал голос. А когда он смог заговорить, собственные слова поразили его их банальной бесполезностью:

— С вами все будет в порядке, Руперт?

— О да, со мной все будет в порядке. Наконец-то — в полном порядке. Не волнуйтесь и не приезжайте. Помните, что сказал Дж. К. Честертон: «Мы должны научиться любить жизнь, не доверяя ей». Я никогда ей не доверял.

Джеймс не помнил, как вылез из машины «скорой помощи», но он слышал негромкий звук закрывающихся двойных дверей, решительно захлопнутых прямо перед его лицом. Через несколько секунд машина завернула за угол, но он еще долго стоял и смотрел ей вслед, будто она ехала по длинной прямой дороге и он мог видеть, как она исчезает вдали.

50

Комплекс «Горный орел», неподалеку от Хаммерсмитского моста, оказался массивом краснокирпичных жилых домов в викторианском стиле, довольно потрепанных и неухоженных, как это бывает с домами, часто меняющими владельцев. Псевдоитальянский крытый подъезд, огромный и изобилующий украшениями, но с осыпающейся штукатуркой, резко противоречил простому, ничем не украшенному фасаду и придавал всему комплексу странную двусмысленность, словно завершить задуманное архитектору помешало внезапное отсутствие вдохновения или нехватка средств. Кейт подумала, что, если судить по подъезду, в этом случае «Горному орлу» все-таки повезло. Однако жильцы комплекса явно не оставляли надежд сохранить ценность своих владений. Окна, во всяком случае, на первом этаже, блистали чистотой, занавеси разных цветов висели аккуратными складками, а на некоторых подоконниках были укреплены ящики с плющом и стелющимися геранями, чьи стебли тянулись вниз, прикрывая закоптившийся кирпич стен. Планка почтового ящика и дверной молоток в виде огромной львиной головы сияли, начищенные до блеска, а в большой тростниковый, новый с иголочки, мат у дверей были вплетены слова «Комплекс "Горный орел"». Справа от двери шли кнопки квартирных звонков, у каждой кнопки, в специальной прорези, — карточка с именем жильца. У квартиры № 27 на карточке, отрезанной от визитной, вычурным шрифтом было напечатано: «Миссис Эсме Карлинг». На карточке квартиры № 29 стояло только одно слово, выведенное печатными буквами, — «Рид». Кейт позвонила, и через несколько секунд раздался женский голос, в котором даже через треск домофона нетрудно было расслышать нотки неохотной покорности судьбе:

— Ладно, поднимайтесь.

Лифта в доме не было, хотя размеры выложенного цветной плиткой холла говорили о том, что первоначально установка лифта здесь планировалась. По одной стене холла тянулись два ряда почтовых ящиков с четко обозначенными номерами, а у другой стоял стол красного дерева с резными фигурными ножками, на котором были разложены циркуляры, переадресованные письма и лежала пачка старых газет, перевязанная бечевкой. Все выглядело очень опрятно, а над столом виднелись потеки высохшей мыльной воды, говорившие о том, что здесь пытались отмыть стену, хотя в результате только ярче выявили грязь и копоть. Воздух пропах полировкой для мебели и каким-то дезинфицирующим средством. Поднимаясь по лестнице, ни Кейт, ни Дэлглиш не произнесли ни слова, но, проходя мимо тяжелых дверей с глазками и двойными безопасными замками, Кейт чувствовала, как в душе нарастает возбуждение, смешанное с некоторым страхом, и ей очень хотелось знать, испытывает ли то же самое молчаливый человек, шагающий рядом с ней. Предстоящее интервью имело очень большое значение. К тому времени, как они пойдут вниз по этой лестнице, расследование, возможно, будет уже завершено.

Кейт удивляло, что Эсме Карлинг не могла позволить себе чего-нибудь получше, чем квартира в таком непрезентабельном жилом комплексе. Этот адрес не мог быть достаточно престижным, чтобы принимать интервьюеров и журналистов, если предположить, что таковые искали с ней встречи. Однако то немногое, что они о ней знали, никак не позволяло думать, что она была литературным изгоем, отшельником: Эсме Карлинг пользовалась известностью. Кейт и сама о ней слышала, хотя книг ее не читала. Правда, это вовсе не означало, что она получала большой доход от своих книг: Кейт как-то попалась в одном из журналов статья о том, что, хотя немногие преуспевающие писатели — миллионеры, большинство авторов, даже те, кто широко известен, не могут жить на свои гонорары. Однако через час им предстоит встретиться с ее литагентом, так что нет смысла размышлять об Эсме Карлинг — авторе детективных романов, ведь совсем скоро на ее вопросы будет отвечать человек, более всех в этих вопросах компетентный.

Дэлглиш предпочел поговорить с Дэйзи еще до того, как осмотрит квартиру Эсме Карлинг, и Кейт казалось, что она понимает почему. Информация, которую они могли получить от девочки, была жизненно важной. Какие бы тайны ни скрывались за дверью квартиры № 27, они могли подождать. Обломки погибшей жизни рассказывают свою собственную историю. Те грустные свидетельства, что оставляет после себя жертва — счета, письма и тому подобное, — могут быть неправильно истолкованы. Однако артефакты не лгут, они не меняют показаний, не фабрикуют алиби. Поэтому очень важно сначала опросить живых свидетелей, пока потрясение от убийства в их душах еще свежо. Хороший детектив с уважением относится к горю, иногда даже разделяет его, но никогда не замедлит воспользоваться им, даже если это горе ребенка.

Они подошли к двери, и прежде чем Кейт подняла руку к звонку, Дэлглиш сказал:

— Разговор поведете вы, Кейт.

— Хорошо, сэр, — ответила она, и сердце ее подпрыгнуло от радости. Два года назад она порой обнаруживала, что молится: «Боже, сделай так, чтобы у меня получилось!» Но теперь она не сомневалась, что получится.

Она не стала тратить времени на то, чтобы представить себе, как выглядит Шелли Рид, мать девочки. В полицейской работе считается более разумным не предвосхищать реальность преждевременными и надуманными предубеждениями. Но когда со скрежетом отодвинулась дверная цепочка и распахнулась дверь, Кейт с трудом смогла скрыть свое удивление. Трудно было поверить, что эта круглощекая молодая женщина, разглядывающая их с угрюмой неприязнью подростка, — мать двенадцатилетней девочки. Вряд ли ей могло быть больше шестнадцати, когда родилась Дэйзи. Ее ненакрашенное лицо все еще хранило что-то от мягкости не сформировавшегося, не повзрослевшего ребенка. Губы сердитого рта были полные, с чуть опущенными уголками. Широковатый нос с одной стороны украшала пронзившая ноздрю блестящая сережка, такая же, как сережки в ее маленьких ушах. Желтовато-рыжие волосы, резко контрастировавшие с черными бровями, спускались челкой почти до самых глаз и завитыми локонами обрамляли лицо. Широко расставленные, с косым разрезом глаза казались слегка опухшими из-за тяжелых век. О зрелости говорила только ее фигура: большие крепкие груди свободно ходили под безупречной чистоты длинным свитером из белой хлопчатой пряжи, а черные колготки плотно обтягивали высокие стройные ноги. Домашние тапочки были расшиты люрексом. При виде Дэлглиша жесткую бескомпромиссность глаз этой женщины сменило выражение настороженного уважения, будто она сразу распознала в нем гораздо более сильную власть, чем та, которой обладает социальный работник. И когда она заговорила, Кейт расслышала в ее голосе не только традиционно вызывающие нотки, но и усталое смирение.

— Что ж, входите, хоть я и не знаю, какой от этого толк будет. Ваши ребята уже один раз виделись с Дэйзи. Девочка рассказала все, что знает. Мы согласились помочь полиции, и чего хорошего вышло? Только эти чертовы соцработники нам на голову свалились. Их не касается, как я себе на жизнь зарабатываю. Ладно, я — стриптизерка, только что в этом плохого? Я на жизнь зарабатываю и своего ребенка могу сама содержать. Я работаю, и в моей работе противозаконного ничего нету, ведь так? Газеты вечно вопят про матерей-одиночек на соцпособии, а я ни на каком таком чертовом пособии не сижу. Да только скоро на него сяду, если целыми днями буду дома околачиваться и на всякие дурацкие вопросы отвечать. И нам не нужно тут никаких женщин-констеблей из Бюро по делам несовершеннолетних. Вроде той, что прошлый раз с вашим еврейским парнем приходила. Вот уж корова так корова!

Во время этой приветственной речи она не сдвинулась с места, но закончив, неохотно отступила в сторону, и все прошли в прихожую, такую крохотную, что втроем они едва могли в ней поместиться.

Дэлглиш сказал:

— Я — коммандер Дэлглиш, а это — инспектор Мискин. Она не из Бюро по делам несовершеннолетних. Она — детектив, как и я. Очень жаль, что мы вынуждены вас снова побеспокоить, миссис Рид, но нам необходимо еще раз поговорить с Дэйзи. Ей известно, что миссис Карлинг умерла?

— Да, известно. Нам всем это известно, еще бы нет! Это же в местных новостях было. Не хватает еще, чтоб вы заявили, что это не самоубийство и что это мы сделали.

— Дэйзи расстроена?

— Откуда мне знать? Она не смеется. Да и вообще я никогда не знаю, что этот ребенок чувствует на самом деле. Но она уж точно будет расстроена, когда вы с ней свои дела закончите. Она дома — вот тут. Я звонила в школу — сказать, что она только ко второй половине дня явится. И послушайте, сделайте мне одолжение — кончайте с этим побыстрей, ладно? Я должна за покупками выйти. А за девочкой сегодня вечером присмотрят. За нее не беспокойтесь. Наша здешняя уборщица вечером с ней побудет. А потом можете соцработникам сказать, чтоб о ней позаботились, если это их так волнует.

Гостиная оказалась узкой комнатой, поразившей их ощущением захламленности, дискомфорта и к тому же какой-то непонятной странности, пока Кейт не обнаружила, что искусственный камин, полка которого ломилась от поздравительных открыток и мелких фарфоровых безделушек, приделан к наружной стене, не имеющей дымохода. Справа от них, сквозь открытую дверь была видна двуспальная кровать, полузастеленная и заваленная одеждой. Миссис Рид подошла к двери и поспешно ее закрыла. Справа от этой двери Кейт заметила вешалку — металлическую перекладину с занавеской, тесно увешанную платьями. В гостиной, слева от двери, помещался огромный телевизор, напротив него — диван, а перед двойным окном — квадратный стол и четыре стула. На столе кучей лежали книги, похоже — школьные учебники. Девочка в школьной форме — синей юбке в складку и белой блузке — повернулась к ним от стола.

Кейт подумалось, что ей никогда еще не приходилось видеть такую дурнушку. Девочка явно была дочерью своей матери, но по странной прихоти генов материнские черты нелепо громоздились на худеньком детском личике. Маленькие глазки за стеклами очков были слишком далеко расставлены, нос широк, как у матери, губы такие же полные, как у нее, но уголки их опущены вниз еще сильнее. Однако кожа казалась удивительно нежной, а цвет лица поражал своей необычностью — бледный, зеленовато-золотистый, словно цвет яблок, на которые смотришь сквозь воду. Ее волосы — золотисто-каштановые, местами отливавшие рыжиной — шелковистыми прядями обрамляли лицо, казавшееся скорее взрослым, чем детским. Кейт бросила взгляд на Дэлглиша и сразу же отвернулась. Она понимала, какие чувства он испытывает — жалость и нежность. Она и раньше замечала у него это выражение, каким бы мимолетным, быстро стертым с лица усилием воли, оно ни было. Ее удивляло, какой всплеск негодования это в ней вызывало. В конце концов, при всей его чуткости он ничем не отличался от других мужчин. Первая его реакция при взгляде на особь женского пола была чисто эстетической — наслаждение красотой и сочувственное сожаление об уродстве. Некрасивые женщины привыкают к такому взгляду — ведь тут ничего не поделаешь. Но ребенка-то следовало бы уберечь от столь жестокого знакомства с этим проявлением всеобщей человеческой несправедливости. Можно издать законы против любого рода дискриминации, только не против этой. Во всем — от работы до секса — привлекательные женщины обладают преимуществом, тогда как дурнушки терпят унижения и отвергаются. А эта девочка не могла бы даже рассчитывать обрести ту особую, сексуально привлекательную некрасивость, которая — в сочетании с умом и богатым воображением — бывает гораздо более эротичной, чем просто миловидность. Ничто не поможет приподнять эти опущенные уголки слишком тяжелых губ, поближе сдвинуть маленькие поросячьи глазки. В те несколько секунд, что предшествовали началу беседы, Кейт была охвачена бурным смятением чувств, среди которых немалую толику занимало отвращение к себе самой. Если Дэлглиш почувствовал инстинктивную жалость к девочке, словно она была калекой, то и Кейт чувствовала то же самое, а ведь она — женщина! Она должна бы судить по совершенно иным критериям. В ответ на жест матери Дэлглиш опустился на диван, а Кейт взяла стул и села напротив Дэйзи. Миссис Рид с воинственным видом плюхнулась на противоположный конец дивана и зажгла сигарету.

— Я остаюсь здесь, — заявила она. — Вы не будете опрашивать моего ребенка без меня.

Дэлглиш спокойно ответил:

— Мы не сможем разговаривать с Дэйзи, если вы здесь не останетесь, миссис Рид. Существуют специальные правила опроса несовершеннолетних. Но вы очень помогли бы нам, не вмешиваясь в нашу беседу, если только не сочтете, что мы несправедливы к вашей дочери.

Кейт выбрала стул, стоявший у стола прямо перед девочкой.

— Нам очень жаль твоего друга, Дэйзи. Ведь миссис Карлинг была твоим другом, верно?

Дэйзи открыла какой-то учебник и притворилась, что читает. Не поднимая глаз, она ответила:

— Она меня любила.

— Когда нас любят, мы обычно отвечаем на любовь любовью. Во всяком случае, со мной это так и бывает. Ты знаешь, что миссис Карлинг умерла. Может быть, она покончила с собой. Но мы пока в этом не уверены. Нам очень нужно выяснить, как и почему она умерла. И мы хотим, чтобы ты нам помогла. Поможешь?

И тут Дэйзи подняла на нее глаза. Взгляд этих маленьких глаз был обескураживающе умным, жестким, как у взрослого, и таким пытливым, какой бывает только у ребенка. Она заявила:

— С вами я не хочу разговаривать. Хочу разговаривать с начальником. — Она пристально посмотрела на сидевшего на диване Дэлглиша и сказала: — Я с ним хочу разговаривать.

Дэлглиш ответил:

— Ну что ж, я ведь здесь. Так что это все равно, с кем ты будешь говорить, Дэйзи.

— Ни с кем не буду, только с вами.

Кейт, растерянная и расстроенная, поднялась было со стула, пытаясь скрыть досаду и разочарование, но Дэлглиш махнул ей рукой, чтобы оставалась на месте, и поставил рядом с ней стул для себя.

— Вы думаете, тетечку Эсме убили, да? — спросила Дэйзи. — Что вы с ним сделаете, если поймаете?

— Если суд сочтет его виновным, он отправится в тюрьму. Но мы пока не можем быть уверены, что миссис Карлинг убили. Мы пока еще не знаем, как и почему она умерла.

— А в школе миссис Саммерс говорит, что если сажать людей в тюрьму, никакой пользы это им не приносит.

— Миссис Саммерс права, — ответил Дэлглиш. — Но людей сажают в тюрьму не всегда для того, чтобы это пошло им на пользу. Иногда это необходимо, чтобы защитить других людей, или удержать от чего-то, или если общество встревожено тем, что совершил виновный человек, и наказание выражает эту тревогу.

«О Господи, — подумала Кейт, — неужели теперь нам еще предстоит обсуждать проблему приговоров о задержании и аресте и философские основы судебных наказаний?» Но Дэлглиш явно был расположен сохранять терпение.

— А миссис Саммерс говорит, что казнить людей — варварство.

— В нашей стране людей уже больше не казнят, Дэйзи.

— А в Америке казнят.

— Да, в некоторых частях Соединенных Штатов и в некоторых других странах все еще казнят. Но в Британии такое больше не случается, думаю, ты это и сама знаешь, Дэйзи.

Девочка нарочно упрямится, думала Кейт. Интересно, понимает ли она, что делает, и что у нее на уме, кроме, конечно, попытки выиграть время? Про себя Кейт кляла миссис Саммерс на чем свет стоит. В свои школьные годы она знала пару-тройку учительниц вроде нее, главным образом мисс Крайтон, которая делала все возможное, чтобы отговорить Кейт от службы в полиции на том основании, что полицейские — деспотичные фашиствующие молодчики, агенты капиталистической власти. Ей очень хотелось спросить у Дэйзи, что миссис Саммерс сделала бы с убийцей миссис Карлинг, если тут и правда был убийца, конечно, помимо того, чтобы посочувствовать ему, дать совет и отправить в кругосветное путешествие. А еще лучше было бы дать миссис Саммерс взглянуть на некоторых из жертв убийства и побывать на местах преступления, где приходилось бывать самой Кейт. Раздраженная новым всплеском былых обид и предубеждений, от которых, как она полагала, ей удалось избавиться, возвращением воспоминаний, которые ей так хотелось изгнать из памяти, Кейт не сводила глаз с лица Дэйзи. Миссис Рид ничего не говорила, только яростно затягивалась сигаретой. Комната все больше заполнялась дымом.

Придвинувшись поближе к девочке, Дэлглиш сказал:

— Дэйзи, нам совершенно необходимо выяснить, как и почему умерла миссис Карлинг. Это могло случиться по ее собственной воле, но можно предположить — пока только предположить, — что она была убита. Если это так, нам надо выяснить, кто в этом виноват. Это наша работа. Поэтому мы здесь. Мы пришли к вам, потому что думаем, что ты можешь нам помочь.

— А я уже сказала тому полицейскому и женщине-констеблю все, что знаю.

Дэлглиш не ответил. Его молчание и то, что оно подразумевало, явно привели Дэйзи в замешательство. После короткой паузы она настороженным тоном произнесла:

— А откуда мне знать, что вы не попытаетесь свалить убийство мистера Этьенна на тетечку Эсме? Она говорила, вы можете попытаться. Она думала, вы захотите ее подставить.

— Мы не считаем, что миссис Карлинг имеет хоть какое-то отношение к убийству мистера Этьенна, — сказал Дэлглиш. — И мы не собираемся ни на кого сваливать это убийство. Мы всего лишь пытаемся узнать правду. Мне думается, я знаю про тебя две вещи, Дэйзи. Во-первых, ты умная, а во-вторых, если ты пообещаешь говорить правду, то все, что ты скажешь, и будет правдой. Обещаешь?

— Откуда мне знать, что вам можно доверять?

— Я просто прошу тебя доверять нам. Ты должна сама решить, можно или нет. Это очень важное для тебя решение, но тут уж ничего не поделаешь — придется его принять. Только не надо лгать. Я бы предпочел, чтобы ты лучше ничего нам не сказала, чем солгала.

Он избрал стратегию крайнего риска, подумала Кейт. Она очень надеялась, что теперь Дэйзи не начнет рассказывать им о том, как миссис Саммерс предупреждала своих учеников, чтобы они никогда не доверяли ни одному полицейскому. Поросячьи глазки Дэйзи смотрели прямо в глаза Дэлглишу. Казалось, наступившее молчание длится бесконечно. Наконец Дэйзи произнесла:

— Хорошо. Я скажу правду.

Голос Дэлглиша не дрогнул, тон не изменился. Он спросил:

— Когда инспектор Аарон и женщина-констебль приходили повидаться с тобой, ты им говорила, что провела вечер в квартире миссис Карлинг, делала там уроки и поужинала вместе с ней. Это правда?

— Да. А иногда я к ней ходила, чтобы там поспать — у нее в свободной комнате или на кушетке. Тогда тетечка Эсме перед маминым приходом меня будила и отводила домой.

Тут вмешалась миссис Рид:

— Послушайте, дома девочка была в полной безопасности. Я всегда дверь на два замка запираю, когда на работу ухожу, а у нее свои ключи есть. И всегда номер телефона оставляю. А какого черта я еще могла бы сделать? Брать ее с собой в клуб, что ли?

Дэлглиш не обратил на нее никакого внимания. Он не сводил глаз с Дэйзи.

— А что вы обычно делали вместе?

— Я делала уроки, а она иногда немножко писала, а потом мы телик вместе смотрели. Она мне свои книги разрешала читать. У нее книг полно — про убийства всякие, и она ну прямо все знала про убийства в настоящей жизни. Я с собой свой ужин из дому приносила, а иногда у нее немножко ела.

— Похоже, вам хорошо было вместе в такие вечера. Думаю, ее радовало твое присутствие.

— Она не любила поздно вечером одна оставаться. Говорила, что слышит всякие звуки на лестнице и не чувствует себя в безопасности, даже когда дверь на два замка закрыта. Говорила — кто-то, у кого вторая пара ключей есть, может с ними не очень аккуратно обращаться, и какой-нибудь убийца их может заполучить и прокрасться по лестнице, и в квартиру пробраться. Или говорила, что он может на крыше сидеть, пока темно станет, и по веревке спуститься и в окно влезть. Иногда по ночам она могла даже слышать, как он по стеклу постукивает. Ей всегда хуже было, когда по телику что-нибудь страшное показывали. Она не любила одна телик смотреть.

Бедная девчушка, думала Кейт. Так вот от каких столь ярко воображаемых страхов, вечер за вечером оставаясь одна, искала она убежища в квартире миссис Карлинг. Интересно, от чего же искала убежища сама миссис Карлинг? От скуки, одиночества, от собственных воображаемых страхов? Это была странная дружба, но обе они находили в ней то, в чем каждая нуждалась, — дружеское общение, чувство защищенности, милые бытовые мелочи, создающие тепло домашнего очага.

— Ты говорила инспектору Аарону и женщине-констеблю из Бюро по делам несовершеннолетних, — продолжал Дэлглиш, — что пробыла у миссис Карлинг в четверг, четырнадцатого октября, когда умер мистер Этьенн, с шести часов вечера до тех пор, пока миссис Карлинг не отвела тебя домой примерно в полночь. Это правда?

Он наконец задал самый существенный вопрос, и Кейт показалось, что они оба ждут ответа затаив дыхание. Девочка по-прежнему спокойно, не отводя глаз, смотрела на Дэлглиша. Слышно было, как мать девочки пыхтит сигаретой, но Дэйзи молчала.

Проходили секунды. Наконец Дэйзи сказала:

— Нет. Это неправда. Тетечка Эсме попросила меня солгать ради нее.

— Когда она попросила тебя это сделать?

— В пятницу, на следующий день, как мистера Этьенна убили, когда она пришла меня из школы встретить. У ворот меня ждала. А потом домой со мной на автобусе поехала. Мы наверху в автобусе сидели, где народу поменьше, и она мне сказала, что полицейские будут спрашивать, где она была, и мне надо сказать, что мы провели вечер и часть ночи вместе. Она сказала, они могут подумать, что это она убила мистера Этьенна, потому что она пишет книжки про преступления и знает все про убийства, и потому что она умеет очень умно свои сюжеты разрабатывать. Она сказала, полицейские попытаются свалить на нее это убийство, потому что у нее мотив есть. Все в издательстве «Певерелл пресс» знают, как она ненавидела мистера Этьенна за то, что он отвергнул ее книгу.

— Но ты ведь не подумала, что она это сделала, верно, Дэйзи? Почему же?

Острые маленькие глазки по-прежнему смотрели прямо ему в глаза:

— Вы сами знаете почему.

— Да. И инспектор Мискин тоже знает. Но ты все-таки скажи.

— Если бы это она сделала, она пришла бы поздно вечером к нам, еще до маминого возвращения, и тогда попросила бы насчет алиби. А она не просила, пока труп не обнаружили. И она не знала, в какое время мистер Этьенн умер, она сказала, чтоб я точно ей на весь вечер алиби дала и на ночь. Тетечка Эсме сказала, что мы одно и то же должны говорить, потому что полицейские обязательно постараются нас подловить. Так что я рассказала тому инспектору все, что было в тот вечер, кроме как что мы по телику видели. Только все это в предыдущий вечер было.

— Да, это самый надежный способ выдумывать алиби, — сказал Дэлглиш. — По сути ведь ты говоришь правду, так что можешь не бояться, что другой человек скажет что-нибудь другое. Это ведь твоя была идея?

— Да.

— Хочется надеяться, Дэйзи, что ты не станешь всерьез преступления совершать. А теперь — очень важная вещь, Дэйзи, и я прошу тебя подумать хорошенько, прежде чем отвечать на мои вопросы. Согласна?

— Да.

— Твоя тетя Эсме рассказала тебе, что произошло в Инносент-Хаусе вечером в четверг? В тот вечер, когда умер мистер Этьенн?

— Она мне не очень много рассказала. Сказала, что была там и виделась с мистером Этьенном, но он был жив, когда она ушла. Кто-то ему позвонил, чтоб он наверх поднялся, и он пошел и сказал, что ненадолго. Но он задержался надолго, и ей надоело ждать. В конце концов она ушла.

— Ушла, больше с ним не повидавшись?

— Так она сказала. Она сказала, что ждала-ждала, а потом испугалась. Очень страшно в Инносент-Хаусе, когда все сотрудники уже ушли, и там тихо и холодно. Там какая-то дама с собой покончила, и миссис Карлинг сказала, что ее призрак там иногда бродит. Так что она не стала ждать, пока мистер Этьенн обратно придет. А я ее спросила, может, она убийцу видела? А она сказала: «Нет, я его не видела. Не знаю, кто это сделал, но зато знаю — кто не сделал».

— Она не сказала — кто?

— Нет.

— А что-нибудь еще про тот вечер она рассказывала? Постарайся точно вспомнить ее слова.

— Она что-то еще сказала, только в этом смысла никакого не было. Она сказала: «Я слышала голос, но змея была за дверью. Почему змея была за дверью? И совсем уж неподобающее время было брать пылесос». Она очень тихо это сказала, вроде как сама с собой разговаривала.

— А ты ее не спросила, что она имела в виду?

— Я ее спросила, что это была за змея. Ядовитая? Она что, мистера Этьенна укусила? А она говорит: «Нет, это не настоящая змея, но, возможно, по-своему вполне смертоносная».

Дэлглиш повторил:

— «Я слышала голос, но змея была за дверью. И совсем уж неподобающее время было брать пылесос». Ты уверена, что она именно так сказала?

— Да.

— Она не сказала — *его* голос или *ее* голос?

— Нет. Она сказала, как я вам рассказала. Я думаю, она хотела не все мне сказать, что-то в тайне сохранить. Она любила секреты и тайны.

— А когда она снова заговорила с тобой об убийстве?

— Позавчера, когда я дома уроки делала. Она сказала, что идет в Инносент-Хаус с кем-то встретиться. Сказала: «Теперь им придется опять печатать мои книги. Во всяком случае, я себе эту возможность обеспечу». Еще сказала, что, может, ей придется попросить меня обеспечить ей еще одно алиби, но она пока не уверена. Я ее спросила, с кем она встретиться собирается, а она ответила, что пока не скажет мне, пока это должно остаться в секрете. Я думаю, она и не собиралась мне говорить, это слишком важно для нее было, чтобы вообще кому-нибудь сказать. Я тогда говорю: «Если вы с убийцей повидаться хотите, смотрите, чтобы он и вас не убил». А она отвечает, что не настолько глупа и не собирается ни с каким убийцей встречаться. И говорит: «Я не знаю, кто убийца, но, может быть, узнаю после завтрашней встречи». И больше ничего не сказала.

Дэлглиш протянул ей над столом руку, и девочка крепко ее пожала.

— Спасибо, Дэйзи, — произнес он. — Ты очень нам помогла. Мы должны будем попросить тебя написать все это и подписать, но не сейчас.

— А меня под попечение не отдадут?

— Не думаю, что тебе грозит такая возможность. А вы что скажете? — Он взглянул на миссис Рид.

— Мой ребенок под попечение попадет только через мой труп, — мрачно откликнулась та.

Она проводила их к выходу и вдруг, очевидно, поддавшись порыву, выскользнула вслед за ними и плотно прикрыла за собой дверь. Не обращая внимания на Кейт, она обратилась к Дэлглишу:

— Мистер Мейсон, школьный директор, говорит, что Дэйзи способная. Я хочу сказать — по-настоящему умная.

13*

— Я думаю, он прав, миссис Рид. Дэйзи очень умна. Вы можете гордиться своей дочерью.

— Он считает, она может от правительства грант получить, чтоб в другую школу перейти. В школу-интернат.

— А что думает сама Дэйзи?

— А она говорит, что не против. Ей в этой ее школе не нравится. Я думаю, ей очень хочется перейти, только она сказать об этом не хочет.

Кейт почувствовала легкое раздражение. Им же надо продолжать расследование. Надо обследовать квартиру миссис Карлинг, а в 11.30 должна явиться ее литагент.

Однако Дэлглиш не выказывал ни малейшего признака нетерпения. Он сказал:

— Почему бы вам с Дэйзи не обсудить это как следует с мистером Мейсоном — всем вместе? Это ведь Дэйзи должна решать.

Миссис Рид все медлила, словно ей нужно было услышать от него что-то еще, словно только он мог дать ей необходимую уверенность. А он сказал:

— Вы не должны думать, что такое решение будет дурно для Дэйзи лишь потому, что оно по случайному совпадению оказывается удобно вам. Это может быть благотворно для вас обеих.

— Спасибо вам, спасибо большое, — прошептала она и скользнула обратно в свою квартиру.

51

Квартира миссис Карлинг располагалась ниже этажом, в передней части дома. В массивной двери красного дерева виднелась замочная скважина, и, помимо этого, она была снабжена еще двумя надежными замками с секретом. Ключи поворачивались легко, и Дэлглиш толчком отворил дверь — открываться ей мешала целая груда почты. В прихожей пахло затхлым и было очень темно. Он нащупал на стене выключатель, нажал кнопку, и сразу высветилось незамысловатое расположение всей квартиры: узкая прихожая, две двери прямо напротив входа и по одной в торцах. Дэлглиш наклонился — поднять с пола разнообразные конверты, большинство из которых явно содержали рекламные проспекты, два заключали в себе счета, а один требовал, чтобы миссис Карлинг немедленно его открыла и получила возможность выиграть полмиллиона. Тут была еще и записка, написанная старательным почерком на сложенном вчетверо листке бумаги: «К сожалению, я не смогу прийти завтра. Должна пойти с Трэйси в клинику по причине высокого кровяного давления. Надеюсь увидеться с Вами в следующую пятницу. Миссис Дарлин Морган».

Дэлглиш открыл ближайшую к нему дверь и включил свет. Они оказались в гостиной. Два окна, выходящие на улицу, были плотно закрыты, красные бархатные шторы наполовину задернуты. На такой высоте не следовало опасаться любопытных глаз даже с верхнего этажа автобуса, однако понизу оба окна были до половины затянуты узорчатыми тюлевыми занавесками. Главным источником искусственного света была лампа с абажуром в форме опрокинутой стеклянной вазы с едва заметным узором из бабочек, свисавшая в центре комнаты с потолка; абажур был испещрен черными пятнышками прилипших к нему засохших мушиных телец. Здесь были еще три настольных лампы в розовых, с бахромой, абажурах: одна — на небольшом столике у кресла перед камином, другая — на квадратном столе меж двумя окнами, и третья — на огромном секретере с закатывающейся наверх крышкой, стоявшем у стены по левую руку от двери. Словно испытывая отчаянную потребность впустить в комнату побольше воздуха и света, Кейт отдернула занавеси и раскрыла одно из окон, потом обошла гостиную и включила все лампы. Оба они вдыхали холодный воздух, создававший иллюзию загородной свежести, и осматривали комнату, которую наконец-то могли как следует разглядеть.

Первым впечатлением, усиливавшимся розовым сиянием ламп, было ощущение удобного старомодного уюта, тем более трогательного, что хозяйка гостиной не делала никаких уступок модному современному вкусу. Вполне возможно, что комнату обставляли в 1930-е годы, да так и оставили без изменений. Большая часть мебели выглядела так, будто эти предметы были получены по наследству: секретер с закатывающейся наверх крышкой, вмещавший портативную пишущую машинку, у обеденного стола — четыре стула красного дерева, разностильных и разновозрастных, эдвардианская горка с дверцами из сплошного стекла, где разнообразные фарфоровые безделушки и часть чайного сервиза скорее нагромождены, чем специально расставлены, два выцветших коврика, так нелепо лежащих, что Дэлглиш подумал, может, они скрывают дыры в ковровом покрытии пола? Только диван и два таких же кресла перед камином казались сравнительно новыми, на них были полотняные чехлы с узором из неярких красных и желтых роз и лежали пухлые подушки. Настоящий камин выглядел довольно оригинально — это была изрядно украшенная конструкция из серого мрамора, увенчанная тяжелой каминной полкой, а сам очаг окружали два ряда узорных изразцов с цветами, фруктами и птицами. На обоих концах каминной полки сидели два фарфоровых стаффордширских пса в ошейниках с золотыми цепочками, их блестящие глаза пристально смотрели на противоположную стену. Между ними располагались самые различные безделушки: памятная кружка с Георгом VI и коронацией королевы Елизаветы, черная лакированная коробочка, два крохотных медных подсвечника, современная фарфоровая фигурка дамы в кринолине с собачкой на коленях, хрустальная ваза с букетом искусственных примул. За безделушками стояли две цветные фотографии. На одной из них, по-видимому, сделанной во время вручения премий, Эсме Карлинг стояла, прицеливаясь из поддельного ружья, в окружении смеющихся людей. На второй она подписывала книги. Позы на этой фотографии были вполне очевидно продуманы: покупатель стоял рядом с писательницей в ожидании, неестественно наклонив голову, чтобы она попала в кадр, а миссис Карлинг, подняв ручку над страницей, благосклонно улыбалась прямо в объектив. Кейт недолго рассматривала снимок, пытаясь сопоставить эти расплывшиеся черты, маленький рот и чуть крючковатый нос с искаженным, ужасающе обезображенным лицом утонувшей женщины — впервые увиденной ею Эсме Карлинг.

Дэлглиш мог ясно представить себе, какой привлекательностью для Дэйзи обладала эта уютная, вся в мягких подушках комната. На этом широком диване девочка читала, смотрела телевизор, засыпала недолгим сном до того момента, когда ее полувели-полунесли к ней домой. Здесь было ее убежище от самонавязанного страха, от придуманных ужасов, кроющихся под обложками книг, ужасов облагороженных, олитературенных, которые можно попробовать на вкус, примерить на себя и отложить в сторону, которые не более реальны, чем танцующие на искусственных поленьях языки огня в поддельном камине, и так же легко выключаются. Здесь ей дарили защищенность, дружеское общение и — да, своего рода любовь, если любовью можно считать удовлетворение взаимных потребностей. Он взглянул на книги. Полки были уставлены детективными романами в мягкой обложке, но его внимание привлекло то, что большинство авторов были не из ныне живущих. Миссис Карлинг явно любила писательниц «золотого века» детективной литературы. Видно было, что эти книги читаны по многу раз. Под ними стояли книги о реальных преступлениях: о деле Уоллеса*, о Джеке Потрошителе, о самых знаменитых уголовных процессах викторианской эпохи, об Аделаиде Бартлетт** и Констанции Кент. Нижние полки были отданы ее собственным трудам в кожаных переплетах, с названиями, тисненными золотом. Дэлглиш подумал, что такая экстравагантность вряд ли могла быть оплачена издательством «Певерелл пресс». Это зрелище безобидного тщеславия тронуло его, вызвав острую жалость. Кто унаследует эти накопившиеся письменные свидетельства жизни, прожитой за счет убийств и окончившейся убийством? На какой полке, в чьей гостиной, спальне или уборной найдут они свое почетное или сколько-нибудь сносное место? А то, может быть, их купит оптом по дешевке какой-нибудь захудалый букинист и выставит на продажу как собрание сочинений, вздув цену благодаря ужасающей и столь соответствующей ее творениям истории ее смерти? Читая названия на книжных корешках, возвращавшие его в 1930-е, напоминавшие о деревенских полицейских, отправлявшихся к месту преступления на велосипеде, бравших под козырек перед деревенскими сквайрами, об аутопсиях, совершаемых эксцентричными сельскими врачами после вечернего приема больных, и о неожиданной развязке в библиотеке, Дэлглиш брал книги с полки наугад и бегло их пролистывал. «Смерть в танце», по-видимому, повествовала о мире бальных залов, где проходили танцевальные конкурсы, «Круиз к убийству», «Смерть в воде», «Омела убивает»... Он возвращал книги на полку, не испытывая чувства превосходства. Да и с чего бы? Он говорил себе, что Эсме Карлинг сво-

---

* Сэр Уильям Уоллес (Sir William Wallace, 1270—1305) — национальный герой Шотландии, вождь шотландского освободительного движения в правление Эдуарда I (1239—1307). Победив английское войско в битве при Стёрлинге (1297), стал на несколько месяцев фактическим правителем страны. После разгрома шотландцев в 1298 г. возглавил партизанское движение. Захвачен и казнен англичанами.

** Аделаида Бартлетт, жена богатого коммерсанта, в 1886 г. предстала перед судом по обвинению в убийстве своего больного мужа с помощью хлороформа, но была признана присяжными невиновной и освобождена прямо в зале суда.

ими детективами, вероятно, доставляла удовольствие гораздо большему числу людей, чем он — своими стихами. И если это удовольствие было иного рода, разве кто-нибудь может сказать, что одно недостойнее другого? По крайней мере она с уважением относилась к английскому языку и пользовалась им по мере своих сил. В век стремительно нарастающей безграмотности это уже что-то. Целых тридцать лет она поставляла читателям воображаемые убийства и приемлемые с виду улики, дарила поддающийся контролю страх. Адам надеялся, что когда ей пришлось лицом к лицу встретиться с реальностью, эта встреча была недолгой и милосердной.

Кейт тем временем прошла на кухню. Он последовал за ней, и вместе они принялись осматривать царивший там беспорядок. Раковина была заполнена грязной посудой, на плите стояла немытая сковорода, а из мусорного ведра на грязный пол вываливались консервные банки и смятые картонки из-под молока.

— Она бы не хотела, чтобы мы застали кухню в таком виде, — сказала Кейт. — Ужасно, что эта ее миссис Морган не смогла прийти сегодня утром.

Бросив на нее взгляд, Дэлглиш заметил, как краска смущения, поднимаясь от шеи, заливает ее лицо, и понял, что ее замечание вдруг показалось ей раздражающе глупым и она жалеет, что произнесла эти слова.

Однако мысли их шли в одном направлении: «Господи, дай мне узнать мой конец и число дней моих, дабы знал я, как долго мне предназначено жить». Разумеется, не так уж много людей способны искренне молить об этом. Самое лучшее, на что можно надеяться или пожелать себе, так это чтобы хватило времени разобраться с собственным мусором, предать свои тайны огню или выбросить их в корзину — и оставить кухню в полном порядке.

На несколько секунд, пока он открывал ящики и шкафчики, он мысленно вернулся на кладбище в Норфолке и снова услышал голос отца: мгновенная картина, образ такой силы, что принес с собой даже запах скошенной травы и свежеразрытой норфолкской земли, опьяняющий аромат лилий. Прихожанам нравилось, когда сын пастора присутствовал на деревенских похоронах, и во время школьных каникул он всегда так и поступал, участвуя в деревенских похоронах больше из интереса, чем по навязанной необходимости. Он шел вместе со всеми пить поминальный чай, стараясь не слишком выказывать юношеский голод, когда поминающие уговаривали его отведать традиционной запеченной ветчины или сытного орехового торта с цукатами и шепотом произносили слова благодарности:

— Хорошо, что вы пришли, мистер Адам. Наш батюшка это оценил бы. Он очень вас любил, батюшка-то наш.

Липкими от торта губами он бормотал в ответ ожидаемую ими ложь:

— Я его тоже очень любил, миссис Ходжкин.

Он обычно стоял на кладбище, наблюдая, как старый могильщик Гудфеллоу с людьми из похоронной конторы осторожно опускают гроб в точно по размеру отрытую яму, слышал, как мягко шлепаются о крышку комья норфолкской земли, и внимал печальному, интеллигентному отцовскому голосу, а несильный ветер взлохмачивал седеющую шевелюру отца и раздувал его сутану. Он обычно представлял себе когда-то знакомого мужчину или женщину как закутанное в саван тело, укрытое подбитым ватой покрывалом из искусственного шелка, уложенное в гораздо более нарядную постель, чем когда-либо при жизни, и мысленно рисовал последовательные стадии распада: гниющий саван, медленно разлагающаяся плоть и под конец — проваливающаяся на обнаженные кости крышка гроба. С самого детства он не мог поверить величественному провозглашению бессмертия: «И хотя черви источат мое тело, я восстану во плоти, чтобы предстать пред Господом».

Они перешли в спальню миссис Карлинг, но не стали там задерживаться. Спальня была большая, перегруженная мебелью, неприбранная и грязноватая. На туалетном столе 1930-х годов, увенчанном трельяжем, лежал пластмассовый поднос с узором из фиалок, на котором стояли и валялись полупустые флаконы с лосьонами для тела и для рук, жирные от крема баночки, тюбики губной помады, тушь для ресниц и тени для век. Кейт машинально отвинтила крышечку с самой большой банки с кремом под пудру и увидела на нем единственную вмятину там, где миссис Карлинг провела пальцем по поверхности крема. Эта отметина, такая эфемерная и все же на миг показавшаяся вечной, нестираемой, так живо напомнила ей образ погибшей женщины, что Кейт замерла с баночкой в руке, словно ее поймали на насильственном вторжении в частную жизнь. Ее собственные глаза смотрели на нее из зеркала пристыженно и виновато. Она заставила себя пройти к платяному шкафу и открыть дверцу. Вместе с шуршанием одежды до нее донесся запах, напомнивший ей о многих других обысках, о других жертвах и других комнатах, — затхлый, кисло-сладкий запах старости, неудавшейся жизни, смерти. Она быстро закрыла дверцу шкафа, но успела заметить три бутылки виски, спрятанные за стоящими рядком туфлями. «Бывают моменты, — подумала она, — когда я ненавижу свою работу». Однако эти моменты были редки и никогда долго не длились.

Комната для гостей оказалась узкой, неудачных пропорций кельей с единственным, высоко расположенным окном, выходящим на кирпичную стену в наслоениях многими десятилетиями копившейся лондонской грязи, с тяжелыми водосточными трубами по углам. Однако какая-то, пусть и не удавшаяся, попытка сделать комнату привлекательной была все же предпринята. Стены и потолок были оклеены обоями с узором из вьющихся стеблей жимолости, роз и плюща. Подобранные по цвету к обоям занавеси в искусно заложенных складках украшали окно, а под ним помещался одинарный диван под бледно-розовым покрывалом, выбранным явно за то, что оно подходило по цвету к розам обоев. Эта попытка украсить комнату, придать ее мрачной безликости женственную теплоту лишь подчеркнула ее недостатки. Обои, занавеси, покрывало были, несомненно, предназначены для приема гостьи, но Дэлглиш и представить себе не мог, чтобы какая-нибудь женщина могла спокойно заснуть в этой разукрашенной узорами и рождающей клаустрофобию тесной клетке. И уж конечно, никакой мужчина не был бы способен спать под этим гнетущим своей синтетической приторностью потолком, на слишком узкой постели, с таким непрочным прикроватным столиком, что не мог бы удержать ничего, кроме ночника.

Время, проведенное ими за осмотром квартиры, не было потрачено зря. Кейт припомнился один из первых уроков, который она получила, когда была совсем молоденькой и работала детективом-констеблем: нужно узнать и понять убитого. Убитый погибает именно из-за того, кто он такой, чем занимается и где находится в определенный момент времени. Чем больше ты узнаешь о жертве, тем ближе ты подходишь к убийце. Однако сейчас, сев перед секретером Эсме Карлинг, они принялись за поиски совершенно конкретных улик.

И они были вознаграждены сразу же, как открыли секретер. Он оказался гораздо аккуратнее и менее загроможден, чем они могли ожидать, а поверх пачки недавно пришедших и еще неоплаченных счетов лежали два листка бумаги. Первый был, совершенно очевидно, черновиком записки, найденной на ограде у Инносент-Хауса. Исправлений было совсем немного: окончательный вариант мало отличался от первого выплеска боли и гнева. Но почерк был неразборчивый, несравнимый с твердым, каллиграфическим почерком прощальной записки. Перед ними лежало подтверждение — если они нуждались в подтверждении, — что это ее слова, написанные ее рукой. Под этим листком находился черновик другого письма. Почерк — тот же самый. Дата — четверг, 14 октября.

«Дорогой Жерар.

Я только что услышала эту новость от своего литагента. Да, от литагента! Вам даже недостало вежливости или смелости сообщить мне об этом лично. Вы могли бы попросить меня прийти для разговора к вам в кабинет или — что никак вам не повредило бы — пригласить куда-нибудь на ленч или на обед, чтобы сообщить эту новость. Или вы так же скупы, как нелояльны и трусливы? А может быть, вы опасались, что я опозорю вас, громко рыдая над супом? Я гораздо сильнее и жестче, чем вы полагаете, и вы очень скоро убедитесь в этом. Конечно, ваш отказ издать «Смерть на Райском острове» все равно был бы несправедливым, неоправданным, незаслуженно обидным, но тогда я хотя бы имела возможность сказать все это вам в лицо. А теперь я не могу даже добиться разговора с вами по телефону. И неудивительно. Ваша проклятая мисс Блэкетт если что и умеет, так это успешно ограждать вас от телефонных звонков. Но по крайней мере это свидетельствует, что у вас еще осталось чувство стыда.

Вы хотя бы представляете себе, что я сделала для «Певерелл пресс» задолго до того дня, как вы пришли там к власти? И каким несчастным для издательства днем он оказался? Я создавала по книге в год на протяжении тридцати лет, и все эти книги пользовались надежным спросом, а если в последний год спрос на них упал, то кто же в этом повинен? Разве вы когда-нибудь пытались рекламировать мои книги с той энергией и энтузиазмом, которых заслуживает моя репутация? Я собираюсь сегодня на встречу с читателями в Кембридже, буду подписывать книги. Кто убедил магазин организовать эту встречу? Я! И я еду туда одна, как всегда. А ведь большинство издателей сопровождают своих ведущих авторов и смотрят, чтобы все было в порядке. Но мои почитатели там будут, и они будут покупать мои книги. У меня есть верные читатели, они ждут от меня того, чего, по-видимому, никакой другой писатель детективных романов не может им дать, — по-настоящему детективной истории, написанной хорошим языком, без грязного секса, грубого насилия и ругани, которых, по вашему мнению, сегодня требует публика. Так вот, она этого не требует! Если вы так плохо представляете себе, чего на самом деле хотят читатели, вы приведете «Певерелл пресс» к банкротству даже раньше, чем предсказывает все издательское сообщество.

Разумеется, мне придется тщательно продумать, как лучше всего защитить мои интересы. Если я перейду в другое издательство, я должна буду забрать у вас права на все мои книги, изданные вами ранее. Не думайте, что, выбросив меня за борт, вы сможете по-прежнему извлекать выгоду из этого ценного фонда. И вот еще что. Те таинственные события, которые постоянно происходят у вас в издательстве, начались с тех пор, как вы стали директором-распорядителем. На вашем месте я бы побереглась. В Инносент-Хаусе уже случились две смерти».

— Интересно, — сказала Кейт, — это что, тоже черновик, и она на самом деле отослала окончательный вариант? Она обычно печатала письма на машинке, но копии здесь я не вижу. Если она и в самом деле его отослала, то, может быть, ей показалось, что гораздо выразительнее будет написать письмо от руки. А это, наверное, и есть копия.

— В корреспонденции на его столе в кабинете этого письма не было. Я предполагаю, что оно и не было отправлено. Вместо этого она приехала в Инносент-Хаус и потребовала встречи. Когда это не получилось, она отправилась в Кембридж — подписывать книги, обнаружила, что кто-то из издательства встречу отменил, вернулась в Лондон, возмущенная до глубины души, и решила в тот же вечер явиться к Этьенну. Кажется, практически все знали, что по четвергам Этьенн работает допоздна. Возможно, она позвонила и сказала ему, что едет. Вряд ли он мог, учитывая все обстоятельства, ей помешать. А если она звонила по прямому телефону, ее звонок не должен был пройти через мисс Блэкетт.

— Удивительно вот что, — сказала Кейт, — раз она взяла с собой первое письмо, почему было не взять и это? Она могла его ему оставить. Я думаю, что либо Этьенн его порвал, либо убийца его нашел и уничтожил.

— Не похоже, — ответил Дэлглиш. — Больше похоже на то, что она взяла с собой обвинительную записку, адресованную всем компаньонам, с целью повесить ее на доске объявлений в приемной. Тогда ее увидели бы не только все компаньоны, но и сотрудники, и посетители.

— Вряд ли ее оставили бы там висеть, сэр.

— Конечно, нет. Но она могла надеяться, что очень многие увидят записку прежде, чем она привлечет внимание директоров. В любом случае она вызвала бы шум. Обвинительная записка, вероятно, должна была стать первым ударом в той войне, которую Карлинг собиралась развязать им в отместку. Ей наверняка пришлось пережить несколько страшных часов, когда она услышала о смерти Жерара Этьенна. Если она и вправду оставила в приемной эту записку, да еще, возможно, и рукопись романа, это послужило бы доказательством, что она приходила в тот вечер в Инносент-Хаус, когда большинство сотрудников уже ушли. Она скорее всего ждала, что мы вот-вот нагрянем к ней, уверенная, что присутствие там записки сделает ее одной из главных подозреваемых. Поэтому она договаривается с Дэйзи об алиби. А потом, когда полиция появляется, никто ничего о записке не говорит. Значит, либо мы не поняли ее важности, что вряд ли возможно, либо кто-то снял ее с доски. А потом человек, который действительно снял записку с доски объявлений, звонит Карлинг, чтобы ее успокоить. Он или она может ее успокоить, потому что Карлинг считает, что ей звонит доброжелатель, а не убийца.

— Все совпадает, сэр. Звучит логично и убедительно.

— Но это все домыслы, Кейт, все до единой детали. Это невозможно доказать. Ничто из этого в суде не выстоит. Это первоначальная гипотеза, соответствующая фактам, насколько они сейчас нам известны, но вся она построена на косвенных свидетельствах. Есть только одна маленькая деталь, которую можно считать прямой уликой. Если она прикрепила эту ложную прощальную записку к доске объявлений, когда уходила из Инносент-Хауса, на бумаге должны были остаться следы от одной или нескольких кнопок. Может быть, поэтому бумага была так аккуратно обрезана перед тем, как ее накололи на ограду?

Больше ничего особенно интересного в секретере не оказалось. Миссис Карлинг получала мало писем, или если и получала, то уничтожала их. Те, что сохранились, приходили авиапочтой, они были сложены в одну пачку, перевязаны ленточкой и лежали в специальном отделении. Все они были от подруги, живущей в Австралии — некоей миссис Марджори Рэмптон. Однако их переписка постепенно становилась все менее регулярной, а потом и совсем заглохла. Кроме этой пачки, была связка писем от читателей, каждое — с копией ответа, аккуратно приколотой к письму. Миссис Карлинг явно не жалела трудов, чтобы сделать приятное своим почитателям. В одном из верхних ящиков секретера лежала папка с надписью «Вложения в ценные бумаги», с письмами от ее брокера. Она обладала капиталом всего в тридцать две тысячи фунтов или чуть более, осторожно вложенных частью в государственные ценные бумаги, а частью — в обыкновенные акции. В другом они нашли копию завещания. Это был короткий документ, по которому она оставляла 5000 фунтов Авторскому фонду и клубу писателей-криминалистов, а все остальное состояние — подруге, живущей в Австралии. Еще одна папка содержала документы пятнадцатилетней давности, относящиеся к ее разводу с мужем. Бегло просмотрев бумаги, Дэлглиш пришел к выводу, что процесс проходил с резкими взаимными обвинениями, но — с точки зрения миссис Карлинг — закончился не очень для нее благоприятно. Алименты были небольшими и прекратились со смертью Рэймонда Карлинга через пять лет после развода. И это было все. Содержимое секретера подтверждало то, что Дэлглиш подозревал с самого начала. Эсме Карлинг жила ради своей работы. Отними это — что ей осталось бы?

52

Велма Питт-Каули, литагент миссис Карлинг, согласилась приехать в квартиру к одиннадцати тридцати и явилась на шесть минут позже. Не успела она войти в дверь, как стало вполне очевидно, что она не в самом добром расположении духа. Когда Кейт открыла ей дверь, она промчалась в комнату с такой поспешностью, будто это ее заставили ждать, бросилась в ближайшее из двух кресел, наклонилась, чтобы стянуть с плеча золотую цепочку сумочки, и плюхнула на пол рядом с собой туго набитый портфель. Лишь тогда она соблаговолила уделить внимание Дэлглишу и Кейт. Снизойдя до этого, она устремила взгляд на Дэлглиша, а когда их глаза встретились, настроение ее слегка изменилось: ее первые слова свидетельствовали о том, что она готова оказать им любезность.

— Простите за опоздание и за спешку, но вы же знаете, как это бывает. Я должна была сначала зайти в агентство, а в двенадцать сорок пять у меня заказан столик в «Айви» — я жду к ленчу гостя. И между прочим, это очень важная встреча. Автор, с которым я встречаюсь, специально прилетел из Нью-Йорка сегодня утром. И еще всякие дела навалились — так всегда случается, стоит лишь нос в агентстве показать. В наши дни никому самую простую работу доверить нельзя. Я ушла сразу, как только смогла, но такси застряло в пробке на Теоболд-роуд. Боже мой, какой это ужас с бедной Эсме! Настоящий кошмар! А что на самом деле случилось? Она утопилась, да? Утопилась или повесилась, или и то и другое? Ну, скажу я вам, это всю душу переворачивает!

Выразив подобающее случаю негодование, миссис Питт-Каули приняла в кресле более элегантную позу, сдвинув юбку черного делового костюма вверх почти до паха и обнажив высокие стройные ноги, обтянутые нейлоновыми колготками, такими тонкими, что заметно было лишь их приглушенное сияние там, где выступали косточки. Она явно с особым тщанием выбирала наряд, готовясь к встрече за ленчем в 12.45, и Дэлглиш задался вопросом, что за привилегированный клиент — теперешний или, возможно, будущий — заставил ее одеться так, чтобы костюм элегантно подчеркивал профессиональную компетентность и сексуальную привлекательность. Под безупречно сидящим жакетом с рядом медных пуговиц на ней была шелковая блузка с высоким воротником. Черная бархатная шляпка, пронзенная спереди золотой стрелой, плотно сидела на светло-каштановых волосах, подстриженных челкой, почти касавшейся прямых черных бровей, и падавших тщательно расчесанными волнами чуть ли не до самых плеч. Говоря, она живо жестикулировала, ее длинные, обильно унизанные кольцами пальцы чертили в воздухе узоры, словно она беседовала с глухими, а плечи ее время от времени горбились, как от неожиданного приступа боли. Жесты странным образом не соответствовали произносимым словам, и Дэлглиш заподозрил, что ее аффектация была не столько признаком нервозности или неуверенности в себе, сколько специально придуманным трюком, изначально имевшим целью привлечь внимание к ее замечательным рукам, но теперь превратившимся в неискоренимую привычку. Раздражение, с которым она вошла в квартиру, удивило Адама: по опыту работы он знал, что люди, так или иначе связанные с расследованием неординарного убийства, если только они не горюют об убитом и не боятся риска быть разоблаченными при полицейском опросе, обычно испытывают не лишенное приятности возбуждение от того, что вчуже соприкасаются с насильственной смертью и пользуются сомнительной славой «находящихся в курсе». Он привык встречать взгляды слегка смущенных, но горящих любопытством глаз. Дурное расположение духа и погруженность в собственные дела хотя бы немного разнообразили картину.

Велма Питт-Каули оглядела комнату с раскрытым теперь секретером, бросила взгляд на стопки бумаг на столе и сказала:

— Господи, и так ужасно сидеть здесь, в ее квартире, а вам еще пришлось копаться в ее вещах! Я понимаю, вы должны были это сделать, это ведь ваша работа. Но это выглядит жутко. Такое впечатление, что она присутствует здесь в гораздо большей степени, чем когда реально здесь находилась. Не могу отделаться от ощущения, что вот-вот услышу, как ее ключ повернется в замке, и она войдет, увидит, что мы тут натворили, и поднимет скандал.

— Боюсь, насильственная смерть — всегда вторжение в личную жизнь, — вздохнул Дэлглиш. — И часто она устраивала скандалы?

Будто не услышав вопроса, миссис Питт-Каули сказала:

— Знаете, чего бы мне сейчас и правда хотелось? На самом деле мне очень нужно выпить горячего, крепкого черного кофе. Наверное, это невозможно?

Она посмотрела на Кейт, и Кейт ответила:

— На кухне стоит банка с кофе в зернах, а в холодильнике — неоткрытая пачка молока. В принципе следовало бы обратиться в ее банк за разрешением, но я думаю, никто возражать не станет.

Поскольку Кейт не выказала намерения немедленно отправиться на кухню, Велма одарила ее долгим, задумчивым взглядом, как если бы оценивала возможную вздорность новой машинистки, а затем, пожав плечами и потрепетав в воздухе пальцами, решила проявить благоразумие:

— Впрочем, я полагаю, лучше не стоит, хотя сама-то она в этом уже не будет нуждаться, правда ведь? Не могу сказать, что мне так уж хочется воспользоваться какой-нибудь из ее чашек.

— Само собой разумеется, — сказал Дэлглиш, — что нам крайне важно как можно больше узнать о миссис Карлинг. Поэтому мы очень признательны вам за то, что вы согласились встретиться с нами сегодня утром. Смерть ее не могла не потрясти вас, и мы понимаем, как нелегко вам было прийти сюда. Но это действительно важно.

Голос и взгляд миссис Питт-Каули выразили глубочайшее чувство:

— О, я очень это понимаю. Я хочу сказать, что абсолютно понимаю, почему вы должны задавать мне всякие вопросы. Вне всякого сомнения, я помогу вам всем, чем смогу. Что вы хотели узнать?

— Когда вы услышали эту новость?

— Сегодня утром, чуть раньше семи, как раз перед тем, как ваши люди позвонили и попросили меня встретиться здесь с вами. Мне звонила Клаудиа Этьенн. Разбудила меня, по правде говоря. Не очень-то приятно с такой новости день начинать. Она могла бы и подождать, только я думаю, ей не хотелось, чтобы я прочла об этом в какой-нибудь вечерней газете или услышала, когда в агентство приду. Вы же знаете, как быстро у нас в городе сплетни разлетаются. В конце концов ведь я — литагент Эсме, то есть я хочу сказать — я была ее литагентом, и я думаю, Клаудиа полагала, что я должна одной из первых узнать об этом и что именно она должна мне об этом сообщить. Это странно. Это самое последнее, чего можно было бы от Эсме ожидать. Но конечно, это и было самое последнее, что она сделала. О Господи, простите, пожалуйста! В такие минуты что бы ты ни сказал, все кажется неподобающим.

— Так что эта новость вас удивила?

— Разве не так всегда и бывает? Понимаете, даже когда люди угрожают, что покончат с собой, и в конце концов исполняют свою угрозу, это всегда кажется удивительным, каким-то нереальным. Но Эсме! Да еще убить себя таким способом! Я хочу сказать — это не самый удобный способ уйти из жизни. Клаудиа вроде бы не совсем уверена была в том, как умерла Эсме. Сказала, что как будто Эсме повесилась на ограде у Инносент-Хауса, а труп обнаружили в воде. Так она что — утонула или удавилась, или что вообще-то произошло?

— Возможно, что миссис Карлинг умерла от утопления, — ответил Дэлглиш, — но мы не узнаем истинную причину смерти, пока не будет проведена аутопсия.

— Но это ведь было самоубийство? Я хочу сказать, вы ведь в этом уверены?

— Мы ни в чем пока не уверены. Вы можете припомнить что-нибудь, из-за чего миссис Карлинг могла бы захотеть покончить счеты с жизнью?

— Она была расстроена тем, что «Певерелл пресс» отказалось издать «Смерть на Райском острове». Думаю, вы об этом слышали. Но ею владел скорее гнев, чем отчаяние. Просто бешеный гнев. Я могу представить себе, что она захотела как-то отомстить издательству, но не самоубийством же! Кроме всего прочего, для этого нужна смелость. Я не хочу сказать, что Эсме была трусихой. Но я почему-то не могу представить себе, как она вешается или бросается в реку. Выбрать такую смерть! Если она и в самом деле хотела покончить с собой, существуют гораздо более легкие пути. Возьмите Соню Клементс. Вы, конечно, про это знаете. Соня Клементс убила себя снотворным и спиртным. Я бы тоже так сделала. И Эсме, если подумать, тоже.

— Но в качестве публичного протеста это выглядело бы менее эффектно, — возразила Кейт.

— Не так драматично, я согласна. Но что толку в драматическом публичном протесте, если тебя при этом нет и ты не можешь им насладиться? Нет, если бы Эсме решила покончить с собой, она совершила бы это в постели: чистые простыни, вся комната в цветах, самая нарядная ночная рубашка, полная достоинства прощальная записка на прикроватной тумбочке. Создавать прекрасную видимость — это был ее конек.

Кейт, вспомнив комнаты самоубийц, куда ее срочно вызывали, — рвоту, запачканные простыни, гротескно застывшие в смерти тела — подумала, что самоубийство в реальности весьма редко бывает столь же полным достоинства, как в воображении, и спросила:

— Когда вы виделись с ней в последний раз?

— Вечером, на следующий день после смерти Жерара Этьенна. Пятнадцатого октября, в пятницу.

— Здесь или у вас в агентстве? — спросил Дэлглиш.

— Здесь, в этой самой комнате. Вообще-то все получилось случайно, я не планировала к ней заходить. Я должна была обедать с Дикки Малчестером из издательства «Герн и Иллингуорт» — надо было обсудить одного клиента, и мне пришло в голову, что его фирму может заинтересовать «Смерть на Райском острове». Шансов было мало, но они стали время от времени принимать к печати некоторые детективы. Когда я ехала в ресторан, как раз мимо этого дома, я заметила, что на боковой дорожке есть места, где можно машину поставить, и подумала, что могу зайти, взять у Эсме ее экземпляр рукописи. Движение на улицах было не таким напряженным, как я предполагала, и у меня оказалось лишних десять минут. Мы не разговаривали с тех пор, как умер Жерар. Странно, правда, как всякие мелочи определяют наши поступки? Я, может, и не потрудилась бы зайти к ней, если бы не заметила свободное место для парковки. А еще мне хотелось услышать реакцию Эсме на смерть Жерара. От Клаудии я не очень-то много узнала. Вот я и подумала, что Эсме могла разузнать какие-то подробности. Сплетни — это был ее конек. Хотя я тогда не так уж много времени могла потратить. Главная причина была — рукопись забрать.

— И как вы ее нашли? — спросил Дэлглиш.

Миссис Питт-Каули ответила не сразу. Лицо ее стало задумчивым, беспокойные руки на миг застыли без движения. Дэлглишу подумалось, что она сейчас переоценивает ту встречу в свете последующих событий, придавая ей, по всей вероятности, большее значение, чем представлялось тогда. Наконец она сказала:

— Оглядываясь назад, я думаю, она вела себя довольно странно. Я ожидала бы, что ей захочется поговорить о смерти Жерара, о том, как он умер, почему умер, не было ли это убийством... А она никак не хотела это обсуждать. Она сказала, что это слишком ужасно, слишком больно, что тридцать лет «Певерелл пресс» издавало ее книги, и как бы дурно они с ней ни обошлись, она глубоко потрясена смертью Жерара. Ну, его смерть нас всех потрясла, но я не ожидала, что Эсме почувствует глубокое личное горе. Она сообщила мне, что у нее есть алиби на весь прошлый вечер. Очевидно, у нее весь вечер и часть ночи оставалась соседская девочка.

Помню, я тогда еще подумала, как странно, что она нашла нужным мне об этом сказать. В конце концов, никто не собирался подозревать Эсме в том, что она удушила Жерара этой змеей, или как там еще он умер. Ох да, еще я припоминаю, она меня спросила, не думаю ли я, что теперь, когда Жерар умер, компаньоны могут передумать насчет «Смерти на Райском острове»? Она всегда считала, что он — главный виновник отказа. Но я ее не очень обнадежила. Я сказала, что это решение скорее всего было принято Книжной комиссией и в любом случае компаньоны не захотят пойти против желания Жерара теперь, когда его нет. Затем я сказала ей, что предполагаю, что «Герн и Иллингуорт» могут заинтересоваться романом, и попросила у нее рукопись. И тут она тоже повела себя странно. Сказала, что не может вспомнить, куда ее положила. Попыталась ее поискать и не смогла найти. Потом сказала, что так расстроена, что не может даже думать о «Райском острове» так скоро после смерти Жерара. Это прозвучало не очень-то правдиво. В конце концов, она же сама меня спросила пару минут назад, не думаю ли я, что компаньоны изменят свое решение и примут роман. Я думаю, рукописи у нее не было. Либо так, либо она не хотела мне ее давать. Очень скоро я ушла. Я и была-то здесь всего-навсего минут десять.

— И вы с ней с тех пор не разговаривали?

— Нет, ни разу. Это тоже удивительно, если подумать. Ведь Жерар Этьенн был все-таки ее издателем. Я бы ожидала, что она явится в агентство, хотя бы только для того, чтобы посплетничать. Обычно от нее отделаться было невозможно.

— Как давно вы стали ее литагентом? Вы хорошо ее знаете?

— Не больше двух лет назад. Но даже за этот короткий период я смогла довольно хорошо ее узнать. Она сама об этом позаботилась. Я ее фактически получила в наследство. Ее прежним литагентом была Марджори Рэмптон. Мардж работала с ней с самой первой ее книги. А это было тридцать лет назад. Они и в самом деле были очень близки. Очень часто возникает тесная дружба между литагентом и автором: невозможно ведь стараться для кого-то изо всех сил, если между тобой и клиентом не устанавливаются хорошие отношения и ты не уважаешь их работу. Но у Мардж и Эсме все это было гораздо глубже. Не поймите меня неправильно — я говорю о дружбе. Я ни на что такое не намекаю... то есть на какие-то сексуальные отношения. Мне кажется, у них было очень много общего: обе овдовели, обе бездетные. Они обычно ездили отдыхать вместе, и я думаю, Эсме попросила Мардж быть ее литературным душеприказчиком. Занудная будет кому-то работка, если только она завещание не изменила. Мардж уехала в Австралию, к своим племянницам, как только продала мне агентство, и так там и живет, насколько я знаю.

— Расскажите нам об Эсме Карлинг, — попросил Дэлглиш. — Что она была за человек?

— Ох, Боже мой, это ужасно. То есть я хочу сказать — что же я могу вам рассказать? Это будет так... нелояльно, мне кажется, просто неприлично — критиковать ее теперь, когда она умерла, но я не могу делать вид, что она была легким человеком. Она была из тех клиентов, которые вечно звонят по телефону или приходят в агентство. Все им всегда не так. Они всегда считают, что ты могла бы сделать больше, выжать из издателя аванс покрупнее, продать права на съемку фильма, выбить для них телесериал. Думаю, она жалела, что потеряла Мардж, и полагала, что я не уделяю ей того внимания, которого ее гений заслуживает, только на самом-то деле я тратила на нее гораздо больше времени, чем это было оправдано. Видите ли, у меня ведь есть и другие клиенты, и большинство из них к тому же в сто раз более выгодные.

— Она доставляла вам больше хлопот, чем заслуживала? — спросила Кейт.

Миссис Питт-Каули обратила на нее раздумчивый взгляд, а затем небрежно отвела глаза:

— Сама я вряд ли так выразилась бы, но если вам нужна правда, так сердце мое не разорвалось бы от горя, если бы она решила найти себе другого литагента. Послушайте, мне неприятно говорить вам это, но все у нас в агентстве скажут вам то же самое. Многое тут вызвано ее одиночеством, тоской по Мардж, обидой на то, что Мардж ее бросила. Но Мардж была крепкий орешек. Когда надо было выбирать между ее драгоценными племянницами и Эсме, какое тут могло быть сравнение? А еще я думаю, Эсме знала, что ее талант истощается. Нам предстояли огромные трудности. Отказ «Певерелл пресс» издать «Смерть на Райском острове» был только началом.

— Это из-за Жерара Этьенна?

— В основном — да. Издательство соглашалось на все, чего он желал. Только я сомневаюсь, чтобы кто-нибудь в «Певерелл пресс» ее по-настоящему хотел. Кроме, пожалуй, Джеймса Де Уитта, но с ним в издательстве не больно-то считаются. Я, разумеется, им позвонила и устроила шум, как только получила от Жерара письмо. Но ничего не могла добиться. А если честно, то ее новая книга была совсем не на уровне — даже не на ее уровне. А вы с ее работами вообще-то знакомы?

— Я о ней, конечно, слышал, но читать не приходилось, — осторожно ответил Дэлглиш.

— Она не так уж плохо писала. Она умела писать прозу хорошим литературным языком, а в наше время это уже редкость. Иначе в «Певерелл пресс» никогда бы ее не издавали. Она писала неровно. Как раз когда вы начинали думать: «О Господи, не могу я дальше читать этот занудный бред», — она выдавала по-настоящему хороший кусок, и книга вдруг обретала жизнь. И у нее была интересная задумка: она своего детектива, вернее — детективов, вполне оригинально придумала. Это пара пенсионеров — муж и жена Мэйнуаринги, Малколм и Мейвис. Он — вышедший на пенсию банковский менеджер, а она была когда-то учительницей. Все точно рассчитано. Пожилому населению очень по вкусу пришлось. Идентификация читателя и всякое такое. Муж и жена, пенсионеры, от нечего делать начинают гоняться за уликами, куча свободного времени, расследование убийств становится их хобби, а жизненный опыт дает им преимущество перед полицейскими, мудрость, обретенная с годами, торжествует победу над абсолютной незрелостью молодости, и все в таком роде. Точный расчет — для разнообразия дать читателю детектива с легким таким артритиком. Но они становились несколько утомительны, я хочу сказать — эти Мэйнуаринги. Эсме пришла в голову блестящая идея заставить Малколма спутаться с молодыми женщинами-подозреваемыми, а Мейвис — выпутывать его из этого узла. Я думаю, она намеревалась как-то облегчить сюжет, но только добавила скуки. В сексе ничего плохого нет, если он кого заводит, но в популярных книжках это никому не нужно, а Эсме с каждой новой книгой все подробнее об этом говорила. Срыватели одежд и кровь. Но это вовсе не для ее читателей. И вовсе не в характере Малколма Мэйнуаринга. К тому же она совсем не умела придумывать сюжет. Ох, Господи, мне неприятно это говорить, но она и вправду не умела. Она крала идеи у других писательниц — конечно, только у умерших, и добавляла разные повороты от себя. Со временем это становилось все более очевидно. Именно это и дало возможность Жерару Этьенну отвергнуть «Смерть на Райском острове». Он сказал, что это неинтересно читать, а немногие нескучные места слишком похожи на «Убийство под солнцем» Агаты Кристи. Мне кажется, он даже употребил то самое устрашающее слово «плагиат». Ну и, разумеется, была еще одна беда, которая не облегчала общение с Эсме.

Велма нарисовала в воздухе некое подобие собора Святого Павла, не забыв и купол, и завершила это действие пантомимой, словно бы поднося к губам бокал.

— Вы хотите сказать, что она была алкоголиком?

— Шла по этому пути. Не так уж чертовски много толку можно было от нее добиться во второй половине дня. А в последние полгода стало еще хуже.

— Значит, она не так уж много зарабатывала?

— Совсем немного. Эсме была не из тех, кого можно считать большими писателями. И все-таки дела у нее шли вполне прилично, только не в последние три года. Она ведь могла жить на то, что получала за свои романы, а это значительно больше того, что могут другие писатели. У нее образовался целый круг преданных поклонников, которые выросли с Мэйнуарингами, но они постепенно вымирали, а более молодых читателей она уже не привлекала. В прошлом году был большой спад спроса на книги в мягкой обложке. Я боялась, что мы вообще потеряем этот контракт.

— Вот почему у нее такая квартира, — заметила Кейт. — Этот адрес вряд ли можно назвать престижным.

— Что ж, она ее вполне устраивала. Эсме была привилегированным квартиросъемщиком, с нее брали совсем небольшую арендную плату. Я хочу сказать, просто крохотную. Безумием было бы отсюда уехать. Вообще-то она говорила мне, что собирается купить коттедж в Котсуолдсе или Херфордшире и копит для этого деньги. Наверное, представляла себя посреди роз и мистерий. Но лично я думаю, она бы там померла со скуки. Мне такое уже приходилось видеть.

— Она писала детективные романы, рассказы. Как вы думаете, могла бы она вообразить себя детективом-любителем? Попытаться самостоятельно расследовать убийство, если бы ей представился случай?

— Вы хотите сказать, она могла впутаться в дела настоящего убийцы, который — кто бы это ни был — на самом деле убил Жерара Этьенна? Но это было бы безумием! Эсме не отличалась выдающимся умом, но и глупой ее не назовешь. Я не хочу сказать, что ей смелости недоставало — решимости у нее было хоть отбавляй, особенно после нескольких стаканчиков виски, но такое... Это было бы просто глупо.

— Она могла не подозревать, что впутывается в дела убийцы. Предположим, у нее возникла гипотеза по поводу этого убийства. Пришла бы она с ней к нам или поддалась бы соблазну провести небольшое самостоятельное расследование?

— Могла бы, если бы считала, что это безопасно и она сможет от этого что-то выгадать. Вот это была бы победа, не правда ли? Настоящий триумф! В смысле рекламы, разумеется. «Детективщица натягивает нос Скотланд-Ярду». Да я просто вижу, как ее мысли в этом направлении работают. Но вы ведь не предполагаете, что она попыталась что-то подобное сделать?

— Меня интересовало, было ли это в ее характере, только и всего.

— Ну, скажем, это меня не удивило бы. Ее увлекали преступления в реальной жизни, убийства, их расследование, судебные процессы убийц, всякое такое. Да стоит только посмотреть на ее шкаф с книгами! И она очень высокого мнения была о собственных способностях. Вполне могла не увидеть опасности. Не думаю, что у нее слишком богатое воображение было, во всяком случае, в том, что касалось реальной жизни. Ладно, я понимаю, это должно показаться странным, что я так говорю о писательнице, но она столько времени прожила в окружении придуманных убийств, что, я думаю, перестала понимать, как сильно убийства в реальной жизни отличаются от литературных, их ведь нельзя вставить в сюжет, контролировать и благополучно раскрыть в конце последней главы. И она ведь не видела труп Жерара, правда? Сомневаюсь, что ей приходилось когда-нибудь в жизни видеть убитого человека. Она только воображала себе такое, и смерть перестала быть для нее чем-то более реальным или пугающим, чем всякие другие вещи, которые она сочиняла. Я не слишком заумно говорю? Вы просто остановите меня, если я несу полный вздор.

Проделав руками весьма сложный маневр, миссис Питт-Каули устремила на Дэлглиша взор, исполненный притворной искренности, что, впрочем, не смогло скрыть гораздо более острую заинтересованность в ответе. Дэлглиш напомнил себе, что не следует недооценивать ум этой женщины, и сказал:

— Нет, то, что вы говорите, не вздор. Что же теперь будет с ее последней книгой?

— О, я сомневаюсь, что «Певерелл пресс» ее возьмет. Но конечно, все пойдет по-другому, если Эсме убили. Двойное убийство, издатель и автор зверски преданы смерти в течение двух недель. Впрочем, даже самоубийство может стать рекламой, особенно драматическое самоубийство. Я смогу заключить с кем-нибудь вполне удовлетворительный контракт.

Дэлглишу очень хотелось сказать: «Жаль, что у нас отменили смертную казнь. Вы могли бы приурочить публикацию романа к дате казни».

Миссис Питт-Каули, словно уловив его мысли, на миг приняла смущенный вид, потом пожала плечами и продолжала:

— Бедняжка Эсме, если у нее и правда возникла блестящая идея, как добиться бесплатной широкой рекламы, она в этом вполне преуспела. Жаль только, сама она от этого ничего не выиграет. Впрочем, это удача для ее наследников.

«Для вас тоже», — подумала Кейт и спросила:

— А кто получит ее деньги, вы знаете?

— Нет, она мне никогда об этом не говорила. Мардж — ее душеприказчица или кто-то из ее племянниц. Но я с благодарностью должна заявить, что после того, как я приобрела агентство, Эсме никогда не предлагала передать эту привилегию мне. Да я бы и не согласилась. Я многое делала для Эсме, но ведь всему есть предел. Если честно, вы просто не представляете, чего ждут от тебя некоторые писатели. Найди им заказы, устрой ток-шоу на ТВ, корми кошку, когда они отдыхать уезжают, подержи за руку во время развода. За десять процентов от продаж внутри страны я должна быть литагентом, нянькой, наперсницей, другом и т.д., и т.п. Мне известно, что родственников у нее нет, но у ее бывшего мужа есть дочь и внуки, где-то в Канаде, мне кажется. Не представляю, что Эсме могла бы им хоть что-то завещать. Но какие-то деньги у нее, несомненно, остались, и я думаю, их получит Мардж. А я могу договориться о переиздании ее ранних книжек.

— В конечном счете она оказалась выгодным клиентом, если не при жизни, то хотя бы после смерти, — сказал Дэлглиш.

— Забавный старый мир, не правда ли?

Произнеся эти слова, миссис Питт-Каули взглянула на часики и наклонилась, чтобы поднять с ковра портфель и сумочку. Однако Дэлглиш не был готов ее отпустить. Он спросил:

— Я думаю, миссис Карлинг рассказала вам об отмене ее встречи с читателями в Кембридже?

— Еще бы не рассказала! На самом деле она позвонила мне прямо из магазина. Я попыталась дозвониться Жерару Этьенну, но он, по-моему, уехал тогда на ленч. Я поймала его попозже днем. Эсме просто дар речи потеряла от ярости. И совершенно оправданно. «Певерелл пресс» придется много чего объяснить. Мне было жаль работников магазина, она, разумеется, на них все выплеснула, но они-то вряд ли были в этом виноваты. И все-таки можно в качестве довода сказать, что они могли бы позвонить в издательство сразу, как получили тот факс, и проверить, не розыгрыш ли это, да, наверное, так бы и сделали, если бы «Певерелл пресс» большого секрета из своих неприятностей не делало. Заведующий отсутствовал, когда пришел факс, а девушка, первой его увидевшая, естественно, предположила, что он не подделка. Ну, это ведь и не было подделкой в том смысле, что он на самом деле пришел из «Певерелл пресс». Чтобы Эсме успокоить, я ей пообещала, что сама переговорю об этом с Жераром. Ну, если бы не убийство, я так бы и сделала. Это каким-то образом отложило претензию Эсме до будущих времен. Я все же подниму этот вопрос в издательстве, только надо выбрать место и время. Ничего, если я теперь пойду? У меня и правда столик заказан.

— У меня к вам осталось совсем немного вопросов, — ответил Дэлглиш. — Какие отношения были у вас с Жераром Этьенном?

— Вы имеете в виду профессиональные отношения?

— Я имею в виду ваши отношения.

На миг Велма Питт-Каули застыла в абсолютном молчании. Они увидели, что она чуть заметно улыбается с нежностью и сладострастием. Воспоминание было явно приятным. Потом она сказала:

— Отношения были профессиональными. Думаю, мы общались по телефону в среднем раза два в месяц. В последние четыре месяца я с ним не виделась. Однажды мы провели ночь вместе. Это случилось почти год назад. Мы оба участвовали в издательской прогулке по реке. Остались на катере до самого конца. Почти до полуночи. Я была довольно пьяна. Но для Жерара спиртное не имело привлекательности, он не любил утрачивать контроль. Он предложил подвезти меня домой, и вечер закончился вполне банально. Думаю, вы назвали бы эту историю «однодневкой», только «однодневка» — не вполне подходящее слово. Больше это не повторялось.

— А кто-то из вас хотел повторения? — спросила Кейт.

— Да нет, пожалуй. На следующий день он прислал мне потрясающие цветы. Жерар был не особенно тонок, но мне кажется, это все же лучше, чем просто оставить пятьдесят фунтов на прикроватном столике. Нет, я не хотела, чтобы это продолжалось. У меня хорошо развито чувство самосохранения. Не хочу напрашиваться на сердечные муки. Но я подумала, лучше мне вам об этом рассказать. На катере было полно народу, кто-то мог догадаться, чем закончился тот вечер. Бог его знает, как такие вещи становятся всем известны, но ведь становятся же! Ну, если вам интересно, события той ночи и особенно следующего утра, которое мне запомнилось гораздо яснее, меня к нему скорее очень расположили, чем наоборот. Но не настолько расположили, чтобы я пригласила его встретиться еще раз. Я предполагаю, вы захотите спросить меня, где я была в тот вечер, когда он умер?

Дэлглиш с полной серьезностью ответил:

— Этим вы очень помогли бы расследованию, миссис Питт-Каули.

— Как ни странно, я присутствовала на том самом поэтическом вечере в «Коннот армз», где Габриел Донтси читал свои стихи. Я ушла вскоре после того, как он закончил свой номер. Я пошла на вечер с одним поэтом, во всяком случае, он сам о себе так говорит, и он захотел остаться, а с меня хватило шума, неудобных стульев и сигаретного дыма. Все там уже хорошо набрались, и конца этому вечеру видно не было. Думаю, я ушла около десяти и поехала домой. Так что алиби на остальную часть ночи у меня нет.

— А на прошлый вечер?

— Когда умерла Эсме? Но это же было самоубийство, вы сами так сказали.

— Как бы она ни умерла, полезно знать, где находились люди во время ее смерти.

— Но я же не знаю, когда она умерла! Я была в агентстве до шести тридцати, а потом поехала домой. Сидела дома весь вечер, совершенно одна. Вы это хотели от меня услышать? Послушайте, коммандер, я в самом деле должна уйти.

— Еще только два последних вопроса, — сказал Дэлглиш. — Сколько существовало копий романа «Смерть на Райском острове» и был ли экземпляр миссис Карлинг достаточно разборчив?

— Мне думается, существовало в общей сложности восемь экземпляров. Пять из них я должна была отправить в «Певерелл пресс» — по экземпляру каждому из директоров. Не понимаю, почему они сами не могли рукопись скопировать, но так им нравится. У меня оставалась всего пара экземпляров. У Эсме всегда был собственный экземпляр, переплетенный в голубой картон. Переплетенная копия не очень-то годится для редактирования. Наоборот, это чертовски неудобно. Издатели и корректоры предпочитают, чтобы рукописи представляли им в виде сколотых вместе отдельных глав или совсем не сколотых. Но Эсме всегда хотела иметь для себя переплетенный экземпляр.

— А когда вы заехали сюда, к миссис Карлинг, пятнадцатого октября, на следующий вечер после смерти Жерара Этьенна, у вас создалось впечатление, что она не хотела передать вам рукопись, вроде бы притворившись, что не может ее найти, или что у нее и в самом деле не было при себе рукописи?

Как бы осознав важность этого вопроса, миссис Питт-Каули не стала отвечать сразу. Потом сказала:

— Как я могу определить? Но я помню, что моя просьба привела ее в замешательство. Кажется, она заволновалась. В самом деле, трудно понять, как она могла задевать куда-то рукопись. Она никогда не была небрежна с вещами, которые имели для нее значение. Да и места в этой квартире не так уж много. И она не очень-то старалась ее отыскать. Если позволите мне высказать догадку, я думаю, что тогда рукописи у нее просто не было.

53

Когда они подошли к машине, Дэлглиш сказал:
— Я поведу, Кейт.

Она, ни слова не говоря, села на место пассажира и пристегнула ремень. Кейт любила сама водить машину и знала, что это у нее хорошо получается, но когда — вот как теперь — он предпочитал садиться за руль, ей доставляло удовольствие молча сидеть рядом и время от времени бросать взгляд на сильные, чуткие руки, легко лежащие на рулевом колесе. Сейчас, проезжая по Хаммерсмитскому мосту, она взглянула на его лицо и увидела хорошо знакомое ей выражение суровой отрешенности, такой самопогруженности, будто он стоически переносит мучающую его боль. Когда ее только назначили в его группу, она думала, что это — выражение сдерживаемого гнева, и опасалась уколов холодного сарказма, который, как она подозревала, был одним из средств его защиты от недостатка самоконтроля и которого так страшились его подчиненные. За последние два с лишним часа им удалось собрать очень важные показания, и ей не терпелось узнать его реакцию, но она понимала, что сейчас лучше не нарушать молчания. Дэлглиш вел машину с обычной спокойной уверенностью и умением, и трудно было поверить, что его мысли заняты чем-то другим. Что его беспокоило — ранимость этой девочки? Или он продумывал данные ею показания? А может быть, под этой суровостью кроется попытка сдержать возмущение намеренной жестокостью смерти Эсме Карлинг, смерти, которая, как они теперь знали, была результатом убийства?

У других старших офицеров эта суровая отрешенность могла бы означать гнев из-за некомпетентности Дэниела. Если бы Дэниелу удалось вытянуть из этой девочки правду о том, что происходило вечером в четверг, Эсме Карлинг, по всей вероятности, была бы сейчас жива. Но можно ли это действительно назвать некомпетентностью? Обе они — и Карлинг, и девочка — рассказали одно и то же, и их рассказ был вполне убедителен. Дети обычно хорошие свидетели и лгут очень редко. Если бы ее саму послали опросить Дэйзи, получилось бы у нее лучше, чем у Дэниела? А сегодня? Получилось бы у нее лучше, если бы Дэлглиш не вмешался? Она сомневалась, что Дэлглиш хоть одним словом упрекнет Дэниела, но это не помешает Дэниелу самому упрекать себя. Кейт искренне радовалась, что не оказалась на его месте.

Они успели проехать весь Хаммерсмитский мост, прежде чем Дэлглиш нарушил молчание:

— Мне думается, Дэйзи рассказала нам все, что знает, но то, чего в ее рассказе не хватает, многое сводит на нет, верно? Одно пропущенное слово — а какая была бы разница! Змея была за дверью. За какой дверью? Она слышала голос. Мужской или женский? Кто-то нес пылесос. Мужчина или женщина? Но мы хотя бы не должны теперь опираться на неубедительность прощальной записки, чтобы быть уверенными в том, что это — убийство.

В приемной Уоппинга Дэниел работал в полном одиночестве. Кейт, испытывая из-за него неловкость, хотела было оставить их с Дэлглишем наедине, но это оказалось затруднительно — уловка выглядела бы слишком явной. Дэлглиш кратко изложил результаты их утренних опросов. Дэниел встал. В памяти Кейт это инстинктивное движение вызвало образ подсудимого, поднявшегося, чтобы выслушать приговор. Его волевое лицо было очень бледным.

— Простите, сэр. Я должен был сломать их алиби. Это ужасная ошибка.

— Во всяком случае, достойная сожаления.

— Я должен сообщить вам, сэр, что сержант Роббинс высказывал сомнение. Он с самого начала подумал, что девочка лжет, и хотел оказать на нее давление.

— С ребенком это всегда не так-то просто, — сказал Дэлглиш. — Если бы у Дэйзи и сержанта Роббинса дело дошло до схватки двух воль, я вовсе не уверен, что не поставил бы на Дэйзи.

Как интересно, думала Кейт, что Роббинс не поверил девочке. Странным образом ему удавалось совмещать веру в прирожденное благородство человека с нежеланием поверить чему бы то ни было из того, что говорит свидетель. По-видимому, как человек религиозный, он более, чем Дэниел, готов верить в первородный грех. Но со стороны Дэниела великодушно было сказать об этом. Великодушно — да, однако если она позволит себе некоторый цинизм, то и весьма расчетливо — при хорошем знании А.Д.

А Дэниел, словно упрямо стремясь ухудшить положение, сказал:

— Но ведь если бы алиби меня не удовлетворило, Эсме Карлинг была бы сегодня жива.

— Возможно. Не следует слишком предаваться осознанию собственной вины, Дэниел. В смерти Эсме Карлинг виновен тот человек, который ее убил. А как там с аутопсией? Нашли что-нибудь неожиданное?

— Смерть в результате паралича блуждающего нерва, сэр. Она умерла сразу, как только ремень захлестнул горло. Когда ее опустили в воду, она была уже мертва.

— Что ж, по крайней мере это была быстрая смерть. А что с катером? Есть новости от Ферриса?

Лицо Дэниела просветлело.

— Да, сэр. Хорошие новости. Феррис нашел совсем маленькие волокна ткани, зацепившиеся за небольшой скол в деревянном полу каюты. Они розовые, сэр. А на ней был твидовый жакет, сэр, желтовато-коричневый с розовым. Если повезет, лаборатория сможет доказать соответствие.

Они обменялись взглядами. Кейт понимала — все трое испытывают одинаковое чувство сдерживаемого ликования: наконец-то материальная улика, нечто такое, к чему можно прикрепить бирку, измерить, научно исследовать, представить в суде как вещественное доказательство. Они уже узнали у Фреда Баулинга, что Эсме Карлинг не бывала на катере с лета прошлого года. Если волокна соответствуют ее жакету, у них будет доказательство, что Карлинг была убита на катере. А если так, кто потом переместил ее на противоположную от лестницы сторону? Кто же, кроме убийцы?

Теперь заговорил Дэлглиш:

— Если волокна соответствуют, мы сможем доказать, что вчера вечером она находилась в каюте катера. Отсюда напрашивается вывод, что там она и умерла. Для убийцы это был бы самый разумный выбор. Спрятав там труп, он мог бы выждать, пока движение на реке не затихнет, и выбрать удобный момент, чтобы незамеченным привязать Карлинг к ограде. Но даже если эти волокна указывают на ее связь с катером, это вовсе не означает, что они что-то скажут нам об убийце. Нам придется собрать пальто, пиджаки и куртки у всех подозреваемых и представить их в лабораторию. Вы можете заняться этим, Дэниел?

— Не исключая Мэнди Прайс и Бартрума?

— Никого не исключая.

— Все, что нам теперь нужно, — сказала Кейт, — это малюсенькая ниточка розовой ткани на одном из пальто.

— Это не все, что нам нужно, — возразил ей Дэлглиш. — Тут есть один весьма угнетающий факт, Кейт. Большинство из них смогут утверждать, что опускались на колени рядом с Эсме Карлинг и даже касались ее. Существует далеко не один-единственный способ, каким ниточка могла попасть на одежду этих людей.

А Дэниел добавил:

— Я не стал бы держать пари, что убийца не знал, на что он идет. Он легко мог снять пальто или пиджак, прежде чем к ней приблизиться, а потом тщательно проверить, не осталось ли чего на его одежде.

54

На следующий день Мэнди собиралась выйти на работу рано утром, но, проснувшись, к собственному удивлению, обнаружила, что проспала — было уже 8.45. Она бы спала и дальше, если бы между Майком и Морин не разыгрался обычный скандал по поводу доступности и состояния ванной. Он, как всегда, продолжался криками Морин с верхней площадки и столь же громкими ответами Майка снизу, из кухни. Через минуту раздался стук в дверь ее спальни, и сразу же в комнату влетела Морин. Было очевидно, что ею владеет очередной приступ ярости.

— Мэнди, этот твой долбаный байк весь холл занимает! Почему ты не можешь его перед домом в палисаднике оставлять, как все нормальные люди?

Это был вечный повод для разногласий. От возмущения Мэнди окончательно проснулась.

— Потому что какой-нибудь хмырь его сопрет, вот почему. Мой байк стоял в холле и стоять будет. — Спохватившись, она ворчливо добавила: — Надеюсь, ванная свободна?

— Свободна, если ты стерпишь то, в каком она состоянии. Майк, как всегда, оставил там жуткую грязищу. Если хочешь принять ванну, придется тебе самой ее мыть. А еще он забыл, что сейчас его неделя покупать туалетную бумагу. Не понимаю, почему это я должна одна за всех думать и одна за всех работать в этом доме!

Похоже, тот еще будет денек! Ни Морин, ни Майка не было, когда она накануне вечером вернулась домой. Она улеглась в постель, но очень старалась не заснуть, прислушиваясь, не хлопнет ли дверь, испытывая непреодолимое желание рассказать о том, что произошло. Но все получилось иначе. Вопреки себе она крепко заснула. А теперь она слышала, как они ушли: два громких хлопка дверью — сначала один, и очень быстро вслед за ним — другой. Морин даже не потрудилась спросить, почему Мэнди не вернулась на танцы.

Когда она явилась в Инносент-Хаус, лучше не стало. Она рассчитывала, что будет первой, кто сообщит эту новость, но теперь на это и надеяться было нечего. Все директора пришли очень рано. Как только она вошла, Джордж, в тот момент занятый на телефоне, бросил ей отчаянный взгляд, словно моля о помощи. Стало ясно, что новость распространилась далеко за пределы Инносент-Хауса.

— Да, боюсь, это действительно так... — говорил Джордж. — Да, это действительно похоже на самоубийство... Нет, боюсь, мне неизвестны подробности... Мы пока еще не знаем, как она умерла... Да, полиция уже приезжала... Простите... Нет, мисс Этьенн не может в данный момент подойти к телефону... Нет, мистер Де Уитт тоже занят... Возможно, кто-то из них вам позвонит попозже... Нет, извините. Я не знаю, когда они освободятся.

Он положил трубку и сказал:

— Это один из авторов мистера Де Уитта. Не знаю, где он услышал эту новость. Может, он в отдел рекламы звонил и Мэгги или Эми ему сказали. Мисс Этьенн велела мне сообщать как можно меньше, но это не очень легко. Тех, кто звонит, разговоры со мной не удовлетворяют. Они хотят с директорами разговаривать.

— Да я на них и внимания обращать не стала бы, — сказала Мэнди. — Просто говорите: «Ошиблись номером» — и вешайте трубку. Если будете все время так отвечать, им очень скоро надоест.

Холл был пуст. Дом казался странно изменившимся, каким-то притихшим, словно погруженным в траур. Мэнди ожидала, что застанет здесь полицейских, но никаких признаков их присутствия не было видно. В их кабинетике мисс Блэкетт сидела за компьютером, уставившись на экран, словно под гипнозом. Мэнди никогда раньше не видела, чтобы она выглядела так плохо. Она была очень бледна, а лицо ее, вдруг постарев, казалось теперь лицом очень старой женщины.

— Вы в порядке? — спросила Мэнди. — Вы ужасно выглядите.

Мисс Блэкетт сделала усилие, чтобы сохранить достойную сдержанность.

— Конечно, я не в порядке, Мэнди. Как может кто-то из нас быть в порядке? У нас третья смерть за два месяца. Это ужасающе! Не пойму, что происходит с «Певерелл пресс». В издательстве все пошло кувырком с тех пор, как умер мистер Певерелл. А меня удивляет, как это тебе удается выглядеть такой веселой. В конце концов, ведь это ты ее обнаружила.

Похоже было, что она вот-вот разрыдается. И было здесь кое-что еще. Мисс Блэкетт была до смерти перепугана. Мэнди прямо нюхом чуяла ее ужас. Она неловко попыталась что-то объяснить:

— Ну да, конечно, мне жаль, что она умерла. Но я-то ее и не знала толком, правда ведь? И она была уже старая. И сама это над собой сделала. Это был ее собственный выбор. Она, видно, хотела умереть. Я хочу сказать, это ведь совсем не то, как мистер Жерар умер.

Лицо мисс Блэкетт залилось краской, и она воскликнула:

— Она была не старая! Как вы можете говорить такое? А даже если и была? Старики имеют ровно такое же право жить, как и вы!

— Да я и не говорила, что не имеют.

— Но ты это подразумевала. Надо думать, прежде чем говорить, Мэнди. Ты заявила, что она старая и ее смерть не имеет значения.

— Я не говорила, что ее смерть не имеет значения.

Мэнди почувствовала, что ее затягивает водоворот иррациональных эмоций, которые совершенно не доступны ни ее пониманию, ни контролю. Кроме того, теперь ей было видно, что мисс Блэкетт чуть не плачет. Она почувствовала облегчение, когда дверь открылась и вошла мисс Этьенн.

— А, вот и вы, Мэнди! — сказала она. — Мы не знали, сможете ли вы явиться сегодня. Вы в порядке?

— Да, спасибо, мисс Этьенн.

— Боюсь, на следующей неделе наши ряды сильно поредеют. Вы, видимо, тоже захотите уйти, когда первые волнения улягутся.

— Нет, мисс Этьенн. Я хотела бы остаться. — И, вдруг вспомнив о своих финансовых интересах, добавила: — Я думаю, раз некоторые сотрудники уходят и будет больше работы, мне полагалась бы прибавка?

Мисс Этьенн бросила на нее взгляд, в котором, как решила Мэнди, было больше иронического удивления, чем неодобрения. После секундной паузы она ответила:

— Хорошо. Я поговорю с миссис Крили. Прибавка — десять фунтов в неделю. Но это не награда за то, что вы решили остаться. Мы не даем взяток сотрудникам, чтобы они работали в «Певерелл пресс», и не поощряем шантаж. Вы получаете прибавку потому, что ваша работа этого стоит. — Она повернулась к мисс Блэкетт: — Полицейские, вероятно, будут здесь во второй половине дня. Им может понадобиться кабинет мистера Жерара... То есть мой кабинет. Если так случится, я перейду наверх, к мисс Франсес.

После ее ухода Мэнди обратилась к мисс Блэкетт:

— Послушайте, почему бы вам тоже не попросить прибавки? Нам придется взять на себя дополнительную нагрузку, если они не найдут новых сотрудников, а это может оказаться не так уж легко. Как вы и сказали — три смерти за два месяца. Люди дважды подумают, прежде чем сюда пойти.

Мисс Блэкетт уже принялась печатать, не отрывая глаз от стенографического блокнота.

— Нет уж, спасибо, Мэнди. Я не стану пользоваться положением, когда для моих работодателей наступили дни испытаний. У меня все-таки есть принципы.

— Ну что ж, вы можете себе их позволить, как я полагаю. А вот они-то, кажется, пользуются положением и недоплачивают вам все последние двадцать с чем-то лет. Впрочем, как хотите. Я только поговорю с миссис Крили, а потом пойду сварю кофе.

Мэнди уже пыталась дозвониться миссис Крили из дома, до ухода на работу, но никто не отвечал. А теперь ответили, и Мэнди очень сжато изложила новости, держась одних лишь фактов и не касаясь собственных эмоций. При мисс Блэкетт, прислушивавшейся к разговору с суровым неодобрением, было разумнее всего говорить кратко и как можно более сухо. Подробности могли подождать до вечерней беседы в «уютном уголке».

Сейчас она сказала вот что:

— Я попросила прибавки. Мне дают добавочно десять фунтов в неделю. Да, так я и подумала. Нет, я сказала, что остаюсь. Я зайду в агентство прямо с работы, тогда мы сможем поговорить.

Мэнди положила трубку. Она не могла не отметить про себя, что лишь благодаря своему странному состоянию мисс Блэкетт не напомнила ей, что не следует вести личные разговоры по рабочему телефону.

На кухне собралось гораздо больше народу, чем обычно бывало до десяти утра. Те сотрудники, что предпочитали самостоятельно готовить свой утренний кофе, вместо того чтобы еженедельно платить миссис Демери определенную сумму за ее вариант этого напитка, редко появлялись там раньше одиннадцати. Остановившись у входа, Мэнди услышала приглушенный гул сплетничающих голосов. Он смолк, когда она открыла дверь, и присутствующие виновато подняли на нее глаза, а потом приветствовали ее с чувством облегчения и лестным вниманием. На кухне, разумеется, находилась миссис Демери, а кроме нее — Эмма Уэйнрайт, истощенная, словно от анорексии, помощница мисс Клаудии, которая теперь работала личным секретарем мисс Певерелл; здесь же были Мэгги Фицджеральд и Эми Холден из рекламного, мистер Итон из отдела прав и контрактов и Дэйв со склада, который явился из дома № 10 под неубедительным предлогом, что у них на складе вышло все молоко. В помещении стоял крепкий запах кофе, а еще кто-то недавно поджаривал хлебцы. На кухне царила уютная заговорщическая атмосфера, но даже здесь Мэнди могла уловить признаки затаенного страха.

— Мы думали, ты вообще можешь не прийти, — сказала Эми. — Бедняжка Мэнди! Это, наверное, было так ужасно! Я бы просто умерла на месте. Стоит только тут у нас мертвецу появиться, будьте уверены — Мэнди сразу его найдет. Давай рассказывай. Она утонула, или повесилась, или что? Никто из директоров нам ничего не рассказал.

Мэнди могла бы возразить, что вовсе не она нашла труп Жерара Этьенна. Вместо этого она описала события прошлого вечера, но уже во время рассказа почувствовала, что разочаровывает слушателей. Она с нетерпением предвкушала этот момент, но сейчас, когда стала центром их любопытного внимания, она ощущала странное нежелание потворствовать их любопытству, словно сводить сплетни о смерти миссис Карлинг было как-то неприлично. На нее смотрели жадные глаза, а перед ней плыл образ мокрого мертвого лица, с которого вода смыла макияж, сделав его обнаженным и таким беззащитным в его некрасивости. Мэнди не могла понять, что с ней происходит, почему ею владеют такие смешанные чувства, смущающие и волнующие ее своей неразберихой. То, что она сказала мисс Блэкетт, было правдой, она даже не была знакома с миссис Карлинг. Не может же она о ней горевать! Нет причин чувствовать себя виноватой. Что же тогда она чувствует?

Миссис Демери была необъяснимо тиха. Она молча ставила чашки и блюдца на свою тележку, но ее маленькие острые глазки перебегали с одного лица на другое, будто каждое из них могло хранить тайну, уловить которую помешало бы даже секундное невнимание.

— Вы читали ее прощальную записку, Мэнди? — спросила Мэгги.

— Нет, но мистер Де Уитт прочел ее нам вслух. Там говорилось, как плохо компаньоны себя с ней повели, как она обязательно с ними посчитается. «Репутацию вам здорово испорчу» — что-то вроде этого она написала. Не могу точно вспомнить.

Мистер Итон обратился к Мэгги:

— Вы знали ее лучше всех, ведь вы полтора года назад ездили с ней в большую рекламную поездку. Что за человек она была?

— Хлопот она не доставляла. У нас с Эсме установились вполне приличные отношения. Она могла быть чуть слишком требовательной, но я ездила с авторами и похуже. И она была очень внимательна к своим почитателям. Ничего за труд не считала. Всегда парой слов перекинется, когда они за автографами в очередь выстраивались. И всегда на книге личную надпись делала, что они просили, то и писала. Не то что Гордон Холгарт. Все, что читатели от него получить могли, так это подпись каракулями на книге, злую мину и облако сигарного дыма в лицо.

— А как вы думаете, она была склонна к самоубийству?

— А бывают люди, склонные к самоубийству? Я вообще не понимаю, что эти слова означают. Но если вы спросите, удивлена ли я, что она покончила с собой, то я отвечу — да, удивлена. Очень сильно удивлена.

Тут наконец заговорила миссис Демери.

— Если она покончила с собой, — произнесла она.

— Должно быть, и правда покончила, миссис Демери. Она же записку оставила.

— Странную записку, если Мэнди верно ее запомнила. Я бы не удовлетворилась этим, пока сама не посмотрю. И ясно, что полицейские тоже не удовлетворились. Если б это было так, зачем им катер-то забирать?

— Так нас поэтому сегодня утром не на катере, а на такси от пирса на Черинг-Кросс забирали? — спросила Мэгги. — А я думала, катер сломался. Фред Баулинг ни слова про полицейских не сказал, когда у пирса нас встретил.

— Не велели ему, я так думаю. Но они таки его забрали. Первым делом, как явились утром, так и отбуксировали. Я, когда катер не увидела, так и подумала, что это — они. Ну и спросила у Фреда. Катер там теперь и стоит, у полицейского участка Уоппинга.

Мэгги заливала кипятком кофейные гранулы. Она замерла с чайником в руке.

— Вы же не хотите сказать, миссис Д., что полицейские полагают, что миссис Карлинг убили?

— Я не знаю, что полагают полицейские. Зато я знаю, что полагаю я. Она была не из тех, кто самоубийство совершает. Только не Эсме Карлинг.

Эмма Уэйнрайт сидела в конце стола, ее тощие пальцы обнимали кружку с горячим кофе. Она даже не пыталась отпить из кружки, только не отрываясь смотрела на крохотную воронку молока на поверхности кофе, словно загипнотизированная чувством отвращения.

Теперь она подняла голову и сказала довольно резким, гортанным голосом:

— Это уже второй труп, что вы обнаружили, Мэнди, с тех пор как пришли в Инносент-Хаус. Раньше с нами таких бед не случалось. Вас теперь станут называть «смертельная машинистка». Если и дальше так пойдет, вам будет очень трудно получить новую работу.

Разъяренная Мэнди прямо-таки прошипела в ответ:

— Не так трудно, как вам! Я по крайней мере не выгляжу так, будто только что из концлагеря вышла. Вы бы на себя посмотрели. На вас взглянуть противно.

На несколько секунд все в ужасе смолкли. Шесть пар глаз были на миг устремлены на Эмму, затем опущены долу. Она сидела совершенно неподвижно, потом неожиданно поднялась, шатаясь, на ноги и через всю кухню швырнула кружку с кофе в раковину, где та и разлетелась с грохотом на куски. Тут она издала тоненький вопль, залилась слезами и бросилась вон из комнаты. Эми негромко охнула и стерла у себя со щеки струйку горячего кофе.

Мэгги была шокирована.

— Нельзя было говорить ей такое, Мэнди. Это жестоко. Эмма больна. Она ничего не может с этим поделать.

— Конечно, не может. Она только может других расстраивать. Она сама этот скандал затеяла. Это же она обозвала меня смертельной машинисткой. А я вовсе не навлекаю несчастья. И не моя вина, что я эти трупы обнаружила.

Эми взглянула на Мэгги:

— Может, мне стоит пойти за ней?

— Лучше оставить ее в покое. Ты же знаешь, в чем дело. Она расстроена, потому что мисс Клаудиа вместо нее взяла себе личным секретарем Блэки. Эмма уже заявила, что в конце недели уходит. На мой взгляд, она просто до смерти перепугана. Но я вовсе не уверена, что осуждаю ее за это.

Разрываясь между злым самооправданием и раскаянием, тем более тяжким, что раскаиваться в чем-либо ей приходилось очень редко, Мэнди чувствовала, что ей тоже хорошо бы испытать облегчение, швырнув чашку через всю кухню и расплакавшись. Что же происходит с ними со всеми здесь, в Инносент-Хаусе? Что происходит с ней самой? Неужели насильственная смерть может творить такое с людьми? Она ожидала, что этот день будет приятно волнующим, полным пересудов и размышлений в уютной атмосфере кухни, причем она станет центром всеобщего интереса. Вместо этого все с самого начала обернулось адом кромешным.

Дверь отворилась, и появилась мисс Этьенн. Она холодно произнесла:

— Мэгги, Эми и Мэнди, вас ждет много работы. Если вы не намерены ее выполнять, вам лучше сказать об этом откровенно и разойтись по домам.

55

Дэглиш заранее предупредил, что хотел бы видеть всех компаньонов в конференц-зале в три часа дня и что мисс Блэкетт тоже должна присутствовать. Никто из них не высказал возражений ни против самого вызова, ни против ее присутствия. Они беспрекословно и не задавая вопросов представили в полицию одежду, в которой были в тот вечер, когда обнаружили тело Эсме Карлинг. Но ведь все они, думала Кейт, умные и образованные люди, им не нужно было спрашивать — зачем? Ни один из них не потребовал присутствия адвоката, и ей очень хотелось бы знать, что это — страх, что такое требование будет выглядеть подозрительно преждевременным, уверенность в умении самостоятельно позаботиться о своих интересах или сознание собственной невиновности?

Кейт с Дэглишем сидели по одну сторону стола, а компаньоны и мисс Блэкетт — по другую. Во время их предыдущей встречи в конференц-зале, после смерти Жерара Этьенна, Кейт ощущала, какое смешение чувств их всех обуревает: любопытство, потрясение, горе, дурные предчувствия. Сейчас все, что она могла увидеть, был страх. Он расползался, как заразная болезнь. Казалось, они заражают не только друг друга, но и самый воздух в конференц-зале. Однако внешне это было очевидно лишь у мисс Блэкетт. Донтси выглядел очень старым и сидел с отрешенностью пациента гериатрической клиники, ожидающего приема. Де Уитт сел рядом с Франсес Певерелл. Его глаза под тяжелыми веками глядели настороженно. Мисс Блэкетт вся подалась вперед на своем стуле, дрожа от напряжения, словно зверек, попавший в ловушку. Она была смертельно бледна, но время от времени пятна яркого румянца появлялись у нее на щеках и на лбу, словно симптомы какой-то болезни. Лицо Франсес Певерелл было напряжено, она то и дело облизывала пересохшие губы. По ее другую руку сидела Клаудиа Этьенн, которая, казалось, владела собой лучше всех. Она была, как всегда, элегантно одета, и Кейт заметила, что ее макияж был наложен совершенно безупречно. Интересно, подумала она, это знак противостояния или не очень удачная, но доблестная попытка восстановить нормальную атмосферу в пораженном психологическим хаосом издательском доме?

Дэлглиш положил на стол прощальное письмо Эсме Карлинг. Теперь оно было вложено в прозрачную пластиковую папку. Он прочел его вслух голосом, почти лишенным выражения. Никто не произнес ни слова. Затем, никак не комментируя прочитанное, Дэлглиш тихо произнес:

— Теперь мы считаем, что миссис Карлинг приходила сюда в тот вечер, когда погиб мистер Этьенн.

Голос Клаудии прозвучал неожиданно резко:

— Эсме приходила сюда? Зачем?

— Предположительно, чтобы встретиться с вашим братом. Разве это так уж невероятно? Она только накануне узнала, что ее последний роман был отвергнут «Певерелл пресс». Она пыталась увидеться с мистером Этьенном на следующий день с самого утра, но мисс Блэкетт не допустила ее к нему.

— Но он был на совещании директоров! — воскликнула Блэки. — Мне было специально сказано не пропускать даже срочные телефонные звонки!

— Никто вас не винит, Блэки — раздраженно откликнулась Клаудиа. — Разумеется, вы правильно сделали, не разрешив этой женщине пройти.

Дэлглиш продолжал так, будто его не прерывали:

— Отсюда она отправилась прямо на Ливерпуль-стрит, чтобы попасть в Кембридж, на встречу с читателями, где обнаружила, что кто-то из издательства послал в магазин факс об отмене встречи. Возможно ли, чтобы после этого она спокойно вернулась домой и не стала ничего предпринимать? Вы все ее знали. Не правдоподобнее ли, что она могла направиться сюда, чтобы лично поговорить с мистером Этьенном и высказать ему свои претензии, причем явиться в такое время, когда он скорее всего будет один, не охраняемый своим секретарем? Представляется, что абсолютно все знали, что он поздно задерживается по четвергам.

— Но вы же наверняка проверили, спросили ее, где она была в тот вечер? — сказал Де Уитт. — Если вы всерьез подозреваете, что Жерар был убит, Эсме Карлинг должна быть в числе подозреваемых.

— Да, мы проверили. Она представила весьма убедительное алиби — девочку, которая заявила, что весь вечер провела с миссис Карлинг в ее квартире, с шести тридцати до полуночи. Имя девочки — Дэйзи, и теперь она рассказала нам все, что знает. Миссис Карлинг убедила девочку предоставить ей алиби на тот вечер и призналась ей, что заходила в Инносент-Хаус.

— И вы теперь снизошли до того, чтобы рассказать нам об этом? — спросила Клаудиа. — Ну что ж, это многое меняет, коммандер. Настало время сообщить нам что-нибудь позитивное. Жерар — мой брат. С самого начала вы высказывали предположение, что его смерть наступила не в результате несчастного случая, но до сих пор вы даже не приблизились к объяснению того, как и почему он умер.

— Не будьте наивной, Клаудиа, — тихо сказал Де Уитт. — Коммандер сообщает нам факты вовсе не из сочувствия к вашим сестринским чувствам. Он рассказывает нам о том, что девочка Дэйзи поведала им все, что знает, с тем чтобы никто из нас не вздумал выследить ее, подкупить, заставить дать ложные показания или так или иначе принудить к молчанию.

То, что подразумевалось под этими словами, было совершенно ясно и так ужасно, что Кейт почти ожидала, что вот-вот раздастся хор возмущенно протестующих голосов. Но этого не случилось. Клаудиа вспыхнула и, казалось, готова была резко возразить что-то, но передумала. Остальные компаньоны замерли в молчании, явно избегая встречаться друг с другом глазами. Слова Де Уитта словно бы открыли столь нежелательные и ужасающие возможности догадок и домыслов, что лучше всего было оставить это поле неисследованным.

Донтси спросил, чуть слишком тщательно сдержанным тоном:

— Значит, имеется один подозреваемый, о котором известно, что он находился здесь и к тому же в соответствующее время. Если ей нечего было скрывать, почему она об этом не сказала?

— И очень странно, если подумать, — добавил Де Уитт, — что она с тех пор так и хранила молчание. Не думаю, что вы могли бы ожидать от нее письма с соболезнованиями, Клаудиа, но хотя бы слова, может быть, даже еще одну попытку уговорить нас принять роман.

— А может быть, она посчитала, что будет тактичнее немного подождать? — предположила Франсес. — Это выглядело бы совершенно бесчувственно, если бы она стала одолевать нас требованиями так скоро после смерти Жерара.

— Это было бы самое неподходящее время, чтобы уговаривать нас изменить свое решение, — снова добавил Де Уитт.

— Мы не стали бы менять свое решение, — резко заметила Клаудиа. — Жерар был совершенно прав... это плохая книга. Она только повредила бы нашей репутации, да и ее собственной, кстати говоря.

— Но мы могли бы сообщить ей об отказе, проявив больше доброты, повидавшись с ней, объяснив... — сказала Франсес.

На нее набросилась Клаудиа:

— Ради Бога, Франсес! Не надо снова начинать тот старый спор. Чему бы это помогло? Отказ есть отказ. Ее возмутило бы наше решение, даже если бы ей о нем сообщили в «Кларидже»*, за шампанским и лобстером.

Донтси, казалось, все это время следовал собственному течению мыслей.

— Не вижу, какое отношение может Эсме Карлинг иметь к смерти Жерара, — сказал он. — Однако, я думаю, она могла бы

---

* «Кларидж» (Clarige's) — один из самых известных в Лондоне отелей с рестораном, расположен в фешенебельном районе Мейфер.

обмотать змею вокруг его шеи. Похоже, такое гораздо больше в ее стиле.

— Вы полагаете, она обнаружила труп и добавила как бы свой собственный комментарий к происшедшему? — спросила Клаудиа.

— И все-таки это вряд ли правдоподобно, — продолжал Донтси. — Жерар, по-видимому, был жив, когда она приехала. Ведь это он скорее всего ее впустил.

— Не обязательно, — возразила Клаудиа. — В тот вечер он мог оставить входную дверь отпертой или даже приоткрытой. Не похоже, чтобы Жерар был когда-нибудь небрежен с системой охраны, но это не невозможно. Она могла каким-то образом получить доступ в дом уже после его смерти.

— Но даже если так, зачем ей было подниматься в малый архивный? — спросил Де Уитт.

Казалось, они на некоторое время забыли о присутствии Кейт и Дэлглиша.

— Чтобы его отыскать, — сказала Франсес.

— Но разве не естественнее было бы, чтобы она подождала Жерара в его кабинете? — спросил Донтси. — Она должна была понять, что он где-то в здании, ведь его пиджак был наброшен на спинку кресла. Раньше или позже, но он должен был бы вернуться. И кроме того — змея. Разве она могла знать, где лежит змея?

Разгромив собственные предположения, Донтси снова погрузился в молчание. Клаудиа переводила взгляд с одного лица на другое, словно заранее ища согласия компаньонов с тем, что она собирается сказать. Потом она обратилась к Дэлглишу, глядя прямо ему в глаза:

— Я понимаю, что информация о том, что Эсме Карлинг находилась в Инносент-Хаусе в тот вечер, когда погиб Жерар, проливает на ее самоубийство совершенно иной свет. Но как бы она ни умерла, мы — компаньоны — не можем иметь к этому никакого касательства. Мы все можем отчитаться в каждом своем движении.

Ей не хочется употреблять слово «алиби», подумала Кейт. А Клаудиа продолжала:

— Я была с женихом, Франсес и Джеймс проводили вечер вместе, Габриел был с Сидни Бартрумом. — Она повернулась к Донтси и сказала неожиданно резко: — Очень мужественный поступок,

Габриел, отправиться одному пешком в «Возвращение моряка» так вскоре после того, как на вас напали.

— Я вот уже шестьдесят лет хожу пешком по моему родному городу совершенно один. Одно злосчастное нападение меня не остановит.

— И очень кстати получилось, что такси с Эсме подъехало, как раз когда вы выходили из дома.

Де Уитт спокойно заметил:

— Это случайно получилось, Клаудиа, а вовсе не кстати.

Но Клаудиа смотрела на Донтси так, будто он — чужой и она видит его впервые.

— И в пабе могут подтвердить, когда вы с Сидни туда явились и когда ушли. Но этот паб — один из самых посещаемых на Темзе, и помещение бара там очень длинное, а вход с берега — в самом его конце, да и пришли вы туда по отдельности. Сомневаюсь, что они смогут точно указать время, даже если кто-то запомнил двух конкретных посетителей. Вы же не стали привлекать к себе внимание, я полагаю?

Донтси спокойно ей ответил:

— Мы не для этого туда пошли.

— А для чего? Я не знала, что вы ходите в «Возвращение моряка». Я и подумать не могла бы, что вы способны выбрать для питья такую дыру. Шум там стоит невозможный. А еще я не знала, что вы с Сидни — собутыльники.

Похоже, между ними двумя вдруг разыгралось какое-то личное побоище, подумала Кейт и услышала тихий, полный страдания возглас Франсес:

— Не надо, прошу вас, не надо!

— А что, ваше алиби более надежно, Клаудиа? — спросил Де Уитт.

Клаудиа повернулась к нему:

— А ваше, кстати говоря? Вы хотите сказать, что Франсес не солгала бы ради вас?

— Не знаю, может, и солгала бы. Но по счастливой случайности от нее этого и не требуется. Мы были вместе с семи часов.

— Ничего не замечали, ничего не видели, ничего не слышали. Были полностью заняты друг другом, — сказала Клаудиа. Прежде чем Де Уитт успел ответить, она продолжала: — Удивительно, как значительные события начинаются с мелких. Если бы кто-то не послал факс, отменяющий встречу Эсме с читателями, она не могла бы прийти сюда в тот вечер, не могла бы увидеть то, что здесь увидела, и, может быть, не погибла бы.

Блэки не могла больше выносить того, что она теперь видела: их едва скрываемую антипатию друг к другу, а теперь еще этот ужас. Она вскочила на ноги, вскричав:

— Перестаньте, прошу вас, перестаньте же! Это же все неправда! Она сама убила себя. Мэнди ее нашла. Мэнди видела. Вы же знаете, что она себя сама убила. Факс никакого отношения к этому не имеет!

— Конечно, она покончила с собой, — резко сказала Клаудиа. — Любое другое предположение может лишь означать, что полиция принимает желаемое за действительное. Зачем соглашаться, что это — самоубийство, если можно выдвинуть гораздо более волнующую гипотезу? А тот факс мог быть последней каплей для Эсме. На этом человеке лежит тяжкая вина.

Она пристально смотрела на Блэки, и все головы повернулись в ту же сторону, словно Клаудиа потянула за невидимую нить.

Вдруг Клаудиа воскликнула:

— Так это вы! Я так и думала. Это вы, Блэки! Вы послали этот факс!

Все с ужасом следили, как рот Блэки медленно и молча открывается. Казалось, что проходят не секунды, а минуты, а она все не может вздохнуть. Потом она разразилась неудержимыми рыданиями. Клаудиа поднялась со своего места, подошла к ней и положила руки ей на плечи. На какой-то момент можно было подумать, что она собирается ее как следует встряхнуть.

— А как насчет остальных проделок? Как насчет гранок и украденных иллюстраций? Это тоже вы?

— Нет! Нет! Клянусь, это не я. Только факс. Больше ничего. Только это. Она так зло говорила про мистера Певерелла. Она говорила страшные вещи. Неправда, что я ему надоедала. Он хорошо ко мне относился. Заботился. Доверял мне. О Господи, почему я не умерла, как он!

Шатаясь, она поднялась на ноги и с рыданиями пошла к двери, вытянув вперед руку, точно слепая. Франсес готова была встать, но ее опередил Де Уитт, однако Клаудиа схватила его за руку повыше локтя:

— Ради всего святого, Джеймс, оставьте ее в покое. Не каждый из нас жаждет выплакаться на вашем плече. Кое-кто предпочитает в одиночку нести свое горе.

Джеймс покраснел и немедленно опустился на стул.

— Думаю, теперь нам следует остановиться. Когда мисс Блэкетт успокоится, инспектор Мискин с ней поговорит, — сказал Дэлглиш.

— Поздравляю, коммандер, — сказал Де Уитт. — Очень умно было дать нам возможность делать вашу работу. Было бы добрее с вашей стороны, если бы вы допросили Блэки наедине, но ведь это потребовало бы больше времени, не правда ли, и могло пройти не так успешно.

Дэлглиш ответил:

— Погибла женщина, и мой долг — выяснить, как и почему. Боюсь, доброта для меня не самый главный приоритет.

Франсес, чуть не плача, посмотрела на Де Уитта:

— Бедная Блэки! Ах, Боже мой, бедная Блэки. Что теперь с ней сделают?

Ей ответила Клаудиа:

— Инспектор Мискин ее утешит, а потом Дэлглиш поджарит ее на медленном огне. Или, если ей повезет, они поменяются ролями. Нечего волноваться о Блэки. Отправка факса не влечет за собой смертного приговора. Это даже не подлежит преследованию по обвинительному акту. — Она резко повернулась к Донтси: — Габриел, извините меня. Я ужасно сожалею о том, что произошло. Не знаю, что на меня нашло. Господи Боже мой, нам же надо перенести все это, держась вместе.

Когда он не ответил, она спросила чуть ли не умоляющим тоном:

— Вы ведь не думаете, что это — убийство? Я говорю про смерть Эсме. Вы не думаете, что кто-то ее убил?

— Вы же слышали, как коммандер читал письмо, которое она нам написала, — тихо ответил Донтси. — Как по-вашему, похоже это на прощальную записку?

56

Мистер Уинстон Джонсон — большой, черный, дружелюбный — явно не был взволнован атмосферой полицейского участка и вполне философски отнесся к потере возможного заработка из-за необходимости явиться в Уоппинг. Говорил он глубоким, приятным басом, но с акцентом лондонского кокни.

Когда Дэниел извинился, что они посягнули на его рабочее время, он ответил:

— Да я, может, не так уж много и потерял. Подхватил пассажиров — им на пристань Канари-Уорф надо было, а это как раз по дороге сюда. Пара американских туристов. А они хорошие чаевые всегда дают. Потому я и припозднился малость.

Дэниел протянул ему фотографию Эсме Карлинг:

— Вот пассажирка, которая нас интересует. Вечером в четверг ехала в Инносент-Хаус. Узнаете?

Мистер Джонсон взял фотографию левой рукой.

— Точно. Села на Хаммерсмитском мосту примерно в полседьмого. Сказала, ей к полвосьмому надо быть на Инносент-Уок, дом десять. Никаких проблем. Меньше часа надо было, чтоб туда доехать, если, конечно, без пробок и без тревог бомбовых, когда ваши ребята дороги перекрывают. Мы быстро доехали.

— Вы хотите сказать, что приехали до семи тридцати?

— И приехали бы, только она возле Тауэра в стекло постучала и сказала, что не хочет раньше времени там быть. Попросила меня время как-то убить. Ну, я ее спросил, куда она хочет съездить, а она говорит: «Все равно, только чтоб в полвосьмого на Инносент-Уок попасть». Я ее до Собачьего острова довез и там малость покрутился, а потом вернулся по хайвэю. Это добавило пару фунтов на счетчике, только, как я считаю, ее это не волновало. В восемнадцать фунтов ей все это обошлось, да еще чаевые дала.

— Как вы подъехали к улице Инносент-Уок?

— Налево с хайвэя, потом по Гарнет-стрит и направо с Уоппинг-Уолл.

— Конкретно кого-нибудь заметили?

— Конкретно? Там были два или три человека, но не могу сказать, что кого-нибудь конкретно заметил. Я же за дорогой следил, верно?

— Миссис Карлинг разговаривала с вами во время поездки?

— Только про что я вам сказал, мол, она не хочет приехать на Инносент-Уок раньше полвосьмого, и не повожу ли я ее по округе. Вроде того.

— И вы уверены, что ей нужно было в дом десять на Инносент-Уок, а не в Инносент-Хаус?

— Номер десять — так она сказала, и у номера десять я ее высадил. У чугунных ворот в конце проулка Инносент-Пэсидж.

Мне показалось, ей не больно-то хотелось ехать дальше по Инносент-Уок. Она мне в стекло постучала, как только я на улицу свернул, и сказала, что дальше не надо.

— Вы не заметили, ворота в Инносент-Пэсидж были закрыты?

— Ну, открытыми они не стояли. Только это не значит, что они заперты были.

Дэниел задал вопрос, уже зная ответ, но нужно было, чтобы он попал в протокол:

— Она не упоминала, зачем едет на Инносент-Уок — с кем-то встретиться, например?

— Не мое это было дело, верно, шеф?

— Возможно, но ведь пассажиры порой разговаривают.

— Еще как — некоторых и не остановишь! Только эта молчала. Сидит, сумку свою огромную к себе прижала и молчит.

Шоферу передали еще одну фотографию:

— Эта сумка?

— Может, и эта. Вроде похожа. Только учтите, под присягой не подтвердил бы.

— Сумка казалась полной, будто она несла в ней что-то тяжелое или объемистое?

— Тут не смогу вам помочь, шеф. Но я заметил, что она у нее на плече висела и большая была.

— А вы сможете присягнуть, что везли эту женщину от Хаммерсмитского моста на Инносент-Уок в четверг и оставили ее у ворот в Инносент-Пэсидж, живой и невредимой, в семь тридцать?

— Ну уж не мертвой же я ее там оставил! Да, я точно могу поклясться, что оставил ее там живой. Вы, наверное, захотите, чтоб я показания вам подписал?

— Вы нам очень помогли, мистер Джонсон. Да, мы хотели бы получить показания. Оформим их в соседней комнате.

Мистер Джонсон вышел в сопровождении полицейского констебля. Почти сразу же в дверь просунулась голова сержанта Роббинса. Он не скрывал радостного возбуждения:

— По поводу проверки движения на Темзе, сэр. Только что звонили из Управления полиции Лондонского порта. Это ответ на мой звонок, который я сделал час назад. Их катер «Роял Нор» вчера вечером проходил мимо Инносент-Хауса. Их председатель устраивал частный званый обед на борту. Обед был назначен на восемь, а трое из гостей захотели посмотреть на Инносент-Хаус, так что они вышли на палубу. Они считают, это было примерно без двадцати восемь. И они могут присягнуть, сэр, что труп тогда не был подвешен к ограде и они никого не видели во дворике. И еще одно, сэр. Они твердо заявляют, что катер находился слева от лестницы, а не справа, сэр. Я имею в виду — слева, если смотреть со стороны реки.

— Черт возьми! — произнес Дэниел. — Значит, интуиция А.Д. оказалась верной. Карлинг была убита на катере. Убийца услышал, что приближается полицейский катер, и там скрывал труп от чужих глаз, прежде чем привязал его к ограде.

— Но почему с этой стороны ограды? Зачем было двигать катер?

— Он надеялся, что мы не поймем, где она была убита — ответил Дэлглиш. — Он прежде всего не хотел, чтобы оперативники принялись ползать по всему катеру. Но тут есть кое-что еще. Он встретил ее у чугунных ворот в конце проулка Инносент-Пэсидж. У него был ключ, и он ждал ее, стоя за дверью бокового входа. Было безопаснее держаться того конца дворика, подальше от Инносент-Хауса и двенадцатого дома.

Однако у Роббинса было готово возражение:

— Но разве не рискованно было двигать катер с места? Мисс Певерелл и мистер Де Уитт могли услышать шум из ее квартиры. А если бы услышали, наверняка спустились бы посмотреть, в чем дело.

— Они утверждают, что даже не могли бы услышать такси, если только оно не ехало по булыжнику на Инносент-лейн. Это мы, разумеется, можем проверить. Если они все-таки слышали шум двигателя, они могли подумать, что это какой-то катер идет мимо по реке. Помните, занавеси у них были задернуты. Конечно, всегда можно предположить и что-то иное.

— Что иное, сэр?

— Что это они сдвинули катер с места.

57

Было всего лишь 5.30; по субботам покупатели обычно шли толпой, но на этот раз дверь магазина была заперта, а за стеклом виднелась табличка «Закрыто». Клаудиа позвонила в звонок сбоку от двери, и через несколько секунд появился Деклан и отодвинул засов. Как только она переступила порог, он быстрым взглядом окинул улицу и снова запер дверь.

— А где мистер Саймон? — спросила она.

— В больнице. Я был с ним. Ему очень плохо. Он думает, у него рак.

— А что они говорят там, в больнице?

— Они собираются сделать какие-то анализы. Но я видел — они считают, дело серьезное. Я утром заставил старика вызвать доктора Коэна — это его врач, и тот сказал: «Боже мой, что же вы не вызвали меня раньше?» Саймон знает, что ему из больницы не выйти, он сам мне сказал. Слушай, пойдем в заднюю комнату, там мне как-то спокойнее.

Деклан не только не поцеловал ее, он даже к ней не прикоснулся.

«Он разговаривает со мной как с покупателем, — думала Клаудиа. — Что-то с ним случилось, что-то более важное, чем болезнь старика Саймона». Она никогда его таким не видела. Казалось, им владеет возбуждение, смешанное со страхом. Глаза его диковато поблескивали, лицо покрывал пот. Она ощущала его запах — чужой, звериный. Она прошла за ним в оранжерею. Все три пластины прикрепленного к стене электрокамина горели, и в комнате было очень жарко. Все знакомые предметы выглядели странно, словно уменьшились в размере, превратившись в незначительные остатки чьей-то ушедшей, ничем не примечательной жизни.

Клаудиа не села, так и осталась стоять, наблюдая за ним. Он был одет более строго, чем обычно, и непривычный галстук и пиджак странно контрастировали с его прямо-таки маниакально беспокойными движениями, с его растрепанными волосами. «Давно ли он пьет?» — подумала она. Посреди вещей, беспорядочно наваленных на одном из столов, стояли наполовину пустая бутылка вина и бокал цветного стекла. Вдруг Деклан прекратил беспокойное хождение взад и вперед, повернулся к ней, и она увидела в его глазах одновременно и мольбу, и стыд, и страх.

— Полицейские приходили, — сказал он. — Послушай, Клаудиа, я вынужден был рассказать им про вечер четверга, когда Жерар умер. Вынужден был сказать им, что ты меня высадила у Тауэр-пирса, что мы не все время были вместе.

— Вынужден был сказать? — спросила она. — Как это — вынужден?

— Меня заставили.

— А что использовали? Иголки под ногти, раскаленные щипцы? Что, Дэлглиш выкручивал тебе руки и бил по щекам? Тебя что, отвезли в каталажку и били под ребра, умело не оставляя следов? Мы ведь знаем, как здорово они умеют это делать — мы смотрим телевизор.

— Дэлглиш не приехал. Были тот еврейчик и сержант. Клаудиа, ты просто не понимаешь, что это такое. Они считают, что Эсме Карлинг была убита.

— Они не могут этого знать.

— Я тебе говорю — они так думают. И им известно, что у меня был мотив убить Жерара.

— Если он был убит.

— Они знали, что мне нужны были наличные, что ты обещала их для меня достать. Мы могли пришвартовать катер у Инносент-Хауса и сделать это вместе.

— Только мы этого не сделали.

— Но они же не верят!

— Они что, так прямо все это и сказали?

— Нет, но им и не надо было. Я прекрасно понимал, что́ они думают.

Она спокойно проговорила:

— Слушай, если бы они всерьез тебя подозревали, им пришлось бы допрашивать тебя в полицейском участке, предупредив, что твои слова могут быть использованы против тебя, и записали бы интервью на магнитофонную пленку. Они так и сделали?

— Конечно, нет.

— Они не пригласили тебя поехать с ними в участок, не предложили тебе вызвать адвоката?

— Ничего похожего. Под конец они только сказали, что мне надо зайти в участок в Уоппинге и подписать показания.

— Так что же они тут все-таки делали?

— Без конца спрашивали, уверен ли я, что мы на самом деле были все время вместе, что ты привезла меня сюда из Инносент-Хауса... Насколько легче было сказать им правду! А инспектор употребил слова «соучастник убийства». Уверен, он так и сказал.

— Ты уверен? А я — нет.

— Ну, как бы то ни было, я им рассказал.

Она заговорила тихо, чувствуя, что губы у нее стали как чужие:

— Ты хоть понимаешь, что ты сделал? Если Эсме Карлинг была убита, то, возможно, и Жерар тоже. А если так, то обе смерти — на совести одного и того же человека. Было бы слишком невероятным совпадением, если бы в одной фирме завелись два убийцы сразу. Все, что тебе удалось сделать, так это навлечь на себя подозрение в двух убийствах вместо одного.

Он чуть не плакал:

— Но мы же были здесь вместе, когда умерла Эсме. Ты ко мне приехала прямо с работы. Я сам тебе открыл. Мы были вместе весь вечер. Занимались любовью. Я им так и сказал.

— Но мистера Саймона не было дома, когда я приехала, не так ли? Никто меня не видел, кроме тебя. Так что тут ничего не докажешь.

— Но мы же были вместе. У нас есть алиби — у обоих.

— А полиция поверит теперь такому алиби? Ты же признался, что солгал насчет того вечера, когда умер Жерар, так почему бы тебе теперь не солгать и про тот вечер, когда умерла Эсме? Ты так стремился спасти свою шкуру, что у тебя ума не хватило понять, что ты только глубже увязаешь в дерьме.

Деклан отвернулся от нее и налил еще вина в бокал. Протянув бутылку, он спросил:

— Хочешь выпить? Я принесу бокал.

— Нет, спасибо.

Он опять от нее отвернулся и произнес:

— Послушай, я думаю, нам пока не стоит больше видеться. Во всяком случае, довольно долгое время. Я хочу сказать, не надо, чтобы нас видели вместе, пока все это не разъяснится.

— Что-то еще случилось? — спросила она. — Дело не только в алиби?

Лицо его вдруг так преобразилось, что это могло бы вызвать смех. Выражение стыда и страха сменилось краской радостного возбуждения, лукавинкой удовольствия. Как он похож на ребенка, подумала она, интересно, какая же новая игрушка попала к нему в руки? Но она понимала, что презрение, охватившее ее, относится к ней самой в гораздо большей степени, чем к нему.

Он ответил, изо всех сил желая заставить ее понять:

— Что-то еще случилось. На самом деле — что-то хорошее. Это Саймон. Он послал за стряпчим. Собирается сделать завещание в мою пользу. Оставить мне свое дело и свою собственность.

Ну а кому же еще все это оставить, верно? Никого же больше нет, никаких родственников. Он знает — на солнышко ему теперь уже не выбраться, так что пусть лучше мне все это достанется. Лучше мне, чем государству.

— Понимаю, — сказала она. Она и в самом деле поняла. В ней необходимость отпала. Деньги, которые она получила в наследство от Жерара, больше ему не требовались. Она проговорила, стараясь, чтобы ее голос звучал спокойно: — Если полиция всерьез тебя подозревает, а я очень сомневаюсь, что это так, то нет никакой разницы, продолжаем мы встречаться или нет. Наоборот, это будет выглядеть более подозрительно. Именно так и повели бы себя виновные. Но ты прав. Мы больше не увидимся. Никогда, насколько это будет от меня зависеть. Ты во мне не нуждаешься, а я тем более не нуждаюсь в тебе. Ты обладаешь некоторым диковатым обаянием, умеешь развлечь, но ты не самый замечательный любовник на свете, не правда ли?

Ее удивило, что она смогла, не шатаясь, дойти до двери, но справиться с задвижками ей оказалось трудновато. Тут она обнаружила, что он стоит за ее спиной почти вплотную.

— Но ты же понимаешь, как это все выглядело! Ты попросила меня прокатиться с тобой по реке. Сказала — это важно.

— Это и было важно. Я собиралась поговорить с Жераром после совещания компаньонов, помнишь? Я думала, у меня будут для тебя хорошие новости.

— А потом ты попросила меня обеспечить тебе алиби. Попросила сказать, что мы были вместе до двух часов ночи. Ты мне позвонила из малого архивного, как только осталась одна с трупом Жерара. Тебе как раз хватило времени. Ты сказала мне, что надо говорить. Заставила лгать.

— И ты, конечно, сообщил им об этом?

— Ты могла бы понять, как это выглядело в их глазах, как это выглядит в чьих угодно глазах. Ты отвела катер назад в полном одиночестве. Ты была одна с Жераром в Инносент-Хаусе. Ты унаследовала его акции, его квартиру, деньги по его страховке.

Она повернулась к нему лицом и спиной ощутила твердость двери. Заговорив, она увидела, как в его глазах зарождается страх.

— Что же ты не боишься быть со мной? Разве тебя не пугает, что ты тут со мной совершенно один? Я уже убила двоих, что за смысл мне бояться убить третьего? А вдруг я маньяк-убийца, ты ведь не можешь быть ни в чем уверен, не так ли? Боже мой, Деклан! Ты и правда веришь, что я убила Жерара, человека, который стоил десятка таких, как ты, только чтобы купить тебе этот дом и твою жалкую коллекцию мусора, который ты приобретаешь, чтобы доказать самому себе, что твоя жизнь имеет смысл и ты — человек?

Клаудиа не помнила, как открыла дверь, но слышала, как она захлопнулась за ней. Вечер показался ей страшно холодным, она обнаружила, что ее всю трясет. Итак, это закончилось, закончилось с горечью, с колкостями, пошлыми оскорблениями, унижением. Но разве не всегда так бывает? Она засунула руки поглубже в карманы пальто, сгорбила плечи, приподнимая повыше воротник, и быстрым шагом направилась туда, где припарковала машину.

КНИГА ПЯТАЯ

ПОСЛЕДНЕЕ ДОКАЗАТЕЛЬСТВО

58

В понедельник, в конце дня, Дэниел работал в малом архивном кабинете один. Он не вполне понимал, что заставило его вернуться к этим плотно набитым, затхлым полкам, если не считать такой поступок исполнением самоналоженного наказания. Казалось, он ни на минуту не может выбросить из головы свой страшный промах с алиби Эсме Карлинг. Ведь его провела не только Дэйзи Рид, его обманула и Эсме Карлинг, а на нее-то он мог сильнее надавить. Дэлглиш больше не упоминал о его ошибке, но он ведь не из тех, кто такие вещи забывает. Дэниел не мог бы сказать, что хуже — снисходительность А.Д. или тактичность Кейт.

Он упорно работал, каждый раз относя пачку из примерно десяти папок в малый архивный кабинет. Здесь было вполне тепло — его снабдили небольшим электрокамином. Но комната была неудобной. Если камин не был включен, комнату немедленно наполнял промозглый холод, который казался каким-то противоестественным, а при включенном камине в кабинете становилось неприятно жарко. Дэниел не был суеверен. Его не преследовало ощущение, что призраки неупокоенных мертвецов следят за его одинокими методичными поисками. Комната сама по себе была мрачной, бездушной, безликой, порождающей смутную тревогу — как ни парадоксально, не из-за заразительного страха, но из-за его отсутствия.

Он извлек с верхней полки очередную пачку папок и вдруг обнаружил за ними небольшой пакет в оберточной бумаге, перевязанный старой бечевкой. Положив его на стол, он принялся сражаться с узлами и в конце концов смог развязать бечевку. В бумаге лежал старый молитвенник в кожаном переплете, размером примерно шесть дюймов на четыре, с инициалами Ф.П., выгравированными золотом на обложке. Молитвенник был сильно потрепан — им явно часто пользовались, инициалы почти стерлись. Дэниел открыл его на первой коричневатой плотной странице и увидел сверху надпись грубым почерком: «Отпечатано Джоном Баскеттом, печатником Его Сиятельнейшего Величества Короля, правопреемником Томаса Ньюкома, а также Генри Хиллза, скончавшегося в 1716. Cum Privilegio*».

Он принялся перелистывать страницы с некоторым интересом. Тонкие красные линии шли сверху вниз вдоль полей и посередине каждой страницы. Дэниел не очень разбирался в англиканских молитвенниках, но заметил, что здесь была особая «Форма молитвы благодарения, ежегодно возносимой в день пятого ноября за счастливое избавление короля Иакова I и парламента от злоумышленного весьма предательского и кровавого убиения посредством пороха». Он усомнился, что такая молитва по-прежнему является частью англиканского богослужения.

Как раз в этот момент откуда-то из последних страниц молитвенника выпал листок бумаги. Сложенный пополам, он был светлее, чем страницы книги, но такой же плотный. Адреса не было. Текст был написан черными чернилами, нетвердым почерком, но смысл слов был ясен, как тот день, когда они были начертаны:

«Я, Фрэнсис Певерелл, пишу это собственною рукою четвертого сентября 1850 года, в Инносент-Хаусе, в предсмертных страданиях. Болезнь, владеющая мною последние полтора года, вскоре закончит свою работу, и по милости Господней я стану свободным. Рука моя начертала слова «по милости Господней», и я не стану их вычеркивать. У меня не осталось ни сил, ни времени перебеливать это письмо. Но самое большее, чего я могу ждать от Господа, это милосердие смерти. У меня нет надежды на Рай, но нет и страха пред муками Ада. Я мучился в собственном аду здесь, на земле, последние пятнадцать лет. Я отказывался от болеутоляющих, могущих облегчить мои теперешние страдания, я не прикасался к лаудануму, дающему забвение. Ее смерть была легче моей. Эта моя

---

* Cum Privilegio (*лат.*) — обладающий особыми правами, привилегиями.

исповедь не принесет облегчения ни уму моему, ни телу, ибо я не искал отпущения и не покаялся в совершенном мною грехе ни одной живой душе. Не пытался я и как-то искупить содеянное. Какого искупления может искать человек, убивший свою жену?

Я пишу эти слова, ибо справедливость к ее памяти требует, чтобы правда была наконец сказана. И все же я не могу заставить себя сделать публичное признание, не могу снять с ее памяти пятно самоубийства. Я убил ее потому, что мне нужны были деньги для завершения работ в Инносент-Хаусе. Я истратил все, что она принесла мне как приданое, но оставались еще средства, мне недоступные, которые я мог получить только после ее смерти. Она любила меня, но не желала передать их в мои руки. Она считала мою любовь к дому греховным наваждением. Она полагала, что моя любовь к Инносент-Хаусу сильнее любви к ней и к нашим детям. И она была права.

Свершить задуманное деяние не составило труда. Она была сдержанным человеком, ее застенчивость и нерасположенность к общению привели к тому, что у нее не было близких друзей. Все ее родные уже умерли. Слуги знали, что она несчастлива. Подготавливая ее смерть, я поделился с несколькими коллегами и друзьями беспокойством о ее здоровье и душевном состоянии. Двадцать четвертого сентября, в тихий осенний вечер, я позвал ее на четвертый этаж, сказав, что хочу ей что-то показать. Мы были в доме одни, если не считать слуг. Она вышла ко мне — я стоял на балконе. Она была хрупкой женщиной, и мне потребовалось меньше минуты, чтобы бросить ее в лапы смерти. Потом я быстро, но без излишней торопливости, спустился вниз, в библиотеку, и спокойно сидел там, читая книгу, когда ко мне пришли, чтобы сообщить страшную новость. Никто никогда меня не заподозрил. Да и как это могло случиться? Никто не стал бы подозревать уважаемого человека в убийстве собственной жены.

Я жил ради Инносент-Хауса и убил ради него, но после ее смерти этот дом больше не приносил мне радости. Я оставляю это признание для того, чтобы оно передавалось из поколения в поколение старшему сыну. Я молю всех, кто прочтет это письмо, сохранить мою тайну. Вначале оно попадет в руки моего сына, Фрэнсиса Генри Певерелла, затем, со временем, в руки его сына, а позднее и ко всем моим потомкам. Мне не на что надеяться ни на этом свете, ни на том, и мне нечего сказать. Я пишу все это лишь потому, что перед смертью должен сказать правду».

Внизу он поставил свою подпись и дату.

Прочитав эту исповедь, Дэниел целых две минуты сидел совершенно неподвижно. Он не мог понять, почему слова, донесшиеся до него через полтора века, оказали на него такое мощное воздействие. Он чувствовал, что не имел права прочесть письмо, что правильнее всего было бы вернуть листок в молитвенник, а молитвенник — обратно на полку. Но он предполагал, что обязан хотя бы дать Дэлглишу знать о своей находке. Не из-за этого ли признания Генри Певерелл так не хотел, чтобы разбирали архивы? Он должен был знать о его существовании. Может быть, ему показали письмо в день совершеннолетия? А может быть, его спрятали раньше, а потом не смогли найти, и оно стало частью семейного фольклора — о нем перешептывались, но не признавались в его реальном существовании? А Франсес Певерелл — показали ли ей эту исповедь, или слова «старшему сыну» всегда воспринимались буквально? Однако оно никак не могло иметь отношения к убийству Жерара Этьенна. Это была трагедия Певереллов, позор Певереллов, пришедший из давнего прошлого, как та бумага, на которой была написана исповедь. Он мог понять, почему семья стремилась сохранить эту тайну. Как неприятно было бы объяснять тем, у кого Инносент-Хаус вызывал восхищение, что дом был построен на деньги, полученные в результате убийства. Поразмышляв еще немного, Дэниел положил листок на место, завернул книгу, перевязал пакет бечевкой и отодвинул на край стола.

Послышались шаги, легкие, но решительные. Они явно приближались к нему через помещение архива. И в этот момент воспоминание об убитой женщине заставило Дэниела ощутить дрожь суеверного ужаса. Это длилось не долее секунды, затем разум снова вступил в свои права. Он слышал шаги живой женщины и знал, какой именно.

Клаудиа Этьенн остановилась в дверях. Она произнесла без всяких предисловий:

— Вам еще долго?

— Не очень. Примерно час. Может быть, даже меньше.

— Я собираюсь уйти в половине седьмого. Выключу свет везде, кроме лестничной клетки. Вы не выключите его, когда будете уходить? И систему охраны установите, хорошо?

— Обязательно.

Он раскрыл ближайшую папку и сделал вид, что изучает документы. Ему не хотелось с ней разговаривать. Было бы неразумно вступать с ней в какую бы то ни было беседу в отсутствие третьего лица. А она сказала:

— Мне жаль, что я солгала вам по поводу моего алиби на вечер смерти Жерара. Это произошло отчасти из страха, отчасти из нежелания осложнять дело. Но я его не убивала. Никто из нас его не убивал. — Дэниел не отвечал. Он даже не смотрел на нее. Она продолжала с ноткой отчаяния в голосе: — Как долго это будет тянуться? Вы не можете мне сказать? Вы имеете хоть какое-то представление? Коронер даже не отдает тело брата, чтобы мы могли его кремировать. Вы что же, не понимаете, что это для меня значит?

Тут он поднял голову и взглянул на нее. Если бы он мог чувствовать к ней жалость, то, увидев лицо Клаудии, он бы ее почувствовал.

— Извините, — сказал он. — Я не могу сейчас это обсуждать.

Не произнеся больше ни слова, она резко повернулась и пошла прочь. Он дождался, пока затихнут ее шаги, потом пошел и запер дверь архива. Не следовало забывать требование Дэлглиша, чтобы архив все время был заперт.

59

В 6.25 Клаудиа заперла в шкаф документы, с которыми работала, и поднялась наверх — умыться и забрать пальто. Все огни в доме ярко сияли. Со дня смерти Жерара она терпеть не могла работать в одиночестве, если кругом было темно. Теперь все люстры, настенные лампы, огромные шары у подножия лестницы горели, высвечивая великолепие расписных потолков, изящную резьбу по дереву и цветной мрамор колонн. Инспектор Аарон может сам выключить свет, спускаясь по лестнице к выходу. Она жалела, что поддалась порыву пойти в малый архивный кабинет. Она надеялась, что, застав его одного, она сумеет вытянуть из него какую-нибудь информацию о том, как идет расследование, получить хоть какое-то представление о том, когда оно может закончиться. Намерение оказалось глупым, результат — унизительным.

Она не была для инспектора личностью. Он не мог смотреть на нее как на человеческое существо, как на женщину, которая одинока, испугана, неожиданно обременена тягостными обязанностями. Для него, для Дэлглиша, для Кейт Мискин она была всего-навсего одной, может быть, даже главной из подозреваемых. Наверное, всякое расследование убийства обесчеловечивает всех, кто так или иначе в нем замешан.

Большинство сотрудников оставляли машины за закрытыми воротами в проулке Инносент-Пэсидж. Гаражом пользовалась только Клаудиа. Она очень любила свой «Порше-911». Ему было уже семь лет, но она не хотела менять машину и терпеть не могла оставлять ее на улице. Отперев дверь дома № 10, она прошла по коридору и открыла дверь в гараж. Подняв руку к кнопке выключателя, она хотела зажечь свет, но свет не зажигался: видимо, перегорела лампочка. И тогда, стоя в нерешительности у порога, она услышала чье-то тихое дыхание и сразу же с ужасом осознала, что кто-то стоит там, в темноте. В тот же момент кожаная петля была наброшена ей через голову и затянута на шее. Кто-то с силой рванул ее назад, она услышала хруст, на миг потеряла сознание, а затем ощутила, как бетон царапает ей затылок.

Ремень был длинный. Клаудиа попыталась вытянуть руки, чтобы хоть как-то сопротивляться тому, кто держал этот ремень, но силы в руках не было, а каждый раз, когда она пробовала сделать какое-нибудь движение, петля на шее затягивалась туже, и ее сознание сквозь боль и страх уплывало в минутное небытие. Она бессильно билась на конце ремня, словно издыхающая на крючке рыба, а ноги ее скребли шершавый бетон, напрасно ища опору.

Тут она услышала его голос:

— Лежите спокойно, Клаудиа. Лежите спокойно. Ничего не случится, пока вы лежите спокойно.

Она перестала биться, и тотчас же ужасное удушье прекратилось. Голос продолжал говорить — спокойно, настойчиво, стараясь убедить. Она слушала его слова, и ее заторможенный ум наконец-то смог их понять. Голос говорил ей, что она должна умереть, и объяснял почему.

Она хотела крикнуть ему, что это ужасная ошибка, что это неправда, но горло ее сжимала петля, и она знала, что только лежа без движения она может остаться жива. Он объяснил ей, что это будет похоже на самоубийство. Ремень будет привязан к закрепленному рулевому колесу машины. Мотор будет работать. К тому времени она уже умрет, но ему важно, чтобы гараж был наполнен смертельным газом. Он объяснял ей все это спокойно, даже вроде бы по-доброму, как будто ему было важно, чтобы она поняла. Он сказал, что теперь у нее нет алиби ни для одного из убийств. Полицейские подумают, что она покончила с собой из страха перед арестом или из-за угрызений совести.

Он закончил. Клаудиа подумала: «Я не умру. Я не позволю ему меня убить. Я не умру. Не здесь. Не так. Меня не станут таскать, словно животное, по бетонному полу гаража». Она собрала всю свою волю и приняла решение: «Я должна притвориться мертвой, полумертвой, потерявшей сознание. Если мне удастся сбить его с толку, я смогу перевернуться и выхватить ремень. Я смогу его осилить, только бы мне подняться на ноги».

Она собралась с силами для этого последнего рывка. Но он ждал именно этого и был наготове. Как только она сделала движение, петля снова затянулась, и на этот раз ее больше не ослабили.

Он ждал, пока не прекратились последние ужасающие содрогания тела, не утихли последние бульканья и хрипы. Затем наклонился — прислушаться к дыханию, которого уже не было. Распрямился, вынул из кармана лампочку, дотянулся до гнезда с патроном в низком потолке гаража и вкрутил лампочку на место. Теперь в гараже было светло и ему нетрудно было найти в кармане у Клаудии ключи, отпереть машину и привязать конец ремня к рулевому колесу. Его затянутые в перчатки руки работали быстро, пальцы не дрожали. Напоследок он включил мотор. Тело Клаудии распростерлось на полу, словно она бросилась из открытой двери машины, зная, что либо петля, либо смертельные выхлопные газы покончат с ней навсегда. И именно в этот момент он услышал в коридоре шаги, приближающиеся к двери гаража.

60

Было 6.27 вечера. В квартире Франсес Певерелл зазвонил телефон. Как только Джеймс Де Уитт произнес ее имя, она поняла, что что-то случилось, и сразу спросила:

— Джеймс, в чем дело?

— Руперт Фарлоу умер. Он умер в больнице час назад.

— О, Джеймс, мне ужасно жаль! Вы были с ним?

— Нет. Рэй был. Ему нужен был один только Рэй. Так странно, Франсес. Когда он жил здесь, в доме было просто невыносимо оставаться. Иногда мне страшно было возвращаться в этот хаос, к этим запахам, к этой разрухе. Но теперь, когда он умер, мне хочется, чтобы все было как при нем. Мне это отвратительно. Это ханжество, аффектация, занудное мещанство — превращать дом в мемориальную выставку для тех, в ком душа мертва. У меня непреодолимое желание все тут разрушить.

— Вам станет легче, если я приеду? — спросила она.

— Приедете? Правда, Франсес? Вы уверены, что это не доставит вам излишних хлопот?

Она с радостью расслышала облегчение в его голосе и ответила:

— Разумеется, не доставит. Сейчас же приеду. Еще и половины седьмого нет, Клаудиа, может быть, еще в издательстве. Если она здесь, я попрошу ее подбросить меня к Банку, а оттуда поеду на метро по Центральной. Это будет быстрее всего. Если она уехала, вызову такси.

Ей было жаль Руперта, но она видела его только один раз, когда много лет назад он приходил в Инносент-Хаус. И кроме того, для него эта долгожданная смерть, к которой он так мужественно готовился, без жалоб перенося страшные муки, должна была явиться избавлением. Но Джеймс позвал ее, он нуждался в ней, хотел, чтобы она была с ним. Ее охватила радость. Сорвав жакет и шарф с вешалки в холле, она чуть ли не бегом бросилась вниз по лестнице и выбежала на Инносент-лейн. Однако дверь Инносент-Хауса была заперта, а в окне приемной не было света. Значит, Клаудиа ушла. Франсес побежала на Инносент-Уок, подумав, что может еще застать Клаудиу, когда та будет выводить машину. Но увидела, что ворота гаража закрыты. Она опоздала.

Франсес решила вызвать такси по телефону, что висел на стене в коридоре дома № 10, — так будет быстрее, чем возвращаться домой. И как раз когда она проходила мимо ворот гаража, она услышала знакомый звук работающего мотора. Это ее удивило и встревожило. «Порше» Клаудии, ее обожаемый «911», был слишком стар, чтобы иметь катализатор. Вряд ли Клаудиа не понимает, что небезопасно включать двигатель в закрытом гараже. Небрежность? Это на Клаудиу не похоже.

Дверь в дом № 10 была заперта. Это нисколько не удивило Франсес. Клаудиа всегда входила в гараж через дом № 10 и всегда запирала за собой дверь. Однако странно было обнаружить, что свет в коридоре все еще горит, а боковой вход в гараж приоткрыт. Громко крикнув «Клаудиа!», она бросилась к двери и распахнула ее настежь.

Свет в гараже горел — резкий, жестокий свет бестеневой лампы. Франсес стояла, застыв на месте, каждый ее нерв, каждый мускул были словно парализованы моментальным узнаванием и ужасом. Этот человек стоял на коленях рядом с трупом, но теперь поднялся на ноги и спокойно подошел к ней, загородив собой дверь. Она взглянула ему в глаза. Это были те же самые глаза — мудрые, чуть усталые глаза, слишком много видевшие и слишком долго смотревшие на этот мир.

— О нет! Только не Габриел, — прошептала она. — Только не вы!

Она не закричала. Она не способна была ни закричать, ни пошевелиться. Когда он заговорил, голос у него был все тот же, каким она его помнила, — добрый и мягкий.

— Мне очень жаль, Франсес. Но ведь вы понимаете, не правда ли, что я не могу вас отпустить?

И тогда она пошатнулась и почувствовала, что проваливается в милосердную тьму.

61

В малом архивном кабинете Дэниел взглянул на часы. Шесть вечера. Он пробыл здесь целых два часа. Но время не было потрачено зря. Он все-таки кое-что нашел. Двухчасовые поиски были вознаграждены. Может быть, это и не относится к расследованию убийства, но тем не менее какой-то интерес представляет. Когда он покажет это признание членам их группы, А.Д., возможно, решит, что его предчувствие оправдалось, пусть даже не так плодотворно, как он надеялся, и отменит поиски. Поэтому вовсе не обязательно продолжать эту работу сегодня.

Однако удача успела возродить его интерес, и он почти уже приблизился к концу ряда. Так что стоило снять и просмотреть оставшиеся на верхней полке тридцать с чем-то папок. Он предпочитал всякую работу завершать четко и красиво, к тому же было еще рано. Если он сразу уйдет, то будет чувствовать себя обязанным вернуться в Уоппинг. А ему сейчас вовсе не хотелось оказаться перед понимающими глазами Кейт и почувствовать ее жалость. Он передвинул стремянку к концу ряда.

Эта папка, объемистая, но не столь уж необычайно толстая, была плотно вставлена между двумя другими, и когда он потянул их к себе, она соскользнула с полки и раскрылась. Несколько бумаг, ничем не скрепленных, упали на пол, пролетев над его головой, словно тяжелые листья. Он осторожно слез со стремянки и подобрал их. Остальные бумаги были скреплены вместе, явно сложенные в хронологическом порядке. Дэниела поразили две вещи. Сама папка была из плотного коричневатого картона и, похоже, очень старая, тогда как некоторые бумаги выглядели настолько новыми и чистыми, что могли быть вложены туда не раньше чем в последние пять лет. Названия на папке не было, но, пока он ползал на четвереньках, подбирая документы с пола, он обратил внимание на то, что среди более ранних бумаг несколько раз попадается слово «евреи». Он отнес папку на стол в малом архивном кабинете.

Листы не были пронумерованы, так что он мог лишь предполагать, что они сложены по порядку, однако его внимание привлек один недатированный документ. Это было предложение написать роман, неумело напечатанное и не подписанное. Оно было озаглавлено: «Представление компаньонам "Певерелл пресс"». Дэниел стал читать:

«Фоном и общей объединяющей темой романа, условно называемого «Первородный грех», является пособничество вишистского режима во Франции депортации евреев из страны в 1940—1944 годах. В течение этих четырех лет 76 000 евреев были депортированы, огромное большинство их погибло в концентрационных лагерях в Польше и Германии. Книга расскажет историю одной семьи, разделенной войной, где молодая мать-еврейка с двумя близнецами-четырехлетками оказывается во Франции, как в ловушке, из-за немецкого вторжения. Их прячут друзья, их снабжают фальшивыми документами, но в результате предательства они подвергаются депортации и погибают в Освенциме. В романе будет исследовано влияние этого предательства — одной небольшой семьи из многих тысяч таких же жертв — на мужа упомянутой женщины, на тех, кого предали, и на предателей».

Разбирая документы, Дэниел не нашел ни ответа на это предложение, ни писем со стороны «Певерелл пресс». В папке содержались, по всей видимости, рабочие документы и результаты исследований. Роман основывался на доскональном изучении материала, с необычайной тщательностью исследованного для предполагаемого художественного произведения. Писатель либо посетил, либо вел интенсивную переписку с самыми разными международными и государственными организациями и учреждениями в течение многих лет: государственные архивы Парижа и Тулузы, библиотечный центр документов современного еврейства в Париже, Гарвардский университет, департамент актов гражданского состояния и Королевский институт внешних сношений в Лондоне, Западногерманский федеральный архив в Кобленце. Здесь были также выписки из газет и журналов Сопротивления, «Юманите», «Темуаньяж кретьен»*, «Партизан» и протоколы префектов неоккупированной зоны. Дэниел позволил им всем пройти перед его глазами — письмам, докладным, обрывкам официальных документов, копиям протоколов, рассказам очевидцев. Записи были обширно документированы и местами поразительно точны: число депортированных, время отправки поездов, роль политики Пьера Лаваля, даже изменения в иерархии немецких властей во Франции весной и летом 1942 года. Очень скоро Дэниелу стало ясно, что исследователь сделал так, чтобы его имя нигде в этих бумагах не фигурировало. Адрес и подпись на его письмах были старательно зачернены или отрезаны, на письмах к нему оставались лишь имена и адреса отправителей, но все другие опознавательные признаки были уничтожены. Не имелось никаких свидетельств, что какие-либо из этих исследований были как-нибудь использованы, что книга была хотя бы начата, не говоря уже о том, что закончена.

Становилось все более ясно, что исследователя особенно интересовал один конкретный район, один конкретный год. Роман — если это и в самом деле был роман — обретал все более четкий фокус. Получалось так, будто несколько прожекторов освещали территорию, где произошел некий инцидент, образовалась интересная конфигурация, появилась одинокая фигура, движущийся поезд, и вдруг скоординировали свои лучи, чтобы высветить один только год: 1942-й. Это был год, когда немцы потребовали значительного увеличения

---

* «Темуаньяж кретьен» (Temoignage Chretien) — *здесь*: «Христианский свидетель».

числа депортируемых из неоккупированной зоны. Евреи, после того как их сгоняли в одно место, отправлялись либо в Вель-д'Ив, либо в Дранси — огромный жилой массив в предместье к северо-западу от Парижа. Это был перевалочный пункт по дороге в Освенцим. В папке находились три отчета очевидцев: один — отчет медсестры, которая работала с врачом-педиатром в Дранси на протяжении года и двух месяцев, а потом ушла, не выдержав все возрастающего горя и несчастий, а еще два — от выживших, присланных, по-видимому, в ответ на специальный запрос изыскателя. Одна женщина писала:

«Меня забрали жандармы 16 августа 1942 года. Я не испугалась, потому что они были французы и вели себя очень корректно, когда меня арестовывали. Я не знала, что со мной будет, но помню, что не ожидала ничего очень уж плохого. Мне сказали, какие вещи можно взять с собой, и я прошла медосмотр перед тем, как меня повезли. Отправили меня в Дранси, и там я встретила молодую женщину с близнецами. Ее звали Софи. Имена детей я не помню. Она сначала была в Вель-д'Иве, но потом ее перевели в Дранси. Я хорошо помню ее и детей, хотя мы не часто разговаривали. Она мало о себе говорила, только что жила недалеко от Обьера под чужим именем. Все ее заботы были о детях. Мы жили в страшной нищете. Не хватало кроватей, даже соломы для матрасов, питались одной похлебкой из капусты, погибали от дизентерии. Много людей тогда умерло в Дранси, думаю, за первые десять месяцев больше 400 человек. До сих пор помню плач детей и стоны умирающих. Для меня Дранси был не лучше Освенцима. Я просто перешла из одного круга ада в другой».

Вторая из выживших в том же лагере писала о таких же ужасах, только более выразительно, но не могла припомнить ни молодую мать, ни ее близнецов.

Дэниел переворачивал страницы, словно в трансе. Он уже понимал, куда этот путь ведет, и вот наконец перед ним лежало доказательство: письмо Мари-Луизы Робер из Квебека.

«Меня зовут Мари-Луиза Робер, я гражданка Канады, вдова Эмиля Эдуара Робера, канадского француза. Я познакомилась с ним в Канаде, в 1958 году, и вышла за него замуж. Он умер два года назад. Я родилась в 1928 году, так что в 1942-м мне было четырнадцать лет. Я тогда жила во Франции со своей овдовевшей матерью и дедушкой на его маленькой ферме в округе Пюи-де-Дом, под Обьером, это к юго-востоку от Клермон-Феррана. Софи с близнецами приехала к нам в апреле 1941-го. Сейчас, когда я уже стара, мне трудно вспомнить, что я знала в то время, а что узнала потом. Я была любознательной девочкой и терпеть не могла, когда мне не давали участвовать в делах взрослых и обращались со мной как с ребенком, слишком незрелым, чтобы пользоваться их доверием. Тогда мне не сказали, что Софи и ее дети — евреи, это я узнала позже. В то время во Франции было много людей и организаций, помогавших евреям с огромным риском для самих себя, и Софи с близнецами были присланы к нам какой-то христианской организацией, занимавшейся деятельностью такого рода. Я так и не узнала ее названия. Но тогда мне сказали, что Софи — друг семьи и приехала к нам, чтобы спастись от бомбежек. Мой дядя Паскаль работал в Клермон-Ферране, у месье Жана-Филиппа Этьенна, в его издательской фирме с типографией. Мне кажется, я уже в то время знала, что мой дядя участвует в Сопротивлении, но не уверена, что знала, что месье Этьенн был главой местной организации. В июле 1942-го явились полицейские и забрали Софи и близнецов. Как только они приехали, мама велела мне уйти из дома в амбар и оставаться там, пока она не позовет. Я отправилась в амбар, но крадучись вернулась к дому и стала слушать. Мне слышны были крики, и дети плакали. Потом я услышала, как отъезжают автомобиль и фургон. Когда я вернулась в дом, мама тоже плакала, но не хотела сказать мне почему.

В тот вечер к нам пришел Паскаль, и я прокралась вниз по лестнице — послушать. Мама сердилась на него, но он сказал, что не выдавал ни Софи, ни близнецов, что он не стал бы подвергать опасности маму и дедушку, что, должно быть, это месье Этьенн. Я забыла сказать, что это Паскаль сделал фальшивые документы для Софи и близнецов. Этим он и занимался в Сопротивлении, только я не уверена, что уже тогда знала об этом. Он велел маме ничего не предпринимать, никуда не ходить. Для таких вещей есть причины. Но мама все-таки пошла к месье Этьенну на другой же день, а когда вернулась, поговорила с дедушкой. Мне кажется, им было все равно, слышу я их разговор или нет. Я тихонько сидела в той же комнате и читала. Мама сказала дедушке, что месье Этьенн признал, что выдал Софи и близнецов полиции, но что это было совершенно необходимо. И что только потому, что он пользуется доверием, а его дружбу ценят, она и дедушка избежали наказания за укрывательство евреев. Именно благодаря его отношениям с немцами Паскаль не был депортирован и принужден к рабскому труду. Он спросил маму, что важнее: честь Франции, благополучие ее семьи или трое евреев? После этого никто у нас никогда не говорил о Софи и ее детях. Вроде их никогда и на свете не было. Если я о них спрашивала, мама просто говорила: «Это прошло. С этим покончено». Деньги из той организации все приходили, хоть и не очень много, а дедушка говорил: оставим их себе. Мы в то время были очень бедны. Кажется, кто-то написал и спросил про Софи и детей через полтора года после того, как их забрали, но мама ответила, что полиция начинала что-то подозревать и они уехали к друзьям в Лион, а адреса она не знает. Тогда деньги перестали приходить.

Из всей моей семьи теперь осталась только я. Дедушка умер в 1946-м, а мама — через год после него, от рака. Паскаль разбился на мотоцикле в 1956-м. После замужества я никогда больше не была в Обьере. Больше ничего не помню о Софи и близнецах, кроме того, что очень скучала по детям, когда их увезли».

Этот документ был датирован 18 июня 1989 года. Донтси потребовалось более сорока лет розысков, чтобы найти Мари-Луизу Робер и окончательное доказательство. Но он пошел еще дальше. Последний листок в папке, датированный 20 июля 1990 года, был на немецком языке, но — как и в других случаях — с приложенным к нему переводом. Ему удалось разыскать одного из немецких офицеров, служивших в Клермон-Ферране. Четкими фразами, официальным языком старый человек, живущий теперь в Баварии, описывал один из эпизодов полузабытого прошлого. Правда о предательстве вышла наружу и подтвердилась.

В папке находилась и еще одна улика, лежавшая в конверте. Дэниел открыл конверт и обнаружил там фотографию, черно-белую, пятидесятилетней давности, несколько выгоревшую, но все еще достаточно четкую. Она была явно сделана фотографом-любителем; на ней улыбалась темноволосая молодая женщина с добрыми глазами, обнимавшая прижавшихся к ней с двух сторон детей — девочку и мальчика. Дети без улыбки, огромными глазами смотрели на фотоаппарат, будто осознавая важность этого момента, будто зная, что щелчок затвора навсегда запечатлеет их хрупкую недолговечность. Дэниел перевернул фотографию и прочел: «Софи Донтси, 1920—1942. Мартин и Рут Донтси, 1938—1942».

Дэниел закрыл папку и с минуту сидел неподвижно, словно превратившись в статую. Потом встал и, выйдя в помещение архива, принялся ходить взад и вперед между стеллажами, время от времени останавливаясь, чтобы ударить ладонью по той или другой стойке. Им овладело необъяснимое чувство, он понимал, что это чувство — гнев, но это не было похоже на гнев, который он испытывал когда-либо раньше. Он услышал странные, нечеловеческие звуки и вдруг понял, что это он сам громко стонет от боли и страха перед этим чувством. Он не думал о том, чтобы уничтожить улики: такого он никогда не мог бы сделать, не мог даже на миг представить себе такую возможность. Но он мог предупредить Донтси, сказать ему, что они уже близки к разгадке, что они нашли недостающее звено — мотив убийства. Сначала его удивило то, что Донтси не забрал и не уничтожил документы. Они были больше не нужны. Их не должны были видеть законники-судьи. Их собирали с таким терпением, с такой тщательностью более полувека не для того, чтобы они были представлены в суде. Донтси сам был судьей и присяжными, прокурором и истцом. Возможно, он и уничтожил бы документы, если бы архив не был заперт, если бы Дэлглиш не рассудил, что мотив этого преступления кроется в далеком прошлом и что недостающие улики могут быть уликами письменными.

Неожиданно раздался телефонный звонок, резкий и настойчивый, как сигнал тревоги. Дэниел прекратил хождение взад и вперед и замер на месте, как если бы ответ по телефону мог вдребезги разбить его поглощенность неотступными проблемами внешнего мира. Но телефон все звонил. Дэниел подошел к настенному аппарату и услышал голос Кейт:

— Вы долго не подходили.

— Извините. Я доставал папки.

— У вас все в порядке, Дэниел?

— Да. Да, все в порядке.

— Новости из лаборатории, — сказала Кейт. — Волокна совпадают. Карлинг была убита на катере. Но волокон на одежде подозреваемых не нашли. Думаю, мы слишком многого ожидали. Так что мы слегка продвинулись, но не слишком далеко. А.Д. думает допросить Донтси завтра утром — с магнитофоном и после предупреждения, что его слова могут быть использованы против него. Это ни к чему не приведет, но я думаю, надо попытаться. Он не расколется. Да и никто из них не расколется.

Впервые он расслышал в ее голосе едва уловимую вопрошающую нотку отчаяния. Она спросила:

— Нашли что-нибудь интересное?

— Нет, — ответил он. — Ничего интересного. Я уже ухожу. Еду домой.

62

Дэниел положил фотографию обратно в конверт, а конверт — к себе в карман, потом вернул на верхнюю полку все дела, папку коричневатого картона в том числе. Выключил везде свет, отпер дверь и снова запер ее за собой. Клаудиа Этьенн оставила для него горящими все лампы на лестнице, и, спускаясь по ступеням, он выключал их одну за другой. Зажег свет на нижнем этаже, чтобы видно было, куда идти. Каждое его действие было замедленным, каким-то торжественным, словно каждое движение представлялось особенно ценным. Он бросил последний взгляд на величественный купол потолка, погасил лампы, погрузив холл во тьму, установил охрану и, наконец, выключил свет в приемной. Войдет ли он сюда еще когда-нибудь? Эта мысль заставила его иронически улыбнуться: оказывается, он, решившийся на непростительное вероломство, на иконоборческий поступок, все еще способен оставаться педантичным и сохранять интерес к вещам, уже не имеющим значения.

Не было и признака света в маленьких боковых окошках дома № 12. Дэниел нажал кнопку звонка у двери Донтси, глядя вверх, на темные окна. Ответа не последовало. Может быть, он у Франсес Певерелл? Он пробежал по переулку на Инносент-Уок и тут, бросив взгляд налево, увидел кремовый «ровер» Донтси, отъезжающий от гаража. Дэниел инстинктивно пробежал несколько шагов вдогонку машине, но понял, что нет смысла окликать Донтси — он ничего не услышит за шумом двигателя и громыханием колес по булыжнику мостовой.

Дэниел бросился к своему «гольфу-GTI», припаркованному на Инносент-лейн, и пустился в погоню. Ему нужно было во что бы то ни стало увидеться с Донтси сегодня. Завтра может быть слишком поздно. У Донтси было всего полминуты форы, но это могло испортить все дело, если в конце Гаррет-роуд он сможет сразу свернуть на хайвэй. Однако Дэниелу повезло. Он успел увидеть, что «ровер» свернул вправо, на восток, направляясь в сторону эссекских пригородов, а не в центр Лондона.

Следующие пять минут ему удавалось не выпускать «ровер» из виду. Скопление машин, идущих «домой» — прочь от Лондона, — было все еще весьма плотным, представляя собой поблескивающую, медленно движущуюся монолитную массу металла. И даже искусно управляя машиной, обходя впереди идущие автомобили то справа, то слева, используя стиль вождения скорее эгоистический, чем ортодоксальный, Дэниел продвигался вперед очень медленно. Время от времени он терял Донтси из виду и только тогда, когда машин на шоссе становилось несколько меньше, обнаруживал, что «ровер» идет по той же дороге. Теперь Дэниел догадывался, куда направляется Донтси. С каждой милей его уверенность возрастала, и когда наконец они добрались до А-12, никаких сомнений у него уже не оставалось. Но у каждого светофора, во время вынужденной паузы, или когда дорога становилась более свободной, его мысли сосредоточивались на двух убийствах, которые привели к этой погоне и заставили его принять это решение.

Теперь он увидел весь план целиком, понял его остроумность, его изначальную простоту. Убийство Этьенна должно было выглядеть как несчастный случай, оно было продумано до мельчайших деталей, планировалось в течение многих недель, возможно, даже месяцев, в ожидании идеально подходящего момента. Полицейским с самого начала было ясно, что Донтси — самый очевидный из подозреваемых. Никто, кроме него, не мог работать без помех в малом архивном кабинете. Вероятно, он запирал дверь, когда демонтировал газовый камин, чтобы переместить осколки от облицовки трубы, и когда ставил камин на место, надежно забив дымоход. Оконный шнур намеренно перетирался из недели в неделю. И он выбрал просто напрашивавшийся вечер, когда, как всем было известно, Этьенн работал поздно и в полном одиночестве. Он приурочил убийство к половине восьмого, как раз перед тем, как поехать на чтения в «Коннот армз». Было ли это случайным совпадением, что его пригласили именно на этот вечер? Или он сам выбрал этот вечер, потому что был приглашен на поэтические чтения? Ему было бы довольно просто придумать какую-нибудь другую встречу, и ведь всегда казалось странным, что он вдруг решил выступать с чтением стихов. На чтениях не было больше ни одного известного поэта, и вряд ли это мероприятие имело сколько-нибудь существенное литературное значение. Он, видимо, выжидал удобный момент, чтобы незаметно проскользнуть в Инносент-Хаус, когда все разойдутся и Этьенн останется один, и тихонько прокрался наверх, в малый архивный кабинет. Но даже если бы Этьенн вышел из своей комнаты и заметил Донтси, он никак не удивился бы его появлению. Да и с чего бы? У Донтси был ключ от Инносент-Хауса, он был членом компании, мог приходить и уходить, когда ему вздумается. Этьенн решил бы, что он идет наверх, чтобы забрать какой-то документ или документы из кабинета на четвертом этаже, до того как отправиться в «Коннот армз».

А дальше что? Последние приготовления, по всей вероятности, были сделаны примерно часом раньше. Дэниел мог представить себе каждое действие в отдельности и их последовательность. Донтси вынес стол и стул из малого архивного и поставил их на свободное место рядом с дверью: важно было, чтобы Этьенн никак не смог дотянуться до окна. Кабинет был вычищен. Нельзя было оставить ни пыли, ни грязи, ведь Этьенн мог бы тогда начертить имя убийцы. Ежедневник Жерара и его карандаш были заблаговременно украдены, чтобы он не мог принести их в кармане пиджака или брюк. Затем Донтси зажег камин и включил его на полную мощность, перед тем как снять кран, чтобы смертельные испарения начали выделяться еще до того, как явится его жертва. И в последнюю очередь он поставил на пол и включил в сеть магнитофон. Донтси хотел, чтобы Этьенн знал, что обречен на смерть, что нет ни малейшего шанса избегнуть этого, что в изолированном пустом здании никто не услышит ни крика, ни стука в дверь — такая трата сил лишь ускорит его конец, что смерть его столь же неизбежна, как если бы он был брошен в газовую камеру Освенцима. А более всего убийце было необходимо, чтобы Этьенн знал, почему он должен умереть.

Вот так было подготовлено место убийства. Затем, чуть раньше 7.30, Донтси позвонил Этьенну в кабинет по телефону у двери в малый архивный. Что он мог сказать? «Поднимитесь сюда быстрее! Я нашел кое-что. Это очень важно». Этьенн, конечно, пошел.

А почему нет? Поднимаясь по лестнице, он мог думать, что Донтси отыскал ключ к загадке зловредного шутника. Да вряд ли важно, что он тогда думал. Его вызывал человек, которому он полностью доверял, которого не было причин опасаться. Тон у Донтси, видимо, был настойчивый, слова заинтриговывали. Само собой, Этьенн не мог не пойти наверх.

Место убийства было подготовлено — пустое и чистое. А потом что? Донтси, видимо, ждал у двери. Они могли быстро обменяться несколькими репликами.

«Что такое, Донтси?» Скорее всего в тоне его звучало нетерпение и чуть заметное высокомерие. «Это там, в малом архивном. Посмотрите сами. Сообщение на магнитофонной пленке. Прослушайте и все поймете».

И Этьенн, озадаченный, но ничего не подозревающий, вошел в комнату — в камеру смерти.

Дверь быстро захлопнулась, в замке повернулся и был вынут ключ. Шипучий Сид уже был спрятан где-то между папками архива. Донтси положил змею у подножия двери, таким образом лишив комнату даже такой незначительной вентиляции. В тот момент ему больше нечего было здесь делать. Он мог отправиться на поэтические чтения.

Он планировал вернуться к десяти часам или около того, чтобы сделать то, что нужно было еще сделать. И он мог не торопиться. Дверь надо было на несколько минут открыть, чтобы развеялись испарения. Тогда он вернул бы на место кран газового камина и восстановил бы прежний вид комнаты. Принес и поставил бы на место стол и стул, корзинки с папками, как они стояли прежде. Может, было еще что-то, о чем он мог подумать? Разумно было бы добавить пару дел к лежавшим на столе папкам, бумаги, какие Этьенн вполне мог найти, какие искал, какие могли его заинтересовать, — например, дело, которое и заставило его прийти в малый архивный кабинет: старый контракт, пожалуй, что-нибудь, касающееся Эсме Карлинг. Донтси мог заранее извлечь это дело с полки и держать не на месте, а между другими папками, подготовленными к разборке. Тогда он мог бы спокойно уйти, не забыв оставить ключ на внутренней стороне двери и забрав с собой змею.

Он мог бы работать без спешки, передвигаясь по Инносент-Хаусу скорее всего с помощью фонарика, но зная, что без риска сможет зажечь свет, как только окажется в малом архивном кабинете. Он спустился бы в кабинет Этьенна и отнес бы наверх его пиджак и ключи, повесил пиджак на спинку стула, а ключи положил на стол. Конечно, он не смог бы вернуть пыль ни на каминную полку, ни на пол комнаты. Но разве кто-нибудь обратил бы внимание на необычайную чистоту кабинета, если бы эта смерть с самого начала выглядела случайной?

А место действия говорило бы само за себя. Вот Этьенн, работавший над явно заинтересовавшим его делом. Он, должно быть, готов был работать здесь довольно долго, раз пришел сюда в пиджаке и с ключами да еще камин зажег. Он закрыл окно, оборвав потертый шнур. Его скорее всего нашли бы умершим за столом, навалившимся на стол грудью, или упавшим ничком на пол, как бы ползущим к камину — выключить огонь. Единственной загадкой тогда было бы, почему он вовремя не обнаружил, что происходит, и тотчас же не открыл дверь. Но один из самых ранних симптомов отравления угарным газом — дезориентация. Тогда ведь не было бы нарушенного окоченения нижней челюсти, не было бы необходимости засовывать голову змеи умершему в рот. Это было бы идеальным примером смерти в результате несчастного случая.

Но для Донси все сложилось ужасающе неудачно. Налетчики, часы, проведенные в больнице, позднее возвращение — все это перевернуло его планы. Наконец-то попав домой, зная, что его ждет Франсес, он понимал, что у него очень мало времени и он должен действовать необычайно быстро, несмотря на то что очень ослабел. Однако ум его работал по-прежнему четко. Он открыл кран в ванной, пустив воду слабой струйкой, чтобы к его приходу ванна почти наполнилась. Возможно, он даже сбросил одежду и остался в одном халате: было бы разумно войти в малый архивный нагишом. Но ему во что бы то ни стало надо было вернуться туда, и именно в эту ночь. После нападения было бы весьма подозрительно, если бы он первым явился в Инносент-Хаус на следующее утро. Жизненно необходимо было забрать ту пленку из магнитофона, ту изобличающую пленку — его признание в убийстве.

Этьенн прослушал пленку: у Донси могло быть хотя бы это удовлетворение. Его жертва знала, что обречена, и все же Этьенн смог очень умно придумать, как осуществить собственную небольшую месть. Твердо решив, что улика должна быть обнаружена, он спрятал пленку у себя во рту. А потом, утратив ориентацию, он, видимо, подумал, что сможет выключить камин, загасив огонь рубашкой, и уже полз к нему по полу, как вдруг потерял сознание. Долго ли Донтси искал пленку? Да нет, видимо, не очень долго. Но ему пришлось нарушить окоченение нижней части лица, чтобы извлечь ее изо рта, а он понимал — рассчитывать, что смерть Этьенна будет воспринята как результат несчастного случая, больше нельзя. Может быть, поэтому он так охотно пошел на сотрудничество с полицией? Он привлек внимание полицейских к отсутствующему магнитофону и даже к необычайной чистоте кабинета. Об этих фактах полиция все равно услышала бы от других свидетелей: было предусмотрительно заявить об этом первым. И ведь теперь у него не оставалось времени ни на что больше, как только вернуть стол со стулом на место. Он даже не заметил, что придвинул стол к стене другой стороной, поэтому папки оказались расположены иначе, чем раньше. Не заметил он и грязной полосы на стене, показывавшей, что стол был сдвинут с места. Не оставалось времени и на то, чтобы принести наверх пиджак Этьенна и ключи.

А как насчет насильственно открытого рта? На трюк со змеей — Шипучим Сидом — он, видимо, решился по наитию. Змея была тут, прямо под рукой. Донтси не нужно было тратить время, чтобы принести ее наверх. Все, что требовалось сделать, это обернуть змею вокруг шеи Этьенна и засунуть ее голову ему в рот. Он включился в серию злостных выходок, чтобы запутать расследование, если версия самоубийства не будет принята. Он не мог догадываться, каким жизненно важным окажется этот тактический ход.

Однако, уже уходя, он заметил на низком столике в приемной рукопись Эсме Карлинг в голубой обложке и увидел ее записку на доске объявлений. Должно быть, в этот момент его охватила паника, но это быстро прошло. Эсме Карлинг наверняка ушла из издательства еще до того, как он позвонил Этьенну и вызвал его наверх. Возможно, он даже приостановился на миг, думая, не проверить ли, здесь она все еще или нет, но решил, что это не имеет смысла. Разумеется, она ушла, оставив рукопись и письмо как публичное изъявление ее гнева. Заявит ли она полиции, что была здесь, или промолчит? Вообще-то он мог думать, что промолчит, однако решил забрать и рукопись, и записку. Донтси был убийцей, умевшим заглядывать далеко вперед — так далеко, что предвидел необходимость убить Эсме Карлинг.

63

Франсес то приходила в себя, то снова соскаль-зывала в забытье. Она то обретала способность в полудурмане со-знавать происходящее, то опять погружалась во тьму, когда мысли ее, на миг коснувшись реальности, отвергали ужас случившегося и она укрывалась в благодатном забвении. Наконец сознание вер-нулось к ней полностью, но она несколько минут лежала совер-шенно неподвижно, едва дыша, и пыталась оценить свое положе-ние, проходя мысленно шажок за шажком, словно такое посте-пенное приятие действительности могло сделать ее хоть как-то переносимой. Она жива. Она лежит на левом боку на полу маши-ны, накрытая ковром. У нее связаны лодыжки, а руки загнуты за спину и тоже связаны. Во рту у нее кляп из какой-то мягкой тка-ни, наверное — ее собственный шелковый шарф.

Машина шла неровно, один раз даже остановилась, и Франсес ощутила слабый толчок — включились тормоза. Наверное, Габри-ела остановил красный огонь светофора. Это означало, что они идут в потоке машин. Она подумала было, что сможет сбросить ковер, если станет извиваться и дергаться, но со связанными но-гами и руками это оказалось невозможно, тем более что ковер был под нее весьма прочно подоткнут. Если они шли в потоке машин, могло случиться, что какой-нибудь водитель заглянет в окно, уви-дит, как шевелится покрывало, и заинтересуется. Не успела она подумать об этом, как машина снова тронулась и пошла дальше, теперь уже совсем ровно.

Она жива. Нужно держаться за эту мысль. Может быть, Габри-ел и намеревался ее убить, но ведь он легко мог сделать это, когда она упала без сознания в гараже. Почему же не сделал? Не может быть, чтобы он хотел проявить к ней милосердие. Какое милосер-дие проявил он к Жерару, к Эсме Карлинг, к Клаудии? Она сейчас в руках убийцы. Это слово, ворвавшись в ее мысли, пробудило страх, дремавший в глубине сознания с того момента, как оно к ней вернулось. Страх заполонил ее всю, примитивный, неуправ-ляемый, унизительный, заливая ее, словно волной, лишая воли, лишая способности мыслить. Она понимала теперь, почему Донт-си ее не убил там, в гараже. Убийство Клаудии, как и другие два, должно было выглядеть как самоубийство. Габриел не мог оста-вить два трупа на полу гаража. Ему необходимо было избавиться от нее, но каким-то иным способом. Что он задумал? Чтобы она исчезла без следа? Убийство, которое Дэлглиш даже не надеялся бы раскрыть, потому что нет трупа? Она вспомнила, что где-то читала о том, что наличие мертвого тела вовсе не обязательно для раскрытия убийства. Но вполне возможно, что Габриел этого не сознает. Он — сумасшедший, он наверняка сумасшедший. Даже теперь он скорее всего обдумывает, планирует, как получше от нее избавиться. Может быть, выехать на край утеса и сбросить ее в море, или зарыть где-нибудь в канаве, по-прежнему связанную по рукам и ногам, или сбросить в забытую угольную шахту, где она будет умирать от голода и жажды, одна, и никто никогда ее не найдет. Один образ сменялся другим, и каждый следующий был страшнее, чем предыдущий. Ужасающее падение сквозь ночную тьму в разбивающиеся о берег волны, удушающие мокрые листья и сырая земля, забивающая глаза и рот, вертикальный черный туннель угольной шахты, где она будет медленно умирать от голода и клаустрофобии.

Сейчас машина шла ровно и плавно. По-видимому, они уже сбросили с себя последние щупальца Лондона и едут по сельской местности. Усилием воли Франсес заставила себя успокоиться. Она жива. Нужно держаться за эту мысль. Еще есть надежда, но если ей предстоит в конце концов умереть, она попытается умереть мужественно. Жерар и Клаудиа, оба неверующие, наверное, умерли мужественно, хоть им и не было позволено умереть достойно. Чего стоит вера, если она не поможет ей встретить смерть мужественно, как встретили ее они? Она произнесла слова раскаяния, затем помолилась за души Жерара и Клаудии, а уж потом — о себе и о своем спасении. Хорошо знакомые утешительные слова принесли успокоение: она больше не была одна. Тогда она попыталась придумать план. Не зная, что у него на уме, она не могла выбирать различные варианты действий, но один факт не вызывал сомнений. Она не могла представить себе, что у Габриела хватит сил нести ее или ее труп без посторонней помощи. Это означало, что он должен будет развязать ей хотя бы ноги. Она моложе и сильнее его, ей будет легко его обогнать. Если представится возможность, она помчится изо всех сил. Но что бы ни случилось под конец, она не станет молить о милосердии.

Тем временем ей следовало позаботиться о том, чтобы у нее не слишком сильно затекли конечности. Ее руки, загнутые за спину, были связаны чем-то мягким — может быть, его галстуком или носками. Ведь он, конечно, пришел в гараж, подготовившись только к одному убийству. Но работу свою он выполнил очень тщательно. Она не могла высвободить руки, как ни крутилась. Ноги тоже были крепко, хотя и более удобно связаны. Но даже со связанными лодыжками она могла напрягать и расслаблять мышцы ног, и это небольшое упражнение — подготовка к побегу — придало ей силы и храбрости. К тому же она повторяла себе, что не должна терять надежды на спасение. Долго ли будет Джеймс ждать после того, как обнаружит, что она пропала? Возможно, он ничего не станет предпринимать примерно с час, полагая, что она застряла в пробке на дороге или в метро. Но потом он позвонит в № 12 и, не получив ответа, попробует дозвониться в барбиканскую квартиру Клаудии. Даже тогда он не будет слишком сильно обеспокоен. Но нет сомнений, что он не станет ждать дольше чем полтора часа. Вероятно, возьмет такси и поедет в № 12. И может быть, если ей повезет, он даже услышит звук работающего двигателя в гараже. Как только труп Клаудии обнаружат и узнают, что исчез Донтси, вся полиция будет поднята на ноги, чтобы перехватить его машину. Она должна держаться за эту надежду.

А они все мчались вперед. Не имея возможности посмотреть на часы, Франсес могла только гадать, который теперь час, и совершенно не представляла, куда они едут. Она не стала тратить силы, размышляя, почему Габриел убивал. Это было бы бессмысленно: только он сам мог ответить на этот вопрос, и, возможно, под конец он ей скажет. Вместо этого она стала размышлять о собственной жизни. Чем иным была ее жизнь, как не цепью компромиссов? Почему она всегда отвечала отцу одним лишь робким молчаливым согласием, что только усиливало его бесчувствие и презрение? Почему она без возражений пришла в издательство по первому его зову, чтобы научиться работать с контрактами и авторскими правами? Она могла вполне компетентно справляться с этой работой, была добросовестна и методична, точна в деталях, но ведь это было вовсе не то, чему она хотела посвятить жизнь. А Жерар? В душе она всегда понимала, что его отношение к ней — просто сексуальная эксплуатация. Он чувствовал к ней презрение, потому что она заслуживала презрения. Кто она? Что она такое? Франсес Певерелл, робкая, уступчивая, мягкая, никогда ни на что не жалующаяся, придаток своего отца, своего любовника, своего издательства. И вот теперь, когда ее жизнь, возможно, близится к концу, она может по крайней мере сказать: «Я — Франсес Певерелл. Я — это я». Если она выживет и выйдет замуж за Джеймса, она сможет предложить ему хотя бы равноправное партнерство. Она нашла в себе мужество встретиться лицом к лицу со смертью, но это оказалось в конечном счете не так уж трудно. Тысячи людей, даже дети, делают это каждый день. Пора ей найти в себе мужество встретиться лицом к лицу с жизнью.

Теперь она почувствовала себя странно спокойной. Время от времени она произносила молитву, читала в уме любимые стихи, припоминала радостные моменты прошлого. Она даже попыталась подремать и почти уже заснула, когда машину вдруг тряхнуло, и сонливость прошла, как не бывало. Габриел, очевидно, вел машину по ухабистой сельской дороге. «Ровер» подпрыгивал, раскачивался, плюхался в рытвины, его мотало из стороны в сторону, а вместе с ним мотало и Франсес. Затем последовал новый кусок дороги, уже не такой неровный, возможно — мощеный проселок. А потом машина стала, и Франсес услышала, как Габриел открыл свою дверь.

64

Джеймс взглянул на старинные часы на каминной полке. Было 7.42 — прошло чуть больше часа с тех пор, как он звонил Франсес. Она должна бы уже приехать. Он снова поминутно рассчитал время — он делал это все последние шестьдесят с лишним минут. Десять станций по Центральной от Банка до Ноттинг-Хилл-Гейта. Скажем, по две минуты на станцию — получается двадцать минут на езду в метро плюс пятнадцать до Банка. Но могло случиться, что Франсес не застала Клаудиу и пришлось вызвать такси. Пусть так, все равно поездка не заняла бы шестидесяти минут, даже в час пик, даже в центре Лондона, если только не было какой-то особенно долгой задержки — закрытых дорог или тревоги из-за террористов. Он снова набрал номер Франсес. Как он и ожидал, ответа не последовало. Тогда он еще раз позвонил Клаудии в Барбикан, и снова безуспешно. Это его не удивило. Она могла поехать прямо к Деклану Картрайту, а то и в театр с кем-нибудь или на обед. Зачем Клаудии сидеть дома? Он включил радио — лондонскую региональную станцию. Прошло еще десять минут, прежде чем он услышал краткие новости. Пассажиров предупреждали, что на Центральной линии метро задержано движение поездов. Причину не сообщили — такое бывало в тех случаях, когда задержка была связана с деятельностью ИРА*, однако предупредили, что четыре станции между Холлборном и Мраморной аркой закрыты. Так что все объяснилось. Может пройти еще целый час, пока Франсес сюда доберется. Ничего не поделаешь, надо терпеливо ждать.

Джеймс мерил шагами гостиную. У Франсес была легкая клаустрофобия. Он знал, как она не любит пользоваться Гринвичским пешеходным тоннелем. Не любит ездить в метро. Она не оказалась бы там сейчас, словно в ловушке, если бы не захотела быть рядом с ним. Он надеялся, что в поезде не выключили свет, что она не сидит там одна, без дружеской поддержки, в полной темноте. Вдруг в его мозгу возник необычайно яркий и тревожный образ Франсес, покинутой, умирающей, в темном тесном туннеле где-то вдали от него, одинокой и недостижимой. Он выбросил этот образ из головы, как болезненную фантазию, и снова взглянул на часы. Он подождет еще полчаса, а потом позвонит в Лондонское транспортное управление, чтобы выяснить, открыли уже линию или нет, и надолго ли, как предполагают, будет задержано движение. Он подошел к окну и, встав за штору, стал смотреть вниз, на освещенную улицу, силой желания побуждая Франсес прийти.

65

Дэниел наконец выехал на А-12. Дорога была гораздо свободнее. Он старался не превышать скорости — было бы катастрофой, если бы его задержала полиция. Но ведь и Донтси будет соблюдать осторожность, чтобы не привлекать к себе внимания и не быть задержанным. В этом смысле они оба вели машины на равных условиях, но «гольф» Дэниела был быстрее. Он продумывал план, как обогнать Донтси, когда тот снова окажется у него на виду. В нормальных условиях Донтси почти наверняка узнал бы и машину Дэниела, и его самого с первого взгляда, но

* ИРА — Ирландская республиканская армия, организация, проводившая террористические акты в Англии в течение нескольких лет.

вряд ли он мог подозревать, что его преследуют. Он не станет искать взглядом преследователя. Самый лучший план действий — подождать, пока дорога не станет более загруженной, и попробовать пойти на обгон в потоке машин.

И вот теперь, впервые за все время, Дэниел вспомнил о Клаудии Этьенн. Его ужаснуло, что ему, озабоченному судьбой Донтси и стремлением догнать его и предупредить, не пришла в голову мысль о грозящей Клаудии опасности. Но с ней все должно быть в порядке. В последний раз, когда он ее видел, она предполагала уйти домой и теперь должна быть в безопасности. Ведь Донтси мчится впереди на своем «ровере». Конечно, есть риск, что она решила повидать отца и, возможно, сейчас уже направляется в Отона-Хаус. Однако это лишь добавляло причин попасть туда первым. Не было смысла пытаться остановить Донтси, обогнать его, дать отмашку. Донтси не остановится, если только его насильно не заставить. Конечно, Дэниелу необходимо было поговорить с ним, предупредить, но только в спокойной обстановке, а не притиснув его машину к обочине. Последнюю сцену этой трагедии следовало играть мирно.

Тут наконец он увидел «ровер». Они теперь приближались к Челмсфордской развязке, и машин становилось все больше. Дэниел выждал момент, влился в поток машин на более скоростной полосе и промчался мимо Донтси.

Эсме Карлинг, видно, пережила несколько очень неприятных дней после того, как услышала об обнаружении трупа. Она, конечно, ожидала, что приедут полицейские, начнут задавать вопросы про записку, приколотую на доске объявлений, про брошенную рукопись. Но они с Роббинсом явились к ней с невинными вопросами про алиби, и она им свое алиби предоставила. Она прекрасно держалась, надо отдать ей должное. Он ни на минуту не заподозрил, что там было о чем еще узнать. А после этого? Что творилось у нее в голове? Кто позвонил первым — Донтси? Или она сама связалась с ним? Почти наверняка — сама. У Донтси не было бы необходимости убивать ее, если бы она не сказала ему, что фактически видела, как он спускался по лестнице с пылесосом в руках. Он тоже наверняка пережил несколько неприятных моментов. Он тоже прекрасно держался. Эсме Карлинг ничего никому не сказала, и он решил, что он в безопасности.

А потом, вероятно, последовал телефонный звонок, предложение встретиться, скрытая угроза, что, если ее книга не будет опубликована, она обратится в полицию. Угроза, разумеется, безосновательная. Она не могла обратиться в полицию, не выдав собственного присутствия в Инносент-Хаусе в тот вечер. У нее был такой же сильный мотив избавиться от Жерара Этьенна, как у кого-нибудь другого. Но она была женщиной, чей ум, изобретательный в интригах, хитрый и склонный к навязчивым идеям, был все же достаточно ограниченным. Она не умела четко мыслить и была не очень сообразительна.

Как же все-таки удалось Донтси заманить ее на эту встречу? Может, он сказал ей, что знает или подозревает, кто убил Этьенна, и что они вместе могут добиться правды и разделить триумф? Или они наперед договорились, что она будет хранить молчание, а он вернет ей рукопись и записку и обеспечит публикацию книги? Она сказала Дэйзи Рид, что теперь издательство «Певерелл пресс» вынуждено будет опубликовать ее роман. Кто же, как не один из директоров, мог заверить ее в этом? Кем он представился в этой краткой беседе — ее защитником и спасителем или соучастником заговора? Теперь этого никогда не узнать, если только Донтси сам не захочет сказать им.

Одно было ясно: Эсме Карлинг отправилась на эту встречу без опаски. Она не знала, кто убийца, но полагала, что знает, кто им никак не мог быть. Именно она и была тем посетителем в кабинете Этьенна, когда раздался звонок телефона, и поначалу ждала его возвращения. Потом, потеряв терпение, она направилась в малый архивный кабинет и заметила Донтси, несущего вниз пылесос, как раз когда собиралась выйти из комнаты мисс Блэкетт. У двери малого архивного она видела змею и слышала голос. Кто-то в малом архивном разговаривал. Дверь кабинета была не очень толстой, можно было разобрать, что это не голос Этьенна. Когда его труп был обнаружен, она могла быть уверена, что по крайней мере Донтси невиновен — ведь она видела, как он спускался по лестнице, когда мистер Этьенн был жив и разговаривал в малом архивном кабинете со своим убийцей!

Как же он устроил себе алиби на время гибели Эсме Карлинг? Да конечно же, ведь он и Бартрум оставались у трупа Карлинг одни до приезда полиции. Разве не Донтси предложил, чтобы женщин отвели в дом, а он и Бартрум останутся ждать у тела? Скорее всего он договорился об алиби именно тогда. Однако удивительно, что Бартрум согласился. Видно, Донтси пообещал поддержать его просьбу о сохранении за ним его места. Или даже обещал повышение. А может быть, уже существовало какое-то обязательство со стороны Бартрума и он должен был расплатиться? Какой бы ни была причина, алиби ему было дано. А паб, где они встретились тридцатью минутами позже, чем утверждали, был выбран очень предусмотрительно. Никто в «Возвращении моряка» не смог точно сказать, когда два конкретных посетителя вошли в эту огромную, шумную, переполненную людьми таверну.

Само по себе убийство вряд ли могло представлять какие-то трудности, единственный опасный момент — перевод катера с одной стороны лестницы на другую. Однако это, несомненно, было необходимо. Ему нужен был катер: только в укрытии каюты, невидимый и с берега, и с реки, он мог убить Эсме Карлинг. Она была худой и не тяжелой, но Донтси уже перевалило за семьдесят шесть, и ему было легче привязать ее к ограде с катера, чем тащить — живую или мертвую — по скользким от высокой воды ступеням лестницы. А передвинуть катер было вполне безопасно, если запустить мотор на низких оборотах. Поблизости жила только Франсес, а Донтси по собственному опыту знал, как мало слышно из ее гостиной при задернутых шторах. Да если бы она и услышала звук мотора, вряд ли бы вышла посмотреть, что происходит. В конце концов, такие звуки на реке были делом обычным. Но после убийства катер следовало отвести на прежнее место. Донтси не мог быть уверен, что в каюте не осталось следов, пусть даже самых незначительных, особенно если она сопротивлялась. Важно, чтобы катер ни у кого не ассоциировался с ее смертью.

Она приехала на эту последнюю, роковую встречу на такси. Это, должно быть, предложил Донтси, а еще он, видимо, предложил, чтобы она сошла у конца проулка Инносент-Пэсидж. Он, наверное, ждал ее в темноте, в дверях бокового входа. Что же он мог сказать ей? Что они смогут в большем уединении поговорить на реке? Он, должно быть, заранее оставил ей записку и рукопись на столе в каюте. Что еще там могло быть? Веревка для удушения или шарф, а может — ремень? Но он скорее всего рассчитывал, что у нее будет с собой ее всегдашняя наплечная сумка с длинной, крепкой лямкой. Он должен был не раз видеть ее у Эсме Карлинг.

А теперь, устремив глаза на дорогу, легко держа руки на рулевом колесе, Дэниел представлял себе сцену в тесной каюте катера. Долго ли они разговаривали? Может, вообще не разговаривали? Она скорее всего уже по телефону сказала Донтси, что видела его в Инносент-Хаусе — он спускался по лестнице с пылесосом в руках. Это само по себе уже было разоблачением. Больше ничего ему и не надо было от нее слышать. Не тратить зря времени — вот что казалось легче и безопаснее всего. Дэниел буквально видел, как Донтси встает чуть сбоку, вежливо ожидая, чтобы Эсме Карлинг первой прошла в каюту, ремень ее сумки — у нее на плече.

Затем — быстрый рывок ремня вверх, падение, Карлинг мечется из стороны в сторону по полу каюты, старушечьи руки бесполезно цепляются за кожаную петлю на шее, а он обеими руками затягивает ремень все туже. Вероятно, на какую-то долю секунды к ней пришло страшное осознание происходящего, прежде чем милосердное забытье не отключило ее мозг навсегда.

И вот такого человека он мчался предупредить — не потому, что все еще возможен был какой-то выход, но потому, что даже ужасная гибель Эсме Карлинг казалась лишь малой и неизбежной частью более страшной мировой трагедии. Всю жизнь она сочиняла истории о преступлениях, фабриковала загадки и тайны, использовала совпадения, выстраивала факты так, чтобы они соответствовали ее теориям, манипулировала персонажами, наслаждаясь собственной значительностью, фиктивной властью над судьбами и событиями. Ее трагедия в том, что под конец она перепутала фикцию с реальной жизнью.

После того как Дэниел проехал Молдон и повернул на юг по шоссе В-1018, он понял, что заблудился. Чуть раньше он всего на минуту — не хотел терять время — остановился на придорожной площадке, чтобы свериться с картой. Более короткий путь в Брадуэлл-он-Си лежал, если сделать левый поворот с Б-1018, через деревни Стипл и Сент-Лоуренс. Он убрал карту и поехал вперед сквозь тьму и мрачный, пустынный пейзаж. Однако дорога, оказавшаяся шире, чем он ожидал, все тянулась и тянулась, он уже проехал два левых поворота, которых вроде бы на карте не было, не было и указателя на первую из двух деревень. Какой-то инстинкт, которому он никогда не мог найти объяснения, подсказал ему, что он едет на юг, а не на восток. Он остановился у перекрестка — свериться с указателем, и в свете фар прочел название: Саутминстер. Каким-то образом он поехал более южной и более длинной дорогой. Тьма была густой и непроницаемой, как туман. Но тут тучи разошлись и луна осветила придорожный паб, закрытый и заброшенный, два кирпичных домика с тускло светящимися из-за закрытых штор окнами и одинокое, взлохмаченное ветрами дерево с белым обрывком какого-то объявления, прибитым к стволу и трепещущим, словно птица с подрезанными крыльями. По обе стороны дороги лежали безлюдные пространства, продуваемые ветрами, в холодном свете луны они рождали в душе какой-то суеверный страх.

Он поехал дальше. Казалось, этой дороге, с ее изгибами и поворотами, не будет конца. Ветер усиливался, мягко подталкивая маши-

ну. И вот наконец правый поворот на Брадуэлл-он-Си. Дэниел увидел, что проезжает по краю деревни в направлении приземистой цер-
ковной башни и светящегося огнями паба. Он опять повернул, на
этот раз в сторону болот и моря. Машины Донтси нигде не было
видно, и Дэниел не мог судить, кто из них попадет в Отона-Хаус
первым. Он знал лишь, что для них обоих это будет концом пути.

66

Он открыл заднюю дверь. После непроглядной тьмы,
запаха бензина и ковра, запаха ее собственного страха — свежий,
просвеченный лунными лучами воздух коснулся ее лица, словно бла-
гословение. Она ничего не слышала, кроме вздохов ветра, ничего не
видела, кроме темного силуэта склонившегося над ней человека. К
ней протянулись его руки, и он нащупал кляп. Франсес почувствовала, как его пальцы скользнули по щеке. Потом он наклонился и
принялся развязывать ей ноги. Узлы были не слишком затянуты.
Если бы ее руки были свободны, она и сама могла справиться с ними.
Ему не пришлось их разрезать. Значит ли это, что ножа у него нет?
Но ее больше не волновала собственная безопасность. Она вдруг поняла, что он привез ее сюда не затем, чтобы убить. Здесь ему предстояло заняться чем-то другим, для него гораздо более важным.

Он сказал — тоном совершенно обычным, голосом мягким и
добрым, который она так хорошо знала, которому привыкла доверять, который любила слушать:

— Франсес, если вы чуть повернетесь, мне легче будет развязать вам руки.

Так говорить мог бы не тюремщик, а освободитель; ему понадобилось всего несколько секунд — и вот она свободна. Франсес
попыталась опустить ноги на землю и выйти из машины, но ноги
не слушались, и он протянул ей руку — помочь.

— Не прикасайтесь ко мне! — сказала она.

Слова прозвучали неразборчиво. Кляп оказался более тугим,
чем ей казалось, и челюсти у нее болели и плохо смыкались. Однако он понял. Он тотчас же отступил назад и смотрел, как она с
трудом выбирается из машины, выпрямляется и стоит, присло-
нясь к кузову, чтобы не упасть. Наступил тот самый момент, которого она ждала, на который рассчитывала, тот самый шанс — бежать быстрее, чем он, не важно куда. Однако он отвернулся, и она

поняла, что ей не нужно бежать, что нет смысла в побеге. Он привез ее сюда по необходимости, но она больше не была ему опасна, она больше не имела значения. Мысли его были заняты чем-то другим. Она могла бы попытаться уйти, еле волоча затекшие ноги, но он не стал бы ей мешать, не стал бы преследовать. Он уходил, глядя вперед, на темные очертания какого-то дома, она даже ощущала напряженность этого взгляда. По-видимому, для него здесь был конец долгого пути. Она спросила:

— Где мы? Что это за место?

Он ответил, довольно успешно сдерживая волнение:

— Отона-Хаус. Я приехал увидеться с Жаном-Филиппом Этьенном.

Они вместе подошли к парадному входу. Он позвонил. Звонок Франсес расслышала даже через массивную дубовую дверь. Они ждали недолго. Послышался скрежет засова, в замке повернулся ключ, и дверь отворилась. Плотная фигура женщины в черной одежде силуэтом выделялась на фоне освещенного холла.

— Monsieur Etienne vous attand*, — произнесла она.

Габриел повернулся к Франсес:

— Не думаю, что вы встречались раньше с Эстель, экономкой Жана-Филиппа. Теперь с вами все в порядке. Через несколько минут вы сможете позвонить, чтобы прислали помощь. А тем временем Эстель присмотрит за вами, если вы пойдете с ней.

— Я не нуждаюсь в присмотре, — ответила она. — Я не ребенок. Вы привезли меня сюда против моей воли. Теперь я здесь, и я остаюсь с вами.

Эстель провела их по длинному, с каменным полом коридору в глубину дома, затем отступила в сторону и жестом предложила им войти.

Комната — очевидно, рабочий кабинет, со стенами в темных панелях — была наполнена сладковато-терпким запахом древесного дыма. В выложенном камнем камине плясали языки пламени, потрескивали и шипели поленья. Жан-Филипп Этьенн сидел в кресле с высокой спинкой справа от камина. У окна, лицом к двери, стоял инспектор Аарон. Куртка-дубленка подчеркивала коренастость его фигуры. Он был очень бледен, но когда в камине рушилось, вдруг вспыхивая, полено, лицо его оживляли ярко-красные отсветы. Волосы у него на голове были растрепаны, взлохмачены ветром. Франсес

---

* Месье Этьенн вас ждет *(фр.)*.

подумала, что он, по всей вероятности, приехал прямо перед ними и поставил машину так, чтобы ее не могли увидеть.

Не замечая Франсес, он сразу обратился к Донтси:

— Я следовал за вами. Мне необходимо с вами поговорить.

Он вынул из кармана конверт и, вытащив оттуда фотографию, положил ее на стол. Не произнося ни слова, он не сводил глаз с лица Донтси. Никто не шевелился.

Донтси сказал:

— Я знаю, о чем вы приехали поговорить, но время разговоров прошло. Вы здесь не для того, чтобы говорить, а для того, чтобы слушать.

Казалось, Аарон только теперь заметил присутствие Франсес. Он произнес резким, почти обвиняющим тоном:

— А вы зачем здесь?

Рот у Франсес все еще болел, но она ответила четко, звучным голосом:

— Меня привезли сюда насильно, связанной и с кляпом во рту. Габриел убил Клаудиу. Задушил ее в гараже. Я видела ее труп. Разве вы не собираетесь его арестовать? Он убил Клаудиу, и это он убил тех двоих.

Этьенн успел подняться на ноги, но сейчас он издал какой-то странный звук, то ли вздох, то ли стон, и снова упал в кресло. Франсес бросилась к нему.

— Простите, простите меня! — воскликнула она. — Мне надо было сообщить об этом более осторожно. — Тут, подняв голову, она увидела искаженное ужасом лицо инспектора Аарона.

Он взглянул на Донтси и тихо, почти шепотом спросил:

— Так вы довели свое дело до конца?

— Не вините себя, инспектор. Вы не могли ее спасти. Она умерла еще до того, как вы ушли из Инносент-Хауса.

Потом он обратился непосредственно к Жану-Филиппу Этьенну:

— Встаньте, Этьенн. Мне нужно, чтобы вы стояли.

Очень медленно Этьенн стал подниматься с кресла, потянувшись за тростью. С ее помощью он смог встать на ноги. Сделав видимое усилие, чтобы держаться прямо, он пошатнулся и упал бы, если бы не Франсес. Она кинулась к нему и обхватила его руками вокруг пояса. Этьенн молчал, только пристально смотрел на Донтси.

— Встаньте за спинку кресла, — сказал тот. — Вы сможете использовать его в качестве опоры.

— Мне не нужна опора. — Этьенн решительно отвел руки Франсес. — Это минутная слабость. Просто ноги затекли от долгого сидения. Я не буду стоять за спинкой кресла, словно обвиняемый на скамье подсудимых. А если вы явились сюда как судья, я бы считал, что начинать судебный процесс полагается с заявлений сторон, а наказывать — только если вынесен вердикт «виновен».

— Процесс уже состоялся. Я проводил расследование более сорока лет. Теперь я прошу вас признать, что вы выдали немцам мою жену и детей, что фактически вы послали их на смерть в Освенциме.

— Как их звали?

— Софи Донтси, Мартин и Рут. Они жили под чужим именем — Луаре. У них были фальшивые документы. Вы — один из немногих, знавших об этом. Вы знали, что они евреи. Вы знали, где они живут.

— Эти имена ничего мне не говорят, — спокойно ответил Этьенн. — Я информировал Виши и немцев. Как я могу помнить имена отдельных лиц или целых семей? Я делал то, что тогда необходимо было делать. От меня зависела жизнь множества французов. Важно было, чтобы немцы продолжали мне доверять, если я хотел получать ассигнования на бумагу и на типографскую краску, чтобы иметь ресурсы для подпольной прессы. Как можно от меня ожидать, чтобы я через пятьдесят лет помнил одну какую-то женщину с детьми?

— Зато я их помню, — сказал Донтси.

— Так что теперь вы пришли осуществить свою месть? Месть сладка даже по истечении полувека?

— Это не месть, Этьенн. Это — справедливость.

— Да не обманывайте себя, Габриел. Это месть. Справедливость не требует, чтобы вы явились под конец ко мне сообщить о том, что совершили. Называйте это справедливостью, если это успокаивает вашу совесть. Справедливость — сильное слово, надеюсь, вы понимаете, что оно означает. Сам я не уверен, что понимаю. Возможно, представитель закона сумеет нам в этом помочь.

— Оно означает — око за око, зуб за зуб, — ответил Дэниел.

Донтси по-прежнему не сводил глаз с лица Жана-Филиппа.

— Я отнял у вас, Этьенн, не более того, что вы отняли у меня. Сына и дочь за сына и дочь. Вы убили и мою жену, но ваша уже умерла к тому времени, как мне стала известна правда.

— Да, она оказалась за пределами вашей злобы. И моей.

Последние два слова он произнес так тихо, что Франсес усомнилась, действительно ли она их слышала.

А Габриел продолжал:

— Вы убили моих детей. Я убил ваших. У меня нет потомства. У вас тоже не будет. После смерти Софи я не смог полюбить ни одну другую женщину. Я не верю, что наше существование в этом мире имеет какой-то смысл, не верю и в то, что есть жизнь после смерти. Раз нет Бога, то не может быть и божественной справедливости. Мы должны сами восстанавливать для себя справедливость, восстанавливать ее здесь, на земле. Мне понадобилось для этого почти пятьдесят лет, но я ее восстановил.

— Было бы гораздо действеннее, если бы вы сделали это раньше. У моего сына была юность, он дожил до цветущего мужского возраста. У него был успех, он знал любовь женщин. Этого вы не смогли у него отнять. У ваших детей ничего этого не было. Справедливость должна быть скорой и действенной. Она не может ждать полвека.

— Какое отношение имеет время к справедливости? Время отбирает у нас силу, талант, воспоминания и радость, даже способность испытывать горе. Зачем же ему лишать нас еще и того, что требует от нас справедливость? Я должен был быть уверен, ведь и этого требовала от меня справедливость. Мне понадобилось более двадцати лет, чтобы отыскать двух главных свидетелей. И даже тогда я не стал торопиться. Я не мог бы вынести десяти с лишним лет заключения, а теперь мне уже не страшно. В семьдесят шесть лет нет ничего такого, что невозможно вынести. К тому же ваш сын был помолвлен. Мог родиться ребенок. Справедливость требовала, чтобы умерли только двое.

— Так вы поэтому покинули своего издателя в 1962 году и пришли в «Певерелл пресс»? — спросил Этьенн. — Вы что, уже тогда меня подозревали?

— Начинал подозревать. Нити моих расследований стали связываться в один узел. Казалось разумным подобраться к вам поближе. А вы, как мне помнится, были рады принять и меня, и мои деньги.

— Еще бы. Мы оба — Генри Певерелл и я — считали, что заполучили крупный талант. Вам следовало сохранять силы для творчества, Габриел, а не расходовать их зря на пагубное наваждение, порожденное чувством собственной вины. Вряд ли вы были виноваты в том, что ваша жена и дети застряли во Франции. Конечно, оставив их там в такое смутное время, вы поступили неосторожно, но не более того. Вы их оставили, и они погибли. Зачем же пытаться избавиться от чувства вины, убивая невиновных? Но убийство невиновных — ваша сильная сторона, не правда ли? Ведь вы участвовали в бомбежке Дрездена. Ничто из того, что я сделал, не может сравниться с ужасом и значительностью такого свершения.

— Но ведь это совсем другое! Это была ужасная военная необходимость, — хриплым шепотом произнес Дэниел.

Этьенн резко бросил ему в ответ:

— Так и для меня это была военная необходимость! — Он помолчал, а когда заговорил снова, Франсес расслышала в его голосе едва сдерживаемую нотку триумфа: — Если вы хотите выступать в роли Бога, вам нужно было сначала увериться, что вы обладаете мудростью и всеведением Бога. У меня никогда не было детей. В тринадцатилетнем возрасте я перенес вирусное заболевание: я абсолютно бесплоден. Моей жене хотелось иметь сына и дочь, и, чтобы удовлетворить ее одержимость материнством, я согласился обеспечить ее детьми. Жерар и Клаудиа были усыновлены в Канаде, а потом мы привезли их с собой в Англию. Они не родственники по крови ни между собой, ни со мной. Я обещал моей жене, что правда никогда не станет известна посторонним, но Жерару и Клаудии сообщили, когда каждому было по четырнадцать лет. Это весьма отрицательно сказалось на Жераре. Обоим детям следовало сообщить об этом с самого начала.

Франсес понимала, что Габриелу нет необходимости спрашивать, правда ли это на самом деле. Ей пришлось заставить себя взглянуть на него. Она увидела, как буквально на глазах он физически одряхлел: лицевые мышцы и мускулы тела словно моментально ослабли, заставив согнуться, как от боли. Он был старым человеком, но все еще полным сил, умным и волевым. Теперь все, что в нем было живого, бесследно покидало его. Она бросилась к нему, но он запрещающим жестом вытянул вперед руку. Потом он медленно и с трудом заставил себя распрямиться. Попытался что-то сказать, но не смог вымолвить ни слова. Тогда он повернулся и направился к двери. Никто ничего не сказал, но все пошли вслед за ним через холл, вышли в ночную тьму и смотрели, как он идет к узкому скалистому гребню на краю болота.

Франсес побежала за ним и, догнав, схватила его за полу пиджака. Габриел попытался высвободиться, но она не отпускала, а сил у него осталось мало. Дэниел, подбежав к ним сзади, поднял Франсес на руки и так, не спуская на землю, унес ее прочь. Она попыталась сопротивляться, но его руки держали ее, сжимая, как железные обручи. Беспомощная, она смотрела, как Габриел шел все вперед, в самую глубь болота. А Дэниел повторял:

— Оставьте его. Оставьте его в покое.

Она крикнула Жану-Филиппу Этьенну:

— Идите же за ним! Остановите его! Заставьте вернуться!

Дэниел еле слышно спросил:

— Вернуться? Ради чего?

— Но он же не дойдет до моря!

На это ответил Этьенн, тихо подошедший к ним сзади:

— Ему и не надо идти до моря. Болотные озерца глубоки. А если человек решил умереть, ему и одного фута воды хватит, чтобы утонуть.

Они стояли, глядя ему вслед. Дэниел все еще крепко обнимал Франсес. Она вдруг почувствовала, как сильно бьется его сердце рядом с ее собственным. Спотыкающаяся фигура Донтси черным силуэтом вырисовывалась на фоне ночного неба. Он поднимался и падал, затем снова вставал и шел вперед и вперед. Снова слегка раздвинулись тучи: теперь они могли видеть его более четко. Время от времени Донтси падал, но упорно поднимался на ноги и на фоне неба казался огромным, словно великан. Он шел, воздев руки горе́, будто проклиная или взывая к Богу в последней мольбе. Франсес понимала, что он стремится к морю, жаждет войти в его холодную беспредельность, идти все дальше и глубже, вперед и вперед, пока не сможет уплыть в благословенное вечное забвение.

Но вот он опять упал, и на этот раз не смог подняться. Франсес показалось, что она видит лунные отсветы на поверхности воды в болотном озерце. Казалось, все его тело погрузилось в эту воду. Но она больше не могла четко его видеть. Он стал просто еще одним темным пятном, низкой черной кочкой посреди бесчисленных травяных кочек этого болота, этой промокшей, бесплодной земли. Все трое ждали в молчании, но не увидели там ни малейшего движения. Дэниел отпустил Франсес, она шагнула в сторону и встала чуть поодаль. Стояла мертвая тишина. И вдруг она подумала, что ей наконец стал слышен голос моря, слабые вздохи, не столько звук, сколько биение пульса в притихшем воздухе.

Они уже повернули к дому, когда ночной воздух завибрировал от нараставшего металлического шума, быстро превратившегося в грохочущий треск. Над их головами появились спаренные огни вертолета. Они наблюдали, как он описал в воздухе три круга, а затем опустился на поле недалеко от Отона-Хауса. Значит, они обнаружили труп Клаудии, подумала Франсес. Джеймсу, видимо, надоело ждать, и он поехал в Инносент-Хаус — выяснить, в чем дело.

Она стояла на краю поля, по-прежнему чуть поодаль от остальных, и видела, как три человека бегут, пригнувшись под огромными лопастями машины, а затем выпрямляются, останавливаются на миг и направляются к ней через каменистое, заросшее лохматой от ветра травой поле. Коммандер Дэлглиш, инспектор Мискин и Джеймс. Этьенн двинулся им навстречу. Они стояли группой и разговаривали. Франсес подумала: «Пусть Этьенн им расскажет. Я подожду».

Потом Дэлглиш отделился от группы и подошел к Франсес. Не прикасаясь к ней, он наклонился и пристально вгляделся в ее лицо.

— Как вы? В порядке?

— Теперь в порядке.

Он улыбнулся и сказал:

— Мы скоро сможем поговорить. Де Уитт настоял на том, чтобы лететь с нами. Уступить ему оказалось намного легче.

Он отошел к Этьенну и Кейт, и они вместе направились к дому.

А Франсес думала: «Наконец я стала собой. У меня есть теперь то, что я могу ему отдать». Она не бросилась к человеку, застывшему в ожидании, не окликнула его. Медленно, но стремясь к нему всем своим существом, она пошла через продуваемое ветром поле прямо в его объятия.

Дэниел тоже услышал приближающийся вертолет, но даже не пошевелился. Он стоял на узком скалистом гребне, глядя в глубь соленой топи и дальше — на море. Он ждал, одиноко и терпеливо, пока не раздался звук приближающихся шагов, пока Дэлглиш не оказался совсем рядом.

— Он был под арестом? — спросил он.

— Нет, сэр. Я приехал сюда не для того, чтобы его арестовать. Я приехал предостеречь. Я не сделал ему предупреждения о том, что его слова могут быть использованы против него. Я говорил с ним, но сказал не то, что сказали бы вы. Я его отпустил.

— Вы отпустили его намеренно? Он не освободился силой?

— Нет, сэр. Он не освободился силой, — ответил Дэниел и добавил так тихо, что сам усомнился, мог ли Дэлглиш расслышать его слова: — Но теперь он свободен.

Дэлглиш отвернулся и пошел назад, к дому. Он узнал то, что ему необходимо было узнать. Больше никто к Дэниелу не подошел. Он чувствовал, что оказался изолирован, как бы попав в моральный карантин. Он стоял у края болота, словно у самого края света. Ему казалось, что он видит трепещущий огонь: огонь ярко фосфоресцировал, вспыхивал и метался меж кочек, поросших низким тростником, между черными лужами гниющей воды. Дэниел не мог видеть небольших волн, набегающих на берег, но слышал море, его тихие, непрекращающиеся стоны, словно рожденные неизбывной мировой скорбью. Но вот тучи разошлись, и луна, чуть кривобокая, почти уже полная, пролила холодный свет на болото и на распростертую вдали человеческую фигуру. Дэниел скорее ощутил, чем заметил рядом с собой тень. Повернув голову, он увидел Кейт. С удивлением и жалостью он разглядел, что ее лицо мокро от слез. Он сказал:

— Я не собирался помогать ему бежать. Я знал, что у него нет выхода. Но я не смог бы вынести его вида в наручниках, на скамье подсудимых, в тюрьме. Я хотел дать ему возможность самому выбрать, каким путем уйти.

— Дэниел, ты идиот, — сказала Кейт. — Ты чертов дурак.

— А что он сделает? — спросил Дэниел.

— А.Д.? А ты как думаешь, что он сделает? Ох, Господи, Дэниел, ты мог быть таким замечательным полицейским! Ты был таким замечательным!

— Этьенн даже их имен не мог вспомнить, — сказал он. — Он едва помнил, что совершил. Он никакой вины за собой не чувствовал, никаких сожалений. Мать и двое маленьких детей. Они для него не существовали. Они не были людьми. Он сильнее бы задумался, если бы надо было щенка умертвить. Он не думал о них как о человеческих существах. Они не представляли никакой ценности. Они не имели значения. Они же были евреи!

— А Эсме Карлинг?! — воскликнула Кейт. — Старая, некрасивая, бездетная, одна на всем свете! Не очень хорошая писательница. Она тоже не представляла никакой ценности? Ну ладно, у нее не так уж много всего было. Квартира, чужой ребенок, с которым она проводила вечера, несколько фотографий, ее собственные книги. Какое у него было право решить, что ее жизнь не имеет значения?

Дэниел ответил с горечью:

— Ты так уверена в себе, Кейт, правда? Так всегда четко знаешь, что правильно. Это, наверное, очень удобно — никогда не встречаться лицом к лицу с моральными проблемами, которые не так-то легко решаются. Уголовное право и полицейские инструкции — они дают ответы на все твои вопросы, да?

— Да, в каких-то вещах я совершенно уверена, — ответила она. — Уверена в том, как надо относиться к убийству. Как могла бы я быть офицером полиции, если бы не была уверена?

К ним подошел Дэлглиш. Он заговорил совершенно обычным тоном, будто они дружески беседовали все вместе в приемной полицейского участка в Уоппинге:

— Эссекская полиция не станет пытаться достать труп из болота, пока не рассветет. Я хочу, чтобы вы отвезли Кейт в Лондон. Как вы, в состоянии вести машину?

— Да, сэр. Я вполне в состоянии вести машину.

— Если нет, Кейт поведет сама. Мистер Де Уитт и мисс Певерелл полетят со мной на вертолете. Им нужно вернуться как можно скорее. Жду вас обоих сегодня же ночью в Уоппинге.

Дэниел стоял рядом с Кейт, пока три темных человеческих фигуры не сели в вертолет, где их ожидал пилот. Машина взревела, оживая, огромные лопасти медленно повернулись, затем начали вращаться с такой быстротой, что стали невидимы, словно исчезли в тумане. Вертолет приподнялся с земли и взмыл в небо. Этьенн и Эстель стояли на краю поля, глядя вверх, вслед вертолету. Дэниел подумал с горечью, что они выглядят как экскурсанты. Удивительно, что никто из них не машет на прощание рукой.

— Я кое-что оставил в доме, — сказал он Кейт.

Дверь парадного входа была открыта. Кейт вместе с ним прошла через холл в кабинет, держась чуть сзади, чтобы ему не показалось, что он — арестант под конвоем. Свет в кабинете был выключен, но языки огня в камине отбрасывали пляшущие отсветы на потолок и стены комнаты, пятная красным, будто кровью, полированную поверхность стола. Фотография по-прежнему лежала на месте. Дэниел на миг удивился, что Дэлглиш не взял ее с собой. Но сразу вспомнил: это уже не важно. Теперь ведь не будет процесса, не будет вещественных доказательств, не нужно представлять фотографию в суде в качестве улики. Она больше не нужна. Она не имеет значения.

Дэниел оставил фотографию на столе, повернулся к Кейт, и они вместе молча пошли к машине.